O LADO OCULTO

NORA ROBERTS

Romances

A Pousada do Fim do Rio
O Testamento
Traições Legítimas
Três Destinos
Lua de Sangue
Doce Vingança
Segredos
O Amuleto
Santuário
A Villa
Tesouro Secreto
Pecados Sagrados
Virtude Indecente
Bellíssima
Mentiras Genuínas
Riquezas Ocultas
Escândalos Privados
Ilusões Honestas
A Testemunha
A Casa da Praia
A Mentira
O Colecionador
A Obsessão
Ao Pôr do Sol
O Abrigo
Uma Sombra do Passado
O Lado Oculto

Saga da Gratidão

Arrebatado pelo Mar
Movido pela Maré
Protegido pelo Porto
Resgatado pelo Amor

Trilogia do Sonho

Um Sonho de Amor
Um Sonho de Vida
Um Sonho de Esperança

Trilogia do Coração

Diamantes do Sol
Lágrimas da Lua
Coração do Mar

Trilogia da Magia

Dançando no Ar
Entre o Céu e a Terra
Enfrentando o Fogo

Trilogia da Fraternidade

Laços de Fogo
Laços de Gelo
Laços de Pecado

Trilogia do Círculo

A Cruz de Morrigan
O Baile dos Deuses
O Vale do Silêncio

Trilogia das Flores

Dália Azul
Rosa Negra
Lírio Vermelho

NORA ROBERTS

O LADO OCULTO

Tradução
Carolina Simmer

1ª edição

BERTRAND BRASIL
Rio de Janeiro | 2019

Copyright © 2019 by Nora Roberts

Título original: *Undercurrents*

Texto revisado segundo o novo
Acordo Ortográfico da Língua Portuguesa

2019
Impresso no Brasil
Printed in Brazil

CIP-BRASIL. CATALOGAÇÃO NA PUBLICAÇÃO
SINDICATO NACIONAL DOS EDITORES DE LIVROS, RJ

R549L

Roberts, Nora, 1950-
   O lado oculto / Nora Roberts; tradução Carolina Simmer. –
1ª ed. – Rio de Janeiro: Bertrand Brasil, 2019.

Tradução de: Undercurrents
ISBN 978-85-286-2430-4

1. Romance americano. I. Simmer, Carolina. II. Título.

19-59303

CDD: 813
CDU: 82-31(73)

Meri Gleice Rodrigues de Souza – Bibliotecária – CRB-7/6439

Todos os direitos reservados. Não é permitida a reprodução total ou parcial desta obra, por quaisquer meios, sem a prévia autorização por escrito da Editora.

Direitos exclusivos de publicação em língua portuguesa somente para o Brasil adquiridos pela:
EDITORA BERTRAND BRASIL LTDA.
Rua Argentina, 171 – 3º andar – São Cristóvão
20921-380 – Rio de Janeiro – RJ
Tel.: (21) 2585-2000 – Fax: (21) 2585-2084

Atendimento e venda direta ao leitor:
sac@record.com.br

Para as garotas de Greenbrier
JoAnne, minha colega de malhação
Kat, a doce mãe de primeira viagem
Laura, que resolve tudo
Mary, companheira de compras
Sarah, imã espiritual

Parte Um
A crueldade das mentiras

A crueldade e o medo caminham de mãos dadas.

— Honoré de Balzac

A sombra do abuso na infância estende-se pela vida inteira.

— Herbert Ward

Capítulo 1

♦ ♦ ♦ ♦

Do lado de fora, a casa no Residencial Lakeview parecia perfeita. Os três majestosos andares de tijolos marrom-claros exibiam extensos trechos de vidro, abrindo-os para a vista do Lago Reflection e das montanhas Blue Ridge. Dois torreões artificiais com telhado de cobre acrescentavam um charme europeu e um discreto toque de riqueza.

O gramado, de um verde vívido e levemente inclinado, levava a três degraus e a uma ampla varanda branca, cercada de azaleias que floresciam em um tom de vermelho-rubi na primavera.

Nos fundos, um grande pátio coberto fazia as vezes de sala de estar externa, com uma cozinha a céu aberto e uma bela vista para o lago. O roseiral, bem-cuidado, acrescentava um aroma doce e sofisticado. No verão, um iate de quase 12 metros de comprimento flutuava serenamente no cais particular.

Rosas-trepadeiras cobriam as tábuas compridas e verticais que formavam a cerca ao redor da propriedade.

A garagem acomodava um SUV e um sedã, ambos Mercedes, duas bicicletas, equipamentos de esqui e nenhum sinal de bagunça.

O pé-direito da casa era imenso. Tanto a formal sala de jantar como o salão principal exibiam lareiras emolduradas com os mesmos tijolos marrom-dourados do exterior. A decoração elegante — apesar de algumas pessoas acharem perfeita *demais* — refletia a visão do casal a quem pertencia o lugar.

Cores discretas, tecidos combinando, objetos contemporâneos, mas sem ousadia.

O Dr. Graham Bigelow comprara o terreno no Residencial Lakeview ainda na planta, quando o filho tinha 5 anos e a filha, 3. Ele escolhera o projeto que considerara mais adequado à família, fizera mudanças e acréscimos necessários, selecionara acabamentos, pisos, azulejos, ladrilhos, contratara um decorador.

Sua esposa, Eliza, ficara mais do que satisfeita em deixar a maioria das escolhas e decisões a cargo do marido. O gosto dele, em sua opinião, era impecável.

Se — e quando — ela oferecia uma sugestão ou ideia, Graham ouvia. Apesar de, frequentemente, acabar lhe explicando por que tal sugestão ou ideia não seria adequada, às vezes acatava seus pedidos.

Assim como o marido, Eliza queria o frescor da novidade, queria o status oferecido pela comunidade pequena e exclusiva no lago da região de High Country, na Carolina do Norte. Ela vinha de uma família de posses — mas do tipo tradicional e antiga, que lhe parecia decrépita e entediante. Assim como a casa em que crescera, do outro lado do lago.

A melhor coisa que fizera fora vender sua parte da antiga casa para a irmã e usar o dinheiro para ajudar a mobiliar — só com móveis novos! — o imóvel no Residencial Lakeview. Ela entregara o cheque a Graham — ele resolvia tudo — sem nem pestanejar.

E nunca se arrependera disso.

Fazia quase nove anos que os dois viviam, felizes, ali, criando filhos inteligentes e bonitos, organizando jantares, coquetéis e festas no quintal. O trabalho de Eliza, como esposa do cirurgião-chefe do Hospital Mercy, em Asheville, uma cidade vizinha, era se manter bela e elegante, educar bem as crianças, cuidar da casa, dar festas e participar de comitês.

Como tinha uma empregada/cozinheira três vezes por semana, um jardineiro semanal e uma irmã que adorava cuidar dos sobrinhos caso ela e Graham quisessem uma noite romântica ou um momento de folga, havia tempo suficiente para se concentrar no seu guarda-roupa e no seu visual.

Eliza nunca perdia uma atividade escolar e, na verdade, fora presidente da Associação de Pais e Mestres por dois anos. Ela ia às peças de teatro dos alunos com Graham, se o trabalho dele permitisse. Participava de eventos para arrecadação de fundos, tanto para a escola como para o hospital. Sentava-se na primeira fileira de todos os recitais de balé desde que Britt completara 4 anos.

E também ia à maioria dos jogos de beisebol de Zane. E, quando perdia algum, não se culpava, pois tinha certeza de que qualquer um que já presenciara o tedioso pesadelo que era um jogo da liga jovem compreenderia sua ausência.

Ela jamais admitiria, mas tinha uma predileção pela filha. Britt era uma menina muito bonita, doce e obediente. Nunca era necessário insistir para que fizesse o dever de casa ou arrumasse o quarto, era sempre impecavelmente educada. Em Zane, Eliza via a irmã, Emily: a tendência a discutir, ficar emburrado ou sair e ficar sozinho.

Mesmo assim, ele tirava notas boas. Se o garoto queria jogar beisebol, tinha de estar entre os melhores alunos da turma. Obviamente, a ambição de se tornar profissional era apenas uma fantasia de adolescente. É claro que ele estudaria Medicina como o pai.

Mas, por enquanto, o esporte servia como uma distração para todos evitarem brigas.

Se Graham decidia brigar com o garoto e puni-lo de vez em quando, era para o próprio bem dele. Esse era o tipo de atitude que ajudava a construir caráter, ensinava limites, garantia o respeito.

Como o marido gostava de dizer, a criança é o pai do homem, então precisava aprender a obedecer às regras.

Dois dias antes do Natal, Eliza dirigia pelas ruas limpas de Lakeview, a caminho de casa. Ela tivera um adorável almoço de Natal com as amigas — e, talvez, uns goles a mais de champanhe. As calorias haviam sido queimadas durante uma sessão de compras. Depois do Natal, a família faria sua viagem anual para esquiar. Na verdade, Graham e as crianças esquiavam enquanto ela aproveitava o *spa*. Agora, tinha um maravilhoso par de botas novas que levaria junto com sua lingerie para aquecer bem o marido depois de suas aventuras na neve.

Ela olhou para as outras casas, para as decorações natalinas. Tudo muito bonito, pensou — Papais Noéis infláveis e bregas não eram permitidos no Residencial Lakeview, por ordem da associação de moradores.

Porém, não havia motivo para ser modesta: sua casa deixava as outras no chinelo. Graham lhe dava carta branca para cuidar da decoração de Natal, e ela a usava com sabedoria e bom gosto.

As luzes brancas começariam a piscar assim que escurecesse, pensou. Delineando os contornos perfeitos da casa, envolvendo os vasos com pinheiros na varanda da frente. Brilhando dentro das guirlandas idênticas, enfeitadas com fitas vermelhas e prateadas nas portas duplas.

E, é claro, na sala de estar, as luzes piscando, os enfeites de estrelas prateadas e vermelhas na árvore — de mais de 3,5 metros de altura. O mesmo esquema de cores da árvore do grande salão, mas com anjos. E as cornijas, a típica mesa de jantar, tudo muito elegante e perfeito.

E tudo novo a cada ano. Não havia necessidade de empacotar e guardar os enfeites quando a empresa de aluguel vinha arrumar a casa toda depois.

Eliza nunca entendera o prazer dos pais e da irmã mais nova em desencavar bolas de vidro velhas e Papais Noéis bregas de madeira. Os dois poderiam ter tudo isso quando visitassem a casa antiga e Emily. Eliza receberia a família toda para a ceia de Natal, é claro. E, depois — graças a Deus —, os pais voltariam para sua vida de aposentados em Savannah.

Emily era a favorita deles, pensou ela enquanto abria a porta da garagem com o controle remoto. Não havia dúvida.

Eliza tomou um susto ao ver que o carro de Graham já estava lá, e olhou para o relógio. Suspirou de alívio. Ela não estava atrasada; fora o marido quem chegara mais cedo.

Alegre, especialmente porque era o dia de outro pai da vizinhança buscar as crianças na escola, ela estacionou ao lado do carro de Graham e pegou as sacolas de compras.

Então, seguiu para o vestíbulo, pendurou o casaco, dobrou o cachecol e tirou as botas antes de calçar as sapatilhas pretas Prada que usava dentro de casa.

Quando entrou na cozinha, Graham, ainda de terno e gravata, estava parado atrás da ilha central.

— Você voltou mais cedo!

Depois de deixar as sacolas sobre o bar, ela foi rapidamente até ele e lhe deu um beijo suave.

Graham tinha a fragrância — suave, como o beijo — de Eau Sauvage, o perfume favorito da esposa.

— Onde você estava?

— Ah, tive aquele almoço de Natal com Miranda e Jody, lembra? — Distraída, Eliza gesticulou para o calendário de atividades da família em um canto. — Depois, fomos fazer umas comprinhas. — Enquanto falava, ela seguia até a geladeira para pegar uma garrafa de Perrier. — É inacreditável a quantidade de pessoas ainda comprando presentes. Inclusive Jody — continuou, acrescentando um cubo de gelo da máquina e servindo a água com gás em seguida. — Francamente, Graham, ela parece incapaz de conseguir se organizar para...

— E por que você acha que eu quero saber da porra da vida de Jody?

A voz dele, calma, estável, quase agradável, deixou-a nervosa.

— Por nada, querido. Só estou tagarelando. — Eliza manteve o sorriso no rosto, mas seus olhos se tornaram cautelosos. — Que tal nos sentarmos um pouco para relaxar? Vou encher seu copo, e podemos...

Graham atirou o copo, espatifando cristal sobre os pés dela. Um caco abriu um fino corte em seu tornozelo, que ardeu ainda mais quando o uísque caiu sobre a ferida.

O Baccarat, pensou ela com um arrepio esquentando-lhe o corpo.

— Quero ver o que você vai encher agora! — Não mais calmas e estáveis, nem agradáveis, as palavras a golpearam. — Eu passo o dia com as mãos dentro das entranhas de outras pessoas, salvando vidas, e, quando chego em casa, não encontro ninguém?

— Desculpe. Eu...

— *Desculpe?* — Graham agarrou seu braço, torcendo-o enquanto a jogava contra a bancada. — Você vai se *desculpar* por não ter se dado ao trabalho de voltar para casa? Vai se *desculpar* por ter passado o dia inteiro esbanjando meu dinheiro, almoçando, fazendo compras, fofocando com aquelas piranhas idiotas enquanto eu passava seis horas em uma sala de cirurgia?

A respiração de Eliza começou a se tornar ofegante; seu coração batia acelerado.

— Eu não sabia que você ia chegar cedo. Se tivesse me ligado, eu teria vindo direto para casa.

— Agora eu preciso lhe dar satisfações?

Ela mal prestou atenção no restante das palavras que a martelavam. *Ingrata, respeito, dever.* Mas conhecia aquele olhar, aquele olhar de anjo vingador. O cabelo loiro-escuro, sem um fio fora do lugar, o rosto bonito e liso, vermelho de irritação. A raiva gélida, tão gélida, naqueles olhos azul-claros.

O arrepio acalorado se transformou em ondas de choque.

— Estava no calendário! — A voz dela soou aguda. — Eu lhe avisei hoje cedo.

— Você acha que eu tenho tempo para ficar olhando seu calendariozinho? Quero encontrá-la em casa assim que eu passar por aquela porta. Está me entendendo? — Ele a jogou contra a bancada de novo, fazendo uma fisgada subir por sua coluna. — Você deve tudo o que tem a mim. Esta casa, as roupas no seu corpo, a comida que come. Eu pago para alguém cozinhar e limpar, para que você esteja disponível quando eu quiser! Quando eu quiser. Então é bom você estar em casa quando eu passar por aquela porta. E abrir as pernas quando eu quiser comê-la.

Para provar que estava falando sério, Graham pressionou a ereção contra ela.

Eliza lhe deu um tabefe. Mesmo sabendo o que estava por vir — talvez por causa do que estava por vir —, deu-lhe um tabefe.

Então, a raiva deixou de ser gélida e passou a fervilhar. Ele apertou os lábios.

E deu um soco em sua barriga.

Graham nunca lhe batia no rosto.

*A*os 14 anos, Zane Bigelow só tinha olhos para o beisebol. Ele gostava de garotas — passou a gostar de ver garotas peladas depois que seu amigo Micah lhe mostrara como burlar o filtro de conteúdo adulto do computador. Mas o beisebol ainda vinha em primeiro lugar.

A única prioridade.

Alto para a idade, desengonçado, seu plano era terminar a escola e ser descoberto por um olheiro do Baltimore Orioles — na verdade, ficaria feliz com qualquer time da Liga Americana, mas esse era seu preferido.

Sua única prioridade, sem dúvida.

Ele jogaria como interbases — o fantástico Cal Ripken teria se aposentado até lá. Além do mais, o Homem de Ferro Ripken já jogava apenas na terceira base.

Essas eram as ambições de Zane. E ver uma garota pelada ao vivo e em cores.

Ninguém no mundo poderia ser mais feliz que Zane Bigelow enquanto a sra. Carter — a mãe de Micah — levava as crianças da vizinhança de volta para casa em seu SUV Lexus. Mesmo quando ela ouvia Cher cantar sobre a vida depois do amor no rádio.

Ele não era apaixonado por carros — ainda —, tendo apenas aquele conhecimento inato que os garotos têm sobre o assunto. E preferia *rap* (não que pudesse ouvir esse tipo de música em casa).

Mas, mesmo com Cher cantando, sua irmã e outras duas meninas fofocando sobre o Natal, Micah focado no *Donkey Kong* do Game Boy (o amigo estava desesperado para ganhar o novo Game Boy Color no Natal), Zane se encontrava no auge da alegria.

Nada de escola por dez dias! Até a perspectiva de ser forçado a esquiar — não era seu esporte favorito, especialmente quando o pai ficava comentando quanto sua irmã caçula era melhor que ele — não estragaria seu bom humor.

Nada de matemática por dez dias. Zane odiava matemática tanto quanto odiava salada de espinafre — e isso queria dizer muito.

A sra. Carter estacionou para deixar Cecile Marlboro em casa. As habituais movimentações de mochilas e os gritos agudos femininos vieram à tona.

Todas tinham de se abraçar por causa das férias de Natal.

Às vezes, elas trocavam abraços porque era, tipo, terça-feira ou algo assim. Ele nunca entendia isso.

Todos gritaram "feliz Natal" — tinham gritado "boas festas" quando deixaram Pete Greene em casa, porque ele era judeu.

Quase chegando, pensou Zane enquanto observava as casas passarem. Ele faria um lanche e, depois — sem dever de casa, sem a porcaria da matemática —, se trancaria no quarto para passar uma hora jogando *Triple Play* no PlayStation.

Sabia que Lois — de folga até voltarem da temporada de esqui — ia fazer lasanha antes de viajar com a própria família. E a lasanha de Lois era maravilhosa.

Sua mãe teria de ligar o forno para aquecê-la, mas ela conseguia fazer isso.

Melhor ainda, os avós chegariam de Savannah no dia seguinte. Zane queria que os dois pudessem se hospedar na sua casa, em vez de ficarem com a tia Emily, mas ele pretendia ir até a velha casa do lago de bicicleta na tarde seguinte e passar um tempo com eles. Poderia convencer Emily a fazer biscoitos — nem precisaria se esforçar muito para isso.

E eles viriam cear no Natal. A mãe não precisaria ligar o forno dessa vez. Tinha contratado um bufê.

Depois da refeição, Britt tocaria piano — ele era péssimo pianista, o que causava mais provocações do pai —, e todos cantariam juntos.

Era brega, muito brega, mas Zane até que gostava. Além do mais, cantava bem, então não implicavam com ele por causa disso.

Enquanto o carro parava diante da casa, ele bateu com a mão fechada na de Micah.

— Cara, feliz Natal.

— Cara — respondeu o amigo —, para você também.

Enquanto Britt e Chloe se abraçavam como se não fossem se ver por um ano, Zane saltou.

— Feliz Natal, Chloe. Feliz Natal, sra. Carter, e obrigado pela carona.

— Feliz Natal, Zane, e não precisa agradecer.

A mulher abriu um sorriso, fez contato visual. Para uma mãe, até que ela era muito gata.

— Obrigada, sra. Carter, e feliz Natal! — Britt praticamente cantarolava. — Eu ligo para você mais tarde, Chloe!

Zane pendurou a mochila em um ombro enquanto a irmã saía do carro.

— Para que você vai ligar para ela? Como vocês ainda têm assunto se não calaram a boca o caminho inteiro?

— A gente tem muito assunto.

Britt, cuja cabeça batia abaixo do ombro do irmão, era muito parecida com ele. O mesmo cabelo escuro — quase na altura da cintura, preso com presilhas em formato de rena —, os mesmos olhos verdes espertos. O rosto ainda era um pouco arredondado e infantil, enquanto o de Zane se tornara mais angular. Porque, dizia Em, ele estava crescendo.

Não que já tivesse de se barbear ou algo assim, apesar de ele analisar o rosto milimetricamente todos os dias.

Como ela era sua irmã, o garoto se sentia na obrigação de provocá-la.

— Mas vocês nunca falam nada sério. É só: "ahhh, Justin Timberlake".

Zane concluiu sua declaração fazendo barulhinhos de beijo, e Britt corou. Ele sabia que o cantor era a paixonite não tão secreta da irmã.

— Cale a boca.

— Cale a boca você.

— Cale a boca você.

Os dois continuaram assim até chegarem à varanda — passando, então, a trocar olhares irritados, já que sabiam que, se entrassem brigando e a mãe os escutasse, acabariam recebendo um interminável sermão.

Zane pegou a chave no bolso; o pai havia decretado que a casa devia estar sempre trancada, independentemente de alguém estar lá ou não. Assim que a segunda porta se abriu, ouviu o som.

Britt já não parecia mais irritada. Seus olhos se arregalaram, cheios de medo e lágrimas. Ela tampou as orelhas com as mãos.

— Vá lá para cima — disse Zane. — Vá para o seu quarto. E não saia.

— Ele está machucando a mamãe de novo. Ele está machucando a mamãe.

Em vez de ir para o quarto, Britt entrou correndo, na direção do salão, e ficou parada ali, com as mãos ainda tampando as orelhas.

— Pare! — gritou ela. — Pare, pare, pare, pare!

Zane viu sangue no chão, por onde a mãe tentara se arrastar para longe. O suéter dela tinha rasgado, um dos pés estava descalço.

— Vão cada um para seu quarto! — gritou Graham enquanto puxava Eliza pelo cabelo. — Isso não é da conta de vocês.

Britt apenas continuou gritando, gritando, mesmo enquanto Zane tentava puxá-la para longe.

Ele viu o olhar de ira do pai se voltar para a irmã, focar-se nela. E um novo medo o fez arder por dentro, queimando-o.

Zane não pensou, nem sabia o que planejava fazer. Apenas empurrou Britt para trás, posicionando-se entre ela e o pai, um garoto magricela que ainda não terminara de crescer. E, tomado por aquela onda de medo, atacou.

— Fique longe dela, seu filho da puta!

Ele se atirou sobre Graham. E foi a surpresa, mais do que a força do golpe, que jogou o pai para trás.

— Saia da minha frente.

Zane foi pego desprevenido. Ele tinha 14 anos; as únicas brigas das quais já participara consistiam apenas em empurrões e xingamentos. E ele sabia como era levar um soco do pai — no estômago; às vezes, nos rins.

Onde ninguém veria as marcas.

Dessa vez, os punhos acertaram seu rosto, e algo explodiu atrás de seus olhos, embaçando sua visão. O garoto sentiu mais dois golpes antes de cair, a dor lancinante sobrepondo-se ao medo e à raiva. Seu mundo ficou cinza e, através do cinza, luzes piscavam e brilhavam.

Sentindo o gosto de sangue na boca, com os gritos da irmã ecoando em sua mente, ele desmaiou.

Quando deu por si, percebeu que o pai o jogara por cima do ombro e o carregava escadaria acima. Seus ouvidos zumbiam, mas conseguia ouvir Britt chorando, conseguia ouvir a mãe mandando que ela parasse.

O pai não o deitou da cama, mas o jogou de cima do ombro, fazendo-o quicar sobre o colchão. Cada centímetro de seu corpo gritou de dor.

— Se você me desrespeitar de novo, vai ganhar muito mais que um nariz quebrado e um olho roxo. Você não é ninguém, está me entendendo? E vai continuar sendo ninguém até que eu diga o contrário. Você não teria nada se não fosse por mim, incluindo o ar que respira. — Enquanto falava, ele se inclinou para perto, usando aquele tom de voz estável, calmo. Zane via dobrado, nem sequer conseguia assentir com a cabeça. A tremedeira começou, seus dentes batiam com o frio do assombro. — Você só vai sair deste quarto quando eu deixar. Não vai falar com ninguém. Não vai contar a ninguém sobre os problemas particulares desta família, ou o castigo que me forçou a lhe dar hoje vai parecer uma carícia. Ninguém acreditaria. Você é um ninguém. Eu sou tudo. Se eu o matasse no meio da noite, ninguém sentiria sua falta. Pense nisso na próxima vez que pensar em dar uma de homem.

Graham saiu e fechou a porta.

Zane se deixou levar de novo. Era mais fácil ficar inconsciente do que lidar com a dor, com as palavras do pai, que machucavam tanto quanto seus socos.

Quando ele despertou de novo, a iluminação do quarto havia mudado. Ainda não estava escuro, mas quase.

Era impossível respirar pelo nariz. Parecia estar congestionado, como se ele tivesse um resfriado muito forte. Um resfriado que fazia sua cabeça e seus olhos latejarem de dor.

Sua barriga doía muito.

Zane tentou levantar, mas o quarto girou e ele achou que fosse vomitar.

Quando ouviu o barulho da fechadura se abrindo, começou a tremer de novo. Estava pronto para implorar, suplicar, humilhar-se, qualquer coisa para impedir que aqueles punhos o acertassem de novo.

A mãe entrou, ligando o interruptor. A luz fez explodir outra onda de dor, então o garoto fechou os olhos.

— Seu pai mandou você se limpar e colocar esta bolsa de gelo no rosto.

A voz dela, fria, pragmática, era quase tão dolorosa quanto a do pai.

— Mãe...

— Seu pai disse para você manter a cabeça elevada. Só saia da cama para ir ao banheiro. Como já deve ter notado, ele tirou seu computador, seu PlayStation e sua televisão daqui, coisas que ele foi tão generoso em lhe dar. Você está proibido de falar com qualquer pessoa além de mim e do seu pai. E não vai participar da ceia nem da manhã de Natal.

— Mas...

— Você está gripado.

Zane analisou o rosto dela em busca de algum sinal de simpatia, de gratidão. De sentimento.

— Eu só queria que ele parasse de machucar você. Achei que ele ia bater em Britt. Achei...

— Eu não pedi sua ajuda e nem preciso dela. — A voz da mãe, impaciente, fria, fez o peito do menino doer. — Não se meta nas minhas questões com seu pai. Você vai passar os próximos dois dias refletindo sobre seu papel nesta família e sobre como recuperar seus privilégios. — Ela se virou para a porta. — É melhor obedecer.

Quando a mãe saiu e o deixou sozinho, Zane se forçou a sentar — o mundo girou, e ele teve de fechar os olhos de novo e respirar fundo. Com as pernas trêmulas, se levantou, foi cambaleando até o banheiro, vomitou e quase desmaiou de novo.

Quando conseguiu ficar de pé, encarou o rosto no espelho acima da pia.

Aquele rosto não se parecia nada com o dele, pensou Zane, sentindo-se estranhamente desconectado. A boca inchada, o lábio inferior cortado. Meu Deus, o nariz inflado como um balão vermelho. Os dois olhos estavam roxos, um quase fechado de tão inchado. Sangue seco em todo canto.

Ele ergueu uma das mãos, levou os dedos ao nariz e a dor explodiu. Como estava com medo de tomar banho — ainda se sentia tonto —, usou uma toalha molhada para tentar limpar o sangue. Teve de trincar os dentes, agarrar-se à pia com a mão livre para permanecer de pé, mas tinha mais medo de desobedecer à ordem do que de sentir dor.

Zane chorou e não sentiu vergonha alguma nisso. Ninguém estava vendo, de toda forma. Ninguém se importaria.

Depois, voltou devagar para a cama, soltando o ar enquanto sentava para tirar os sapatos e a calça jeans. Precisava parar a cada um ou dois minutos para retomar o fôlego e esperar a tonteira passar.

De cueca e moletom, ele voltou para a cama, pegou a bolsa de gelo que a mãe trouxera e a pôs, com o máximo de cuidado possível, sobre o nariz.

Doía demais, demais, então ele a transferiu para o olho. E isso lhe proporcionou um pouco de alívio.

Zane ficou deitado ali, em total escuridão agora, planejando, planejando. Ele fugiria. Assim que pudesse, colocaria algumas roupas na mochila. Não tinha muito dinheiro, porque o pai depositava tudo no banco. Mas havia algumas notas escondidas em um par de meias. Suas economias para comprar jogos de *videogame*.

Ele poderia pedir carona — esse pensamento lhe deixou empolgado. Talvez para Nova York. Fugiria desta casa, onde tudo parecia tão limpo, onde se escondiam segredos terríveis, como ele escondia seu dinheiro para jogos.

Arrumaria um emprego. Ele conseguiria um emprego. Teria de largar a escola, pensou enquanto voltava a dormir. Isso já seria uma vantagem.

O garoto acordou de novo quando ouviu a fechadura sendo destrancada, mas fingiu estar dormindo. Mas não era o som dos passos do pai nem da mãe. Zane abriu os olhos enquanto Britt iluminava seu rosto com uma lanterninha cor-de-rosa.

— Pare com isso.

— Shh — alertou a irmã. — Não posso acender a luz, porque eles poderiam acordar e ver. — Ela sentou-se na beira da cama, acariciando o braço do irmão. — Trouxe um sanduíche de pasta de amendoim e geleia. Não dava para pegar um pedaço da lasanha, porque eles perceberiam se a tigela estivesse mais vazia. Você precisa comer.

— Meu estômago está embrulhado, Britt.

— Só um pouco. Tente um pouco.

— Vá embora. Se pegarem você aqui...

— Os dois estão dormindo. Esperei até ter certeza. Vou ficar aqui. Vou ficar aqui até você comer alguma coisa. Sinto muito, Zane.

— Não chore.

— Você está chorando.

Ele deixou as lágrimas caírem. Não tinha forças para contê-las.

Fungando com as próprias lágrimas, secando-as, Britt voltou a acariciar o braço do irmão.

— Trouxe leite também. Eles não vão dar falta de um copo de leite. Limpei tudo e, quando você acabar, vou lavar o copo. — Os dois sussurravam, como já estavam acostumados a fazer, mas, agora, a voz dela soava mais aguda. — Ele bateu em você com tanta força, Zane. E não parava de bater. Quando você caiu no chão, ele deu um chute na sua barriga. Achei que o tivesse matado.

A garota apoiou a cabeça no peito dele, com os ombros tremendo. Zane acariciou seu cabelo.

— Ele machucou você?

— Não. Só apertou meu braço e me sacudiu, gritou para eu calar a boca. Obedeci. Estava com muito medo para não obedecer.

— Que bom! Você fez a coisa certa.

— *Você* fez a coisa certa. — O sussurro dela ficou mais grave com as lágrimas. — Você tentou fazer a coisa certa. Ela não tentou protegê-lo. Não disse nada. E, quando ele parou, mandou que ela limpasse o sangue no chão. A cozinha estava cheia de cacos de vidro, e a mamãe teve que limpar tudo, se limpar e servir o jantar às seis.

Britt se ergueu e ofereceu metade do sanduíche. Naquele momento, ele a amou tanto que seu coração chegou a doer.

Zane aceitou o lanche, deu uma mordida e percebeu que o risco de vomitar tudo tinha passado.

— Temos que dizer a Emily, à vovó e ao vovô que você está doente. Que está gripado e é contagioso. Que precisa descansar e que o papai está tomando conta de você. Ele não vai deixar ninguém subir para vê-lo. E, depois, quando formos para o *resort*, vamos ter que dizer às pessoas que você caiu de bicicleta. Ele disse tudo isso no jantar. Tive que comer para não irritá-lo. Vomitei tudo quando vim aqui para cima.

O garoto deu outra mordida no sanduíche e segurou a mão da irmã no escuro.

— Sei como é.

— Quando voltarmos, precisamos dizer que você sofreu um acidente enquanto esquiava, que o caiu. E que o papai cuidou de você.

— É. — A palavra soou amargurada, muito amargurada. — Ele cuidou de mim mesmo.

— Ele vai machucá-lo de novo se não obedecermos. Talvez faça pior. Não quero que ele o machuque de novo, Zane. Você só queria ajudar a mamãe. E tentou me proteger também. Achou que ele fosse me bater. Eu também achei.

— O garoto sentiu a irmã se mexer, viu-a virando-se para a janela sob a luz fraca da lanterna, que fora colocada em cima da cama. — Um dia desses, vou acabar apanhando mesmo.

— Não, não, não vai. — Por trás da dor, a fúria emergiu. — Você não vai dar motivo para ele fazer isso. E eu não vou deixar.

— Ele não precisa de motivo. Ninguém precisa ser adulto para entender isso. — Apesar de Britt usar um tom maduro, novas lágrimas surgiram. — Acho que nossos pais não nos amam. Ele não pode nos amar e nos machucar, nos forçar a mentir. E ela não pode nos amar e deixar essas coisas acontecerem. Acho que não amam a gente.

Zane sabia que não amavam mesmo — tivera certeza disso quando a mãe entrara no quarto e o encarara sem qualquer emoção nos olhos.

— Nós temos um ao outro.

Enquanto Britt ficava sentada ali, certificando-se de que ele comeria, Zane entendeu que não podia fugir, não podia ir embora e deixá-la sozinha. Precisava ficar. Precisava tornar-se mais forte. Precisava tornar-se forte o suficiente para conseguir revidar.

Não para proteger a mãe, mas, sim, a irmã.

Capítulo 2

◆ ◆ ◆ ◆

NA VÉSPERA DO NATAL, a lista de tarefas de Emily Walker ainda tinha meia dúzia de pendências a cumprir. Ela sempre fazia listas, sempre bolava um cronograma. E, invariavelmente, todos os itens de todas as listas que já fizera na vida consumiam mais tempo do que o planejado.

Sempre.

O outro problema de suas listas é que constantemente surgiam novos itens, exigindo ainda mais tempo.

Naquele dia, não fora diferente. Além de fazer uma última arrumação na casa, preparar o prato favorito do pai para o jantar de Véspera de Natal — costelas de porco recheadas com batatas assadas —, fazer uma limpeza de pele muito necessária e ir buscar os pais no Aeroporto de Asheville, precisara acrescentar uma rápida ida ao mercado, para comprar frango, às pendências do dia.

O pobre Zane estava gripado, então agora uma bela porção de canja de galinha fazia parte da lista. Além da entrega da canja na casa da irmã, do outro lado do lago.

E isso acrescentara a tarefa de ser simpática com Eliza.

Para piorar a situação, ela teria de ser simpática com Eliza depois que a irmã decretara que a ceia de Natal seria na casa antiga.

Ah, não se preocupe, Emily relembrou as palavras da irmã enquanto trocava de roupa. A limpeza de pele teria de ficar para depois, por mais que fosse necessária. Não, ela não precisava se preocupar, porque a irmã já entrara em contato com o bufê e mudara o endereço do evento.

Pelo amor de Deus, do evento!

E que tipo de pessoa infernal contratava um bufê para preparar uma ceia de família?

Eliza Walker Bigelow, **a madame**.

Mas ela seria legal, seria simpática. E, com certeza, não começaria uma discussão com Eliza durante a visita dos pais. Levaria a canja assim que ficasse pronta e visitaria o sobrinho doente.

E lhe daria o livro mais recente da série A Torre Negra sem que seus pais vissem, já que Stephen King, assim como muitos outros, não fazia parte da lista de autores aprovados por Eliza e Graham.

Se eles não descobrissem, não lhe encheriam o saco. Zane sabia guardar segredos. Talvez soubesse bem demais, pensou Emily enquanto se maquiava um pouco. Ela não passava tanto tempo com os sobrinhos quanto deveria, mas, quando o fazia, tinha uma sensação... esquisita. Havia algo estranho ali.

Devia ser apenas sua imaginação, admitiu ela, calçando as botas. Ou talvez estivesse apenas procurando um motivo para arrumar encrenca com a irmã mais velha. As duas não tinham sido muito próximas na infância — nem sempre os opostos se atraem, e a diferença de nove anos entre elas talvez tivesse dificultado ainda mais as coisas.

Mas também não se haviam aproximado na vida adulta. Na verdade, apesar de, em geral, serem educadas uma com a outra — em geral —, também havia algo obscuro na sua relação. Uma óbvia antipatia mútua.

Na verdade, se não fosse pelos pais e pelos sobrinhos, Emily não se importaria em passar o resto da vida sem ver nem falar com Eliza de novo.

— Que coisa horrível — murmurou ela enquanto corria para o andar de baixo. — É péssimo pensar assim, me sentir assim.

A pior parte era temer que esse pensamento, esse sentimento, fosse apenas um ressentimento de sua parte — o que o tornava, ainda por cima, vergonhoso.

Eliza era mais bonita, sempre fora. Não que Emily fosse feia, mesmo sem a limpeza de pele caseira. Mas Eliza entrara na fila da beleza duas vezes, além de ter peitos maiores. E, é claro, sendo nove anos mais velha, fizera tudo primeiro.

Ela estrelara peças da escola, fora líder de torcida, rainha do baile de volta às aulas e do baile de formatura. E, quando se formara, seus avós tinham lhe dado uma estilosa BMW conversível prata.

Para completar, ela ainda conseguira fisgar um médico. Um cirurgião, um homem tão bonito que parecia um astro de cinema. Depois, viera a festa de noivado chique no Country Club, o chá de panela metido a besta, o casamento extravagante e cheio de frescuras.

A irmã fora uma noiva estonteante, lembrou Emily enquanto desligava o fogo sob a canja. Parecia uma rainha em seu enorme e lindo vestido branco.

Ela não se ressentia por causa daquele dia. Ficara feliz por Eliza — mesmo sendo forçada a usar aquele vestido rosa-bebê cafona com mangas bufantes.

Porém, depois disso, o ressentimento voltara.

— Não pense nisso agora — ordenou ela a si mesma, vestindo o casaco, o gorro e as luvas. — É Natal. E o coitadinho do Zane está doente.

Emily pegou a bolsa — com o livro da série A Torre Negra escondido lá dentro — e descansos de panela para pôr a canja na picape e, então, levá-la para a casa da irmã.

O carro fora lavado, polido e vistoriado — um item riscado na lista do dia anterior —, então o painel não estava decorado com notas autoadesivas. E ela já verificara, pessoalmente, todos os chalés alugados, para que, quando os pais perguntassem — e eles perguntariam com certeza —, pudesse assegurá-los de que os Chalés Lakeside Walker, o negócio da família, estavam em ótimas condições.

Emily gostava de tomar conta dos negócios agora que os pais tinham se aposentado. Talvez se ressentisse — essa palavra de novo — de precisar prencher um cheque para Eliza com sua porcentagem dos lucros a cada trimestre. A irmã não fazia porcaria nenhuma, mas era sangue do seu sangue, sua família, então recebia uma parte daquilo que os pais haviam construído e a caçula administrava.

Pelo menos a casa era sua, só sua agora, pensou ela, olhando para trás para admirá-la, enquanto colocava a canja no piso do banco do passageiro.

Emily adorava a casa, a mistura de madeira e pedras, a varanda que a circulava, a vista para o lago e as montanhas. Aquele fora seu lar por toda a vida e ela pretendia continuar ali até morrer. Como não tinha filhos e a probabilidade de tê-los não parecia muito promissora, queria deixá-la para Zane e Britt quando chegasse a hora.

Talvez um dos dois fosse morar lá. Talvez preferissem alugar a casa ou vendê-la. Ela já estaria morta, então não faria diferença.

— Que pensamento natalino feliz!

Rindo de si mesma, Emily entrou na picape, pensando em como a casa ficaria bonita ao entardecer, quando todas as luzes coloridas acenderiam, com a árvore brilhando na janela. Igual a todos os Natais de que se lembrava. O interior cheiraria a pinhas, oxicocos, e a biscoitos recém-saídos do forno.

Enquanto pegava a estrada do lago, ela soprou a franja para longe dos olhos. Sua lista não incluíra um corte de cabelo, e, agora, isso teria de esperar.

Circulando o Lago Reflection, Emily ligou o rádio, aumentou o volume e cantou junto com Springsteen enquanto passava pelos seus chalés, pelo cais, pelas outras casas à margem do lago e fazia a curva na direção da cidade com as montanhas cobertas de neve se agigantando sob o azul pálido do céu invernal.

A estrada subia e descia, fazia curvas de um lado para o outro — Emily conhecia cada centímetro dela. Decidiu entrar na Rua Principal só para ver as lojas enfeitadas para o Natal e a estrela erguida no topo do Hotel Lakeview.

Então, viu Cyrus Puffer carregando uma sacola enquanto seguia para sua picape estacionada. Os dois tinham sido casados por quase seis meses — meu Deus, aquilo já fazia uns dez anos, pensou ela. Mas rapidamente descobriram que as coisas funcionariam melhor se mantivessem uma amizade colorida em vez de um relacionamento conjugal, tendo sido, em sua opinião, uma das poucas separações realmente amigáveis na história mundial dos divórcios.

Ela resolveu parar o carro para bater um papo.

— Veio fazer compras em cima da hora?

— Não. Sim. Mais ou menos. — Ele abriu um sorriso, um homem bonito com cabelo ruivo lustroso e cheio de simpatia. — Marlene queria sorvete. E tinha que ser de menta com gotas de chocolate.

— Ora, mas que marido prestativo!

Ele encontrara a mulher certa na segunda tentativa. A própria Emily, que apresentara os dois, acabara sendo madrinha do casamento.

— Eu tento. — O sorriso não desaparecia. — Acho que tive sorte por ela não querer picles também.

— Ah, meu Deus! — Ela agarrou o rosto dele com as duas mãos. — Ah, meu Deus, Cy! Você vai ser papai!

— A gente só descobriu ontem. Ela ainda não quer contar para ninguém além dos nossos pais, mas acho não vai se importar que você saiba.

— Eu sou um túmulo, mas, ah, meu Deus, Cy, estou dançando de alegria por dentro. — Emily o puxou pela janela e lhe deu um beijo forte e estalado.

— Esse foi o melhor presente de Natal do mundo. Ah, Cy, diga a Marlene que mandei um beijo grande, enorme, gigantesco. E para ela me ligar quando quiser conversar.

— Pode deixar. Em, não estou cabendo em mim de tanta felicidade. Preciso levar o sorvete para a futura mamãe.

— Diga a ela que eu quero organizar o chá de bebê.

— Jura?

— Claro. Feliz Natal, Cy. Ah, meu Deus!

Emily seguiu sorrindo enquanto saía da cidade, voltava para o lago e entrava no Residencial Lakeview.

E, como fazia todas as vezes que chegava ali, pensou que se mataria se tivesse de morar naquele lugar.

Não havia dúvida de que as casas eram grandes e, no geral, bonitas. E não eram idênticas, já que os proprietários puderam escolher entre vários estilos e plantas, pelo que ela se lembrava. E puderam fazer inúmeras modificações.

Mas, em sua opinião, havia um excesso de perfeccionismo no ar. Uma perfeição quase assustadora nas calçadas imaculadas, nos caminhos pavimentados até as garagens, no pequeno parque — com entrada permitida apenas a moradores e convidados — com árvores, bancos e trilhas estrategicamente posicionados.

Porém, a irmã adorava tudo aquilo, e a verdade era que as fileiras simétricas de mansões produzidas em massa, com seus gramados perfeitos, combinavam muito com Eliza.

Lembrando a si mesma que deveria ser simpática com a irmã, Emily estacionou o carro diante da casa. Ela levou a canja até a porta e tocou a campainha. Como uma desconhecida, pensou, não como parte da família. Mas eles gostavam de manter seu palácio trancafiado.

Seja simpática, pensou ela de novo, e abriu um sorriso.

E o manteve no rosto quando Eliza abriu a porta, tão linda em sua calça branca como a neve e seu suéter de *cashmere* vermelho, com o cabelo ondulado, escuro e sedoso na altura dos ombros.

E os olhos, com aquele tom de verde marcante da família Walker, iguais aos de Emily, exibiram uma leve irritação.

— Emily. Você não avisou que vinha.

Nada de "Emily! Feliz Natal! Entre!".

Mas a caçula continuou sorrindo.

— Recebi seu recado sobre Zane e a ceia de amanhã. Tentei ligar, mas...

— Estamos ocupados.

— Pois é, eu também. Mas fiquei com tanta pena de Zane que resolvi fazer o famoso remédio da mamãe. Canja de galinha. Como ele está?

— Dormindo.

— Eliza, está frio. Não posso entrar?

— Quem é, querida? — Graham, radiante, belo, vestindo *cashmere*, é claro, um suéter cinza-prateado, apareceu atrás da esposa. Ele sorria, porém, como Emily frequentemente notava, parecia um sorriso pela metade. — Emily! Feliz Natal. Que surpresa!

— Fiz uma canja para Zane. Achei que seria bom trazê-la e visitá-lo antes de ir buscar mamãe e papai no aeroporto.

— Entre, entre. Pode me dar a panela.

— Está quente. Posso deixá-la na cozinha, se não for incomodar.

— É claro. Que gentileza a sua preparar uma canja! Tenho certeza de que Zane vai adorar.

Ela seguiu para os fundos da casa, escoltada por Graham, passando pela decoração natalina perfeita, digna de uma revista.

— A casa está maravilhosa. — Ela colocou a panela sobre o fogão. — Vou levar uma tigela para Zane, ficar um pouco com ele. Deve ser chato ficar sem companhia.

— Eu já disse que ele está dormindo.

Emily encarou a irmã.

— Bem, talvez ele...

— E é contagioso — acrescentou Graham, passando um braço em torno da cintura de Eliza. — É melhor você não se expor, ainda mais agora que vai estar em contato com idosos.

Ela não pensava nos pais como "idosos", e a palavra a irritou.

— Nós temos boa imunidade e ele vai cear com a gente amanhã de toda forma, então...

— Não, ele ainda não estará bem o suficiente para isso. Zane precisa descansar — disse Graham em sua voz séria de médico.

— Mas vocês quiseram transferir a ceia para a minha casa...

— Vai ser melhor para todo mundo assim — disse ele, animado. — Vamos dar um pulo lá e cear, para que seus pais possam ver Eliza e Britt, mas não poderemos demorar muito.

Emily ficou boquiaberta.

— Vocês vão deixar Zane sozinho? No Natal?

— Ele entende e, hoje e amanhã, vai passar a maior parte do tempo dormindo, de toda forma. Mas vamos acrescentar a canja às medicações, além dos meus cuidados. Sei o que é melhor para o meu filho — continuou Graham antes de ela retrucar outra vez. — Não sou só o pai dele, também sou médico.

A ideia, só a ideia de o sobrinho passar o Natal sozinho, doente, de cama, já lhe causava dor.

— Isso não está certo. A gente não pode, sei lá, usar máscaras? Ele é só uma criança. É Natal.

— Nós somos os pais dele. — O tom de Eliza soou irritado. — A decisão é nossa. Quando e se você tiver filhos, poderá decidir o que é melhor para eles.

— Cadê Britt? Pelo menos...

— Está no quarto dela. Montando um projeto de Natal. — Graham tamborilou os dedos contra os lábios. — Pelo visto, é algo supersecreto. Ela vai à ceia amanhã. De novo, obrigado por se preocupar com Zane, por se dar ao trabalho de fazer a canja. — Ele se afastou de Eliza, passou um braço firme em torno de Emily e a virou, acompanhando-a até a porta, quase a forçando a andar. — Diga a Quentin e Ellen que estamos ansiosos para vê-los amanhã.

— Eu... eu posso trazer os presentes hoje para Zane abri-los amanhã.

— Não precisa. Ele tem 14 anos, Emily, não 4. Tome cuidado na estrada.

Graham não a expulsou fisicamente da casa, mas era como se tivesse feito isso. Lágrimas de raiva e frustração arderam em seus olhos enquanto ela voltava para a picape.

— Isso não está certo, não está certo, não está certo.

Emily não parava de repetir aquilo enquanto sentava-se atrás do volante e saía do condomínio.

Mas ela era apenas a tia. Não podia fazer nada.

O relógio de Zane dizia que eram 6h45. Da noite, isso era óbvio. Ele passara mais de 24 horas trancado no quarto, e seu rosto e sua barriga doíam tanto que mal dormira. A dor não parava, e a fome voraz só piorava as coisas.

Durante a madrugada, ele comera a outra metade do sanduíche de manteiga de amendoim com geleia de Britt. Pouco depois das 8h, a mãe trouxera uma torrada, um pequeno jarro de água e outra bolsa de gelo.

Pão e água, pensou Zane. Comida de prisioneiro.

Porque era isso que ele era.

A mãe não lhe dirigira a palavra, e ele também não dissera nada.

Agora, eram quase 19h, e ninguém mais aparecera. Estava preocupado com Britt. Será que a irmã também estava trancafiada no quarto? Às vezes, aquele homem — Zane não pensaria mais nele como pai — os deixava trancados. Mas só por algumas horas, e os dois tinham televisão, jogos ou *alguma coisa* para fazer.

Zane tentara ler — seus livros não haviam sido confiscados. Mas doera demais; ele ficara com uma terrível dor de cabeça. Então, forçara-se a tomar banho, porque a dor o fazia suar, e já não suportava mais o próprio fedor.

Com a água caindo e o rosto latejando, ele chorara como um bebê.

Seu rosto estava igualzinho ao de Rocky depois de alguns *rounds* contra Apollo Creed.

Ele precisava ficar mais forte. O pai de Micah fazia levantamento de peso. Tinha um cômodo na casa só para isso. Talvez pudesse pedir ao sr. Carter para lhe ensinar. Diria que queria se preparar para a temporada de beisebol.

E, dali a três anos e meio, poderia fazer faculdade em outra cidade. Mas como deixaria Britt para trás?

Talvez fosse melhor ir à delegacia, contar tudo à polícia. Mas o delegado jogava golfe com seu pai. Todo mundo em Lakeview respeitava o Dr. Graham Bigelow.

Era doloroso pensar nessas coisas, então Zane resolveu focar no beisebol. Ficou segurando uma bola sob as cobertas, acariciando-a, tateando a costura, como uma criança que busca consolo agarrada a um bichinho de pelúcia.

Ele ouviu a fechadura destrancar e, com a fome rasgando sua barriga como um rato feroz, foi tomado pelo alívio.

Até ver o pai. A luz do corredor iluminava sua silhueta. Alto, esbelto, carregando uma bandeja e sua maleta de trabalho.

Graham entrou e colocou a bandeja na calçadeira, ao pé da cama. Voltou até a porta, acendeu a luz — meu Deus, como seus olhos doíam com a claridade! — e fechou o quarto.

— Sente-se — ordenou ele, ríspido.

Voltando a tremer, Zane se obrigou a sentar.

— Está se sentindo tonto?

Seja cuidadoso, pensou Zane. Seja respeitoso.

— Um pouco, sim, senhor.

— Enjoado?

— Um pouco. Menos do que ontem à noite.

— Você vomitou? — perguntou Graham enquanto abria a maleta.

— Só ontem à noite.

O pai pegou uma lanterna de bolso e a usou para iluminar os olhos do filho.

— Siga meu dedo com o olhar.

Isso doía, até isso doía, mas Zane obedeceu.

— Dor de cabeça?

— Sim, senhor.

— Visão dupla?

— Não mais, não, senhor.

Graham verificou seus ouvidos e dentes.

— Sangue na urina?

— Não. Não, senhor.

— Você sofreu uma concussão leve. Teve sorte por não ser pior, considerando seu comportamento. Incline a cabeça para trás.

Quando Zane obedeceu, o pai pressionou ambos os lados de seu nariz. A dor explodiu. Ele viu estrelas. Com um grito, tentou afastar as mãos. Graham pegou alguns instrumentos na bolsa, e Zane sentiu o suor de medo cobrir seu corpo.

— Por favor. Por favor, não faça isso. Está doendo. Pai, por favor.

— Incline a cabeça para trás. — Graham segurou a garganta do filho, apertou de leve. — Pelo amor de Deus, seja homem.

Ele berrou. Era impossível não gritar. Não dava para ver o que o pai estava fazendo. Mesmo que abrisse os olhos, a névoa vermelha de dor encobriria sua visão.

As lágrimas escorreram. Elas também eram impossíveis de evitar.

Quando tudo acabou, Zane apenas se encolheu, tremendo.

— Você pode me agradecer por não ter ganhado um desvio de septo. Pode me *agradecer* — repetiu Graham.

O garoto engoliu a bile que subia por sua garganta.

— Obrigado.

— Use o gelo. Não quero que saia deste quarto até chegar a hora de irmos para o *resort*, no dia seguinte ao Natal. Você caiu da bicicleta. Não tomou cuidado. No *resort*, não vai sair do seu quarto. Quando voltarmos para casa, você terá sofrido um acidente esquiando. Não tomou cuidado, não tinha se recuperado totalmente da gripe e foi teimoso. Se contar qualquer outra história, vai arrumar um problema. Vou ao tribunal e darei um jeito de trancafiar você com outros delinquentes. Entendeu?

— Entendi.

Apesar de Zane manter os olhos fechados, sabia que Graham se agigantava sobre a cama, alto, perfeito, sorridente.

— Na semana que vem, você vai escrever aos seus avós para agradecer por quaisquer presentes que eles tenham tido a falta de senso de lhe dar. Esses presentes serão doados à caridade. Os presentes que sua mãe e eu compramos serão devolvidos. Você não merece nada, então nada é exatamente o que vai receber. Entendeu?

— Entendi.

Não importa, não importa. Por favor, vá embora.

— Seu computador será devolvido para você usá-lo apenas com os trabalhos da escola. Vou verificar seu histórico todas as noites. Daqui a um mês, se você tiver se arrependido o suficiente, se suas notas não caírem e se eu decidir que já aprendeu a lição, suas outras coisas serão devolvidas. Do contrário, serão doadas para alguém que seja mais digno. Nesse caso, você vai ser proibido de jogar beisebol, não só pela temporada, mas para sempre. Entendeu?

Ódio. Zane não sabia que era capaz de sentir tanto ódio.

— Sim, senhor.

— Se você não entrar na linha, vou procurar internatos militares como alternativa para sua educação. Sua tia mandou uma canja. Não se esqueça de agradecer quando encontrá-la. Se isso acontecer.

Então, finalmente, Graham foi embora, trancando a porta.

Zane continuou imóvel até achar que conseguia suportar as ondas de dor. Ele sabia que o pai tinha a capacidade de ser maldoso, de ser violento, que usava a máscara de marido, pai e vizinho perfeito em relação a tudo aquilo.

Mas não sabia, ou não aceitara até aquele momento, que o homem era um monstro.

— Nunca mais vou chamá-lo de pai — jurou o garoto. — Nunca mais.

Ele se forçou a levantar e sentar na calçadeira. E a pegar a tigela de canja. Fria, notou. Mais uma maldade.

Só que você perdeu, seu babaca, pensou Zane enquanto devorava a canja. Nunca comi nada tão gostoso em toda a minha vida.

Quando se sentiu mais firme, tomou outro banho, já que sua camisa estava encharcada de suor. Em seguida, obrigou-se a andar pelo quarto, indo de um lado para o outro. Precisava começar a recuperar as forças de alguma maneira. Ele queria outra tigela de canja, mas se contentou em colocar a bolsa de gelo no rosto.

Foi então que ouviu músicas natalinas vindo do andar de baixo e seguiu para a janela. Zane olhou para o lago, viu as luzes brilhando do outro lado. Localizou a casa da tia, imaginando que ela e os avós estariam celebrando o Natal. Será que estavam pensando nele?

Esperava que sim. Coitadinho, estava gripado.

Mas eles não sabiam, não sabiam, não sabiam. E o que fariam, o que poderiam fazer se soubessem? Nada contra um homem como seu pai. Se o Dr. Graham Bigelow dizia que o filho tinha caído da bicicleta ou sofrido um acidente esquiando, todo mundo acreditaria. Ninguém cogitaria a hipótese de um homem tão importante espancar o próprio filho.

E, se Zane tentasse convencê-los do contrário, como alguém poderia ajudá-lo?

Ele não iria para um internato militar. Não suportaria. Não poderia deixar Britt sozinha.

Então precisava fingir, do mesmo jeito que os pais fingiam. Ele fingiria que aprendera uma lição valiosa. Diria sim, senhor. Continuaria tirando notas boas. Faria tudo que tivesse de ser feito.

E, um dia, teria força, coragem ou idade suficiente para parar de fingir.

Mesmo assim, quem acreditaria nele? Talvez a tia. Talvez. Zane achava que ela não gostava muito do cunhado — nem da irmã. Sabia que os dois não gostavam dela, porque a criticavam o tempo todo.

Os pais viviam falando sobre como Emily nunca chegaria a lugar algum, como nem sequer conseguira segurar um marido. Entre outras críticas.

Zane ouviu o piano e ficou mais aliviado. Se Britt conseguia tocar, estava bem.

Talvez ele pudesse reunir provas. Pediria a Micah para lhe ensinar a instalar uma câmera escondida ou algo assim. Não, não podia envolver Micah nisso. Se ele comentasse sobre o assunto em casa, os pais do amigo poderiam tocar no assunto com *seus* pais.

Sem beisebol para sempre, internato militar, outra surra.

Sem coragem suficiente.

Mas ele podia escrever tudo.

Inspirado, Zane foi até a escrivaninha, separou um caderno, canetas, lápis. Ainda não, decidiu ele. Os pais poderiam voltar antes de irem dormir. Se o pegassem fazendo uma coisa assim, já era.

Então esperou, esperou, deitado no escuro, apenas com a bola de beisebol para lhe fazer companhia e lhe consolar.

Ele ouviu o pai gritar:

— Bons sonhos de Natal, Britt!

— Boa noite — respondeu a garota.

Poucos instantes depois, um sussurro veio do outro lado da porta.

— Não consegui vir antes. Desculpe. Ouvi seus gritos, mas...

— Está tudo bem. Estou bem. Vá embora antes que peguem você.

— Desculpe — repetiu Britt.

A porta do quarto da irmã se fechou. Então, ele adormeceu por um tempo. A risada da mãe o acordou. Subindo a escada, palavras abafadas enquanto os dois passavam por sua porta. Zane ficou imóvel, com os olhos fechados, mantendo a respiração estável, porque não podia confiar neles.

E viu que estava certo quando, alguns minutos depois, a fechadura se destrancou. A luz do corredor lançou uma sombra avermelhada no fundo dos seus olhos. Zane os manteve fechados, mas não apertados demais — era assim que percebiam que você estava fingindo.

Mesmo depois de a porta se fechar, de a fechadura ser trancada de novo, ele esperou. Um minuto, dois, cinco — foi contando.

Quando achou que estava seguro, foi de fininho até a escrivaninha, pegou o caderno e algumas canetas. Só para garantir, levou tudo, incluindo a pequena lanterna que Britt lhe dera, de volta para a cama.

Se ouvisse alguém abrindo a porta, haveria tempo suficiente para esconder tudo embaixo da coberta e deitar-se outra vez. Sob o pequeno facho de luz, Zane começou a escrever:

Talvez ninguém acredite em mim. Ele diz que ninguém acreditaria. Ele é importante demais, inteligente demais, então ninguém vai acreditar em mim, mas minha professora de inglês diz que escrever nos ajuda a pensar melhor e a nos lembrar das coisas. E eu preciso lembrar.

No dia 23 de dezembro de 1998, quando eu e minha irmã Britt voltamos da escola, minha mãe estava caída no chão. Meu pai batia nela de novo, e, quando tentei impedi-lo, ele me deu uma surra feia.

Zane passou mais de uma hora escrevendo.

Quando ficou cansado demais para continuar, pegou uma moeda do cofre e usou-a para desaparafusar a grade da saída de ar. Escondeu o caderno lá dentro. Guardou as canetas, apesar de ter acabado com a tinta de uma delas.

Então, voltou para a cama e dormiu.

Capítulo 3

••••

Zane foi obediente. A dor melhorou; os hematomas diminuíram. Ninguém no *resort* duvidou da explicação do Dr. Bigelow sobre o acidente de bicicleta nem questionou suas ordens para que o filho não fosse incomodado no quarto durante a estada da família. Ninguém em Lakeview duvidou de sua explicação sobre o acidente de esqui.

Bem, Emily estranhou um pouco, perguntando por que Zane fora esquiar enquanto se recuperava da gripe, mas isso não fez diferença alguma.

A vida seguiu em frente.

Se Zane aprendera uma lição valiosa, era que deveria tomar cuidado.

Ele mantinha o quarto limpo e organizado sem reclamar, cumpria suas tarefas obedientemente. Estudava, mais por medo do que por interesse. Se suas notas caíssem, seria castigado. Se suas notas caíssem, perderia o beisebol. O esporte não apenas se tornara uma paixão, um objetivo de vida, como também uma futura rota de fuga daquele lugar.

Quando fosse contratado por um time, iria embora de Lakeview sem jamais olhar para trás.

Todos agiam como se o dia 23 de dezembro nunca tivesse acontecido. Todos na casa do Residencial Lakeview viviam de acordo com aquela mentira. Ele passou nos testes do pai — era esperto o suficiente para saber que os empurrões ou tabefes injustificados eram testes, além do olhar satisfeito no rosto de Graham quando Zane mantinha a cabeça baixa e permanecia calado.

À noite, no silêncio de seu quarto, ele escrevia a verdade.

12 de janeiro. Graham me jogou contra a parede. Disse que eu passei o jantar inteiro emburrado e não demonstrei gratidão. Pedi ao pai de Micah para não contar a ninguém que está me ensinando a levantar peso, disse que eu quero surpreender todo mundo. De toda forma, ele não fala com Graham. Acho que não gosta muito dele. Me pediu para não chamá-lo de "senhor" o tempo todo, porque isso o faz sentir como se tivesse voltado ao Exército, e que, já que estamos malhando juntos, devo chamá-lo de Dave. O pai de Micah é legal.

2 de março. Estou mais forte!!! Consigo levantar 7 quilos no treino de bíceps, por 12 repetições em 3 séries. E, hoje, levantei 34 quilos no supino e fiz 36 flexões. Ganhei 2 quilos. Dave diz que é massa muscular. Nosso primeiro jogo antes da temporada é amanhã, e o treinador disse que meu braço está parecendo um foguete! Acho que estou ganhando massa muscular mesmo. Fiz uma rebatida simples e uma tripla no treino, duas RBIs. A gente vai acabar com os Eagles amanhã! Eliza me mandou esvaziar o lava-louça. Eu respondi "tá", e Graham me bateu. "Não diga tá, diga sim, senhora, seu merdinha." Então, ele bateu nela por não me corrigir e a chamou de piranha burra. Vi que Britt estava prestes a chorar, então olhei para ela de cara feia, para que engolisse o choro. Ela ia acabar levando um tapa também.

Zane escrevia todas as noites, dando detalhes sobre os jogos de beisebol, seu progresso na academia e os abusos do pai.

Contou sobre como ficara orgulhoso e animado quando os Wildcats de Lakeview ganharam o campeonato. Sobre como o pai fingira estar feliz durante o jogo, mas criticara a forma como ele correra entre as bases e seus arremessos no caminho de volta para casa. Sobre como Dave Carter o cumprimentara e o chamara de campeão.

Quando seu aniversário de 15 anos chegou, no verão, Zane já media 1,80 metro e pesava 60 quilos. Quando Dave dizia que ele era um magricelo brigão, não sabia que esse era exatamente o seu objetivo.

Na noite de 23 de dezembro, ele acordou, suando frio, de um pesadelo. Sonhara que o pai encontrara seus cadernos e o surrara até a morte.

Mas nada aconteceu, e as festas de fim de ano passaram sem nenhum incidente.

Ele conquistou a primeira namorada de verdade, Ashley Kinsdale, uma loira risonha que era uma das primeiras alunas da turma e estrela do time de futebol. Os dois iriam juntos ao baile do fim do ano letivo, em maio.

Como tinham combinado de ir com Micah e a namorada dele — Melissa Riley, conhecida como Mel, que também gostava de *videogames* e era uma *nerd* com atitude —, Dave se ofereceu para levá-los e buscá-los.

Zane precisou comprar um terno e sapatos novos, e tentou fingir que achava a ideia um saco — mas, no fundo, gostou de se arrumar. Além do mais, ele crescera mais cinco centímetros, não só de altura, como também nos pés.

Seu cabelo estava ridículo — o pai decretara que devia usar um corte militar, sempre querendo lembrá-lo de que o internato ainda era uma opção. Mas, para além disso, ele gostava da aparência que tinha. Estava torcendo para chegar a 1,90 metro até a formatura, e talvez conseguisse. Assim, teria a altura de Graham. Graham, que chamava Ashley de "a piranha irlandesa de Zane" quando ela não estava por perto.

A barriga dele ainda estava dolorida do soco que levara quando cometera o erro de encará-lo da última vez que o pai o provocara daquela forma.

Dois anos e dois meses, lembrou o garoto a si mesmo. Ele completaria 18 anos e estaria livre. Os pais queriam que fosse estudar Medicina na Universidade da Carolina do Norte, em Chapel Hill. Mas isso jamais aconteceria. Zane pretendia ir para a Universidade do Sul da Califórnia. Não só estaria do outro lado do país, como a faculdade também tinha um ótimo programa de beisebol.

Seu plano era inscrever-se na Universidade Estadual da Califórnia, em Fullerton, e na Universidade do Estado do Arizona. Bem, se a Universidade do Estado do Arizona tinha sido boa o suficiente para Barry Bonds, seria boa o suficiente para Zane Bigelow.

Ele usaria o endereço de Emily e, quando chegasse a época de fazer as inscrições, contaria a ela. Sabia que a tia guardaria esse segredo — tinha quase certeza. Zane não queria ser médico; ela entenderia. Se ele conseguisse uma bolsa de estudos, tudo daria certo. Graham só pagaria pela universidade se o filho seguisse seus planos, então uma bolsa de estudos era fundamental.

Ele tinha boas chances de conseguir uma. Sua média geral era alta, e tinha certeza de que o treinador o ajudaria com a parte do beisebol. Matemática e Ciências eram seus pontos fracos, mas conseguira tirar boas notas.

Ficaria devendo uma a Micah pelo resto da vida por isso.

Ele fora bem no simulado do vestibular. Sua nota de Matemática fora mediana, o que lhe rendera um tapa na cara e um soco na barriga. Quando fizesse o simulado de novo, na primavera, teria de melhorar a nota, mas ele estaria preparado.

Zane se forçou a parar de pensar nessas coisas. Ele tinha um encontro!

A batida à porta fez seus ombros enrijecerem, mas, então, lembrou que os pais nunca batiam. Britt estava do outro lado.

— Olha só para você.

— Estou bonitão, né? Menos o cabelo de idiota.

— Pelo menos, você não precisa usar rabo de cavalo todo dia nem um coque para a aula de dança. O cabelo de Chloe está todo repicado. Ficou tão bonito. Eu já tenho 13 anos e preciso andar por aí como se tivesse 8.

— Micah e Mel fizeram mechas azuis para o baile.

— Bem, eles são estranhos. — A garota se acomodou na cama. — Então... você conhece Major Lowery?

— Sei quem é. Do primeiro ano, joga basquete. Virou titular do time. Por quê?

Ela enroscou a ponta do rabo de cavalo em um dedo.

— Por nada, só queria saber.

— Sei. — Zane riu. — Ele está no ensino médio. Você, não.

— Mas estarei no ano que vem.

— Ohhh, você está a fim do Maj. — Agora, ele gargalhava. — Vai praticar dando beijos no espelho para...

— Cale a boca.

Como era sua obrigação de irmão mais velho, ele fez barulhinhos de beijo. Mas, então, parou de repente e se virou.

— Meu Deus, Britt, nem pense nisso.

— Você não tem nada a ver com a minha vida.

Quando, de queixo erguido, a garota começou a se levantar, ele sinalizou para que sentasse de novo.

— Major é negro.

Os olhos dela soltaram faíscas.

— Se você vai ser racista, eu...

— Caramba, Britt, você sabe que não é nada disso.

O queixo dela se ergueu mais ainda.

— Sei?

— Você não escuta os comentários que ele faz sobre a Ashley só porque os avós dela vieram da Irlanda? Pense um pouco, pense no que ele diria, no que faria, se visse você com um cara negro.

A garota voltou a desabar sobre a cama.

— Não faz diferença. Major nem sabe que eu existo.

Se Graham desconfiasse de uma coisa dessas...

— Você precisa tomar cuidado. Precisa ser esperta e tomar cuidado. Mais cinco anos. Sei que é uma eternidade, mas vai passar rápido.

— Mamãe disse que eu tenho que fazer um monte de coisa para ser convidada para o baile das debutantes quando eu completar 16 anos. O balé, as notas, a forma como me visto, como falo. Pelo menos, você pode jogar beisebol. Vestidos brancos e pérolas... Quero mandar tudo para o inferno, Zane. — Ela levantou de novo com um pulo, as mãos para o alto. — Eu não sou assim. Não quero ser assim.

— Você pensa que eu sou assim? — Ele cutucou o cabelo com um dedo. — Seja esperta e tome cuidado. Ainda mais quando eu for para a faculdade. — Zane olhou para a porta. — Estou pensando em contar a Emily antes de ir.

— Você não pode fazer uma coisa dessas. — O medo tomou conta dos olhos e da voz da garota. — Ele enlouqueceria!

— Exatamente por isso. Ele já vai ficar louco quando souber que não vou para Chapel Hill, quando perceber que vou embora. E talvez desconte tudo em você. E alguém precisa ajudá-la. Emily faria isso.

— O que ela poderia fazer?

— Não sei, mas poderia fazer alguma coisa. — Ele não conseguia tirar isso da cabeça, estava atormentado. — Não vou deixar você sozinha sem ter certeza de que alguém estará aqui para ajudá-la.

— Você não pode me proteger para sempre.

— Claro que posso. Vamos conversar sobre isso depois. Fora de casa. Vamos conversar. Talvez eu conte aos pais de Micah também.

— Zane, você não pode. E eles não acreditariam em nós.

— Dave é paramédico. Conhece Graham, mas acho que não gosta dele. Nunca me disse nada, mas dá para perceber. Vamos conversar depois — repetiu o garoto. — Mas eu não vou deixar que ele a machuque.

Britt começou a falar, mas balançou a cabeça.

— O quê?

— Nada. A gente conversa depois. Se eles nos escutarem...

Zane lera sobre como prisioneiros de guerra se uniam em segredo para fugir. Na sua concepção, ele e Britt eram prisioneiros de guerra na própria casa.

Mas, por quatro horas inteiras, ele seria um homem livre. Do momento em que subisse na SUV dos Carter até o momento em que saltasse na frente de casa, tudo seria normal. E divertido.

Sim, ele teve de ir até a porta da casa de Ashley, entrar e tirar um milhão de fotos. Até os avós dela estavam lá, tirando *mais* fotos, falando com seu sotaque maneiro.

E Ashley estava muito gata com o cabelo todo ondulado — ela contou que a mãe o frisara, seja lá o que isso significasse. Zane elogiou seu vestido, que, realmente, achara bonito por combinar com o azul de seus olhos.

O comitê organizador do baile escolhera praia como o tema da decoração do ginásio. Caia na onda! Hora do surfe! Ele não viu graça alguma nessa parte, mas o DJ e a iluminação estavam bem legais.

E, como Micah era o pior dançarino da face da terra, Zane sabia que parecia habilidoso ao lado dele. Suas músicas favoritas eram as lentas, quando ele só precisava se balançar de um lado para o outro, e Ashley pressionava o corpo contra o seu.

Ela deixara que ele tocasse seus seios — apenas por cima da blusa, mas já era alguma coisa. Zane estava torcendo para conseguir vê-los de verdade em um futuro próximo.

E, pelo sorriso de Ashley, concluiu que tinha alguma chance.

A namorada passou os braços em torno de seu pescoço e o puxou daquele jeito que significava que desejava um beijo. Ela tinha gosto de chiclete, cheirava a flores.

— Esta é a melhor noite do ano — murmurou ela. — Só mais uma semana de aulas, e, depois, férias.

— Três dias e meio — corrigiu o garoto.

— Melhor ainda. Mas... Vou sentir tanta saudade quando você for passar as férias na Itália.

— E, depois, você vai para a Irlanda. — Zane a puxou para perto de novo. — Queria que a gente fosse ao mesmo tempo. Pelo menos, estaríamos na mesma parte do mundo.

— Você vai ter que me escrever. E eu farei o mesmo. Queria que você tivesse um celular. Nós poderíamos trocar mensagens.

— Vou tentar arrumar um. Meus pais não querem me dar, mas eu acho que consigo convencer Emily a fazer um plano no nome dela, e eu pago.

E o escondo muito bem, como os cadernos.

— Seria ótimo! Nem imagino como é não ter um celular. Você deve se sentir tão isolado de, tipo, tudo. Quero dizer, todo mundo tem um. Seus pais são assustadoramente rígidos.

Você não faz ideia.

— Pois é.

— Bem. — Quando a música acabou, ela continuou com o corpo pressionado contra o dele por um tempo. — Estaremos no final do ensino médio. Talvez eles passem a lhe dar mais liberdade.

— É, talvez. Você quer sair um pouco e...

Ashley sorriu de novo. Ela sabia o que aquele "e..." significava.

— Vamos.

Lá fora estava frio como a água do lago na primavera, então Zane cedeu seu paletó à namorada. Mais gente havia saído para conversar, fumar escondido, apertar um baseado. E também para o "e...".

Ele manteve distância dos fumantes, dos maconheiros. Nada daquilo faria o internato militar valer a pena. E foi andando com Ashley até se afastarem de todos e adentrarem só o suficiente nas sombras para um amasso, para ele conseguir tocar seus seios.

Mas, bem na hora que Zane achou que talvez tivesse chance, ela se afastou.

— Vamos devagar... — O coração dela batia forte sob as mãos dele; sua respiração estava ofegante.

Zane desejou ter apenas mais um minuto, talvez só trinta segundos.

— Não quero parar. — Ela segurou sua mão. — Mas nós temos que parar.

— Eu gosto muito de você, Ashley.

— Também gosto muito de você. Vamos entrar. Não fique irritado comigo.

— Não estou irritado. — Frustrado, sim, e com uma ereção tão grande que talvez o impedisse de andar. — Eu entendo. É só que... Penso muito em você. E penso em estar com você.

Os olhos dela pareciam com o lago, analisou ele enquanto Ashley o fitava. Tão tranquilos, tão azuis, quase líquidos.

— Eu também, sabe, penso em você. É por isso que precisamos entrar. Minha avó tinha a minha idade quando engravidou do meu pai.

— Nossa!

— Pois é. Então, vamos voltar para o baile.

Zane ainda não tinha pensado em sexo — ou não tinha pensado que essa hipótese já era uma possibilidade entre os dois. E não sabia como interpretar o fato de ela pensar assim.

Mas saber que Ashley cogitava transar com ele não ajudou sua ereção a diminuir.

— Eu só preciso, hum...

Ela olhou para baixo e sorriu. Seus olhos, azuis como o lago, acompanharam o riso.

— Ah. Tudo bem. Vamos conversar sobre cálculo.

— Boa ideia.

Zane se divertiu muito. Quando acompanhou Ashley até a porta da casa dela, recebeu um beijo e tanto. E precisou pensar em cálculo para conseguir voltar para o carro sem passar vergonha.

Ele concluiu que, quando colocasse tudo aquilo no caderno, reviveria os momentos. Além do mais, teria um dia inteiro em que nada ruim havia acontecido, em que não precisaria escrever sobre testes, deveres de casa ou brigas com Graham.

— Valeu pela carona, cara — disse ele a Dave, apertando a mão de Micah.

Zane seguiu até a porta de casa, quase desejando poder dar uma volta pela vizinhança para pensar em Ashley, naquele último beijo. Mas tinha de chegar às 23h30.

Talvez pudesse arriscar fazer um lanche — algo estritamente proibido depois do jantar —, já que ficara com fome após dançar tanto. Até cogitou fazer um sanduíche, mas achava que Graham contava as fatias de presunto.

Melhor não — não devia criar problemas. Nos últimos dias, o pai estava especialmente irritado. Não lhe dera tabefes nem empurrões, mas andava rabugento. Zane sentia como se estivesse prestes a receber a mordida de um cão raivoso.

Quando ele abriu a porta e entrou, o ataque veio à tona.

— Você está atrasado.

Graham estava parado no saguão, segurando um copo de uísque; os olhos frios como gelo.

— Senhor, são 23h30.

— São 23h34. Você esqueceu como se veem as horas?

— Não, senhor.

— É importante prestar atenção no tempo. É importante seguir as regras. Sair desta casa para se divertir é um privilégio, não um direito.

— Sim, senhor.

Dois anos e dois meses, pensou Zane, repetindo isso mentalmente como um mantra.

— O *meu* tempo é importante. Você acha que não tenho nada melhor para fazer além de ficar esperando, acordado, pelo meu filho, porque não posso confiar que ele obedeça às regras?

Por instinto, Zane soube que era melhor permanecer de cabeça baixa, porque havia algo diferente ali. Talvez fosse o uísque, talvez fosse a rabugice dos últimos dias.

— Desculpe. Acho que demoramos muito deixando as garotas em casa antes de...

Ele estava esperando pelo empurrão, ou algo pior, então deixou a força do golpe jogá-lo alguns passos para trás.

— Acha que eu quero ouvir suas desculpas? Você devia ter sido responsável o suficiente e prestado atenção na hora, respeitado as regras. Mas, para variar, foi irresponsável e desrespeitoso, então vai ficar de castigo por duas semanas. Nada de telefone, nada de *videogames*, nada de atividades ao ar livre. Nem mesmo beisebol.

Nesse momento, Zane levantou a cabeça.

— Senhor, nós vamos participar do campeonato estadual. Vamos ser bicampeões, por dois anos seguidos. Nós...

A rabugice deu espaço à satisfação.

— Então, por causa da sua irresponsabilidade, você vai deixar sua escola e seus colegas de time na mão. Chega de vitórias. Você é um fracassado, Zane, sempre foi.

E, então, o garoto percebeu claramente o que estava acontecendo.

— É por isso que você está agindo assim? Porque não quer que eu jogue, que faça parte de um time vencedor, que me destaque. Então, encontra qualquer desculpa para tirar isso de mim. Seu...

O tabefe o pegou desprevenido, mas só porque ele se perdera na própria raiva.

— E, agora, são mais duas semanas. — Jogando a bebida de lado, Graham agarrou Zane pela camisa, jogando-o contra a porta.

E, naquele momento, o garoto soube que tinha razão. Os quatro minutos eram apenas uma desculpa para tirar algo que ele amava. Suas mãos se fecharam em punhos ao lado do corpo.

— Você bebeu?

— Não.

Graham o bateu contra a porta de novo.

— Não minta para mim! Usou drogas?

— Não.

— Mas se enfiou no meio do mato para comer aquela vagabunda, não foi?

— Não! Ashley não é vagabunda!

— Só mais uma vagabunda, mas você é burro demais para perceber que ela só o quer por causa do meu dinheiro. Não ache que vou acreditar que você chegou tarde, quase sem roupa, e não trepou com ela.

Zane tirara a gravata e o paletó — assim como todos os garotos no baile.

— Não usei drogas, não bebi e não transei. Só fui a um baile da escola.

O soco na sua barriga doeu e o deixou sem ar, mas ele se preparara para recebê-lo.

— Que tipo de homem você é se não consegue nem foder aquela piranha irlandesa?

— Graham!

Ele não se deu nem ao trabalho de olhar para trás, na direção do grito nervoso da esposa.

— Cale a boca, porra. Estou ocupado.

— Britt está passando mal. Ela vomitou no chão todo.

— Vá limpar!

— Graham, ela está vomitando, está histérica. Faça alguma coisa!

— Ah, mas eu vou fazer mesmo.

Ele jogou o filho para o lado e subiu a escada batendo os pés.

Zane observou quase com apatia enquanto Graham atacava a esposa com os punhos, enquanto Eliza gritava e tentava devolver os tapas. Que se arrebentem, pensou o garoto. Os pais pareciam malditos animais. Mas seria preciso passar pelos dois para alcançar Britt.

Ele começou a subir a escada, com cuidado, mas os gritos, os socos e os xingamentos fizeram Britt sair correndo. Branca como um fantasma, ela cobriu as orelhas.

— Parem, parem. Por favor. Não aguento. Não aguento mais.

Dessa vez, foi Britt quem levou um tapa violento com as costas da mão. Quando Zane ouviu o grito da irmã, quando a viu cair, perdeu o controle. Ele subiu a escada com rapidez, ardendo de fúria. Antes mesmo de Graham virar, seus punhos já o acertavam.

— Vamos ver se você gosta de apanhar.

Os músculos, que passara mais de um ano treinando, impulsionavam os golpes, além do prazer sombrio de ver o espanto no rosto do pai, o sangue que tirava dele, incentivando-o a continuar.

Gritos, gritos para todos os lados. Zane não pararia, não conseguiria parar, até derrubar o homem que tornava sua vida um inferno.

Em algum lugar, bem longe, ele ouviu Britt berrando por ajuda, esbravejando o endereço da casa. E sentiu as unhas de Eliza arranhando seu rosto, mas não parou.

Em seguida, estava caindo, voando, rolando. Seu cotovelo acertou um dos degraus da escada como um martelo acerta um prego. Zane sentiu algo rachar, quebrar, espatifar-se, e a dor o fez enxergar tudo vermelho quando sua cabeça também bateu em um degrau.

Confuso, ele tentou levantar, conseguiu ajoelhar e ergueu os punhos trêmulos para se defender.

Mas Graham não veio atacá-lo. Ninguém se levantou na escada. E Britt tinha parado de gritar.

Entendendo que aquilo poderia piorar as coisas, Zane ficou de pé, mas caiu de novo. Seu tornozelo estava estranho, percebeu ele, e começou a engatinhar.

Quando chegou ao pé da escada, viu Graham arrastando Britt — puxando-a pelo chão, pelo cabelo. E carregava a maleta de trabalho na outra mão.

Ela não se debatia, não gritava, não se mexia, e, pela primeira vez, Zane temeu pela vida da irmã.

— Não encoste nela de novo, seu filho da puta.

— Isso é culpa sua. — Com a voz estável e calma, Graham desceu a escada. — Pode esquecer o internato militar. Você vai desejar ter ido para lá, mas é tarde demais agora.

Ele se agigantou sobre Zane e inclinou a cabeça enquanto o analisava.

— Você puxou à família da sua mãe na aparência, na falta de ambição, no comportamento lastimável. Tenho minhas dúvidas de que seja mesmo meu filho.

— Espero que não seja.

O chute na barriga de Zane foi quase despreocupado.

— Mas, legalmente, eu sou seu pai, e um líder respeitado desta comunidade. Ações têm consequências. Você está prestes a pagar pelos seus atos.

— Quero que você e suas consequências se fodam. O que você fez com Britt, seu desgraçado?

— Ah, não, *meu filho*, foi você quem fez.

Sirenes berraram. Graças a Deus, graças a Deus, pensou Zane. Britt chamara ajuda. Ela deve ter ligado para a polícia.

— Vão prender você.

Graham riu e balançou a cabeça enquanto deixava a maleta de lado e seguia para a porta.

— Não é possível que eu tenha um filho tão burro. Eliza!

— Sim. Sim, Graham.

— Faça e diga o que eu mandar. — Ele abriu a porta, respirou fundo e saiu correndo. — Aqui! Aqui!

Lá fora, Graham acenou para a viatura. E fingiu estar com a voz trêmula, forçando-se a chorar.

Não foi surpresa alguma ver o delegado, Tom Bost, sair do carro. Afinal de contas, Graham se esforçara para conquistar a amizade do homem. E o considerava um idiota muito útil.

Não faria mal exagerar, pensou Graham, e se inclinou para a frente, apoiando as mãos nos joelhos como se tentasse recuperar o fôlego.

— Meu Deus, Graham. O que houve? Sua família...

— Tom, ah, meu Deus, Tom. Precisamos de uma ambulância.

— Está a caminho.

— Zane... Eu não... Não sei... Ele atacou a mãe. Bateu nela, Tom, deu socos. E, então, foi para cima da pequena Britt. Subi correndo para fazê-lo parar. Nós brigamos. Brigamos. Ele caiu da escada. Precisei sedar Britt. Meu menino se machucou, Tom. Ele se machucou. E acho que enlouqueceu.

— Calma. Fique aqui.

O delegado chamou outro policial.

Sim, realmente, se a família Bigelow ligava para a polícia, toda a trupe aparecia, pensou Graham enquanto balançava a cabeça e seguia, desolado, Tom até a casa.

— Tom, Tom. — No topo da escada, Eliza segurava uma Britt inerte. — Precisamos de uma ambulância. Minha menina. Minha menininha!

— Já está vindo. Jesus Cristo, Zane. — O delegado agachou. — O que deu em você? Está se drogando?

— Não. Não. Ele bateu nela de novo e, depois, foi atrás de Britt. Tentei impedi-lo.

— Como você pode dizer uma coisa dessas? — Chorando agora, Eliza embalou a filha. — Graham nunca levantou a mão para mim nem para as crianças! Ah, meu Deus, Zane, o que você fez?

Chocado, o garoto a encarou.

— Ela está mentindo, está mentindo por ele.

— Ele voltou do baile da escola. Eu estava acordada. Britt estava enjoada, vomitando. Eu estava cuidando dela, disse que não podia conversar naquela hora. Ele... ele ficou furioso. E me bateu. — Eliza levou uma mão trêmula ao rosto.

Segurando o braço machucado, Zane sentiu algo morrer dentro de si.

— O que é você? Que tipo de mãe você é?

— Ele sempre teve ciúme de Britt, mas eu nunca imaginei... — Eliza apertou a filha com mais força e começou a chorar de forma histérica.

Dois paramédicos entraram na casa.

— Cuidem delas primeiro. — Tom apontou para o andar de cima.

Graham pegou a maleta de trabalho.

— Quero que levem todo mundo para o hospital.

— E você vai junto — disse o delegado.

Graham concordou com a cabeça.

— Preciso conversar com você, Tom. Lá fora. Zane disse que não se drogou nem bebeu — explicou ele aos paramédicos. — Mas eu não sei. Não seria a primeira vez.

— Mentira!

— Calma, Zane.

Ele reconheceu o paramédico — Nate, amigo de Dave.

— Eu não fiz nada. Juro por Deus que não fiz nada.

— Tudo bem, meu camarada, vamos cuidar de você agora.

Zane só fechou os olhos.

— Eu não fiz nada.

— Vocês não têm autorização para administrar analgésicos — disse Graham enquanto saía com Tom. — Precisam fazer um exame toxicológico. Não dá para confiar nele.

— Eu não uso drogas. — Não havia lágrimas agora, apenas cansaço e desesperança. — Não bebo. O treinador me expulsaria do time se eu me drogasse ou bebesse. Nós vamos para o campeonato estadual.

Doeu, doeu de novo, e parecia que ele tinha voltado a 23 de dezembro. Mas sentiu certo alívio quando imobilizaram seu braço e seu tornozelo.

Os paramédicos o colocaram em uma maca e começaram a empurrá-lo para fora da casa. Tom voltou, sério.

— Preciso algemá-lo.

— Nossa, delegado! — Nate tocou o ombro que Zane não ferira. — O garoto quebrou o braço, talvez o cotovelo. Pode ter fraturado o tornozelo. Se não fraturou, torceu feio. Ele não conseguiria levantar. E sofreu uma concussão, está em choque. O que diabos ele poderia fazer?

— É o procedimento padrão. — Bost empinou o queixo. — Ele foi acusado de agredir três pessoas.

Zane olhou nos olhos de Tom enquanto era algemado à maca. E não viu piedade alguma ali, ou qualquer sinal de dúvida. Como o pai sempre dissera que aconteceria.

Mesmo assim, ele tentou.

— Eu não fiz nada.

— Zane, seu pai e sua mãe contaram a mesma história. Sua irmã está sedada, mas nós vamos conversar com ela amanhã. — Bost segurou sua mão como se isso fosse confortá-lo ou tranquilizá-lo. — Você vai receber a ajuda de que precisa.

Os paramédicos o levaram para fora. Todos os vizinhos observavam a cena — dava para ouvi-los cochichando. Quem acreditaria nele? Nenhuma daquelas pessoas. Ninguém.

Zane olhou para o céu. As mesmas estrelas que vira com Ashley. Mas tudo havia mudado. A partir daquele momento, nada mais seria igual.

Então, ouviu alguém correndo e começou a se encolher. O pai, voltando para acabar com ele.

Ninguém o impediria.

Mas foi Dave quem apertou sua mão.

— Zane. Vai ficar tudo bem.

— Eu não bati em Britt. Não machuquei nossa mãe.

— É claro que não. Por que raios ele está algemado?

— Você precisa se afastar, Dave.

— Que porra é essa, delegado? Não faz nem meia hora que eu deixei o garoto em casa. Ele e meu filho foram ao baile da escola. Os dois se divertiram. Como você se machucou, Zane?

— Ele bateu nela de novo. Começou comigo, mas, depois, foi para cima dela. E, dessa vez, bateu em Britt. Eu tinha que fazer alguma coisa. Tentei impedi-lo.

Nos olhos de Dave, ele viu algo que não vira nos olhos do delegado: confiança.

— E onde Graham Bigelow se meteu?

— Está a caminho do hospital com a esposa e a filha. Também não gosto dessa situação, Dave, mas Zane foi acusado de agressão. Ele vai receber ajuda médica e, depois, será transferido para Buncombe.

— Pelo amor de Deus, Tom, você conhece esse garoto.

Bost permaneceu firme.

— Também conheço os pais dele, e os dois deram depoimentos. Não tenho opção, Dave. Ele foi acusado e o juiz Wallace emitiu o mandado. Você precisa se afastar.

— Porra nenhuma. Sou paramédico. Vou com ele. Alguém precisa defender o garoto. — Dave subiu na parte traseira da ambulância, ajudando a puxar a maca. — Qual é a situação, Nate?

Zane puxou a mão de Dave.

— Ele é um monstro — conseguiu dizer depois que as portas se fecharam.

— Quem, cara?

— Graham Bigelow. Ele é um monstro. Eliza também. Monstros. Não deixe que machuquem minha irmã.

— Não se preocupe. Descanse agora. Nós vamos cuidar de tudo.

— Emily. — Alguém acreditava nele, pensou Zane, e fechou os olhos de novo. Alguém. Isso lhe deu um vislumbre de esperança que doeu quase tanto quanto seu braço. — Avise a Emily. Ligue para ela e conte o que aconteceu. Por favor.

— Pode deixar. Não se preocupe.

— Ela precisa cuidar de Britt. Não vou conseguir protegê-la agora.

Quando Dave acariciou sua cabeça, Zane sentiu as lágrimas surgindo. Então, virou o rosto e se permitiu desfalecer.

Capítulo 4

◆ ◆ ◆ ◆

Tudo estava embaçado. Sirenes e luzes, vozes.

Ele fechou os olhos; por algum motivo, a dor diminuía quando seus olhos estavam fechados.

Mais vozes falando, rápidas, quando o tiraram da ambulância e o levaram para dentro do hospital. Zane ouviu a voz de Dave — Dave continuava a seu lado — explicando suas condições e coisas do tipo.

Mas nada parecia importar para ele.

Cara, como fazia frio. Por que estava com tanto frio?

Ele só queria dormir. E queria sua bola de beisebol. Queria alguma coisa para segurar.

Os dois mentiram; seus pais, as pessoas que deveriam protegê-lo, cuidar dele, tinham mentido. Zane nem sabia para onde tinham ido. Talvez estivessem ali, no hospital — mas não algemados a uma maca.

Era bem possível que só tivessem aceitado ir até lá porque, pela primeira vez na vida, Graham batera na cara de Eliza. E era fácil entender o motivo. Ele lhe dera um soco em um lugar visível porque mentiria. Os dois mentiriam e diriam que Zane atacara a própria mãe.

E Britt.

O garoto abriu os olhos. As algemas chacoalharam quando tentou sentar.

— Britt. Ele machucou Britt.

— Calma, Zane. — Para tranquilizá-lo e verificar seus batimentos cardíacos, Dave segurou seu pulso. — Você precisa tirar um raio X.

— Ele bateu nela, bateu nela. Britt gritou por ajuda. Eu ouvi, tentei impedi-lo. Ele me empurrou da escada, depois a arrastou, deu alguma coisa para ela. Você precisa descobrir se minha irmã se machucou. Onde ela está?

— Vou descobrir — prometeu Dave. — Consegui falar com Emily, liguei quando estávamos no caminho para cá, como você pediu. Ela já vai chegar.

E mexi uns pauzinhos. A Dra. Marshall vai cuidar do seu braço e do seu tornozelo. Ela é uma ótima ortopedista. A melhor.

— Nós vamos para o campeonato estadual. Ele disse que eu cheguei quatro minutos atrasado do baile. E me deixou de castigo. Me proibiu de jogar beisebol.

— Ah, pelo amor de Deus! — Dave esfregou o rosto, respirou fundo. — Você precisa contar essas coisas à polícia.

— Eu tentei. Ninguém acredita em mim. Ele disse que não acreditariam. Ele é importante. Eu não sou ninguém.

— Não quero ouvir você repetindo essa merda. — Dave se inclinou, aproximando seu rosto do dele. — Tenha força, Zane. Força. Olhe para mim, olhe nos meus olhos. Eu acredito em você e vou fazer de tudo para ajudá-lo. Mas vamos por partes. Primeiro, vamos cuidar de você.

— Vou ser preso. Você precisa tomar conta de Britt. Ela só terá a Emily. E eles vivem arrumando desculpas para ela não nos visitar.

— Pode deixar.

Zane olhou ao redor do sala de emergência, para a cortina que os separava do resto do mundo, ouviu os sons do hospital lá fora. E manteve a voz baixa.

— Você precisa entrar na minha casa antes de eles voltarem. Use a minha chave. Está no meu bolso.

— Por quê?

— Eu escrevi tudo. Faz bastante tempo que venho escrevendo. Em cadernos. Estão dentro da saída de ar, acima da escrivaninha. Talvez acreditem em mim se virem que escrevi tudo.

— Há quanto tempo... — Dave parou de falar quando a cortina foi aberta. — Está na hora de tirar fotos.

Mas ele enfiou a mão no bolso da calça social de Zane e pegou a chave.

Os enfermeiros o levaram para tirar o raio X — e um dos policiais foi junto.

Depois, levaram-no para um consultório — com porta. E um policial ficou de guarda do lado de fora.

Uma médica entrou. Para Zane, ela parecia um barril — baixinha e atarracada. Seu cabelo, bastante grisalho, estava preso em uma trança.

— Oi, Zane. Sou a Dra. Marshall. — Ela pegou o prontuário. — Vamos ver como estão as coisas. — Seus olhos, escuros como os de um corvo, se estreitaram, e, então, ela se virou para Dave. — Sabe por que ele não foi medicado?

— O pai disse que ele poderia ter se drogado. Não é o caso, mas o hospital só vai liberar os analgésicos depois que tivermos o resultado do exame toxicológico.

— Acabei de ver o exame. Ele está limpo. Maldição... Sinto muito, garoto.

A médica escancarou a porta de novo, chamou uma enfermeira e começou a esbravejar ordens como um general — A General Barril.

E, em poucos minutos, tudo ficou leve e tranquilo.

— Os dedos dele estão dormentes — murmurou Dave. — A pele abaixo do cotovelo está fria.

— Estou lendo o prontuário, Dave. Certo, Zane, aqui vão as boas notícias. Você não quebrou o tornozelo. Foi uma torção feia, alguns ligamentos se romperam. Vamos continuar o tratamento com gelo, repouso, elevação e uma bela bota de compressão. Vou dar uma lista com todas as recomendações. Em alguns dias, poderemos começar a fisioterapia.

Nas nuvens com o analgésico, Zane sorriu.

— E quais são as más notícias?

— Seu braço tem três ossos, e todos estão quebrados. Você fraturou o cotovelo, garoto. Vou imobilizá-lo, e isso vai minimizar a dor, mantê-lo estável. Quero que o mantenha elevado, acima do peito, o máximo que puder. Daqui a alguns dias, quando o inchaço diminuir, vamos usar ondas de choque nos ossos, engessar esse braço. Talvez você precise de uns pinos legais, mas só vou resolver isso na sua próxima consulta.

Flutuando, distraído, ele sorriu.

— Não parece tão ruim assim.

— É assim que se fala! Se você precisar de cirurgia, bem, eu sou boa no que faço. Além do mais, você é jovem, bonito, forte. Vai voltar à forma. Entendeu?

— Tudo bem, entendi. Vou poder sair da cadeia para operar?

O brilho sorridente no olhar da médica desapareceu.

— Serão ordens médicas. Vou dar uma olhada em você agora. Esse rosto bonito também precisa de ajuda, não acha?

— Ele não quebrou meu nariz dessa vez. Sei como dói quando isso acontece.

Aqueles olhos de corvo faiscaram, como se um incêndio tivesse começado por trás deles.

— Que boa notícia! Então, você está com visão dupla? — começou ela, e suas mãos, delicadas como borboletas, moveram o rosto dele.

Zane ouviu gritos — Emily — e tentou levantar.

— Fique quieto — ordenou Dave. — Deixe a médica fazer o que tem que fazer. Vou dar um pulo lá fora.

— Conte a ela sobre Britt. — Os acontecimentos da noite atravessaram a névoa causada pelos remédios. — Descubra o que aconteceu com Britt. Ele a machucou. Tentei impedi-lo. Estou mais forte do que antes, mas ele continua tendo mais força.

— Quem a machucou? — Enquanto o examinava, a Dra. Marshall fez um sinal para Dave sair.

— Graham. É assim que chamo meu pai na minha cabeça. Desde 23 de dezembro. Não o último, o retrasado, quando ele quebrou meu nariz e fez outras coisas.

Dave saiu do quarto e encontrou Emily berrando com o policial.

— Fala sério, Jim. Você conhece Emily. Ela é tia de Zane.

— Estou seguindo ordens. O delegado só autorizou a entrada da equipe médica no quarto. Não posso fazer nada.

Dave apenas balançou a cabeça e puxou Emily pelo braço.

— Vamos conversar.

— Que raios está acontecendo? Zane se machucou muito? Não me deixaram ver Britt.

— Vou contar o que eu sei. Vou contar o que sua irmã e seu cunhado disseram à polícia e o que Zane me disse. E já quero deixar claro que acredito em Zane.

Ele explicou tudo, sem amenizar os fatos, e observou Emily se apoiando na parede, empalidecendo.

— Eu deveria ter percebido. Como não percebi? Meu Deus, são duas crianças. Há quanto tempo...?

— Não sei. Você não duvida da versão de Zane?

Por mais que seu rosto estivesse pálido, os olhos dela brilhavam de fúria.

— De jeito nenhum.

— Vão mandá-lo para Buncombe, o reformatório de Asheville, depois que ele receber alta.

— A polícia não pode... Isso é coisa de Graham. — Emily trincou os dentes e bufou. — Ele falou com seus contatos, deu um jeito. Posso pagar a fiança?

— Não sei. Emily, Zane me deu a chave da casa. Pediu para eu ir até lá e pegar uns cadernos escondidos. Ele escreveu tudo o que aconteceu. Não sei se vai ajudar, mas vou dar um jeito de encontrá-los.

— Você faria isso? Sei que é pedir muito.

— Zane precisa de mim. Ele é um bom menino, Emily. É um bom amigo para meu garoto, e, pelo que entendi, aquele filho da puta o usa como saco de pancada há anos.

Ela esfregou o rosto e encarou as mãos molhadas de lágrimas. E se perguntou como conseguia chorar quando tudo que sentia era raiva.

— E Britt?

— Não sei, mas fiquei com a impressão de que essa foi a primeira vez que Graham a atacou.

— Não consegui vê-la, ninguém me conta nada, nem o número do quarto. Ordens do Dr. Bigelow. Visitas estão proibidas.

— Concussão leve, um hematoma no rosto, muitas escoriações. Sinto muito — disse ele quando os olhos de Emily se encheram de lágrimas de novo. — Graham a sedou em casa. Conheço várias enfermeiras, então perguntei qual é a situação. Ela está descansando, confortável. Dormindo. — Dave olhou para o policial às suas costas e se afastou um pouco com Emily. — Vou tentar descobrir se Graham e Eliza continuam aqui. O rosto dela estava bastante machucado, e o dele também.

Emily cerrou os punhos com tanta força que as juntas de seus dedos perderam a cor.

— Se dependesse de mim, a situação deles seria bem pior.

— Pois é. — Ele olhou para trás de novo. — Eu não queria sair e deixar Zane sozinho antes de você chegar. Vou avisar que você está aqui fora, que Britt está bem, dormindo. Então vou buscar os cadernos. A polícia vai levá-lo; não há nada que possamos fazer quanto a isso, Em. Você precisa dar um depoimento, contar tudo que lhe falei. Vou voltar com os cadernos. Podemos mostrá-los para os policiais de Asheville. Não para os de Lakeview.

— Você é uma boa pessoa, Dave.

— Eu sou pai. Deus é testemunha de que aquele garoto precisa de um. Tente tranquilizá-lo quando vierem levá-lo para Buncombe.

Emily esperou, andando de um lado para o outro, e acordou um velho amigo, agora advogado em Raleigh, para pedir conselhos.

Anotou o nome de dois advogados criminalistas que ele indicou e, relutante, aceitou seu conselho de não ligar para mais ninguém à uma da manhã.

Então, fez uma lista mental. Polícia, advogados, talvez a assistência social. E uma conversa séria com a irmã, sem dúvida.

Quando a médica saiu do consultório, Emily praticamente pulou sobre a mulher.

— E então? Zane está bem? Sou tia dele. Sou Emily Walker, tia dele.

— Não posso dar detalhes. É contra a lei. Mas Zane recebeu tratamento e está tão confortável quanto possível.

— Ah, doutora? — Jim, o policial, pigarreou. — Preciso perguntar se ele está liberado. A van está esperando lá fora para levá-lo para Buncombe.

Marshall colocou as mãos fechadas na cintura.

— E se eu disser que ele precisa ficar em observação?

O policial se remexeu, olhou para os próprios pés.

— Bem, o Dr. Bigelow disse que, se fosse preciso, viria pessoalmente dar alta e liberá-lo. Olhem, também não gosto de nada disso, mas o garoto atacou a mãe, a irmã.

— Isso é mentira. Uma mentira horrível.

Jim ficou sério, mas não encarou Emily.

— A versão dos pais dele sobre o que aconteceu é essa. E, por lei, o garoto precisa esperar pelo julgamento em Buncombe. Dê logo a alta, doutora, ou tenho ordens para informar ao Dr. Bigelow. Não tenho opção.

Zane se sentia melhor. Talvez fossem os remédios ou aquela tala esquisita. O fato é que ele se sentia bem o suficiente para dormir.

Mas recobrou a consciência quando um enfermeiro e um dos policiais o acordaram para transferi-lo para uma cadeira de rodas. Enquanto ele era empurrado para fora, Emily veio correndo e se agachou.

— Ah, Zane.

— Emily, você não pode...

— Cale a boca, Jim, ou juro por Deus que vou dizer à sua mãe que você me agrediu — rebateu ela enquanto tocava o rosto machucado do sobrinho.

— Eu o conheço desde o primário, James T. Jackson, e nunca tive tanta vergonha de você.

— Eu não...

— Não diga nada. — Ainda o acariciando, Emily interrompeu o garoto. — Eu conheço você, Zane.

— Tome conta de Britt.

— Pode deixar.

— Prometa que vai fazer isso. Você não pode deixar que ele a machuque.

— Eu juro pela minha vida, entendeu? Vou fazer o possível e o impossível para Graham não machucá-la de novo. Você precisa aguentar firme, cara. Vou contratar um advogado. Eu e Dave, seus avós, as pessoas que o conhecem, todos nós vamos ajudá-lo a sair daquele lugar.

— É só uma prisão. Faz tempo que sou prisioneiro naquela casa.

— Precisamos levá-lo, Emily. Afaste-se.

— Eu acredito em você, Zane, acredito na sua história. E acredite em mim: juro pela minha vida que vou consertar as coisas.

Emily deu um beijo na bochecha roxa do sobrinho, obrigando-se a se levantar e se afastar.

Depois que ele sumiu na curva no corredor, ela se virou para a parede e chorou. E, chorando, tirou do bolso o celular que tocava.

*B*RITT ACORDOU no escuro, gemeu, tocou a bochecha latejante. A luz foi acesa, e ela viu o pai de pé, ao lado da cama.

Então, compreendeu que estava no hospital. O rosto dele estava machucado, exibindo um olho roxo. Os lábios inchados.

E um olhar frio e maldoso.

— Vou explicar o que vai acontecer — começou o pai. — Quando a polícia vier colher seu depoimento amanhã, você vai dizer que apanhou do seu irmão. Ele bateu na sua mãe e a jogou no chão. E aí, atacou você. Depois disso, sua memória ficou confusa. Sua mãe me chamou aos berros, mas você vomitou e ficou tonta. Está me entendendo?

Seja esperta, sempre dizia Zane. Seja esperta, tome cuidado.

— Sim, senhor.

— Você me viu brigando com Zane e ficou com medo. Correu para o telefone para chamar a polícia. Ele conseguiu passar por mim e bateu em você de novo. Isso é tudo o que sabe. Está claro?

Zane fizera aquilo com o seu rosto. Que bom que ele fizera aquilo com o seu rosto.

— Sim, senhor.

Graham se inclinou, chegando perto, e o coração de Britt disparou, indo parar na garganta.

— Sabe o que vai acontecer se você disser alguma coisa diferente? Acha que seu rosto e sua cabeça estão doendo? Isso não é nada. Eu e sua mãe contamos à polícia tudo que Zane fez. Acreditam em nós, é claro. Ele já deve estar a caminho da prisão.

— Não, por favor...

Com força, o pai tampou sua boca, apertando-a um pouco.

— Seu irmão está perdido. Tem alguma coisa errada com ele, com sua cabeça. Talvez esteja viciado em drogas. Ele atacou a família e vai ficar preso até completar 18 anos. Vocês estão proibidos de ter qualquer contato. Zane nunca mais vai entrar em nossa casa. Entendeu? Mexa a cabeça.

Britt concordou com a cabeça.

— Coisas horríveis acontecem com meninas que desobedecem ao pai. Especialmente se o pai for médico. Você não quer descobrir que coisas horríveis são essas. — Graham a soltou, deu um passo para trás e abriu um sorriso. — Não fique triste. Você será filha única agora. Vai receber toda a atenção, ter todos os benefícios. Pense nisso. — Ele seguiu para a porta. — Ah, e sua tia não virá visitá-la. Eu disse aos enfermeiros que não quero aquela mulher aqui. Ela é uma má influência, infelizmente. Na verdade, imagino que seja por causa dela que Zane tenha caído nas drogas. Agora, descanse. Pela manhã, você já poderá ir para casa. Vou passar um tempo com sua mãe, tentar descansar também.

Quando Graham fechou a porta, Britt ficou imóvel. Ela ouvia a própria respiração ofegante, tão alta e rápida que seus ouvidos zuniam. Precisava se acalmar. A mãe de Chloe fazia ioga — adorava falar sobre respiração. Britt tentou ignorar o barulho e se lembrar do que a sra. Carter dizia quando ensinava ioga a elas.

Precisava sair dali, fugir. Ela não podia ir para casa, não com ele. Não podia viver sozinha naquele lugar, como filha única.

Sua respiração acelerou de novo, e as lágrimas ameaçaram cair, mas Britt se esforçou para se concentrar. Graham dissera que Zane seria preso. Ela precisava fazer alguma coisa. Mas, se a polícia acreditava nos pais, por que daria ouvidos a ela?

E seu rosto doía. Ela queria dormir até aquilo tudo acabar.

Porém, isso não aconteceria, a situação não se resolveria sozinha, e ela não podia dormir. Talvez a polícia não levasse sua história a sério, mas Emily a ouviria. Talvez a sra. Carter também. Talvez.

Britt levantou devagar, tateando o caminho pelo quarto até encontrar o banheiro. Acendeu a luz e fechou a porta, deixando apenas uma fresta aberta para conseguir ver melhor.

Suas roupas e seus sapatos não estavam ali. O quarto não tinha telefone. O pai levara tudo embora. Esse era o tipo de coisa que faria. Ele pensava nos detalhes.

Mas ela também, disse Britt a si mesma. E sua prioridade, naquele momento, era encontrar um telefone.

Ela seguiu para a porta, abriu uma fresta. Mais luz, alguns sons, nada de mais. No geral, o silêncio reinava. Era impossível saber as horas — ele também levara seu relógio —, mas devia ser bem tarde. Ou bem cedo.

Com o coração disparado, descalça e vestindo apenas a camisola do hospital, Britt saiu, atravessou com pressa o corredor e entrou em outro quarto.

Duas camas; apenas uma pessoa. Uma criança, percebeu. Um garoto mais novo que ela. E um telefone sobre a mesa de cabeceira, junto ao menino, que dormia. Ela afastou o aparelho o máximo possível da cama, sentou-se no chão e ligou para Emily. Ninguém atendeu, e ela quis chorar quando ouviu a secretária eletrônica.

Mas sabia outro número de cor. O celular da tia. Se isso não funcionasse...

— Aqui é Emily.

— Emily. — Como fizera inúmeras vezes com Zane, Britt sussurrava. — Precisamos da sua ajuda.

— Britt! Ah, meu Deus, Britt. Não me deixaram ir vê-la! Você está bem?

— Nada está bem. Você precisa nos ajudar. Papai disse que Zane vai ser preso. E que não posso contar o que aconteceu, ou ele vai me machucar mais. Zane não fez nada, foi papai.

— Eu sei. Eu sei, querida. Qual é o número do seu quarto? Vou dar um jeito de entrar. Estou aqui. Estou na emergência.

— Você... você está aqui. — As lágrimas começaram a escorrer, impulsionadas por uma esperança terrível. — Você está aqui.

— Estou. Vou buscá-la. Qual é o número do seu quarto?

— Não estou no meu quarto. Ele levou minhas roupas e meus sapatos. E o telefone também. Fugi para outro quarto; tem um garoto dormindo aqui. Não suba! Todo mundo vai obedecer às ordens dele. Vão mandar você embora e contar tudo a ele. Eu vou descer.

— Britt...

— Eu consigo chegar até a escada e descer.

— Que escada? Você sabe?

— Este é o... — Ela virou o telefone para a luz. — Quarto 4.612. Deve ser a pediatria.

— Tudo bem. Vou esperar na escada. Se você não estiver aqui embaixo em cinco minutos, eu vou subir.

— Vou descer. Já vou descer.

Britt ia deixar o telefone no chão e sair correndo, apenas sair correndo. Mas, então, parou e pensou um pouco. Se um enfermeiro entrasse ali, o telefone deveria estar no lugar certo. E, se saísse correndo, poderia ser pega.

Ela colocou o telefone sobre a mesa de cabeceira e ficou paralisada quando o garotinho se mexeu e gemeu no sono. Do outro lado da porta, ouviu o som de passos rápidos e esperou, esperou até eles desaparecerem, para que pudesse abrir uma fresta.

Depois, abriu mais um pouco para conseguir passar a cabeça e olhar para os dois lados do corredor. Então, viu a placa que indicava a escada — tão longe! Teria de correr, não havia outro jeito. Mas sem fazer barulho.

Britt ouviu uma campainha soar na ala dos enfermeiros e, como uma maratonista no sinal da largada, saiu em disparada pelo corredor. A porta da escada, pesada, pareceu empurrá-la para trás, mas ela conseguiu passar e continuou correndo.

Alguém poderia aparecer. O pai poderia aparecer. Então a levariam de volta, contariam a ele. E ela receberia outra injeção. Outro tapa.

A garota chegou ao fim da escada, ofegante, mas Emily não estava lá. Esgotada, desesperada, ela sentou-se em um degrau, trêmula.

Talvez o pai tivesse descoberto a tia. E a machucado, impedindo as duas de se encontrar. Ele podia ter...

A porta se abriu; Britt imediatamente levou as mãos à boca para abafar um grito. E Emily veio correndo, tomando-a nos braços.

— Ah, Britt, ah, meu anjinho. — Afastando-se um pouco, ela analisou o rosto da sobrinha, o olho roxo, o hematoma na bochecha. — Ah, aquele babaca desgraçado! Vista isto. — Ela tirou o casaco de moletom. — Eu precisava escolher laranja justo hoje... Coloque o capuz. Nós vamos andar, não correr, mas andar direto até a saída. O hospital está vazio, e nós vamos sair daqui e seguir tranquilamente até o carro. Eu parei no estacionamento da emergência, mas, depois que escaparmos daqui de dentro, não vamos precisar nos preocupar.

— Você veio. Você veio.

— É claro que eu vim. Vamos. Segure minha mão, olhe para o chão. Caminhe com calma. Não fale, não pare. Pronta?

Concordando com a cabeça, Britt apertou a mão da tia.

As duas foram andando, a garota, descalça, usando o casaco laranja e a camisola com estampa floral do hospital. Àquela hora da madrugada, ninguém prestou atenção na dupla.

Lá fora, Emily passou um braço em torno da cintura de Britt. A sobrinha tinha crescido, percebeu ela, e já estava quase da sua altura. Tinha espichado. Fazia semanas que não se viam.

— Eu devia ter dado os meus sapatos a você.

— Não tem problema, não tem problema. Estamos chegando?

— Quase. Está tudo bem. Está tudo bem. — Mas sua voz hesitou um pouco, e Britt notou. — Vamos entrar no carro e seguir direto para a delegacia.

— Não! A polícia acredita nele! Eles prenderam Zane.

— Não estou falando de Lakeview. Vamos para a delegacia de Asheville. E vamos fazê-los acreditar em nós, Britt. Dave... O sr. Carter vai nos ajudar.

Quando seus joelhos ficaram bambos, a garota cambaleou um pouco.

— O pai de Chloe? Ele... ele vai ajudar?

— Vai, sim. Vou ligar para ele quando entrarmos no carro e dizer que estou com você. Ele foi pegar os cadernos de Zane.

— Que cadernos?

Tentando se manter oculta nas sombras, Emily puxava a sobrinha.

— Depois eu explico.

— Ele está muito machucado? Zane?

— Está. Mas vai ficar bem. E já vamos tirá-lo da prisão. Vou contratar um advogado assim que amanhecer. Você vai contar tudo à polícia. Ninguém mais vai machucá-la, querida. Prometo.

— Estou com medo.

— Eu também. O carro está aqui.

Talvez suas mãos estivessem trêmulas enquanto ela destrancava a porta, enquanto ajudava Britt a entrar. Mas seus pensamentos estavam claros e determinados.

Graham Bigelow jamais tocaria na filha de novo, de jeito nenhum. Ao sentar-se atrás do volante, ela se atrapalhou para pegar o telefone.

— Dave. Estou com Britt. Vou levá-la para a delegacia de Asheville.

— Você... Como foi que... Esquece. Já peguei os cadernos. Encontro vocês lá.

Não havia muito trânsito, pensou Emily enquanto tomava o cuidado de não ultrapassar o limite de velocidade. E era bem improvável que já estivessem procurando pelas duas. Tudo, tudo, tudo daria certo. A menos que a prendessem por sequestro.

Ela esticou o braço e apertou a mão de Britt, tentando tranquilizar tanto a si mesma como a sobrinha.

— Não vou perguntar nada agora, porque quero que você conte tudo para a polícia. Para não parecer que a gente, sei lá, inventou uma história.

Sob o capuz laranja, o rosto machucado de Britt parecia bem pequeno, muito pálido.

— E se não nos ouvirem?

— Vamos fazê-los ouvir.

Eles tinham de ouvir.

Emily seguiu direto para a delegacia, parou. O estacionamento de visitantes estava vazio, percebeu ela, e não conseguiu concluir se isso era um bom ou um mau sinal.

— Tudo bem, Britt, você só precisa contar a verdade. Conte toda a verdade, e vai dar tudo certo.

— Ele nos obrigava a mentir o tempo todo. Nós mentíamos para você o tempo todo.

— Ele não pode obrigá-la a mentir agora.

Mais uma vez, Emily segurou a mão da sobrinha, e as duas seguiram para o prédio. Enquanto se aproximavam, um homem saiu. A mão de Britt apertou a dela com força.

Ele parecia cansado, pensou Britt, e sua jaqueta estava tão amassada que parecia ter sido usada como travesseiro. A barba estava por fazer havia, pelo menos, um dia e dava a seu rosto um aspecto rústico, durão. O homem parou, observou as duas se aproximando — a mulher, que usava All Star vermelho de cano alto, com o cabelo escuro bagunçado e uma calça jeans desbotada; a garota estava descalça e tinha o rosto machucado.

Emily não conseguia ver a cor dos seus olhos, mas sabia que eles as analisavam.

— Posso ajudar?

— O senhor é policial? — perguntou Britt antes de a tia conseguir abrir a boca.

— Sou, sim. Você está com algum problema?

— Muitos problemas. — Castanhos, notou Emily, os olhos eram castanhos como o cabelo. — Pode nos mostrar alguma identificação?

As sobrancelhas do homem se ergueram, mas ele enfiou a mão no bolso da jaqueta e pegou o distintivo.

— Detetive Lee Keller. Que tal nós entrarmos para conversar sobre esses problemas? — O olhar que ele lançou a Britt fez Emily estremecer de esperança. — Quer um refrigerante? Temos uma máquina lá dentro.

Capítulo 5

♦ ♦ ♦ ♦

O DETETIVE LEE KELLER presumiu que a mulher exausta fosse mãe da menina. Mas deixou esse pensamento de lado. Sabia que era melhor não presumir as coisas.

Porém, era óbvio que estavam com medo. As duas estavam assustadas. O fato de que alguém batera na garota e a mandara para o hospital também não era simples suposição. Não havia como negar os hematomas no rosto dela e a camisola de hospital.

Ele as guiou pelo saguão da delegacia, dispensou, com um gesto, a pergunta de um agente no balcão e continuou andando.

E parou diante da máquina de refrigerante.

— Qual você quer?

— Eu... Pode ser um Sprite, por favor?

— Claro. — Ele olhou para Emily. — A senhora prefere café ruim ou um refrigerante gelado?

— Aceito uma Coca. Tenho uns trocados.

— Não precisa.

Lee colocou o dinheiro na máquina e pegou um refrigerante Sprite e duas Cocas.

Em seguida, guiou as duas por um corredor, depois outro, até chegarem a um lugar chamado Divisão de Investigações Criminais.

Ele puxou duas cadeiras de mesas ao redor e sentou-se à frente de outra.

— Fiquem à vontade. Que tal começarmos com seus nomes?

— Não quero contar a ele. Não quero contar a ele ainda.

Emily passou um braço em torno dos ombros de Britt.

— Querida...

— Não faz mal — tranquilizou Lee. — Que tal falarmos sobre a pessoa que machucou você?

— Meu pai.

— Ele já a havia machucado antes?

— Sim.

— Ah. — A mulher pressionou os lábios no topo da cabeça da menina. — Meu amor.

— Antes eram só tapas, ou puxões de cabelo bem fortes. Não contei... ao meu irmão. Não contei porque, se ele tentasse impedi-lo, apanharia ainda mais.

— Onde está seu irmão?

Quando Britt balançou a cabeça, Emily segurou seu queixo.

— O detetive Keller não vai conseguir nos ajudar se você não falar, se não contar o que aconteceu. Lembra? Diga toda a verdade.

— Você saiu do hospital sem seus sapatos — comentou Lee naquele mesmo tom tranquilo —, sem suas roupas. Devia estar com medo.

— Liguei para a polícia, mas ele pegou o telefone e bateu no meu rosto. E eu já tinha apanhado antes, porque vomitei. Mas fiquei com medo, porque ele estava com muita raiva. Berrava sobre Za... meu irmão. Meu irmão foi ao baile da escola, e não sei por que isso o irritou tanto. Minha mãe foi dormir, mas meu pai ficou acordado. Eu sabia que meu irmão apanharia quando chegasse.

— Seu pai costuma fazer isso?

— Ele bate na minha mãe e no meu irmão.

— Não sou mãe dela, sou a tia — disse Emily quando Lee a fitou. — Só fiquei sabendo sobre tudo isso esta noite. Já devia ter imaginado, mas... — Ela balançou a cabeça. — Conte tudo a ele.

— O problema começou quando meu irmão chegou em casa. Papai disse que ele estava atrasado. Quatro minutos. — De repente, a voz da garota ficou acalorada. — Quatro minutos, e ele falava como se Zane tivesse cometido um crime. E, aí, resolveu deixá-lo de castigo, sem esportes, o que significava que não poderia participar do campeonato estadual de beisebol. Então, começou a acusá-lo de beber, de se drogar. Zane não faz nada disso! E disse coisas horríveis sobre a namorada dele. Ela é tão legal, mas meu pai falou um monte de coisas, começou a empurrar Zane e lhe deu um soco na barriga. — Britt apertou a lata de refrigerante. — Ele gosta de bater nos lugares que não ficam expostos. Não sei por que eu corri para minha mãe. Sabia que ela não ajudaria, mas fui mesmo assim. Então, vomitei, ela ficou irritada e chamou meu pai. Ele ficou nervoso e subiu para me bater.

Ao lado dela, Emily permanecia em silêncio; seus ombros tremiam enquanto as lágrimas escorriam.

— Foi aí que Zane subiu a escada correndo e bateu em papai. Ele só queria impedi-lo de me machucar. Isso é legítima defesa de terceiro, não é? Ninguém é preso por causa disso, então não deveriam ter prendido meu irmão. Os dois tiveram uma briga feia, trocaram um monte de socos, mamãe empurrou e arranhou o rosto de Zane, mas ele não parou. Meu pai deu um soco na cara dela, e eu corri para o telefone, para chamar a polícia. Ouvi Zane gritar, o barulho de algo caindo. Um barulho horrível. Acho que ele caiu da escada. Papai voltou, me bateu de novo, mandou mamãe pegar sua maleta de trabalho... Ele é médico. Então, disse para ela me segurar, porque eu não parava de me debater, pegou uma seringa e me dopou. Essa é a verdade. Foi isso que aconteceu.

Britt se recostou na cadeira, fechou os olhos por um instante, mas logo os abriu, encarando o policial. E cruzou os braços, na defensiva.

— Tudo bem. — Cuidadoso, Lee apenas concordou com a cabeça. — A polícia apareceu?

— Acho que sim, mas meu pai me sedou com alguma coisa, e, quando acordei no hospital, ele estava lá, esperando. Explicou o que eu teria de dizer no meu depoimento. Que Zane batera em mamãe, em mim e nele. Que, se eu não dissesse isso, ele me machucaria mais. Que ninguém acreditaria em mim se eu contasse outra versão, que Zane já tinha sido preso. Que eu seria filha única. Ele tirou o telefone do quarto, proibiu que os enfermeiros permitissem visitas e foi dormir. Acho que mamãe também está internada.

Lee anotou aqueles detalhes, incluindo o nome do irmão — Zane — e o fato de o pai ser médico. O irmão era atleta, já que participaria do campeonato estadual de beisebol. E estava no ensino médio, era mais velho.

— Conte mais sobre sua mãe.

— Tirando hoje, ele nunca bate nela em lugares visíveis. Às vezes, ela revida, mas é...

A garota corou. Então, pressionou os lábios e lançou um olhar suplicante à tia.

— Está tudo bem. Apenas conte a verdade, não tem problema.

— É só que... Acho que eles gostam disso. Acho que ela gosta disso. Na maioria das vezes, fazem sexo logo depois, e mamãe finge que nada aconteceu. Papai compra um presente para ela, e tudo volta ao normal. — Britt se virou para Emily e se encolheu. — Eu não podia contar para você. Tinha medo, mas comecei a ficar com mais medo de não contar porque, quando Zane for para a faculdade, eu vou ficar sozinha. Papai o empurrou da escada?

Emily concordou com a cabeça.

— Mas ele vai ficar bem. O garoto não tem nem 16 anos — explicou ela a Lee. — Sofreu uma concussão, fraturou o cotovelo, torceu feio o tornozelo. A médica queria deixá-lo em observação no hospital, mas... o pai deles é cirurgião lá, e a polícia acreditou na versão dele e da minha irmã. Os dois têm amigos importantes, como juízes. Levaram o garoto para Buncombe. Ele tem 15 anos. Está machucado. Nunca se mete em encrencas. Se o senhor perguntar por aí, todos vão dizer a mesma coisa. Os treinadores, os vizinhos, os professores.

— Por que a médica deu alta?

— Porque o homem que o colocou no hospital disse que, se ela não fizesse isso, ele o faria. Fale com ela. É a Dra. Marshall, do Hospital Mercy.

Lee também anotou essa informação.

— Já tinha acontecido de seu irmão ser internado por causa de seu pai?

— Ele nunca deixou Zane ir para o hospital. Preferia trancá-lo no quarto. No Natal, Emily, lembra? Não no último; no retrasado.

— Ah, meu Deus. — Emily fechou os olhos. — Zane não estava gripado nem sofrera um acidente esquiando no *resort*.

— Nós chegamos da escola. Era o último dia de aula antes do Natal. Papai tinha voltado mais cedo e, quando entramos, ouvimos mamãe chorando e ele gritando. Zane tentou me segurar, mas eu corri até lá, e ela estava caída no chão, havia sangue... Ele a socava e eu gritei para que parasse. E Zane... — Britt tomou um longo gole de Sprite. — Antes, Zane me obrigava a subir e ficava comigo. Ou, se já estivéssemos lá em cima quando começasse, eu ia para o quarto dele e esperava até os dois terminarem. Mas, dessa vez, ele tentou impedi-lo de machucá-la, e papai... — A garota soluçou, triste. — Eu não parava de gritar, pedindo para que ele parasse, e... papai virou-se e veio para cima de mim. Ele ia me bater. Zane me empurrou e tentou segurá-lo. Ele o machucou tanto, sr. Keller. Não parava de bater, de chutar, e ela só ficou olhando! No fim, papai jogou Zane por cima do ombro e o levou para o andar de cima, trancando-o no quarto. Eu devia ter feito alguma coisa, mas fiquei com muito medo.

— A culpa não foi sua. — Ainda mais pálida que antes, Emily levou a mão fechada da sobrinha aos seus lábios e lhe deu um beijo. — Nada disso é culpa sua.

— Papai quebrou o nariz dele, seus olhos ficaram inchados e roxos, a boca cortada e inchada. Levei um sanduíche de manteiga de amendoim e geleia para Zane, escondida, mas ele quase não conseguiu comer. No dia seguinte, na véspera de Natal, ouvi papai entrar no quarto dele, e Zane logo começou a gritar, a berrar, como se estivesse apanhando de novo. E papai disse que ele estava gripado. Que era contagioso, que não podia receber visitas para não espalhar germes. Não fazia diferença que a vovó e o vovô tivessem vindo passar o Natal com a gente. E, no *resort*, tivemos que falar para as pessoas que Zane caíra enquanto andava de bicicleta. Nós fomos esquiar e ele ficou trancado no quarto. Quando voltamos para casa, falamos que ele havia caído esquiando. — Britt aceitou o lenço que a tia colocou em sua mão. — O senhor pode ligar para o *resort* se não acreditar em mim. Pode ligar. Vamos para lá todo ano. Eles vão contar que Zane estava com a cara toda roxa quando chegamos. E o senhor pode conversar com as pessoas que nos conhecem, com os professores de Zane, e todos vão dizer que ele caiu esquiando.

— Qual é o nome do *resort*?

— High Country Resort e Spa. Ficamos lá entre os dias 26 e 30 de dezembro. Todo ano.

— Tentei visitar Zane no Natal — disse Emily. — Minha irmã ligou, disse que ele estava doente e que a ceia teria que ser na minha casa, por causa do contágio. Fui levar uma canja de galinha e lhe dar um livro escondido, que estava na lista de proibidos deles. Da série A Torre Negra, nada de mais. — Quando sentiu a garganta arranhar, ela tomou um gole de Coca e exalou a raiva impotente que sentia. — Eles não me deixaram subir e largaram Zane sozinho quando foram cear na minha casa. Nos últimos meses, me afastaram das crianças. Raramente os vejo, há sempre uma desculpa.

— Eles disseram que você não queria passar tempo com a gente, que prefere fazer outras coisas. Não acreditamos, de verdade, mas foi o que disseram. Papai fala que você é uma vagabunda preguiçosa.

Emily conseguiu abrir um sorriso.

— Bem que eu queria. — Ela deu um beijo na bochecha de Britt. — Temos outras provas. Um amigo, o pai do melhor amigo do meu sobrinho, está vindo para cá. Ele é paramédico e, quando ficou sabendo que Zane se machucou, foi para o hospital. Zane lhe deu a chave de casa, pediu que fosse buscar uns cadernos que havia escondido. Parece que ele escrevia tudo o que acontecia. Meu sobrinho foi preso, detetive Keller. Foi levado em uma cadeira de rodas. Se o senhor entrou para a polícia para ajudar pessoas, nos ajude.

— Qual é o nome do amigo que está vindo com os cadernos? Preciso liberar a entrada dele com o agente que fica na recepção à noite — disse Lee quando as duas hesitaram.

— Dave Carter.

— Já volto.

Devia ligar para o tenente, Lee pensou. Para a assistência social. Para Buncombe, para descobrir o nome completo do irmão. Mas, por enquanto, esperaria.

A garota estava falando a verdade.

Quando Lee voltou, encontrou-a com a cabeça apoiada no ombro da tia. Ela parecia tão pequena, tão maltratada.

— Como você fugiu do hospital?

— Entrei escondida em outro quarto, procurando por um telefone, e liguei para Emily. Ela já estava lá, mas meu pai proibiu que lhe contassem onde eu estava. Desci a escada, e nos encontramos. Porque ela acredita em mim, acredita em Zane, porque disse que devíamos falar com a polícia. Meu pai também vai machucá-la, se puder.

— Não se preocupe com isso — disse Emily.

— Só posso ajudar se souber seus nomes.

Lee levaria dois minutos para ligar para Buncombe e encontrar Zane, mas queria que a garota, aquela garotinha com olhos verdes exaustos, lhe contasse. Que confiasse nele.

— O senhor acredita em mim? Vai acreditar em mim mesmo quando meu pai disser que estou mentindo?

— Se eu não acreditasse, já estaria no telefone. Sou detetive. — Lee sorriu enquanto falava. — Seria fácil descobrir seu nome e o do seu irmão. Mas não fiz isso, porque acredito em você e quero que acredite em mim.

Britt olhou para Emily, que lhe acenou com a cabeça.

— Você precisa confiar nele.

— Eu me chamo Britt Bigelow. Meu irmão se chama Zane. Meus pais são o Dr. Graham Bigelow e a sra. Eliza Bigelow. Nós moramos no Residencial Lakeview. E acho que, agora que parei de mentir, ele vai me matar se puder.

— Seu pai nunca mais vai encostar um dedo em você ou em Zane. Eu prometi que não deixaria que isso acontecesse de novo. Prenderam o Bigelow errado, detetive. E eu me chamo Emily Walker.

— Alguém está procurando você, detetive — disse um policial fardado, abrindo a porta para Dave.

— Oi, Britt. Vamos dar uma olhada nesse rosto. — Com uma bolsa estilo carteiro atravessada no ombro, Dave se agachou ao lado da cadeira dela. — Está doendo?

— Estou com uma dor de cabeça horrível, sr. Carter, e minha bochecha dói muito. Meu olho também.

— Ah, Britt, por que você não falou nada? Droga, eu nem perguntei. Acho que tenho Advil ou algo parecido.

— Melhor não — disse Dave enquanto Emily vasculhava a bolsa. — Não sei o que deram a ela no hospital. Mas eu fiz uma parada no caminho. — Ele abriu a bolsa e tirou um saco de ervilhas congeladas. — Alívio rápido. Segure contra a bochecha, está bem? Quantos dedos? — perguntou, exibindo dois dedos.

— Dois. Eu estou bem, sr. Carter. Estou me sentindo melhor desde que chegamos aqui.

— Que bom! — Ele levantou, oferecendo a mão a Lee. — Dave Carter.

— Detetive Keller.

— Bem, detetive Keller, como eu tinha a chave e a permissão de Zane, acho que entrar na casa e no quarto dele não se qualifica como invasão de domicílio, mas, se tiver que me prender por causa disso, eu entendo. — Ele tirou vários cadernos da bolsa. — Li o primeiro registro no caderno *Número um*. Se o senhor ler isto e não tentar tirar Zane daquele lugar e colocar Graham Bigelow atrás das grades, tem sangue de barata.

Lee abriu o primeiro caderno e leu o primeiro relato.

23 de dezembro.

Quando terminou, abriu em uma página aleatória. Então, passou para o segundo caderno e fez a mesma coisa.

— Então, Britt, seus avós vieram visitar vocês no último verão?

— Em agosto, depois que voltamos de férias. Mas ficaram com minha tia. A casa era deles, mas a deram para ela e minha mãe. Mamãe não a quis, então vendeu sua parte para Emily. No último dia que estiveram aqui, fizemos uma festa no barco. Foi bem legal. Mas depois... — A garota voltou a se apoiar em Emily e tomou um lento gole do Sprite. — Depois que todo mundo foi embora, meu pai ficou irritado. Deu um soco na barriga de Zane. Ele gosta de bater na barriga, porque não aparece. Disse que Zane era uma vergonha, porque não sabia velejar, tinha passado o tempo todo falando sobre beisebol com o vovô e se encheu de comida, parecia um porco faminto. Não me lembro de tudo.

— Isso já foi suficiente. — Lee fechou o caderno. — Se você precisasse prestar depoimento diante de um juiz, repetiria tudo que acabou de me contar?

— Zane seria solto se eu fizesse isso?

— Já vou resolver esse problema. Sr. Carter, lembra-se de Zane ter sofrido um acidente enquanto esquiava?

— Lembro, no Natal retrasado. Ele me disse que caiu de cara no chão. Ah, merda. Merda! — Dave pressionou os olhos. — O garoto só apareceu lá em casa depois do Ano-Novo; e olhe que vive grudado no meu filho. Ele tinha quebrado o nariz, mas estava melhorando. Não o questionei sobre a história. Logo depois disso, Zane me pediu para ajudá-lo a ficar mais forte. Queria fazer musculação. Disse que era por causa do beisebol e eu também não questionei isso.

— Eu disse, não disse?

— Pois é. — Lee assentiu com a cabeça para Britt. — Você disse. Agora, o sr. Carter confirmou a sua versão e a da sua tia. Vou acordar algum funcionário do High Country Resort e Spa e obter mais informações.

— Nós ficamos na suíte executiva. Eles oferecem serviço de quarto 24 horas por dia. Mas eu não sei o telefone de lá.

— Vou descobrir. E preciso conversar com o delegado de Lakeview.

Britt balançou a cabeça e se encolheu contra Emily.

— Ele é amigo do meu pai. Vai...

— O delegado pode ser amigo do seu pai, Britt, mas também é policial, e já trabalhamos juntos algumas vezes. Ele não vai ignorar sua versão. Você precisa continuar confiando em mim, mas tenho que fazer outra coisa difícil. Preciso entrar em contato com a assistência social.

— Ninguém vai levá-la embora! — Emily agarrou Britt com os dois braços. — Sou tia dela.

— Vou fazer o possível para que isso não aconteça, mas, se eu não fizer a ligação, a situação vai se complicar. A senhora tirou uma menor de idade do hospital porque vocês duas temiam pelo bem-estar e pela segurança dela. Não foi?

— Sim.

— Tudo bem. A senhora precisa deixar que eu faça meu trabalho e confiar que minha prioridade também será o bem-estar e a segurança de Britt.

— Zane.

— Ele é minha outra prioridade, menina. Vou levá-las para outra sala, onde poderão esperar, talvez descansar um pouco. Pode ficar aqui, sr. Carter? Ainda tenho algumas perguntas.

— Claro.

— Mais uma coisa: os avós não moram na região?

— Não mais — respondeu Emily. — Faz quase dez anos que meus pais se mudaram para Savannah. Se o senhor quer informações sobre outros parentes, para o caso de a assistência social não deixar meus sobrinhos comigo, meus pais virão. Sem hesitar.

— Tudo bem. Vou levá-las a outra sala.

Depois de deixar as duas, Lee foi para a sala de descanso, pegou uma xícara de café para si e outra para Dave.

— Como o senhor é paramédico, imagino que esteja acostumado a café ruim.

— Obrigado. Meu Deus. Britt é amiga da minha filha. É difícil ver o que ele fez com ela. O que fez com Zane.

— O senhor atendeu ao chamado de emergência.

— Não, eu não estava de serviço, mas as notícias voam. Essas crianças são praticamente parte da minha família. — Dave sentou-se e esfregou o pescoço rígido de tensão. — Fui ajudar, ver se havia algo que eu pudesse fazer. Eles estavam tirando Zane da casa. E o algemaram naquela maldita maca e lhe deram voz de prisão. Disseram que tinha sido acusado de três agressões. — Dave tomou um gole do típico café de delegacia sem fazer cara feia. — Nunca ouvi tanta merda de uma só vez. Eu tinha levado Zane, meu filho e suas respectivas namoradas para o baile da escola. E, aí, dez minutos depois de deixá-lo em casa, o garoto estava atacando a mãe? Ele não bateria na mãe nem em Britt. Zane estava feliz quando o deixei em casa, detetive. Todo mundo tinha se divertido.

— Ele bebeu?

— De jeito nenhum. O garoto é atleta. Ele leva o beisebol a sério e é muito bom. Não arriscaria ser punido só para tomar uma cerveja, ainda mais agora que o time vai jogar no campeonato estadual. Meu Deus, o senhor leu o caderno.

— Só estou coletando mais detalhes, sr. Carter.

Dave ergueu uma mão e tomou outro gole de café.

— Desculpe. Estou muito nervoso. Zane estava sóbrio, feliz. Aquela era a primeira vez que ele e Micah, meu filho, iam a uma festa com as namoradas. E o exame toxicológico deu negativo. Eu estava lá quando Elsa recebeu o resultado; Dra. Marshall, a ortopedista foi quem o atendeu. Talvez ele precise operar o cotovelo e não devia ter saído do hospital, que dirá ser levado para Buncombe. Elsa não queria lhe dar alta, disse que ele devia passar a noite em observação. Mas Graham não só é pai dele, é também cirurgião-chefe do hospital. Ela não teve opção.

— O senhor ficou com ele?

— Eu o acompanhei na ambulância — confirmou Dave —, fiquei no hospital. Os pais não apareceram. Emily veio; eu liguei para ela. Eles, não.

— Qual foi a versão de Zane sobre o que aconteceu?

Abastecendo-se de café, Dave contou tudo que lembrava, voltou um pouco, acrescentou mais detalhes.

— Tudo bem. Talvez eu tenha que fazer mais perguntas, mas o senhor está liberado.

— Vou esperar com Emily e Britt. Só preciso avisar à minha esposa.

Lee inclinou a cabeça.

— Sua esposa? O senhor e a srta. Walker não estão juntos?

— O quê? — Pela primeira vez, a preocupação desapareceu do rosto de Dave, sendo substituída por uma breve risada. — Não. Faz 17 anos que sou casado. Ou 18? Algo assim. Tenho dois filhos. Eu trabalhava para os Walker quando era adolescente e, depois, trabalhei para eles durante alguns verões quando tinha 20 e poucos anos. Conheço Emily e Eliza há anos. Eu e Emily, assim como Emily e minha esposa, somos próximos.

— Mas não são amigos de Eliza Bigelow?

O brilho bem-humorado desapareceu dos olhos de Dave.

— Graham e Eliza convivem com outro tipo de gente. Ela deixou aquilo acontecer com os filhos. Talvez também seja uma vítima, mas deixou aquilo acontecer com os filhos. E o filho dela está machucado e assustado em uma prisão. Ela também deixou que isso acontecesse. — Dave se levantou. — Vou esperar com as duas.

Lee explicou como chegar à sala. Depois, passou algum tempo sentado. Ele estava prestes a voltar para casa depois de um turno de 16 horas. Fazia planos para tomar uma cerveja antes de dormir.

Agora, parecia que tomaria mais café e teria outro longo dia pela frente.

Ele virou-se para o computador, fez uma pesquisa no sistema sobre Zane Bigelow, seus pais, sua tia, Dave Carter. Então procurou o telefone do resort e começou a trabalhar.

Quando Zane pensasse na pior noite de sua vida, pequenos detalhes viriam à tona. O cheiro da van — um aroma metálico misturado com um suor cheio de medo e desespero. O som das rodas contra o asfalto gritava tormento. E uma solidão imensurável.

O analgésico que a Dra. Marshall lhe dera escondia a dor. Ela continuava ali, e Zane sabia que voltaria, mas seu corpo, sua mente e seu espírito estavam anestesiados demais para se importar.

Os olhos do guarda pareciam bolinhas de gude, sérios e frios. O motorista não dissera uma palavra sequer. Zane era o único prisioneiro. Mais tarde, ficaria sabendo que a insistência e a influência do pai haviam acelerado sua transferência, sozinho e no meio da madrugada.

— Parece que você levou uma bela surra, hein? Bem feito! Quem mandou atacar a mãe e a irmãzinha?

Zane não respondeu — que diferença isso faria? Continuou olhando para o chão.

Depois, junto com várias outras coisas, ele descobriria que os olhos frios e o desdém na voz do guarda eram causados, pelo menos em parte, pelo fato de o Dr. Graham Bigelow ter operado o filho dele depois de um acidente de carro.

Mas Zane não conseguia encontrar seu medo, não conseguia nem sentir nervosismo sob todo aquele entorpecimento.

Até que a atordoante melodia dos pneus mudou para uma trepidação ameaçadora. E, então, ele ouviu o som de um portão se fechando atrás da van.

O pânico agitou-se em sua barriga, espalhando os tentáculos por seu peito. E pedras caíram por cima de tudo, afiadas e pesadas. Zane sentiu os olhos arderem ao se encherem de lágrimas, mas seu instinto, algo animalesco e primitivo dentro de si, avisou que, se caíssem, se um única delas escorresse por seu rosto, ele estaria arruinado.

— Seja bem-vindo, seu babaca.

O guarda o ajudou a sair da van. Se sentiu pena do garoto amedrontado com um braço imobilizado e uma bota de compressão, não demonstrou.

Ele passou por uma porta de ferro e por um detector de metais. Precisou ficar parado, de costas para uma parede, com uma luz forte contra seu rosto, apoiando o peso no pé que não machucara. Informou seu nome, sua data de nascimento, seu endereço.

Os agentes o levaram para um quarto e tiraram suas roupas. Com o braço imobilizado, Zane não conseguia fazer isso por conta própria, então teve que sofrer a humilhação de ser despido antes da humilhação, ainda pior, da revista completa.

Em seguida, recebeu um uniforme. Camisa laranja, calça laranja, sapatos de plástico laranja — ou melhor, apenas um sapato, já que estava com a bota de compressão. Os policiais tiveram de vesti-lo também.

Depois, acompanharam-no até outro cômodo — o termo que usavam era "cubículo". Não era uma cela, como ele imaginara; não havia grades. Só uma cama estreita, um vaso sanitário e uma pia. Sem janela.

— Você vai acordar quando mandarmos. Vai fazer sua cama e esperar até virmos buscá-lo para o café da manhã. Vai comer o que estiver no seu prato. E, já que está todo arrebentado, vai ter uma consulta na enfermaria antes de conversar com o médico de gente maluca, que vai perguntar sobre seus sentimentos de merda. Se mandarem você fazer alguma coisa, obedeça. Caso contrário, não vamos deixar barato. — Olhos de Bola de Gude seguiu para a porta. — Seu pai é um grande homem. Você não é nada.

O guarda foi embora. A porta se trancou com um clique, que ecoou nos ouvidos de Zane.

E as luzes se apagaram.

Zane mancou, tateando a parede, batendo com o tornozelo na borda da cama. Então, subiu nela enquanto os tremores ficavam mais fortes e sua respiração se transformava em um choramingo.

Ele tentou se encolher, se abraçar, mas não conseguiu. A única coisa que queria era dormir, só dormir, dormir, mas a dor ressurgiu.

Então, as lágrimas vieram. Ninguém as veria, ninguém se importaria. Zane foi tomado por soluços tão fortes que faziam doer seu peito, sua barriga, sua garganta. Mas, quando o choro foi embora, levou o pânico junto.

Ele ficou deitado, o corpo latejando e o espírito moribundo.

Horas, apenas horas antes, estava beijando uma garota. Estava olhando para as estrelas e dançando sob luzes coloridas.

Agora, sua vida tinha acabado.

Aquela perspectiva sombria e a solidão o reconfortaram. Zane se agarrou a elas, temendo o que aconteceria quando a porta se abrisse de novo.

Capítulo 6

• • • •

Lee passara o dia à base de duas horas de sono e café forte. Ele apresentara o caso ao tenente, ao promotor, à assistência social e ao juiz que assinara o mandado de prisão contra Zane Bigelow.

Agora, em Lakeview, ele estava sentado na sala do delegado Tom Bost, um homem que conhecia e que, até então, respeitava.

— Esse caso não é seu, não é de Asheville, não é da Divisão de Investigações Criminais. É meu.

— *Era* seu. — Lee usava um tom tranquilo por enquanto. — Não é mais. Você jogou aquele garoto no reformatório, Tom. Você correu com o processo, ignorou as regras e jogou um garoto machucado no reformatório. Pediu ajuda aos seus contatos e mexeu pauzinhos para trancafiá-lo em Buncombe.

As bochechas de Bost coraram.

— Aquele *garoto* colocou a mãe, a irmã e o pai no hospital, droga. Eu fiz meu trabalho! Não venha à minha cidade dizer que estou errado.

— Eu vim dizer que você está errado.

— Você vai se dar mal, Lee. Graham e Eliza estão loucos de preocupação com Britt. Não sei o que deu em Emily Walker. Achei que ela fosse mais sensata. Agora, será acusada de subtração de incapaz. E Graham vai fazer de tudo para caçar seu distintivo por ajudá-la.

Lee colocou uma cópia do primeiro registro do caderno de Zane sobre a mesa de Tom.

— Leia isto. Foi Zane que escreveu. Veja a data. Leia.

— A situação só vai piorar se você continuar mantendo aquela menina longe dos pais. — Mas ele pegou o papel. — Isto é mentira, Tom. O garoto é doente.

— Os pais dele é que são. Entrei em contato com o *resort* no qual se hospedaram em 26 de dezembro daquele ano. Conversei com o atendente, a camareira e o gerente. Sabe o que todos disseram, Tom, sem exceção? Que Zane caiu da bicicleta e quebrou o nariz. Que chegou lá naquele estado. Ele não saiu do quarto. Graham Bigelow deixou ordens para que não o incomodassem. O que ele lhe disse na época, Tom?

— O pessoal do *resort* se enganou. Zane caiu em uma pista de esqui.

— Eles disseram a Emily e aos avós que Zane estava gripado naquele Natal. Não deixaram que ninguém o visse "por causa do contágio"; foi o que alegou Bigelow. Também colhi o depoimento dos três. — Deixando seu asco transparecer em cada gesto, Lee tirou várias folhas da pasta que trouxera, jogando-as sobre a mesa de Bost. — Aqui está o depoimento de Britt. — Ele jogou outra folha. — Tudo que o garoto escreveu é verdade. Você nem tentou fazer seu trabalho direito.

— Não me venha dizer como fazer o meu trabalho — rebateu Bost. — Eu conheço Graham e Eliza.

— Conhece mesmo, Tom?

Com o queixo projetado para a frente, o delegado apontou um dedo para Lee.

— Você está me dizendo que Graham bate na esposa, nos filhos, e que todo mundo mente para acobertá-lo? Mesmo sem a gente nunca ter recebido qualquer chamado de emergência daquela casa antes de ontem?

— Isso mesmo. Zane começou a escrever nesse dia, na data que está na folha que lhe entreguei. E continuou escrevendo. Sobre os socos, os tapas, o medo, as ameaças. E a mãe apoiava tudo. Tive que ouvir uma garota de 13 anos me contar que, depois que o pai surrava a mãe, os dois transavam. E que ele dava à esposa um presente especial em seguida. Tive que olhar nos olhos dessa garota enquanto ela me dizia que achava que a mãe gostava daquilo.

— Britt está traumatizada. Ela...

— Ela está traumatizada pra caralho. — O tom tranquilo ficara para trás. — Pelo amor de Deus, pare para pensar. A garota liga para a polícia, e, quando você chega lá, o pai a sedou para impedi-la de falar. Zane está caído ao pé da escada, com o braço quebrado, uma concussão, ligamentos rompidos. Mas você não escuta.

— Dois adultos me contaram a mesma história. Duas pessoas que eu conheço.

— Tudo bem. Mas você não colhe o depoimento do garoto? Não questiona o fato de o pai exigir a prisão do filho, de querer acelerar o processo? O fato de *você* ter que ajudá-lo a acelerar o processo? O fato de ele não deixar o filho passar nem uma noite no hospital? De não contratar um advogado, um defensor público, nada? Apenas prendê-lo? Bigelow disse que o problema eram drogas, mas o garoto está limpo. Você se deu ao trabalho de ver o resultado do exame toxicológico? — Lee tirou outro papel da pasta, jogando-o sobre a mesa. — Limpo. — Ele puxou uma das folhas. — Aqui está a versão de Britt sobre o que aconteceu ontem à noite. Leia. Ligue a porra dos pontos.

— Pelo amor de Deus, faz mais de vinte anos que eu conheço Graham. E Eliza, há mais tempo ainda. Já jantei na casa deles. Já estive naquela casa, Lee, e nunca vi sinal algum de nada disso.

— Leia.

Quando terminou de ler, Tom se levantou, virou-se para a janela.

— Eu acreditei nele. Você não os conhece, não sabe como são. Eu acreditei nele. Se, 24 horas atrás, alguém tivesse me perguntado se havia uma família perfeita em Lakeview, eu diria que eram os Bigelow. — O delegado passou as duas mãos pelo cabelo. — E a maioria das pessoas aqui teria concordado. Droga, Lee, todo mundo diria a mesma coisa. Mas, agora que começo a pensar nos detalhes... Meu Deus. A forma como ele falava que estava orgulhoso de Zane e, logo depois, fazia um comentário levemente maldoso. Dizia que precisava ficar em cima do garoto por causa dos estudos, porque ele fantasiava sobre se tornar jogador de beisebol profissional. Que ele não gostava de fazer as tarefas de casa ou que não obedecia à mãe. Bobagens. Você ainda não tem filhos, Lee. É normal que os pais reclamem, ainda mais dos adolescentes. — Tom se virou de novo. — Eliza era presidente da Associação de Pais e Mestres. Ela... Meu Deus.

— Tem outras coisas aí para você ler. Vou deixar cópias aqui. — Lee se levantou. — Estou indo para o Residencial Lakeview para prender Graham Bigelow por abuso infantil e conjugal, violência doméstica e maus-tratos de menores. Eliza Bigelow será presa por abuso infantil e maus-tratos de menores. Eu só queria avisá-lo.

— Eu acreditei nele. — Agora, sua voz parecia suplicante. — Acreditei que Zane era um perigo para a família e para si mesmo.

— Pois se enganou. Zane será solto e a ficha dele ficará limpa. Emily Walker terá a guarda temporária dos sobrinhos. E eu vou fazer de tudo para que se torne permanente. Leia o restante — disse ele e foi embora.

Dez minutos depois, com seu parceiro e quatro policiais fardados, Lee tocou a campainha da casa no Residencial Lakeview.

Ele exibiu os mandados ao homem que abriu a porta e se apresentou como advogado.

— Polícia de Asheville.

— Sou advogado dos Bigelow. Já estou no telefone com seu capitão, com o prefeito de Asheville. Você está mantendo uma criança sob custódia sem a autorização dos pais.

— Leia o mandado. — Lee passou por ele à força, entrando no enorme vestíbulo de pé-direito alto e seguindo para a sala de estar, onde Graham Bigelow se levantou num pulo. — Graham Bigelow, o senhor está preso por abuso infantil e conjugal, maus-tratos de menores e violência doméstica. — Enquanto falava, Lee girou Graham para algemá-lo. O médico resistiu e tentou lhe dar um soco. — Acrescente às acusações resistência à prisão e lesão corporal contra agente público. O senhor tem o direito de permanecer calado.

— Graham, coopere — ordenou o advogado enquanto Lee o informava sobre seus direitos. — Não diga nada. Já vou cuidar disso.

Mas seu cliente o ignorou e tentou dar outro soco antes de dois policiais o imobilizarem.

— Vocês não podem fazer isso! — Eliza, com o rosto todo roxo, uniu as mãos na frente do peito. — Que loucura! Zane...

— Essa história já era, sra. Bigelow. A senhora está presa por abuso infantil, maus-tratos de menores, acumpliciamento e falso testemunho.

Ela tentou afastar Lee com tapas enquanto ele informava seus direitos.

— Não toque em mim! Graham!

— Eliza, tente se acalmar, não diga nada. Não é necessário algemá-la — insistiu o advogado.

— Discordo — disse Lee, fazendo exatamente isso.

Ele sentiu um enorme prazer em acompanhá-la algemada para fora de casa, em ver os vizinhos observando a cena, em colocar a mão na cabeça dela para enfiá-la dentro da viatura.

Graham seguiu em outro carro. Os dois não conversariam mais, não combinariam outra versão da história.

Não tornariam mais a vida dos filhos um inferno.

— Você vai perder seu distintivo por causa disso — ameaçou o advogado. — Vamos processar você, pessoalmente, e seu departamento.

— Fique à vontade.

— Não tente falar com meus clientes. Eles não têm nada a dizer.

— Tudo bem. Eles podem ficar mofando numa cela enquanto você resolve o problema. Eu tenho mais o que fazer.

ZANE NÃO PRECISOU arrumar a cama quando os guardas lhe disseram para acordar. Ele deitara em cima das cobertas. Não dormira.

Tentou tomar o café da manhã sem pensar em nada, sem erguer o olhar ou encarar os outros internos. Alguns conversavam, outros trocavam provocações; alguns comiam como esfomeados, outros mal encostavam no prato.

O salão —um refeitório, supôs — ecoava o som abafado dos garfos e das colheres de plástico raspando pratos, cadeiras arrastando no chão, a confusão de vozes.

Alguém tirou o biscoito de seu prato. Zane não se importou, e a ausência de qualquer reação fez com que ganhasse um chute na bota de compressão e uma risada dissimulada.

Depois do café, todos se enfileiraram para sair, da mesma forma como tinham feito para entrar. Os guardas o levaram para a enfermaria.

O médico leu seu prontuário, que devia ter sido enviado pelo hospital. Ele franziu a testa o tempo todo e, em seguida, fez um monte de perguntas.

Visão embaçada?

Não.

Dor de cabeça?

Sim.

O homem franziu mais ainda a testa quando tirou a camisa de Zane e viu os hematomas em sua barriga, em suas costelas.

E fez mais perguntas.

Então, tirou a bota e examinou o tornozelo. Elevou o pé e colocou uma bolsa de gelo sobre ele enquanto examinava a torção.

Mais perguntas.

Com delicadeza, o médico tateou o nariz, a bochecha e a área sob os olhos de Zane.

— Você já quebrou o nariz antes?

— Sim.

— Como?

— Levei um soco do meu pai.

O médico o encarou por um bom tempo.

— Seu pai bate em você?

— Sim.

— Você o denunciou às autoridades?

— Ele é a autoridade.

Zane achou ter escutado o médico suspirar.

Um enfermeiro precisou lhe dar um banho de esponja, porque ele não conseguia ficar em pé no chuveiro.

— Você devia ter passado a noite em observação no hospital, para amenizar a dor. Vou recomendar que seja transferido de volta para os cuidados da Dra. Marshall.

— Não vão aceitar. Meu pai é o cirurgião-chefe. Ele quer que eu fique aqui.

O médico lhe deu uma muleta — com o braço imobilizado, ele só conseguia usar uma —, mas já ajudou. Assim como o analgésico.

— Vou pedir para que levem você de volta para o quarto, para descansar. O Dr. Loret, o terapeuta do centro, virá no fim da manhã. Mantenha o braço e o tornozelo elevados.

Então, Zane voltou para a solidão, para o silêncio. Conseguia ouvir sons do outro lado da porta. Vozes, movimentos, ordens mal-humoradas, talvez alguém arrastando um balde e um esfregão.

Ele apagou um pouco. Não dormiu de verdade, apenas ganhava e perdia a consciência.

Quando ouviu a porta sendo aberta, fechou os olhos. Torceu para que o terapeuta não tentasse acordá-lo e o deixasse em paz. Ele não queria mais conversar. Já dissera tudo que tinha para dizer na enfermaria.

Mas, então, sentiu o colchão afundar com o peso de alguém. E abriu os olhos.

Zane deparou com um homem que não fazia a barba havia alguns dias e que parecia tão cansado quanto ele. Cabelo e olhos castanhos, terno e gravata.

— Zane, sou o detetive Keller, da delegacia de Asheville.

Um policial, pensou ele. Outro policial. E fechou os olhos de novo.

— Zane. — O garoto sentiu uma mão tocar seu braço. Não era um toque agressivo, apenas um contato. — Vim tirar você daqui.

— E me levar para onde?

— Para fora. Zane, sua irmã me procurou.

Ele abriu os olhos no mesmo instante.

— Britt. Ela está bem? Ela...

— Ela está bem. Sua irmã é muito esperta, muito corajosa. Sua tia a levou à delegacia ontem à noite.

— Emily. Britt conseguiu falar com Emily.

Nesse momento, ele fechou os olhos para conter as lágrimas.

— E as duas conversaram comigo. Zane, Dave pegou seus cadernos. Eu li tudo. Todas as páginas. Desculpe por não ter tirado você daqui antes. O processo foi um pouco demorado.

E, naqueles olhos castanhos, naqueles olhos desconhecidos, Zane viu a mesma coisa que vira nos de Dave.

Confiança.

— Eu... vou sair sob fiança?

— Não. Você está liberado. As acusações foram retiradas. Podemos conversar depois, está bem? Vamos sair logo daqui. Já resolvi toda a papelada, então você só precisa trocar de roupa e sair.

Zane começou a tremer, não conseguia parar.

— Eu posso ir embora? Posso, simplesmente, ir embora?

— Respire um pouco, devagar — disse Lee e segurou sua mão. — Só respire um pouco. Você não devia nem ter vindo para cá, Zane. Eu trouxe umas roupas para você. Bem, sua tia trouxe. Emily comprou tudo; tomara que sejam do tamanho certo. Ela achou que você não gostaria de vestir as roupas que usava quando entrou aqui. Temos uma calça de moletom — continuou ele, falando com ar despreocupado enquanto pegava a sacola de compras no chão —, uma camisa de botão, cuecas boxer, sandálias.

— Não estou entendendo.

— Eu sei. Vou ajudá-lo a trocar de roupa.

Dessa vez, o processo não foi tão humilhante, porque o policial continuou falando enquanto o ajudava a trocar a calça laranja pela de moletom, a camisa laranja pela azul, e calçava a sandália em seu pé saudável.

— A calça ficou um pouco curta, mas serve.

— Eles disseram que eu teria que... que eu teria que...

— Você não precisa fazer mais nada. Vamos.

Ele passou um braço em torno de Zane e o ajudou a se levantar apoiado na muleta. Em seguida, pegou a sacola, guiou-o até a porta e bateu duas vezes.

A porta se abriu; o guarda se afastou.

Zane sentiu cheiro de desinfetante de pinho, talvez água sanitária. Sabia que estava tremendo de novo, mas o policial não fez qualquer comentário.

— Quem é você? — indagou Zane.

— Sou o detetive Keller. Lee. Eu me chamo Lee.

— Graham vai impedi-lo. Ele...

— Nada disso. Ele está preso. E sua mãe também.

Os dois joelhos de Zane ficaram bambos. Lee apenas o segurou, e continuou andando. Diminuiu o ritmo, mas continuou andando.

— Respire fundo. Continue respirando devagar. Ele nunca mais vai machucar você nem Britt. Foi uma boa ideia escrever tudo, Zane. Foi uma boa ideia.

Ninguém impediu que eles saíssem. Os guardas abriram as portas, deixando que eles passassem sem dar uma palavra. E, então, o sol atingiu seus olhos. Ele viu o portão. E, logo depois, viu Britt, viu Emily. Zane tentou correr, tentou andar mais rápido.

— Calma. Já vamos chegar.

— Ele machucou Britt. Bateu nela. O rosto...

— Britt vai ficar bem. Ela tem uma história e tanto para lhe contar. Fugiu do hospital. Você tem uma irmã incrível. Já estamos chegando.

As duas gritaram seu nome. Emily soluçava. Britt não chorava — não ainda. Ela só o chamava.

Os portões se abriram, fazendo barulho, e, quando ele saiu, a irmã e a tia o cercaram.

— Ah, meu anjo, ah, Zane. Desculpe. Desculpe. — Emily ergueu seu rosto e o acariciou. — Desculpe. — Quando o garoto balançou a cabeça, a tia o abraçou de novo, apertando a ele e Britt. — Vamos para casa.

— Não posso voltar para lá. Por favor, por favor. Não posso voltar para lá.

— Não, meu bem, não. Vamos para a casa do lago. A vovó e o vovô já devem ter chegado. Nós vamos para casa. Nossa casa agora. Vou cuidar de vocês. Aqui, sente-se no banco de trás com Britt. Vou na frente com Lee, a quem estou devendo um maravilhoso jantar caseiro, uma ótima garrafa de vinho e, dane-se, favores sexuais se ele quiser.

O policial riu, balançando a cabeça.

— Só fiz o meu trabalho.

— Esses dois são minha vida agora. Você salvou a minha vida.

Eles ajudaram Zane a entrar no carro, e Britt se aconchegou no irmão.

— Você está sentindo dor?

O garoto apertou a mão dela.

— Agora não.

Lee escutou a conversa dos irmãos, que repassavam os acontecimentos recentes. Como eram resilientes, pensou ele. Os dois ainda enfrentariam momentos difíceis; provavelmente, precisariam de terapia. Mas ficariam bem.

Zane até riu quando Britt lhe contou como fugira, descalça, do hospital. Lee notou que ela — pelo menos, por enquanto — não mencionou como acordara e encontrara o pai no quarto, fazendo ameaças.

Assim como Zane também preferiu não mencionar certos detalhes.

— Você sofreu muito naquele lugar?

— Não, não foi tão ruim assim. — Por um segundo, o garoto encontrou o olhar de Lee no espelho retrovisor. — Foi parecido com ficar trancado no meu quarto em casa.

— Lee nos levou para um abrigo, onde descansamos e passamos a noite. Bem, já era praticamente manhã quando chegamos. Foi triste, mas, ao mesmo tempo, não. Havia muitas mulheres e crianças que são agredidas em casa. Como nós. Mas ali é um lugar seguro. Todo mundo foi legal com a gente. Emily disse que vamos fazer uma doação em nome de todos nós. Para agradecer.

— Acho que seria meio difícil oferecer favores sexuais para recompensar o abrigo também.

Com uma gargalhada demorada e os olhos brilhando com lágrimas de alegria, a tia virou-se para trás.

— Espertinho.

— Emily? Não peça desculpas. Você não precisa se desculpar.

Ela esticou o braço para segurar a mão dele.

— Nem você.

Zane se acomodou no banco e passou o braço bom em torno da irmã. Ficou nervoso quando avistou o lago, mas se acalmou quando o carro seguiu para o lado oposto do Residencial Lakeview.

O lado seguro.

Viu a água, o bosque, os chalés, as flores, os barcos. E um carro alugado diante da casa de Emily. Os avós, na varanda da frente, já correndo para encontrá-los.

Eles choraram. Zane imaginou que todo mundo passaria bastante tempo chorando.

— Vou sair rapidinho com Lee — disse Emily. — Mas volto logo. Com pizza. Acho que esta noite pede uma pizza.

— Posso... Detetive Keller, posso falar com o senhor rapidinho? — perguntou o garoto.

— Claro.

— Tudo bem! Vamos entrar. — A avó assumiu o comando. — Podemos fazer um piquenique de almoço. Venha, querida.

Ela puxou uma Britt obviamente relutante para dentro de casa.

— O senhor não disse por que eles foram presos.

— Pelo que fizeram com você e sua irmã.

— Eliza não batia na gente.

O garoto a chamava pelo nome, notou Lee. Não usava "mãe".

— Foi ela que arranhou seu rosto.

Zane tocou os arranhões.

— Acho que sim. É difícil me lembrar de tudo que aconteceu.

— Sua mãe deixou a situação se perpetuar, o que a torna cúmplice. Ela abusou de você, Zane, da mesma forma que Graham.

Zane queria acreditar naquilo. Meu Deus, como ele queria acreditar.

— Ele conhece muita gente. Vai conseguir bons advogados.

— Confie em mim. — O olhar de Lee era tão determinado que o garoto sentiu a tensão em seu corpo se dissipar. — Sou bom no que faço. Emily virá comigo para tentar convencer sua mãe a contar a verdade.

— Então, ela não vai ser presa. Mas...

— Ela vai receber uma pena menor se contar o que aconteceu, se cooperar. Mas não vai tirar você e Britt de Emily ou dos seus avós. Primeiro, porque vocês dois já têm idade para escolher com quem querem morar; segundo, porque vamos provar que ela é incapaz. Não se preocupe com essas coisas.

— O senhor vai voltar para nos dar notícias?

— Vou. Você está preparado para ir ao tribunal, testemunhar diante de um juiz ou de um júri e contar o que aconteceu?

— Estou. Quero isso. — Esse desejo o inundou como uma onda de força. — Quero olhar nos olhos dele e contar tudo o que fez conosco. Quero muito.

— Ótimo, porque você vai ter essa oportunidade. Preciso ir agora.

— Detetive? Obrigado. Obrigado por me tirar de lá, por cuidar de Britt. Nunca vou me esquecer disso.

— Cuide-se, Zane. É melhor você entrar para ser paparicado pelos seus avós.

— Eles são bons nisso. Às vezes, eu imaginava como seria morar aqui — disse ele enquanto Lee o ajudava a subir os degraus da varanda. — Depois das brigas, eu pensava como seria morar aqui.

— Agora, isso vai se tornar realidade. — O policial abriu a porta de tela. — Consegue ir em frente sozinho?

— Consigo, sim.

Claro que consegue. E vai conseguir muito mais, pensou Lee.

— Avise a Emily que precisamos ir.

No caminho até a delegacia de Asheville, os dois discutiram todos os possíveis desfechos do que estavam prestes a fazer, e, apesar de Lee estar cada vez mais convicto de que Emily era uma mulher forte, alguém capaz de lidar com os próprios problemas, ele ainda hesitou ao chegarem à porta da sala de interrogatório.

— Tem certeza de que quer fazer isso?

— Lee. — Emily tocou seu braço. — Tenho certeza. Talvez só sirva para eu descontar minha raiva, mas eu quero seguir em frente.

— Quando você terminar ou quiser parar, bata à porta.

— Pode deixar.

Ele abriu a porta e sinalizou para o policial lá dentro sair. Emily entrou, e a porta fechou-se às suas costas.

Eliza estava sentada a uma pequena mesa, com as costas eretas e as mãos algemadas apoiadas na superfície. Seu rosto ainda exibia os sinais da violência da noite anterior, mas seus olhos, notou Emily, ardiam com um orgulho irado.

— Já estava na hora de você aparecer.

O estômago de Eliza doía. Emily notou enquanto sentava-se diante da irmã, mas não deu muita atenção.

— Estava mesmo.

— Faz *horas* que estou neste muquifo. Estão me tratando como se eu fosse uma bandida, e ninguém me diz onde está Graham nem o que está acontecendo. Preciso que você descubra. O advogado garantiu que vai dar um jeito de retirarem essas acusações ridículas e que, no mínimo, seremos liberados sob fiança até conseguirmos limpar nossos nomes. Mas, enquanto isso, eu preciso das minhas coisas. Vou lhe passar uma lista.

Que fascinante, pensou Emily. Ela continua agindo como se nada tivesse mudado.

Mas eu, não.

— Não, não vai. Você se enganou se acha que vim aqui para ajudá-la. Não. E o fato de não ter perguntado sobre seus filhos só aumenta minha determinação.

— Meus filhos não são crianças indefesas e estão conspirando contra mim, contra Graham. Zane é perigoso, Emily. Você não entende o que...

— Cale a boca. — Eliza ergueu a cabeça quando a irmã a interrompeu. — Se você disser mais uma palavra contra Zane, uma única que seja, irei embora. Você ficará sozinha. Eu sei o que aconteceu ontem à noite, o que aconteceu no Natal retrasado. Sei de tudo, então não precisa dar esse show, Eliza. — Em uma tentativa de aplacar sua raiva, Emily se recostou na cadeira. — A polícia autorizou que conversássemos. Somos apenas nós duas. Ninguém está ouvindo. Isso é proibido por lei. E preciso saber por quê. Por que você faria uma coisa daquelas com Zane e Britt. Por que deixaria Graham agir daquela forma com eles, com você. Preciso entender o motivo.

— Deixe de ser idiota e faça alguma coisa útil, pra variar! Preciso dos meus cremes. O fato de você acreditar na palavra de dois adolescentes encrenqueiros, e não na da sua própria irmã, só mostra a extensão da sua burrice.

— Chega dessa palhaçada. Eu não vou trazer nada, não vou fazer nada por você. Está preocupada com seu rosto, Eliza, com a pele por baixo desse olho roxo e dos hematomas? Imagine só como você vai ficar depois de alguns anos na cadeia.

— Eu não vou ser presa.

Mas os lábios dela tremiam.

— Vai, sim. O tempo da sentença e o tipo de prisão dependerão do que você fizer e disser quando a polícia vier interrogá-la.

— Nosso advogado...

— Não perca seu tempo. — Para enfatizar, Emily apontou um dedo para a irmã. — Esse foi seu primeiro erro, um grande erro. Você não é burra, então pense um pouco no que significa compartilhar um advogado com o homem que lhe causou esse olho roxo. Há uma chance de melhorar sua situação, mas ela não vai durar muito. É melhor arrumar um advogado só seu, e o único favor que farei será lhe dar o nome de dois criminalistas que encontrei quando procurava alguém para ajudar Zane. O caso dele já foi resolvido.

— Zane precisa ficar na cadeia. Ele... Não! — Enquanto Emily se levantava, a voz de Eliza ecoou pânico pela primeira vez. — Não me deixe aqui.

— Então pare de mentir.

— Como posso ter certeza de que você não está gravando nossa conversa?

Em pé, Emily tirou a blusa e deu uma volta.

— Só nós duas, Eliza. Graham paga o advogado e quem você acha que esse cara vai defender quando tiver que escolher salvar a pele de apenas um de vocês? Faça sua escolha, e, quando eu sair daqui, entrarei em contato com um profissional que vai cuidar dos seus interesses. — Ela vestiu a blusa e sentou-se de novo. — Nós fomos criadas na mesma casa, pelas mesmas pessoas. Aprendemos a respeitar a nós mesmas. Por que deixou Graham abusar de você e dos seus filhos? Por que não me pediu ajuda, por que não falou com ninguém?

— Você não entende nada e isso é só da *nossa* conta. Nosso casamento. Nós nos amamos.

— Um homem que bate em você não a ama.

— Ah, pelo amor de Deus! — Eliza olhou para o teto, debochada. — Você sempre foi tão *medíocre*. Sempre. — Com o rosto agitado de novo, ela se inclinou na direção da irmã. — Eu não sou medíocre. Eu e Graham somos passionais, outra coisa que você não entende. Você se casou com um palerma e nem conseguiu ficar com ele.

— Essa suposta paixão a mandou para o hospital.

— As coisas saíram do controle. Ele não pode bater no meu rosto; esse é o combinado.

Francamente, pensou Emily. Ela jurava que não se surpreenderia com mais nada. Mas estava enganada.

— Vocês... vocês combinaram onde ele pode bater em você?

— E, quando resolvermos essa bagunça, ele vai ter que me compensar por ter passado por cima do nosso acordo. Mas a situação era complicada.

Ela não acreditara no que Britt dissera — não de verdade, não no fundo do seu coração, sobre aquela parte horrível, nojenta.

— Você gosta. Esse comportamento deixa você excitada.

— Não seja tão pudica. Nós somos passionais e, mesmo depois de 18 anos, ainda sentimos tesão um pelo outro. Graham tem uma carreira estressante, cansativa, e precisa dessa válvula de escape em casa. Você acha que pode me julgar? Veja tudo que eu tenho. A melhor casa do Residencial Lakeview, viagens para onde eu quiser, um marido que me dá joias lindas, uma vida sexual intensa. — Eliza jogou as mãos para cima e lançou um olhar frio e cheio de pena para a irmã. — O que você tem, Emily? Uma casa velha, um monte de chalés que precisa alugar e nenhum homem que a queira.

Ali estavam as duas, pensou Emily, a irmã com o rosto arrebentado, usando um uniforme de prisão, com um guarda vigiando a porta. E, mesmo assim, Eliza ainda se achava superior.

E a única coisa que Emily invejava na sua vida não aparecera naquela lista.

— Sabe de uma coisa, Eliza, você se esqueceu de mencionar um detalhe: seus dois filhos.

— Eu nunca quis ser mãe. — Ela deu de ombros, indiferente, como se falasse de um suéter velho. — Cumpri minha parte do acordo. Dois filhos. E fiz tudo com perfeição. Eles tinham tudo... boas roupas, uma boa escola. Aulas de dança para a menina; esportes para o menino. Os dois aprenderam a tocar instrumentos, apesar de Zane ser patético nisso. Refeições saudáveis, disciplina, educação, lazer.

Sim, sim, sim, ainda era possível se surpreender, percebeu Emily.

— Seus filhos estavam no acordo.

— O que as pessoas iriam pensar se não tivéssemos filhos? Um homem na posição de Graham precisa passar uma imagem adequada.

— Então, os dois fazem parte da imagem adequada. E você não se importava quando ele batia em Zane?

— Um filho desobediente precisa apanhar. Zane já é praticamente adulto, de toda forma.

— Então você, basicamente, lavou as mãos.

— Ele iria para a faculdade certa, receberia todas as oportunidades. Estudaria Medicina, seria médico. Agora? — Eliza deu de ombros de novo, como se voltasse a falar de um suéter velho. — Não sei o que Graham vai decidir. Teremos que conversar sobre isso.

— Você e Graham não tomam mais decisões sobre as crianças. Os dois são minha responsabilidade agora.

— Francamente. Como se qualquer tribunal fosse tirar a guarda de pais com a reputação e o status que temos.

— Pois é. Sua reputação e seu status foram por água abaixo. A polícia sabe de tudo.

— A palavra de dois adolescentes contra a nossa.

— Além dos depoimentos da equipe do *resort* para onde foram depois de Graham dar uma surra em Zane. Vocês não pensaram nesse detalhe, não é? — acrescentou Emily quando viu uma faísca nos olhos da irmã. — Não pensaram que mentira tem perna curta. E há várias outras evidências, mas eu prefiro deixar essa parte para a polícia e qualquer advogado que você escolha lhe contarem. Talvez você consiga fazer um acordo, livrar-se de algumas acusações. De toda forma, o caso irá a julgamento, e eu testemunharei contra você e Graham.

Sob os hematomas, o rosto de Eliza ficou vermelho.

— Você sempre foi uma vadia, sempre teve inveja de mim. É por isso que está agindo assim. Sempre teve inveja porque sou mais bonita, mais popular, porque me casei com um médico.

— Não, Eliza, eu nunca tive, e, agora, nem sequer sinto pena de você. Vim aqui para convencê-la a contar a verdade, a fazer um acordo para diminuir seu tempo na prisão. Mas, depois de tudo isso, eu não me importo. Não vou lhe desejar boa sorte, Eliza — disse ela, levantando-se —, porque espero que se ferre. — Emily sentiu claramente o medo da irmã, que inclinou a cabeça. — Será que você e Graham tinham algum acordo sobre o que fariam caso acabassem numa situação como essa? Será que conversaram sobre como agiriam se tudo ruísse? — Deu de ombros. — Aposto que ele está pensando nisso agora.

Virando de costas para a irmã, Emily ergueu a mão para bater à porta.

— Fale com o advogado — disse Eliza.

Emily olhou para trás.

— Qual?

— O que você encontrou. Quero meu próprio advogado.

— Tudo bem, Eliza. Mas essa é a última coisa que eu faço por você.

Emily bateu à porta e, quando ela se abriu, saiu sem olhar para trás.

$\mathcal{D}$EMOROU UM POUCO, mas Lee não se importava em deixar Graham esperando. O promotor de justiça insistira para não lhe dar direito à fiança, usando os dois menores gravemente feridos e em situação de perigo como argumento.

E a declaração do delegado Bost também não fizera mal.

Então, ele ganhara algum tempo, tempo suficiente para o novo advogado de Eliza Bigelow se informar sobre o caso e oferecer um acordo.

Quando Lee entrou na sala de interrogatório, seus instintos diziam que a vantagem era sua. E também que Bigelow não fora completamente sincero, por assim dizer, com seu advogado.

Ele ligou o gravador e sentou-se.

— Dirija suas perguntas a mim — orientou o advogado.

— Claro. Como os senhores estão cientes, a sra. Bigelow contratou outro profissional para defendê-la. Acabei de falar com os dois. Ela jogou você na fogueira, Bigelow. Conseguiu um acordo.

— O privilégio conjugal...

— Não se aplica — interrompeu Lee — se a comunicação entre os cônjuges se refere ao planejamento ou à execução de um crime. A sra. Bigelow preferiu reduzir a própria pena. Não posso culpá-la por isso.

Graham se inclinou para murmurar algo para o advogado.

— O sr. Bigelow quer falar com a esposa.

— Isso terá que ser conversado com o advogado dela e com o diretor da Penitenciária Feminina da Carolina do Norte, onde a sra. Bigelow passará de cinco a dez anos. Sabe, talvez ela até conseguisse diminuir ainda mais a pena se não tivesse mentido para mandar o filho, menor de idade e extremamente machucado, para o reformatório. E também teve o fato de haver contido a filha, também menor de idade, enquanto o marido sedava a menina, a quem tinha acabado de agredir, para impedi-la de falar. Essas coisas pioraram a situação. Seu cliente, por outro lado... — Lee abriu o arquivo de Graham. — Ele vai receber o pacote completo de acusações.

— Vamos alegar que Eliza Bigelow foi coagida e, devido aos próprios ferimentos, causados pelo filho, está comprometida física e emocionalmente.

— Essa é uma opção, mas o psiquiatra a liberou. Ah, ela realmente tem problemas, mas, depois que resolveu contar a verdade, falou um monte de coisas interessantes. Uma delas foi a ocasião em que seu cliente, depois de se dignar a assistir a um jogo do filho, o golpeou na barriga com um taco de beisebol porque o garoto ousou fazer um *strike out*. Ele tinha 11 anos. Chamamos isso de lesão corporal grave com o uso de arma letal.

— Meu cliente nega todas as acusações. Já solicitamos outra audiência para discutir a fiança.

— Pois é, eu fui notificado. Mas, antes disso, vamos falar sobre o que aconteceu alguns anos atrás. Tenho certeza de que seu cliente o informou sobre todos os acontecimentos entre os dias 23 e 30 de dezembro de 1998. — Enquanto falava, Lee tirou alguns papéis do arquivo. — Como, no dia 23 de dezembro daquele ano, seus dois filhos menores de idade chegaram em casa da escola e encontraram o pai batendo na mãe, de novo. Nessa ocasião, o filho tentou impedir a agressão e acabou sendo espancado até perder a consciência.

— Meu cliente nega essa acusação com veemência.

— O menor, então com 14 anos, foi trancado no quarto e não recebeu tratamento médico imediato. Seus ferimentos incluíam nariz quebrado, hematomas nas costelas fraturadas e no rosto, além de uma concussão. O bondoso médico aqui presente pôs o nariz do menino de volta no lugar mais tarde, sem qualquer anestesia. O garoto também ficou sem comer até o dia seguinte.

— É óbvio que Zane está sofrendo um colapso nervoso — começou o advogado.

— O senhor tem filhos?
— Isso não é relevante.
— Estou curioso.
— Tenho dois filhos, de 18 e 20 anos.
— Pense neles quando ler isto. Parece que o Dr. Bigelow não queria perder as férias daquele ano, apesar das condições do filho. Tenho o depoimento de vários funcionários do High Country Resort e Spa, onde a família se hospedou entre os dias 26 e 30 de dezembro. — Sem tirar os olhos de Graham, Lee empurrou os papéis para o outro lado da mesa. — Supostamente, o garoto estava gripado. Essa foi a história que o restante da família ouviu quando ele não apareceu na ceia de Natal. O que o senhor está lendo é a versão que a equipe do *resort* escutou.

Graham se inclinou de novo, mas o advogado ergueu uma mão para impedi-lo de falar.

— Não me parece estranho que um garoto caia da bicicleta quando está se recuperando de uma gripe.

— E aqui estão as declarações dos vizinhos, dos professores, do delegado de Lakeview e da tia do menor. Como um garoto pega uma gripe, cai da bicicleta, não sai do quarto no *resort* e consegue sofrer um acidente enquanto esquia? — Lee empurrou mais papéis. — Aqui está a declaração da sra. Bigelow confirmando a surra e o fato de que ele ficou trancado no quarto. As versões que se contradizem. E isto. — Ele colocou uma cópia da primeira anotação de Zane no caderno diante do advogado. — Escrito por um garoto de 14 anos, sentindo dor e medo. Todos os detalhes se encaixam. Essa foi a noite em que ele começou a escrever tudo, *Doutor* Bigelow. A noite em que Zane começou a documentar sua rotina de maus-tratos.

— Preciso conversar com meu cliente. Este interrogatório acabou.

— O senhor pode conversar tudo que quiser com seu cliente de merda. Minha missão de vida é fazer com que esse desgraçado seja condenado à pena máxima permitida pela lei. Minha bendita missão.

— Vou acabar com você. Com todos vocês.

— Fique quieto, Graham. Não fale.

— Você tirou a infância e a segurança daquelas crianças.

— Eu dei a vida a eles!

— Você deu a eles medo e sofrimento.

— Aqueles dois me devem o ar que respiram, e sou eu que decido como criá-los, *eu*.

— Não mais.

— Aquele garoto acha que pode me desafiar? Ele tem sorte de não estar morto.

— Graham, chega! O interrogatório acabou, detetive.

— Seu advogado vai começar a cogitar um acordo, a pensar em uma forma de melhorar sua situação. Mas não vai rolar. — Lee bateu com um dedo na cópia da página do caderno de Zane. — Minha missão de vida.

— Vou tirar seu distintivo! Você não vai conseguir nem um empreguinho de merda como segurança de shopping quando eu acabar.

— Sei, sei.

Lee desligou o gravador e saiu.

Foi demorado — a justiça demora —, mas, pouco menos de um ano depois, ele ergueu uma cerveja e pensou: missão cumprida.

Capítulo 7

♦ ♦ ♦ ♦

DE BOM HUMOR, Lee dirigia pela estrada do lago em um dia de primavera, com as montanhas se tornando mais verdes, as flores silvestres desabrochando. Sua mente estava borbulhando com decisões pendentes, atitudes a tomar — ou não —, mas, com o lago refletindo o azul alegre do céu, os barcos alvos e as nuvens brancas flutuando, o otimismo reinava nele.

O bem nem sempre vencia; o lado certo da história nem sempre ganhava — ele era policial havia tempo suficiente para saber disso. Então, quando a justiça prevalecia, era preciso aproveitar ao máximo.

Lee fez a curva para chegar a seu destino e parou na entrada da garagem de Emily ao mesmo tempo que ela saltava da picape.

Ele chegara na hora certa.

Ela usava uma calça jeans rasgada nos dois joelhos e uma camiseta com a mesma cor alegre do céu. E aquele moletom cor de laranja que vestira em Britt na escada do hospital, um ano antes.

Já ouvira Emily chamá-lo de seu casaco da sorte.

Seu cabelo caía em ondas, escuro como a noite, saindo da abertura traseira de um boné.

Com um rápido sobressalto de prazer, Lee a achou maravilhosa.

Emily tirou os óculos escuros e o observou saltar do carro, reparando em seu rosto.

— Vejo que é uma boa notícia. — Ainda assim, ela ergueu uma das mãos e esfregou o peito. — Mas fale rápido mesmo assim, como faria com uma notícia ruim.

— Quinze a vinte anos. Ele está indo para a Prisão Central, em Raleigh.

Depois de se apoiar na lateral da picape, Emily soltou um demorado suspiro trêmulo e ergueu a outra mão.

— Preciso de um minuto. — Ela se afastou da picape, seguindo para o lago. Abraçando a si mesma, olhou para a água, para aquele azul espelhado. Sentiu a brisa, o bálsamo quente do ar contra seu rosto. E suspirou de novo quando sentiu o detetive parar atrás dela. — Quase fui à audiência hoje, para ouvir a sentença, apesar de você ter me dito para ficar em casa. Eu não queria ver Graham de novo, disse a mim mesma que já bastava ter visto o rosto dele quando o júri deu o veredicto de culpado. E, mesmo assim, quando as crianças foram para a escola, comecei a me arrumar para ir.

— E por que não foi?

— Lanny, a camareira-chefe, faltou. O filho dela está doente. A substituta também não pôde vir; fez um canal de emergência. E Lois, que você conhece, a substituta da substituta, ia trabalhar em outro lugar hoje. Tivemos dois *check-outs*, a faxina diária, e, graças a Deus, estamos lotados. Marcie não ia conseguir dar conta de tudo sozinha, então... — Emily respirou fundo, mais calma, e esticou a mão para trás até Lee segurá-la e parar ao seu lado. — Interpretei como um sinal para não ir, para não vê-lo pela última vez antes de o juiz dar a sentença. Até parei de pensar no assunto quando comecei a esfregar banheiros e trocar roupas de cama. — Ela balançou a cabeça sem afastar o olhar da água. — Vinte anos — murmurou. — As crianças vão ter praticamente a minha idade. E a condicional?

— Ele precisa cumprir no mínimo 15 anos. E não vai ser fácil conseguir condicional, Emily; provavelmente, terá que tentar algumas vezes. Esqueça isso — aconselhou Lee. — Graham está na cadeia, onde merece estar. As crianças estão seguras.

— Tem razão, e eu posso contar isso aos dois quando voltarem para casa. Daqui a duas horas... um pouco mais — acrescentou ela, olhando para o relógio. — Você precisa voltar para Asheville?

— Hoje, não.

— São quase 13h, mas... dane-se. Vamos tomar uma cerveja mesmo assim.

Lee a seguiu para dentro da casa. Ele gostava da bagunça do local, do fato de que as coisas nunca pareciam estar em seu devido lugar. Era um espaço cheio de luz e vida. Almofadas emboladas porque alguém sentara no sofá. Um par de sapatos jogado — de Britt, pelo visto.

Na cozinha, os restos de uma tigela de frutas — praticamente vazia —, um vaso com narcisos — já murchando —, uma jaqueta jogada sobre uma cadeira, a cafeteira exibindo as sobras do café da manhã.

— Talvez eu tenha algo para beliscar. Pretzels ou coisa assim.

— Não precisa.

Depois de tirar o boné — e seu cabelo, com aquela cor da meia-noite, parecer flutuar e, depois, cair em cascata —, ela o jogou sobre a bancada, junto com os óculos escuros.

— Preciso ir ao mercado de novo. Meu Deus, como esses adolescentes comem. Ainda não me acostumei. — Emily tirou duas garrafas de Heineken da geladeira e as abriu. — Foi um ano infernal, detetive Lee Keller. Infernal. — Ela inclinou a cabeça depois que brindaram. — E isso é apelido. — Antes que ele conseguisse falar, Emily repetiu, levantando o dedo: — Um ano infernal. Perdi a conta dos altos e baixos, e você esteve aqui para nos dar apoio, Lee, em todos os momentos. Agora, eu o conheço bem. Até reconheço quando você faz essa cara de detetive. Não precisa se fazer de rogado. Preciso saber se...

— Não tem nada a ver com os Bigelow.

— Tudo bem. Ótimo. O que acha de irmos para a varanda, para aproveitarmos a vista enquanto você me conta o que veio me contar? Praticamente, não tenho mais segredos com você depois desse ano infernal. É a sua vez de falar.

— Tudo bem, boa ideia. Eu queria mesmo conversar com você.

Os dois se acomodaram na varanda, em duas cadeiras que Emily pretendia lixar e repintar um dia. O vento balançava os sininhos que Britt lhe dera de aniversário. O gramado, que Zane cortara no último sábado, exalava um cheiro fresco e terroso.

— Aqui é um bom lugar, Emily. Você criou um bom lar.

— Espero que sim. Eu...

— Não precisa ficar na dúvida. Eu observei você e as crianças nesse ano infernal e vi todos se transformarem, começarem a relaxar aos poucos. Perderem aquele olhar de vítimas. As coisas foram difíceis tendo que lidar com o julgamento.

— A terapia ajudou. Continua ajudando.

— Você fez tudo certo, deu um lugar seguro para eles, um lugar que deixa bem claro como um lar deveria ser.

— Mas, com certeza, não fiz esse trabalho todo sozinha. Meus pais, puxa vida, são dois guerreiros. É óbvio que é uma situação complicadíssima para eles também. Ela também é filha deles, Lee. Eliza é filha deles. Mas os dois fizeram o que tinha de ser feito. Minha mãe... — Emily fechou os olhos e balançou a cabeça.

— Ela chorou apenas uma vez, e, mesmo assim, só quando estávamos sozinhas.

— Você também tem essa natureza. Os Walker são realmente guerreiros muito fortes.

— Pois é. Zane e Britt querem mudar o sobrenome. Os dois preferem usar Walker, então é isso que faremos.

— Acho que será melhor assim.

— Eu também. Sabe de uma coisa, Lee... Nossos amigos, nossos vizinhos, todos se revoltaram e nos apoiaram. Se não fosse por isso, não poderíamos ter continuado em Lakeview.

— Aqui é um bom lugar, Emily.

— É sim.

E ela sempre seria grata por poder olhar para o lago, para as colinas, e ter certeza de que aquele era um bom lugar.

— Os Carter... Foi bom contar com o apoio deles; principalmente, por causa das crianças. Mas eu também precisei deles. Sempre estiveram do nosso lado. Assim como você, Lee. — Ela colocou uma mão sobre a sua. — Especialmente você. Juro que não sei o que teríamos feito sem a sua ajuda. Ainda bem que não preciso imaginar. Agora. — Abrindo um sorriso, Emily virou para encará-lo. — Fale o que tinha para falar, para eu poder retribuir seus favores.

— Tudo bem. Tive uma reunião com o delegado Bost. Tive algumas, na verdade, mas nos encontramos de novo hoje, depois da audiência. Eu, Bost e mais alguns outros.

O sorriso dela começou a desaparecer.

— Você disse que a conversa não tinha a ver com Graham.

— E não tem, ou talvez seja apenas uma consequência. Bost vai pendurar as chuteiras.

— As chuteiras?

— Ele vai sair do cargo — explicou Lee. — Pediu demissão. Mas queria terminar o caso antes, e agora está feito. A família dele vai se mudar para Wilmington depois que o ano letivo acabar. É a melhor decisão para eles.

Emily se balançou um pouco, como se o corpo inteiro concordasse com aquilo.

— Acho ótimo. Confesso que guardei certa mágoa. Ele veio se desculpar com, com todos nós, pessoalmente. Mas não consegui me livrar totalmente do rancor. E vou ficar feliz por Zane não ter mais que encontrá-lo.

— O cargo ficará vago. Recebi uma oferta.

— Você? — Agora ela se virara totalmente, sorrindo enquanto o encarava. — Ora, mas que bela surpresa neste dia de primavera! Quero dizer, seria uma sorte tê-lo por perto, mas também uma mudança e tanto para você, que é detetive em uma cidade grande e está acostumado a cuidar de casos maiores. Quer mesmo ser delegado de uma cidade pequena?

— Depende. — Lee pigarreou e se remexeu um pouco. — Gosto da cidade, das pessoas. Como disse, é um bom lugar. Talvez eu esteja pronto para uma mudança. Mas não quero pressioná-la a nada.

— Você não quer *me* pressionar?

— É só que... — Ele tomou um longo gole da cerveja. — Eu tive bastante tempo para pensar no assunto, refletir se isso seria a melhor coisa para todos. Ou não. Se seria esquisito.

Emily se perguntou se já o vira parecer nervoso, mas não conseguia se lembrar de nenhuma situação.

— Não estou entendendo.

— É porque não estou sabendo me expressar. Vamos recomeçar. Quer jantar comigo?

— Claro. Só preciso ir ao mercado... — Emily parou de falar quando o viu se retrair um pouco. — Você está falando de um encontro? Nós dois? Preciso largar minha cerveja.

Ela colocou a garrafa sobre a mesa, levantou-se e foi até a extremidade da varanda.

— Eu não quis dizer... Nós todos podemos ir.

Emily se virou. Não apenas nervoso, percebeu ela, mas, naquele momento, Lee parecia extremamente envergonhado.

Não era a coisa mais fofa do mundo?

— Você quis dizer, sim. E estou, como diz Britt, processando a informação. Faz um ano, Lee, praticamente um ano desde que nós duas o encontramos do lado de fora daquela delegacia, e você nunca deu em cima de mim. Nem de leve.

— É claro que não. Eu não ia estragar o caso, o julgamento, decepcionar você e as crianças fazendo uma coisa dessas. Pelo amor de Deus!

— Mas você queria.

— Eu... — Ele tomou outro gole da cerveja. — Bem, sim. Eu sou cego, surdo ou idiota? Você é linda, é inteligente. É a mulher mais forte que já conheci na vida e tem o maior coração do mundo.

Emily se apoiou na balaustrada enquanto sentia o peito — que ela já aceitara que ficaria vazio para sempre — começar a se agitar.

Além das palpitações e do frio na barriga.

— Nunca imaginei isso vindo de você, detetive Lee Keller, nunca mesmo.

— Você tinha muitos problemas para resolver. E as crianças. Elas não precisavam de um cara dando em cima da única pessoa que poderia tornar seu mundo mais estável.

— Eu devo tanto a você...

Lee baixou a cerveja, batendo-a sobre a mesa com um pouco mais de força do que pretendia, e se levantou.

— É justamente isto que eu não quero. Você não precisa se sentir na obrigação de me dar uma chance. Não quero isso para mim, e você também não deveria querer para você.

— É verdade. Você está completamente certo.

— Vamos continuar sendo amigos e não vejo problema algum nisso. Se você não está interessada em...

Emily o agarrou pela gravata, puxou-o para perto e calou sua boca.

Perfeito, pensou ela. Ah, meu Deus, perfeito.

Quando tirou a mão da gravata e acariciou o rosto dele, ela sorriu.

— Você é detetive. Quais são suas deduções sobre meu interesse?

— Parece afobado.

Com uma risada, ela o abraçou.

— Eu pensava em você, pensava nisto e pensava comigo mesmo "não seja carente, Emily, não force a barra só porque ele parece perfeito para você". Então, também não demonstrei meus sentimentos.

Ele a pressionou contra a balaustrada para beijá-la de novo e se perder naquele beijo, naquela entrega do corpo dela.

— Então, isso quer dizer que você vai jantar comigo?

— Vou cozinhar hoje e você vai jantar com a gente. As crianças vão precisar de apoio quando dermos a notícia sobre Graham. Mas, no sábado à noite, vou querer um encontro de verdade.

— Combinado. — Lee fechou os olhos e a manteve em seus braços. — Fiquei com medo de você conhecer alguém antes de o julgamento acabar.

— Eu também. De você conhecer alguém. — Emily se afastou e o puxou pela gravata de novo. — Venha.

— Eu... agora? Agora mesmo? — perguntou ele enquanto era puxado porta adentro.

— As crianças vão demorar para voltar. Em vez de irmos ao mercado, daremos um jeito com o que tivermos na despensa. Chegou a hora, detetive Lee Keller, de nós dois tomarmos uma atitude.

— É melhor você começar a me chamar de delegado Keller — disse ele enquanto os dois subiam as escadas. — Vou aceitar o emprego.

Lee não apenas aceitou o emprego, como, em junho daquele ano, mudou-se para a casa na beira do lago. Em poucos meses, com as avermelhadas montanhas no outono e o lago brilhando sob o sol, os dois se casaram.

Quando Zane começou o último ano do ensino médio, foi matriculado como Zane Walker. Aquilo não apagava seus anos como Bigelow, mas o fazia se sentir melhor consigo mesmo.

O garoto continuou tirando boas notas e mantendo o quarto arrumado — tanto por hábito como por medo, que permaneceria em seu subconsciente por anos a fio. Ele passava tempo com Micah, treinava com Dave, implicava com a irmã.

Fazia as tarefas de casa, ajudava com os negócios da família, pensava em garotas.

Ia à terapia.

Quando acordava suando frio de um pesadelo, levantava e ia até a janela. E lembrava a si mesmo em qual margem do lago morava agora. Lembrava que ninguém ali entraria no seu quarto para espancá-lo.

Que tudo aquilo tinha ficado para trás.

Assim como seu maior sonho.

Zane Walker jamais seria jogador profissional de beisebol. Os olheiros não fariam propostas. Ele podia jogar partidas amadoras, até participar da equipe da cidade se quisesse. Mas seu braço deixara de ser um foguete e nunca mais voltaria ao que era antes.

Não fora apenas seu cotovelo que quebrara na noite em que caíra da escada. Seus sonhos, todos os que importavam de verdade, também se haviam partido.

Zane não desistira — não no começo. Lidara com a cirurgia, com o tempo de recuperação, com a fisioterapia. Quando a Dra. Marshall o liberara, voltara a fazer musculação.

E tinha recuperado os músculos, mas não conseguia mover o braço com a mesma amplitude de antes. Não do jeito que era necessário para arremessar a bola de uma base à outra, não na liga profissional.

Nem na liga universitária, verdade seja dita.

Tudo que Zane sempre quisera — a única coisa em que era muito bom e amava loucamente — havia desaparecido do dia para a noite. Evaporado.

Ele até chorara na terapia por causa disso — que vergonha! Mas o Dr. Demar tinha compreendido, ou, pelo menos, foi o que pareceu. Zane não precisava superar aquilo de uma hora para a outra, como se fosse uma bobagem. Ele podia ficar triste, podia ficar com raiva.

Como já sentia as duas coisas, não precisava de permissão. Mas tê-la o ajudou. E o fato de Emily não brigar por ele viver amuado ou reclamando também ajudava. Assim como o fato de poder desabafar suas frustrações com Dave enquanto malhavam ou conversavam. E Lee — quem diria que Lee e Emily ficariam... pois é. Lee gostava de beisebol quase tanto quanto ele, sabia falar sobre as estatísticas e também jogava bem. Na época em que trabalhava em Asheville, jogava como campista direito no time da polícia.

Zane seguiu em frente, apesar de ainda ter o costume de se deitar na cama segurando uma bola, esfregando as costuras.

Sabia que precisava de um novo plano, mas era difícil enxergar além dos cacos de seu sonho. Mesmo assim, precisava pensar nas opções, porque a faculdade se aproximava.

A universidade, que antes representava liberdade, agora parecia um caminho confuso e nebuloso — um caminho coberto por sombras, cheio de armadilhas.

Medicina, jamais. Apesar de admirar Dave e seu trabalho como paramédico, Zane não queria saber da área médica em hipótese alguma.

Suas notas abririam caminho para uma boa faculdade. Talvez parte do que o impulsionasse nesse sentido viesse de um medo residual, mas notas boas, ao longo de todo o ensino médio, ajudavam. Quando ele pensava no assunto, achava que suas matérias favoritas eram Literatura e História. Mas para que isso serviria?

Zane não queria ser professor. De jeito nenhum. Ele escrevia bem, mas também não pretendia trabalhar com isso.

Forças Armadas? Credo! Ele já tivera uma vida regimentada, seguindo ordens, usando uma porcaria de uniforme.

Seus dedos acariciavam a costura da bola, lentamente passando pela linha vermelha encerada.

Talvez fosse interessante trabalhar na polícia. Lee era legal, e Zane gostaria muito de colocar os caras maus atrás das grades. Sem Lee, Graham poderia ter escapado. Ele queria salvar o mundo de pessoas como o pai.

Então... talvez.

Zane começou a ler sobre Justiça Criminal e Direito, sobre como tudo funcionava. Ele já tinha bastante experiência nessa área. Quanto mais lia, mais pensava nisso ao deitar na cama, esfregando a costura da bola, e mais visualizava esse caminho — não tão sombrio ou cheio de armadilhas.

E não era só um caminho, concluiu. Era um propósito.

Ele passou muito tempo pensando na melhor maneira de fazer as coisas, em como alcançar seu objetivo. Queria mapear as dificuldades e possíveis problemas antes de expor seus planos.

Falar sobre o assunto o tornaria real. Aquela seria sua nova esperança — a época dos sonhos ficara para trás, mas ele achava que conseguiria lidar com a esperança. Porém, se isso também desse errado, Zane nem imaginava o que faria.

Ele resolveu se arriscar. Reunindo aquela esperança, foi para o andar de baixo da casa. Britt estava em alguma atividade extracurricular da escola, e Lee a buscaria quando saísse da delegacia. Então, por enquanto, era só Emily, e seria melhor começar por ela.

A tia deixara algo borbulhando no fogão, algo com cheiro de aconchego em uma noite fria e chuvosa. Enquanto o calor da panela dominava a cozinha e a chuva caía lá fora, ela estava sentada à bancada com o *laptop*.

Emily parecia bastante feliz. A felicidade irradiava dela. Isso era por causa de Lee, supunha Zane, porque os dois combinavam tanto que pareciam estar juntos desde sempre. Ele não sabia o que pensar sobre aquilo, na verdade. Seus pais combinavam — se encaixavam como peças duras, entalhadas e perfeitas, mas ao mesmo tempo sombrias e pontiagudas. Mas a tia e Lee? Era uma combinação tão tranquila e natural que a casa inteira parecia o ensopado no fogão: aconchegante.

Zane estaria em débito com eles pelo resto da vida.

Emily ergueu o olhar quando ele entrou; aquela felicidade nítida em seus olhos. Mas, enquanto abria um sorriso radiante para o sobrinho, ela corou e fechou o *laptop* de um jeito que Zane reconhecia.

Segredos.

— E aí, cara, como vão as coisas?

— Indo. A comida está com um cheiro bom.

— Ensopado de frango. Vou fazer uns bolinhos também. Fiquei com vontade.

— Quer ajuda?

— Por enquanto, não; talvez na hora dos bolinhos. Você está com cara de que quer me contar alguma coisa. Sente-se e desembuche.

Zane sabia que a tia falava sério, que queria mesmo saber o que ele tinha a dizer, que prestaria atenção. Mesmo assim, um calafrio de nervosismo subiu por suas costas.

— Certo, tudo bem. Lá vai. — Zane sentou-se, se remexeu, esqueceu completamente tudo que ensaiara dizer. — Estou pensando na faculdade.

O que ele via no rosto de Emily era alívio; e sentiu-se apoiado quando ela segurou sua mão e a apertou.

— Que bom, Zane! No que está pensando?

— Minhas notas são boas.

— Elas são mais que boas. São fantásticas. — Quando ele hesitou, a tia apertou sua mão de novo. — Vamos direto ao ponto. Eu sei, de verdade, como é difícil para você abrir mão de ser jogador profissional. A médica disse que poderia tentar participar da liga universitária...

— Eu seria um jogador de segunda.

— Ah, Zane, você exige demais de si mesmo.

— Eu nunca seria bom o suficiente, essa é a verdade. E isso não me deixaria feliz. — Doía, mais do que ele poderia explicar, pensar assim. — Preciso esquecer essa ideia. Há outras opções. Você sabe que eles queriam que eu fosse médico.

— Você não precisa atender às expectativas deles, nunca mais. Pense no que você quer. E é isso, Zane, que eu vou querer para você também.

— Não quero ser médico. Pensei em outras coisas, mas nada parecia muito interessante.

— Você não precisa decidir agora. A faculdade também serve para experimentar coisas diferentes.

— Mas eu já decidi. Quero... Quero estudar Direito. Primeiro, é preciso fazer o bacharelado, e isso vai demorar entre dois anos e meio e quatro anos, e, depois, vem a especialização, que são mais três.

Emily se recostou na cadeira, analisando o sobrinho — com muita atenção.

— Você quer estudar Direito, quer ser advogado?

— Quero. — E agora que colocara em palavras, aquilo era uma realidade. — Quero tentar. As minhas notas mais altas são em Inglês e História. Fiz aquele curso de Ciências Políticas e me saí bem. A Universidade da Virgínia fica em Charlottesville. São só quinhentos quilômetros de distância, então poderei vir para casa quase sempre. É uma boa faculdade e eu terei uma boa base. Se eu for aprovado.

— Você pensou bastante nisso — comentou ela.

— Eu precisava descobrir se daria certo.

— Primeiro... — Emily ergueu os dedos e apontou para os próprios olhos. — Olhe bem aqui: é isso que você quer? É isso que quer fazer? Mais do que qualquer outra coisa?

Cara, como ele amava a tia, porque sabia que, no fim das contas, ela estava falando sério. A decisão era dele.

— É sim. Quero dizer, é isso que quero tentar fazer. Quero ser promotor de justiça. Pensei em ser policial, mas não gostei tanto da ideia. Ser promotor combina mais comigo.

— Zane, que coisa boa! — Como ele a olhava bem nos olhos, viu o brilho das lágrimas. — Você vai ser ótimo. Um advogado. Meu avô era procurador do município. Bem aqui, em Lakeview.

— É, acho que eu já sabia. Posso me inscrever em várias bolsas e acho que consigo um emprego de meio expediente agora para começar a juntar dinheiro. Também tenho a opção do financiamento estudantil e tudo mais. E posso trabalhar na faculdade. O curso inteiro levaria sete anos, e, depois, tenho que passar no Exame da Ordem. Às vezes, as pessoas conseguem trabalho como escreventes, em escritórios de advocacia ou com juízes, e, se eu fizer cursos durante as férias, consiguirei diminuir o tempo de formação em um ano. Mesmo assim...

— Vamos voltar um pouco. — Inclinando-se para a frente, Emily afastou o cabelo, que o sobrinho deixara crescer. Escuro como o dela, as mechas enrolavam um pouco em torno do rosto dele, sobre a gola da camisa. — Você está achando que precisa pagar pela faculdade?

— Meus pais não vão liberar o dinheiro da poupança para a faculdade, e eu não quero nada deles, mesmo que conseguíssemos obrigá-los. Não posso aceitar que você pague tudo para mim. Não posso.

Agora, ela se recostou na cadeira, cruzando os braços.

— Você acha que pode me impedir de ajudá-lo?

— Você já me ajuda todos os dias.

Emily descruzou os braços e segurou o rosto de Zane.

— Precisa parar de se preocupar com essas coisas. Seus avós querem pagar a faculdade para você e Britt. — Ela ergueu um dedo antes de ele conseguir rebater. — Isso é família. Não falamos nada antes porque não queríamos pressioná-lo. E, se você resolvesse que não queria ir para a faculdade, ou preferisse passar um ano viajando, ou fazendo um curso profissionalizante? Agora, você resolveu o que quer fazer. Quero que ligue para eles, que conte seus planos. E agradeça. — Emily voltou a se recostar na cadeira. — Agora, não estou dizendo que você não deva trabalhar, pagar por algumas coisas. Isso é uma questão de responsabilidade. Pode trabalhar para mim, como fez nas férias, ou arrumar outra coisa. Contanto que não interfira nos seus estudos.

— Mas o curso pode demorar sete anos. Pode custar...

Ela tamborilou com o dedo nos lábios dele.

— Pare. Seus avós amam você e são generosos, e é só nisso que você precisa pensar. Eles podem bancar essa despesa, e eu acho que, no fundo, precisam fazer isso. E você vai deixar, vai deixar que o ajudem. — Então, Emily riu. —

Excelentíssimo Zane Walker... Adorei! — A tia o puxou para perto e lhe deu um abraço. — Vamos fazer os bolinhos.

Ela começou a pular da cadeira, perdeu o equilíbrio e precisou se segurar na bancada enquanto empalidecia e cambaleava.

Zane se levantou num pulo.

— Sente-se. Você está bem? Nossa, Emily!

— Estou bem, estou bem. Só levantei rápido demais. Puxa!

Ela sentou-se e baixou a cabeça entre os joelhos.

— Tem alguma coisa errada. — Zane deu um tapinha em suas costas e foi logo buscar um copo de água. — Você está doente. Vou ligar para Lee.

— Não estou doente. — Mas sua voz soava fraca e abafada. — Só preciso de um segundo.

Zane colocou o copo de água sobre a bancada e acariciou as costas e o cabelo da tia.

— Vou ligar para Lee.

— Lee já sabe.

Enquanto o chão parecia abrir sob seus pés, ele fez menção de agachar, mas a tia já se levantava — devagar. Seu rosto perdera a palidez — graças a Deus. Ela respirou fundo uma vez, e de novo, pegou o copo e tomou um pouco da água.

— Estou melhor. Tudo bem, certo, você me contou o seu segredo, então acho que chegou a hora de contar o meu.

Zane se preparou para o pior, para o pior de tudo, enquanto a tia abria o *laptop* e o ligava de novo. Ela virou a tela para ele.

— Nove semanas... de gravidez? *Grávida*! — exclamou ele.

Emily soltou uma risada, uma gargalhada feliz enquanto o olhar do sobrinho ia automaticamente para sua barriga.

— Ainda não parece. Mas fechar a calça está começando a ficar difícil.

— Você está grávida.

Zane ainda não conseguia digerir o conceito em sua mente, em seu corpo.

— Nós queríamos esperar mais algumas semanas antes de contar, mas, puxa, você me pegou. Descobri um mês antes do casamento. Surpresa! — A gargalhada veio de novo. — Queríamos tentar, sabe, mas nunca achamos que seria tão rápido.

— Você parece tão feliz.

— Está brincando? Estamos nas nuvens. Foi difícil guardar segredo de vocês. De todo mundo: amigos, vizinhos, completos desconhecidos. Mas a gente queria que você e Britt se adaptassem melhor à volta às aulas e tudo mais. E queríamos dar um tempo para o pequeno se adaptar também. — Emily levou uma mão à barriga. — Fico um pouco tonta. É normal. Nada de enjoos matinais, o que é bom. O que você acha?

Zane também precisou sentar.

— Eu e Britt podemos ajudar mais. Na casa, nos chalés. E você pode ficar sentada aí, está bem, e me explicar como fazer os bolinhos. Descanse enquanto eu faço as coisas. É meu primo aí dentro. Vou ter um primo.

— Outra coisa normal — disse Emily enquanto as lágrimas escorriam. — Eu me debulhei em lágrimas hoje cedo, quando Lee disse que buscaria Britt depois do ensaio da peça.

— Você o ama de verdade.

— Amo.

— Lee e Dave são os melhores homens que conheço.

— Ah, aqui vamos nós de novo. — Dessa vez, ela enfiou a mão no bolso para pegar um lenço. — Vamos fazer assim. Antes dos bolinhos, vamos ligar para a vovó e o vovô. Podemos dar uma dose dupla de boas notícias para os dois: a sua e a minha. E aí, eu gasto todas as minhas lágrimas antes de mostrar a você como fazemos bolinhos nesta casa.

— Combinado. Emily? — Zane sorria de orelha a orelha. — Isso é tão maneiro!

NA PRIMAVERA, Emily deu à luz um menino saudável, com cabelo escuro e pulmões tão fortes que causariam inveja a Pavarotti. Os pais decidiram chamá-lo de Gabriel.

Durante aquela agitada primavera florida, Zane levou uma loira bonita chamada Orchid para o baile de formatura — já que seu namoro com Ashley tinha acabado — e teve sua primeira experiência sexual completa.

Ele decidiu que o sexo — sexo de verdade — ficava par a par com o beisebol.

Britt interpretou o papel de Rizzo no musical *Grease* e se apaixonou perdidamente por um cara desengonçado do segundo ano que partiu seu coração pela primeira vez.

Para seu alívio e empolgação, Zane recebeu sua carta de admissão na Universidade da Virgínia.

Ele terminou a escola, e, apesar de a cerimônia ter sido um turbilhão de términos e começos, todas as pessoas com quem se importava estavam ali.

Micah esperando sua vez de atravessar o palco. Dave batendo o punho contra o de Zane para cumprimentá-lo. Os avós, com os olhos cheios de lágrimas. A irmã sorrindo. Lee segurando o bebê para Emily ficar de pé e gritar de alegria.

Seu mundo. Sua verdadeira base. Sobre ela, Zane construiria algo especial.

Parte Dois

A volta para casa

Lar é de onde se vem.

— T. S. Eliot

Não é necessário força para marcar um home run. *A única coisa que se deve fazer é acertar a bola no momento certo.*

— Yogi Berra

Capítulo 8

♦ ♦ ♦ ♦

Fevereiro de 2019

DARBY NÃO TINHA escolhido Lakeview, na Carolina do Norte, aleatoriamente. Suas decisões seguiam uma lógica.

Ela queria ir para o sul, mas não se embrenhar muito no interior. Queria água, mas não o mar. Nada muito urbano nem nada muito rural. E queria olhar pela janela, em qualquer lugar que fosse, e ver plantas nascendo, árvores, jardins.

Com o tempo, iria querer conhecer pessoas, fazer amizades, mas não havia pressa.

E queria tempo. Precisava de tempo. E se permitiu tê-lo — independentemente do lugar que escolhesse, ficaria, no mínimo, duas semanas na cidade antes de concluir que não tinha gostado e ir embora. Caso contrário, ela se mudaria para lá.

Darby precisava de um lugar, de um propósito, de algo que a segurasse. Passara tempo demais se sentindo tão leve quanto um balão que sairia voando se não estivesse amarrado a alguma coisa.

E ela não queria voar. Queria criar raízes.

Analisara mapas, vasculhara a internet.

A Carolina do Norte parecia atender a todos os requisitos. Tinha um clima propício para plantas florescerem e vingarem. E a região de High Country — sobre a qual ela não sabia quase nada antes de começar a pesquisar — tinha uma vantagem.

As montanhas não haviam sido um fator inicial na sua busca, mas seria bom vê-las se estendendo pela paisagem.

Lakeview parecia ideal. Darby teria a água, que tanto queria, as montanhas, que não sabia que desejava até descobri-las, uma cidade de tamanho apropriado e uma distância razoável até as cidades maiores — quando precisasse ou quisesse todas as possibilidades que elas ofereciam.

Se não desse certo, bem, poderia seguir em frente.

Com o destino em mente, analisou o histórico climático, o índice pluviométrico, a época de plantio, espécies nativas, perspectivas de negócios, atividades.

Onde as pessoas faziam compras, onde comiam, como se divertiam? Ela procurou hotéis caros, hotéis baratos, pousadas, casas de temporada. E encontrou a página dos Chalés Lakeside Walker.

Darby simpatizou com Emily Walker Keller, gostou de saber que o negócio era administrado pela mesma família havia três gerações e ficou empolgada com os chalés em si. Separados e com bastante privacidade, mas não afastados demais nem isolados. Muitas árvores. Bosques, na verdade, algo que também lhe despertou um interesse inesperado.

Foi quando tomou a decisão e fez uma reserva pela internet. Um mês. Se cansasse depois de duas semanas, ficaria no prejuízo e iria embora.

Uma aventura, dissera Darby a si mesma enquanto empacotava o que lhe restara — havia vendido ou doado a maior parte de seus pertences. Levava pouca coisa, pensou, nada a prendia à casa que não era mais sua — em um belo bairro residencial de Baltimore —, então ela guardou tudo no carro.

Apenas uma vez, virou-se para olhar a velha casa de tijolos aparentes, tão bonita, com o jardim hibernando sob a neve fresca de fevereiro. Depois de assinarem o contrato de compra, os novos donos permitiram que ela ficasse lá até o fim da tarde para terminar a mudança, gesto pelo qual se sentia grata.

Eles aproveitariam o jardim, a dança dos galhos da frondosa pereira sob o vento das primaveras. Cortariam a grama, se sentariam na cozinha, dormiriam nos quartos. A casa ganharia vida de novo.

Por quase um ano, a casa ficara no limbo. Parecia hibernar. Assim como Darby.

O lugar merecia ser ocupado novamente por uma família, como seria agora, e ela poderia ir embora sem peso na consciência.

Darby entrou no carro, colocou os óculos escuros para enxergar sob o brilho do sol e ligou o rádio — alto.

E partiu.

Se fosse direto, levaria cerca de oito horas para chegar. Mas preferiu demorar uma semana. Aquela jornada, em sua opinião, serviria para descobertas, aventuras e, não menos importante, liberdade. Na estrada, ela poderia ser quem quisesse, ir aonde tivesse vontade.

Um tempo fora do tempo, pensou Darby, permitindo-se tomar um café da manhã que consistia em salgadinhos sabor sal e vinagre e uma Coca-Cola gelada.

Da janela de um hotel na beira da estrada, ela ficou observando a neve cair no Vale do Shenandoah, no meio da Virgínia Ocidental — por que não? Sua rota seguia estradas secundárias, subia e descia montanhas. E adentrava novamente no leste.

Um dia inteiro foi dedicado a Charlottesville. Um tour em Monticello, passeios demorados por galerias de arte e um delicioso risoto verde com um Pinot grigio gelado para completar o dia.

Depois que Darby saiu da cidade, as estradas secundárias a levaram por fazendas, vinhedos, vilarejos, casas antigas e novas construções. Entre os sinais tímidos de que a primavera se aproxima, os gramados exibiam a verde promessa de cor e o vento soprava como um cauteloso suspiro.

Já que queria começar o dia cruzando a fronteira da Carolina do Norte, ela escolheu um hotel barato perto dos limites do estado, jantou frango frito à moda do sul em uma lanchonete e foi servida por uma garçonete alegre que atendia pelo nome de Mae e a chamava de docinho de coco.

Ou "docim" de coco, em seu adorável sotaque.

Mae exibia uma esvoaçante cabeleira loira de tom forte e chamativo, que contrastava com as raízes escuras, os seios fartos e um sorriso tão reconfortante quanto o purê de batatas com molho de carne no prato de Darby.

Ela passou a última noite da viagem ouvindo o entusiasmado casal do quarto do lado transar aos berros. Comparando todas as transas de hotel que ouvira pelo caminho, Darby decidiu que os berros de "Ah, meu Deus, SuSIE!" e "Jack, Jack, *Jack*!" eram os vencedores.

Quando seu despertador biológico a acordou, pouco antes de amanhecer, ela saiu da cama e foi tomar banho. Depois de analisar o rosto no espelho, concluiu que, como seria sua primeira aparição em Lakeview naquele dia, um pouco de maquiagem não faria mal.

Ela vestiu calça jeans, camiseta e moletom, amarrou as amadas botas velhas da marca Wolverine e mandou um beijo para Susie e Jack enquanto pendurava a mochila no ombro.

Depois, comprou um pacote de Oreo e uma lata de Coca-Cola na máquina de venda automática, passou um tempo observando o céu acordar, misturando-se à noite com seus tons cor-de-rosa.

Então, romou para o sul, chegando à Carolina do Norte junto com o sol.

Enquanto passava a manhã dirigindo, Darby deixou os pensamentos vagarem. Aquele não era o momento de pensar no futuro em termos práticos — ainda não. Nada disso importava, quando podia pegar qualquer estrada, fazer um retorno, ir para o norte ou para o leste.

Também seria possível perder um ou dois dias da reserva do chalé ou, simplesmente, cancelá-la. O destino estava em suas mãos; não havia mais ninguém para tomar suas decisões.

Mas Darby seguiu para o oeste e viu as montanhas. Primeiro, parecendo sombras contra o sol; depois, tomando forma e tamanho. Seguindo os instintos, ela continuou seguindo na direção delas. Hora de se arriscar, pensou. Hora de tentar.

Sua primeira visão de Lakeview veio junto com o sol, reluzente. Descendo pelas montanhas, aconchegado nos vales, iluminando os sopés. E fazendo o lago azul cintilar.

A primavera ainda não chegara a High Country, mas parecia que já começara a dar o ar de sua graça.

Darby queria ir à cidade primeiro. A paisagem era uma parte importante, mas, para definir seu futuro, precisava avaliar alguns aspectos práticos, sua possível clientela, a demanda por seus serviços.

Logo ficou claro que o lago era o centro de tudo — o que fazia sentido. Píeres, a marina, lojas oferecendo produtos para quem quisesse se divertir na água — velejar, nadar ou praticar remo, aproveitar os pequenos trechos de praia, pescar.

Lojas para amantes da vida ao ar livre, aqueles que gostavam de caminhadas, esportes. Lojas de artes, lojas de lembrancinhas, restaurantes, alguns hotéis bonitos. Negócios que pareciam bem-estabelecidos ao seu ver.

As pessoas passeavam pelas calçadas ou andavam apressadas. Outras vagavam pela marina. Alguns barcos flutuavam no lago azul.

E havia casas, para aqueles que moravam no centro. Mais casas para aqueles que queriam um pouco de distância do burburinho.

Casas com quintal, casas no topo de colinas, com suas árvores frondosas e seus arbustos ornamentais germinando, apenas esperando para florir junto com a primavera.

Um lugar tranquilo — especialmente quando comparado à cidade na qual ela morara desde sempre —, mas cheio de vida. O lago, as colinas, aquelas montanhas e as florestas atrairiam turistas, o que era bom. Mas turistas não eram seu público-alvo.

Darby passou por um condomínio — o Residencial Lakeview. Casas grandes e elegantes, e as maiores e mais sofisticadas delas contavam com amplos quintais com vista para o lago.

O lugar contava com o próprio parque, uma área de recreação infantil.

Ela fez um desvio e começou a circundar o lago pela estrada.

Residências — pelo que lera, algumas haviam começado como casas de veraneio. Algumas ainda pareciam ser usadas apenas nas férias ou alugadas para temporada. E outras pareciam encravadas dentro das encostas — muitas janelas, integrando a vista ao interior das casas e varandas proeminentes, para aproveitar belos dias e belas noites.

Darby podia fazer tanta coisa com aqueles fascinantes terrenos pedregosos e inclinados, se lhe dessem a chance!

A estrada era um pouco movimentada, mas nada muito extremo nem irritante, e isso também era bom. Ela viu um homem de boné vermelho pescando na beira de um píer. Ou seria um cais? Havia diferença?

Uma mulher carregava um bebê em um canguru — as pequenas pernas gordinhas balançavam no ar. Um enorme cachorro preto andava a seu lado, preso a uma coleira. Pelo espelho retrovisor, Darby olhou para o trio enquanto a mulher soltava a guia.

O cachorro saiu correndo na direção do lago, saltou e aterrissou em um mergulho, jogando água para todo lado. Encantada, diminuindo a velocidade para assistir ao cão nadando como uma lontra, ela quase não viu a placa indicando a recepção dos Chalés Lakeside Walker.

A estrada se estreitava depois da curva, passava a ser de cascalho, e o bosque se aproximava do acostamento. Por um instante, Darby pensou que aquele era um paraíso particular — ou o cenário perfeito para um ataque de psicopatas — antes de chegar a um chalé muito bem-cuidado que exibia a placa "Recepção Lakeside".

A varanda exibia duas cadeiras de balanço com uma mesa entre elas, e o pequeno caminho até lá era ladeado por grama, que, apesar de aparentar ter mais ervas daninhas do que qualquer outra coisa, estava muito bem aparada.

As luzes estavam acesas por trás das cortinas, e um rastro de fumaça saía da chaminé.

— Lá vamos nós — murmurou Darby, pegando a mala e saltando do carro.

Ela atravessou o caminho de cascalho — ardósia, pensou, devia ser de ardósia, com musgo crescendo entre os espaços — até a varanda, onde imaginou azaleias cor-de-rosa — muito tradicionais — alegrando o ambiente e vasos ladeando a porta com plantas que refletissem a estação do ano.

Quando ergueu uma das mãos para bater, leu a placa que dizia "Entre sem bater" e obedeceu.

Uma mulher estava sentada a uma lustrosa mesa comprida, trabalhando no computador enquanto o fogo queimava em uma lareira de pedra. Seu cabelo escuro batia nos ombros. Emily Walker Keller era igualzinha à foto do site.

Bonita, pensou Darby, talvez com quase 50 anos, vestia calça jeans e um suéter azul-marinho e usava belas botas.

A mulher ergueu o olhar quando ela fechou a porta. O grande cachorro marrom, dormindo sob a mesa, abriu os olhos castanhos e balançou o rabo.

— Olá. Darby McCray?

— Isso mesmo.

— Emily Keller. Bem-vinda a Lakeside. — Ela se levantou, estendendo a mão. Seus olhos, penetrantes e verdes como os de um gato, eram receptivos e a analisaram rapidamente. — Fez boa viagem?

— Ah. Foi reveladora.

Como o cachorro se aproximara para cheirar suas botas, com o rabo ainda balançando, Darby se abaixou para acariciar a cabeça dele.

— Rufus faz parte do comitê de boas-vindas.

— Ele é uma graça.

— É um bom garoto. Que tal um café, um chá ou um refrigerante antes de começarmos com a papelada?

— Um refrigerante seria ótimo. Aceito Coca ou Pepsi, se tiver.

— Tenho, sim. Quer sentar? Volto num instante.

— Na verdade, passei muito tempo sentada. Posso dar uma volta, olhar as coisas?

— Claro. Se quiser, pode vir comigo.

Um corredor levava a uma despensa com prateleiras cheias de lençóis, toalhas e cobertores, além de saleiros e moedores de pimenta, bules de café, chaleiras, torradeiras, liquidificadores, copos, pratos, talheres.

Outro cômodo abrigava o material de limpeza — baldes, esfregões, vassouras, aspiradores de pó, enormes embalagens de produtos de limpeza, uma pilha de panos de chão dobrados.

— A senhora é muito organizada — comentou Darby.

— Se não fosse, este lugar seria um caos. Não queremos isso para nossos hóspedes.

As duas seguiram para a cozinha. Era pequena, mas totalmente equipada e contava com outra mesa comprida.

— Essa é nossa sala de descanso/reuniões. — Enquanto falava, Emily tirou dois copos de um armário e os encheu com o gelo de uma máquina sob a bancada. — Nossa camareira vai limpar seu chalé entre 9h e 11h, todo dia. Se você preferir outro horário, é só avisar.

— Não, está ótimo.

— Os mantimentos que você selecionou na nossa lista já estão lá. Podemos comprar mais se quiser, mas precisamos ser avisados com três horas de antecedência. O seu kit de boas-vindas também tem informações sobre supermercados, restaurantes, atividades, trilhas.

Darby foi para a janela com vista para um pátio de concreto enquanto Emily servia Coca-Cola sobre o gelo. Ardósia, pensou de novo. Aquele espaço devia ser de ardósia, com rejunte de cimento. Vasos de flores, talvez uma treliça com uma trepadeira.

— Como você vai passar um mês aqui, imagino que vá explorar bastante os arredores.

Darby se virou para Emily e aceitou a bebida que ela oferecia.

— Obrigada. Sim, pretendo explorar. Vi uma mulher com um bebê em um daqueles... — Ela balançou a mão diante de si. — E um cachorro preto enorme. Ele pulou no lago e começou a nadar. Parecia tão feliz.

— Puxa vida, mas que coisa! Você viu minha sobrinha, Britt, com nossa garotinha, Audra, e seu peixe disfarçado de cadela, Molly.

— Então, sua família mora aqui perto.

— Sim. Britt, o marido, Silas, e a filha. E meu sobrinho está voltando para a cidade. Zane mora e trabalha em Raleigh desde a época da faculdade. Vai ser bom tê-lo em casa. E eu tenho dois meninos. Adolescentes.

Emily revirou os olhos.

— Que legal! — O aperto no coração de Darby não era tão doloroso quanto já fora. — É bom ter a família por perto.

— É, sim, apesar de o dramalhão adolescente enlouquecer a mim e a meu marido às vezes. E você é de Baltimore. Sua família mora lá?

— Não. Eu tinha apenas minha mãe. Ela faleceu no ano passado.

— Ah, sinto muito.

— Eu também. Aqui é muito bonito. Eu adorei seu panfleto, li tudo que consegui encontrar na internet, mas nunca se sabe exatamente o que esperar. É lindo.

— Concordo totalmente. Vai adorar sua hospedagem, eu garanto.

Que moça bonita, pensou Emily enquanto a guiava de volta para a recepção. Um pouco magra demais, mas sem parecer frágil. Cílios compridos, olhos azul-escuros, e o cabelo em um tom castanho-avermelhado — que ela almejara aos 10 anos de idade — bem curto e com a franja jogada para o lado. Rosto e corpo com traços marcantes, mãos que pareciam ser usadas no trabalho.

Além do vislumbre de tristeza quando mencionara a mãe, ela parecia cheia de energia.

As duas tagarelaram enquanto preenchiam a papelada. Emily não fez as perguntas que realmente queria fazer — por que Darby viajara sozinha, o que fazia da vida, por que passaria um mês sem companhia em um lugar desconhecido. Quando um hóspede queria lhe contar detalhes da sua vida, fazia isso por conta própria.

— Terminamos. Pode me seguir no seu carro até o chalé, e eu vou explicar tudo.

Emily levou o cachorro, que foi com a cabeça para fora da janela do passageiro, com as orelhas balançando e a língua para fora, como se sentisse o gosto do vento. Um trajeto rápido, menos de quatrocentos metros, atrás do carro de Emily. Elas passaram por uma linda casa antiga, cercada por uma varanda, cheia de janelas e um telhado sinuoso, que — aos seus olhos — precisava desesperadamente de uma decoração criativa.

Quando estacionou diante do chalé, seu coração perdeu o compasso. E, ao sair do carro, virou-se de novo e de novo para observar o lugar.

— Ah, meu Deus, é perfeito! Perfeito, exatamente o que eu queria.

— Ouvir isso é música para os meus ouvidos.

— Estou falando sério. Ah, a vista. Eu queria água. Não o mar, exatamente. E esse lago é melhor do que qualquer coisa que eu pudesse ter imaginado, mesmo depois de vê-lo no site. E as montanhas, as árvores, aquela casa surgindo do nada. Era exatamente isso.

— Você veleja?

— Não.

— Pesca?

Com uma risada, Darby negou com a cabeça.

— Bem, antes de o mês acabar, você já estará fazendo tudo isso. Pode alugar barcos, canoas, caiaques. Ou podemos cuidar disso para você. O mesmo vale para o equipamento de pesca, para a licença. Embarcações com motor são proibidas no lago. Temos ótimas trilhas; colocamos os mapas no seu kit.

— Mais tarde, vou me sentar naquela varanda com uma taça de vinho e assistir ao pôr do sol, às cores se espalhando pelo lago.

— É, boa ideia. Você pinta?

— Nunca nem pensei nisso. A senhora deve adorar morar aqui.

— Eu nasci aqui. — Emily seguiu na frente, por um novo caminho de cascalho, até a varanda e abriu a porta. — Bem-vinda à sua casa longe de casa.

O lugar cheirava a raspas de laranja e madeira encerada. A lenha estava pronta para ser usada na lareira, também de pedra, e um enorme sofá em tons discretos de azul e verde a encarava. Havia uma poltrona confortável para um convidado e outra posicionada em um canto para leituras.

Uma mesa comprida — pelo visto, não havia mesas pequenas por ali — oferecia um espaço para refeições e separava a sala da cozinha, que, obviamente, fora modernizada recentemente.

A cozinha brilhava com aço inoxidável, superfícies muito brancas, armários de madeira escura. Sobre a bancada, havia uma cafeteira e uma torradeira. Uma chaleira de um vermelho-vivo estava sobre um *coocktop*. A mesa exibia uma tigela azul cheia de frutas.

— Adorei.

— Que bom! Você tem dois quartos, e imagino que vá preferir a suíte. O segundo banheiro fica aqui.

Emily esperou Darby dar uma olhada.

Era pequeno, mas adequado, com um chuveiro no canto, uma bela pia com espelho, um vaso fino com lírios e toalhas felpudas.

— O segundo quarto.

Aquele também era um bom cômodo, com um edredom branco sobre a cama, uma manta colorida jogada artisticamente sobre a calçadeira, a cômoda, o armário, as luminárias com belas cúpulas.

— Que gracinha!

— É fofo, não acha? Agora, a suíte.

Seu coração perdeu o compasso de novo. A cama com dossel — colunas grossas — dava para uma ampla janela. O lago e as montanhas a preenchiam.

— Acordar com essa vista todo dia? — suspirou Darby. — Incrível! Sra. Keller...

— Emily. Somos vizinhas.

— Emily, este lugar é maravilhoso. Talvez eu nem vá para a varanda. Sou capaz de deitar nessa cama e passar o dia inteiro olhando pela janela.

Ela andou pelo quarto, passando a mão pelo edredom, pelo peitoril da janela. Quase fez uma dancinha ao ver o banheiro.

— Gostou?

— Amei!

Havia uma grande banheira oval sem pés, um espaçoso chuveiro com ducha, uma bancada comprida com duas pias e acabamentos de cobre polido. Os azulejos exibiam tons terrosos e ensolarados.

Uma cesta bonita, com produtos de higiene, estava sobre a bancada com mais lírios. E outra janela, ampla e comprida, exibia a vista.

— Nós reformamos tudo alguns anos atrás — explicou Emily. — Resolvi fazer o serviço completo.

— E fez mesmo. Sem dúvida.

— Talvez você queira acender a lareira pela manhã ou à noite. Deixamos a lenha na varanda dos fundos.

Ela passou mais algumas informações e explicou o funcionamento de certos eletrônicos. Darby tentou absorver tudo, mas sentia como se estivesse sonhando.

— Se você precisar de qualquer coisa ou tiver alguma pergunta, ligue para o número no kit. Quer ajuda para trazer suas coisas?

— Ah, não, não precisa. Só tenho que pegar minha mala por enquanto.

— Então, vou deixar você se acomodar. Mas ligue se precisar de alguma coisa.

— Obrigada. De verdade.

Sozinha, Darby vagou pelo chalé, indo de cômodo em cômodo, voltando, saindo para o pátio dos fundos (se é que podia chamar o espaço assim), fazendo uma dancinha, voltando para a parte da frente, dançando outra vez.

E resolveu que não precisava esperar pelo pôr do sol coisíssima nenhuma. Ela pegou a garrafa de vinho que trouxera, usou o saca-rolhas da cozinha e serviu-se de uma generosa taça.

Em seguida, saiu e se acomodou em uma das grandes cadeiras da varanda. E fez um brinde ao lago, a si mesma. E ao que o futuro poderia lhe reservar.

$\mathcal{P}$ARECIA SENSATO tirar um ou dois dias para relaxar e observar. Especialmente quando ambos envolviam caminhadas demoradas, com anotações — mentais e no papel — sobre a flora e a fauna locais, estudando a topografia, analisando o solo e descobrindo como os proprietários e locatários das casas preferiam decorar seus quintais e jardins.

Isso incluía caminhar pelo centro da cidade e bater papo com lojistas e clientes.

As pessoas, geralmente, gostavam de conversar com ela e contavam detalhes de suas vidas, como se a conhecessem há anos. Sua mãe a chamava de ímã emocional. Mas Darby achava que era apenas uma boa ouvinte.

De toda a forma, nesse intervalo de um ou dois dias, ela descobriu que a região abrigava pessoas que preferiam o lago e pessoas que preferiam as montanhas. Nativos e forasteiros, turistas e gente que morava lá havia anos. E, na sua opinião, Lakeview e seus arredores tinham bastante espaço para um novo empreendimento.

Darby passou mais um ou dois dias visitando viveiros e centros de jardinagem, a começar pelo Best Blooms, nos limites da cidade, que pertencia a um casal divertidíssimo com três filhos adultos, cinco netos e uma dupla de gêmeos a caminho.

Fazia 43 anos que estavam casados — começaram a namorar na escola. Ele a pedira em casamento depois que o piquenique romântico que planejara com tanto empenho fora invadido por formigas-de-fogo.

As pessoas gostavam mesmo de lhe contar coisas.

Ela visitara todos os centros de jardinagem em um raio de oitenta quilômetros, fez mais anotações e mais contas e bebeu mais vinho na varanda enquanto pensava nos detalhes.

Sonhos eram essenciais, e a criatividade, imprescindível, mas detalhes, suor e planejamento transformavam desejos em realidade.

No fim da primeira semana, Darby já tinha um plano, já sabia todos os detalhes. Mas ainda precisava suar e sabia exatamente por onde começar.

Ela caminhou até a recepção — mais tempo para pensar em sua abordagem. Foi praticando pelo caminho, mas parou de falar sozinha assim que avistou Emily, parada do lado de fora, com a mulher que carregava a bebê no canguru enquanto passeava com a cadela nadadora.

A cadela não estava presente hoje, e Emily balançava a bebê de cabelos escuros apoiada em seu quadril.

— Oi, Darby! Venha conhecer a menina mais bonita do mundo. E a mãe dela.

A mãe também tinha cabelos escuros, presos em um rabo de cavalo liso, e olhos verdes com um toque azulado. Ela usava um blazer azul-marinho sem nenhum amassado, saltos baixos e parecia um pouco agitada.

Os passos de Darby ressoaram pelo caminho de cascalho.

— Oi. Darby McCray. Quando cheguei no sábado, eu a vi passeando com Audra e Molly. Molly está pronta para as Olimpíadas!

A bebê esticou os braços na direção dela, como a maioria dos bebês costumava agir na sua presença, balbuciando e balançando as pernas.

Com uma risada, Darby esticou os dela de volta.

— Posso?

— Uau! — Britt trocou a bolsa de fraldas de ombro. — Ela é sociável, mas isso nunca aconteceu antes. Se você não se incomodar...

— Que nada! — Darby pegou a criança dos braços de Emily, aconchegando-a. — Ela já sabe que eu sou uma fonte de biscoitos. — Enquanto Audra puxava o cabelo curto da nova amiga, toda feliz, a hóspede sorriu. — Interrompi sua conversa.

— Não. Desculpe. É um prazer conhecê-la. Desculpe — repetiu Britt. — Nossa babá foi parar no hospital.

— Ah, não.

— Talvez tenha quebrado o dedão do pé. Não é grave, mas ela tem um filho pequeno, então vai ser complicado. Emily...

— Nós vamos ficar bem. Sou a babá reserva. Pode ir, não se preocupe conosco.

— Não estou preocupada, é só que... Obrigada.

Ela passou a bolsa de fraldas para a tia e lhe deu um abraço apertado.

— Depois me dê notícias de Cecile.

— Pode deixar. Você salvou minha vida. Preciso ir — disse Britt a Darby. — Tenho uma consulta em... quinze minutos — acrescentou depois de olhar o relógio. — Audra talvez babe sua camisa.

— Eu também faço isso.

Rindo, Britt se inclinou para dar um beijo na bochecha da menina e, depois, entrou no carro.

— Se alguma coisa...

— Vá logo! — ordenou Emily. E observou a sobrinha dar partida no carro, acenando. — Se ela conseguir chegar antes do horário da consulta, vai dar uma olhada em Cecile. As duas são amigas desde a época da escola.

— Ah, Britt trabalha no hospital?

— Sim. Ela é terapeuta. Especializada em crianças e famílias. Você queria falar comigo?

— Queria, mas você está ocupada.

— Não muito, e essa menina é um anjo. Não me importa que todas as avós digam isso, é verdade no caso da minha Audra. Entre.

Avó, notou Darby, não tia. Interessante.

Ela seguiu Emily para dentro do chalé e viu que a recepção agora contava com uma bolsa de bebê, um cercadinho e uma cadeirinha.

— Você está preparada.

— Quando Britt ligou, fui correndo para casa e peguei alguns itens básicos. Incluindo vários bichos de pelúcia, brinquedos de empilhar e brinquedos com som.

— Babona.

— Ah, sem dúvida.

Ela pôs a bebê na cadeirinha, entregou-lhe uma pequena ovelha de pelúcia e programou um balanço suave.

— Não acredito que minha menininha já tem 10 meses e está começando a dar os primeiros passos. Agora, como posso ajudar?

— Na verdade, espero que eu possa ajudar.

Emily ergueu as sobrancelhas.

— Então, acho melhor sentarmos.

— Vou fazer um resumo antes. — A conversa estava indo mais rápido do que Darby planejara, apesar da bebê. — Eu e minha mãe tínhamos uma empresa de paisagismo em Maryland. Depois que ela morreu, percebi que não conseguiria tocar o negócio sozinha. O problema não era o trabalho, era a falta de ânimo. Eu não tinha ânimo para manter a empresa, nem a casa, nem qualquer outra coisa lá.

— Vocês duas trabalhavam juntas.

— Isso, e, sem ela, eu não conseguia encontrar equilíbrio, não conseguia me imaginar mais vivendo naquela cidade. Então, resolvi vender a empresa, me mudar e vir para cá.

— Eu não sabia que você pretendia ficar aqui.

— Bem, eu não podia ter certeza antes de conhecer a cidade. Mas pesquisei a região, a época do plantio, as espécies nativas, a economia local... Enfim, eu pesquisei, mas precisava vir aqui, ver pessoalmente, sentir o clima, sabe? Meu plano era esperar duas semanas para ter certeza, mas, bem, às vezes a gente, simplesmente, sabe.

— Pretende abrir um negócio aqui?

— Já dei início ao processo para tirar a licença.

— Nossa! — Emily soltou uma gargalhada. — Garota, você é rápida.

— Às vezes, a gente simplesmente sabe — repetiu Darby. — Ainda preciso encontrar o lugar certo para montar um escritório, mas, enquanto isso, já conversei com fornecedores locais. Joy e Frank Bestor, da Best Blooms, são ótimos, não são?

— São, sim.

— Já conversei com fornecedores de madeira, de pedras, e assim por diante.

— Madeira e pedra?

— Para cercas, muros, pátios, pisos... Tudo isso faz parte do paisagismo. Não se trata apenas de plantas, apesar de elas serem o principal.

— Entendi.

Apesar de Emily não saber muito sobre o assunto, tinha talento para compreender as pessoas. E sua primeira impressão estava certa: a moça era cheia de energia.

— Se você quiser que eu faça propaganda...

— Ah, ainda não. Quero dizer, posso lhe dar uma lista com os nomes dos meus clientes em Maryland, referências e tudo mais, só que é diferente ver o trabalho ao vivo. Vim fazer uma proposta.

— Certo.

— Vou passar mais três semanas no chalé. E quero fazer o paisagismo da área ao redor dele, por minha conta. O tempo, o material, o trabalho, tudo por minha conta.

Para além de um interesse educado, a cautela surgiu.

— Que tipo de paisagismo?

— Eu fiz um projeto.

Darby abriu a mochila, passou uma planta computadorizada para Emily e se agachou ao lado dela para explicar.

Quando a moça baixou a cabeça, Emily viu que havia uma tatuagem em tom verde-escuro em sua nuca. Era o símbolo do infinito.

— Estes são os materiais rígidos, o caminho, o pátio nos fundos em ardósia — começou Darby. — Rústico, mas bem-acabado. E você não vai ter o custo de trocar o cascalho de tempos em tempos. Uma luminária de qualidade, bonita, mas também rústica, para dar um ar de acolhimento e segurança. Para as plantas, é melhor usarmos espécies que não precisem de muita manutenção.

— Manutenção nenhuma. Sou péssima com essas coisas.

— Aposto que não é. As pessoas só acham que são. Mas vamos usar plantas nativas, adereços que combinem com o clima e a região. Louros-da-montanha, azaleias, para dar um toque de delicadeza.

Ela era rápida mesmo, pensou Emily de novo enquanto analisava o projeto.

— Nas áreas de sombra, quero plantar sabugueiros e arbustos altos de mirtilo. Você ganha as flores e os passarinhos ficam com as frutas. E talvez também possamos adicionar rododendros. Eles vão se espalhar pelas beiradas do bosque, assim como narcisos, lírios e outras flores silvestres que eu posso plantar. Seus hóspedes teriam plantas e cores diferentes a cada estação. E eu colocaria na varanda e no pátio vasos com espécies que florescem em diferentes épocas do ano. De novo, elementos de manutenção simples.

— E como eu regaria todas elas?

— Planejei a instalação de um sistema de irrigação com mangueiras, vasos autoirrigáveis. Manutenção simples.

— Querida, isso é... no mínimo, ambicioso. Mesmo que eu aceite, você não pode bancar isso tudo sozinha.

Darby encontrou o olhar de Emily.

— Nós tínhamos uma casa. Eu a vendi. E vendi a empresa. E minha mãe tinha um seguro de vida. Já gerenciei um negócio antes e tenho um plano de negócio agora. Isso seria um investimento. Se gostar, poderia me contratar para trabalhar em outro chalé. E vai contar aos seus vizinhos que eu fiz um bom trabalho. E eles verão com os próprios olhos. — Darby sentou-se sobre os tornozelos. — Você gerencia o próprio negócio, então sabe como é. E o seu também foi uma herança de família, você entende a responsabilidade de tocar algo assim e o orgulho que sentimos quando dá certo. Na pior das hipóteses, você não vai gostar do resultado final. Na melhor, vai adorar. E há muitas possibilidades entre esses dois extremos.

Tão jovem, pensou Emily, mas, meu Deus, tão confiante.

— Você vai assumir todo o risco.

— Vou fazer algo que amo e que sei fazer bem. Sou formada em paisagismo e em administração, trabalho na área há 14 anos. E confio no meu taco o suficiente para fazer a oferta sabendo que você vai ficar satisfeita com o resultado. Se aceitar.

— Meu Deus, menina, você sabe mesmo fazer uma proposta.

Darby abriu um sorriso que se alongou até aqueles olhos azul-escuros.

— Faz parte do meu charme.

— Se eu aceitar, quando você começaria?

Mentalmente, Darby jogou as mãos para cima, feliz.

— Se você aceitar, a ardósia e a areia que eu reservei seriam entregues hoje à tarde.

— Você já tinha reservado?

O sorriso de Darby só aumentou.

— O otimismo também faz parte do meu charme.

— Não sei por que estou mais nervosa com tudo isso do que você, mas estou. — Aquela moça tinha algo especial, pensou Emily. — Tudo bem, Darby, vamos tentar.

— Quero gritar "eba", mas Audra dormiu. Vou deixar para fazer isso lá fora. — Ela segurou a mão de Emily. — Você não vai se arrepender.

— Puxa, querida, espero que *você* não se arrependa.

— De jeito nenhum. Sou muito boa no que faço.

— Não vai precisar de ajuda? As pedras devem ser pesadas.

— Sou mais forte do que pareço, mas pensei em contratar alguém. Joy e Frank disseram que Roy Dawson trabalha bem.

— Trabalha, sim — concordou Emily. — E é um homem maravilhoso. Ele vive de bicos. Muda de área sempre que enjoa do que está fazendo.

— Foi o que os dois disseram. Enfim, conversei com Roy ontem. Ele disse que estava disponível, então vou contratá-lo. — Darby se levantou. — Obrigada, Emily. Vou lhe enviar minha lista de clientes. Você pode entrar em contato com todos eles. Eu desativei o site quando vendi a empresa, mas acho que ainda está no ar. Vou enviar o link também. — Ela respirou fundo. — Agora vou botar a mão na massa. — Darby seguiu para a porta, mas parou. — E vou lhe entregar uma obra de arte de manutenção simples.

Emily continuou sentada, um pouco chocada, e ouviu o eco de um "EBA!" enquanto Darby corria de volta para o chalé.

Capítulo 9

◆ ◆ ◆ ◆

*R*oy Dawson provou-se um homem trabalhador e simpático. Ele cantarolava ou assobiava durante o serviço, não tentou negociar o salário e aceitou ser pago em dinheiro e só assinar contrato quando a licença de Darby saísse.

Um cara corpulento e com barba por fazer, ele cobria o cabelo bagunçado com um boné desbotado do New Orleans Saints. Com sua ajuda, a paisagista removeu o cascalho antigo, alargou e nivelou o caminho existente, cobrindo-o com areia.

Apesar de querer que o resultado parecesse natural, Darby alugou um cortador de piso elétrico para moldar alguns pedaços da ardósia. Na primeira vez que usou o equipamento, Roy balançou a cabeça.

— Já vi garotas usando serras antes, mas nunca algo assim. A senhora é um perigo, dona Darby.

Roy não conseguia parar de chamá-la de "dona", então ela já se conformara. E, como o homem era forte como dois touros e não se incomodava em trabalhar pesado, os dois praticamente terminaram o caminho em dois dias.

— A po-lí-ci-a vem aí — anunciou Roy enquanto ela posicionava a próxima pedra.

Darby olhou ao redor e percebeu a viatura que estacionava diante da garagem.

O policial que saiu era forte e tinha os cabelos bastante grisalhos. Não usava farda, mas calça jeans e camiseta.

Ela se levantou, limpou os joelhos da calça com as mãos e torceu para não estar fedendo depois de passar o dia todo carregando e arrumando pedras.

— E aí, Roy? Srta. McCray. Sou o delegado Keller, marido de Emily.

— É um prazer conhecê-lo. — Ela tirou uma das luvas para apertar sua mão. — Obrigada pela oportunidade.

— Eu ainda não tinha tido tempo de vir dar uma olhada nas coisas. Vocês quase terminaram o caminho. Está... está bonito.

— A dona Darby diz que não vai crescer grama nos espaços entre as pedras. Ela vai plantar outro negócio no meio.

— Musgo. Vocês vão ter musgo-irlandês plantado por alguém que se chama Darby McCray. Isso que é sorte. Vamos terminar as pedras hoje.

— Pelo que estou vendo, já fez uma diferença enorme.

— Ah, você ainda não viu nada.

Ela sorriu.

— Bem, por enquanto, está muito bom. Eu só queria dar uma olhada nas coisas e dizer que o pessoal da prefeitura avisou que sua licença foi liberada.

— Foi mesmo? Ah, meu Deus! Ah, meu Deus, Roy, agora somos uma empresa de verdade!

Darby jogou os braços em torno dele, deixando-o completamente vermelho antes de se afastar e fazer uma dancinha.

— Ela é um perigo — disse Roy a Lee.

— Estou vendo.

Os dois levaram quase a semana inteira para pavimentar o pátio e aplicar o rejunte. E, então, ela começou a cavar.

Eles colocaram as plantas escolhidas na caçamba da picape de Roy — ela trocaria seu carro por uma igual assim que terminasse o primeiro trabalho. Para aquele serviço, Joy e Frank foram seus únicos fornecedores. Nada muito sofisticado. Darby selecionara os vasos, as espécies sazonais e, por ter achado que combinava com o lugar, um grande sino dos ventos, que penduraria em um galho na beira do bosque.

Ao fim de cada dia, ela estava imunda, suada e extremamente feliz.

Quando completava uma etapa, tirava fotos. Precisaria das imagens para refazer seu site.

Darby cavou, plantou, posicionou, podou, cercou e espalhou os quilos de adubo que Roy trazia na picape.

Ele ficou observando enquanto ela ajeitava um vaso na varanda da frente.

— Parece uma pintura, dona Darby. Nem acredito que ajudei a senhora a fazer tudo isso.

— Você deu seu suor e seu sangue, algumas vezes. O mérito é tão seu quanto meu. E é por isso que quero que seja meu primeiro funcionário oficial.

— Ah, veja bem, dona Darby...

— Não vou aceitar um não como resposta. — Ela ajoelhou para encher outro vaso com as flores que escolhera. — Você já sabe que sou uma boa chefe, e eu já sei que seu trabalho é bom. E que também leva jeito para a coisa, então vou lhe dar um aumento de um dólar por hora. A partir de amanhã.

— A senhora disse que acabamos aqui. Não temos nada marcado para amanhã.

— Mas teremos — Por favor, Deus. — Se não conseguirmos nada, você vai comigo dar uma olhada na casa que estou pensando em comprar. Se eu ficar com ela, terei de construir uma estufa. E um galpão para guardar equipamentos.

— A senhora pensa tão rápido que não consigo acompanhar.

— Pode assinar o contrato amanhã. — Darby olhou para ele. Ela sabia que Roy costumava trabalhar quando queria, era, basicamente, um faz-tudo, que tinha um relacionamento de quatro anos e visitava a mãe quase todos os dias.

— Eu não poderia ter feito nada disso sem a sua ajuda. Não só por causa da sua força física, Roy. Sua companhia, sua opinião, seus contatos, tudo isso fez diferença. Então esteja aqui amanhã, às 7h em ponto, pronto para trabalhar. Você é o funcionário mais importante da Paisagismo High Country.

— Eu sou o único.

— Por enquanto, mas você é o primeiro e o melhor. Até amanhã.

— Não fique trabalhando até tarde, dona Darby.

— Só vou terminar de arrumar os vasos e irrigar tudo.

— Parece uma pintura — repetiu Roy antes de entrar na picape.

Ela apreciou o silêncio enquanto plantava, apenas ela, a brisa do lago e os aromas dos heliotrópios, cravos e flores-de-mel nos vasos, perfumando o ar.

Quando terminasse, molhasse as plantas, verificasse tudo e tomasse um banho — porque, nossa, ela estava imunda —, talvez ligasse para Emily, para perguntar se ela queria dar uma olhada no resultado final.

Após posicionar o vaso, Darby sentou-se, apoiou o queixo em um dos punhos e ficou olhando para o lago. Agora que março se aproximava, muitos barcos apareciam na água no fim da tarde. Havia tanto verde nas florestas e nas colinas, e as flores silvestres comemoravam.

Sim, ela molharia as plantas, tomaria um banho e ligaria para Emily.

Mas, enquanto se levantava, ouviu vozes. A gargalhada da dona dos chalés — pura e feliz. E uma risada masculina, profunda e tranquila.

Darby olhou para si mesma e pensou "Droga", seguido por um "Ah, paciência". E foi encontrar os dois.

O homem — que não era o delegado — apoiava um dos braços em torno dos ombros de Emily. Eles se olhavam enquanto caminhavam, e o amor, o afeto e o prazer que sentiam na companhia um do outro irradiavam.

Mais alto que Lee — com, no mínimo 1,90 metro —, ele aparentava ter 30 e poucos anos. Sua farta cabeleira negra estava bagunçada pelo vento. A calça jeans cobria pernas compridas que poderiam atravessar rapidamente o terreno, mas que acompanhavam o ritmo de Emily.

O sobrinho advogado devia ter chegado de Raleigh. Só que ninguém mencionara que o tal sobrinho era lindo.

Ele olhou na sua direção, e cutucou a tia ao notá-la.

— Darby! Zane, essa é Darby McCray. Meu sobrinho, Zane. Ele acabou de chegar, e já estou obrigando o garoto a zanzar comigo por aí. A gente estava no quintal quando Roy foi embora. Ele disse que vocês tinham terminado.

— É um prazer conhecê-lo.

Darby olhou para a própria mão, concluiu que estava limpa o suficiente e a ofereceu para um aperto.

— O prazer é meu. Emily não me obrigou a vir zanzar por aí, parece que ela estava esperando você acabar para dar uma olhada nas coisas.

— Pois é. É a primeira cliente que nunca olhou, espiou, mudou de ideia nem perguntou se eu ia mesmo cumprir o prazo. Mas, então, resolve chegar dez minutos mais cedo.

— Mais cedo? — repetiu Emily.

— O equipamento ainda está espalhado e não terminei de limpar. Mas como vocês já estão aqui... E não esqueça, eu posso modificar qualquer coisa que não lhe agrade. E, se achar que ficou horroroso, arranco tudo e, depois, me mato. Mas isso fica por minha conta.

— Você tomaria remédios, se enforcaria ou daria um tiro na cabeça?

Darby não conseguia ver os olhos de Zane por trás dos óculos escuros, mas supôs que estivessem alegres.

— O lago está bem ali. Seria mais fácil me afogar.

— Emily, vamos dar logo uma olhada e ver quanto tempo Darby ainda tem de vida.

— Ah, meu Deus, vocês dois estão me deixando nervosa.

Mas ela fez a curva até o chalé.

Darby não prendeu o fôlego — não de verdade. Mas, mentalmente, cruzou os dedos quando Emily parou e ficou observando o trabalho.

— Você viu o... — Ela parou de falar quando Emily dispensou seu comentário com um gesto.

Então, a dona da pousada levou as duas mãos à boca, e seus olhos se encheram de lágrimas.

— Ah, Deus, por favor, que sejam lágrimas de felicidade!

— Você fez isso? — murmurou Zane.

— Eu e Roy. Emily...

Dessa vez, suas palavras foram interrompidas quando a mulher se atirou sobre ela e lhe deu um abraço.

— Ah! Eu estou imunda, suada e fedida.

— Cale a boca. — Emily apenas a apertou mais. — Você nem imagina. Nem imagina.

Então, Darby retribuiu o abraço e olhou para Zane por cima do ombro da outra mulher.

— Não imaginar é bom, não é?

— Com certeza.

Ele olhou para o chalé, tão familiar, completamente transformado. A mesma estrutura, firme e simples, em arredores que transformavam aquela firmeza e simplicidade em charme, em receptividade.

O caminho de pedras serpenteava — foi a primeira palavra que lhe veio à mente —, como se dissesse que ninguém precisava ter pressa. Arbustos floridos decoravam a base da varanda; outros pareciam dançar pelo bosque, dentro e fora de seus limites. Zane viu um mamoeiro, uma das poucas espécies que conseguiu identificar, e ouviu música.

Então, analisou os arredores, encontrou os compridos tubos de cobre de um sino dos ventos balançando na brisa. Flores se erguiam de vasos espalhados pela varanda. Elas pareciam felizes.

— Você pintou as cadeiras da varanda.

— Isso não estava no projeto inicial, mas, quando comecei a mexer nas coisas, achei que elas ficariam um pouco sem graça na cor anterior. Há dias em que o lago está nesse tom de azul-marinho, então achei que ficaria bonito incluí-lo no esquema de cores.

Emily se afastou e segurou os ombros de Darby.

— Eu estava tão acostumada a ver sempre tudo do mesmo jeito. Nós reformamos o interior, porque era importante. Mas nunca pensei em nada assim. Meus filhos... Você conheceu meus filhos.

— Sim, eles são ótimos. Gabe nos ajudou um pouco.

— Eles vinham me contar o que estava acontecendo, e eu pedia para ficarem quietos, porque eu queria ver o resultado final. E sabia que seria melhor do que imaginava. Mas nunca pensei que ficaria tão incrível. — Emily se virou para o sobrinho. — Você está com seu celular. Pode tirar umas fotos e mandar para a vovó e o vovô? Meus pais vão pirar. Pirar.

— Vocês ainda não viram os fundos.

— Esqueci completamente! — Emily soltou aquela gargalhada alegre e segurou a mão de Darby. — O que você plantou entre as pedras?

— Musgo — respondeu ela enquanto caminhavam. — E já pegou. Vocês podem pisar sobre ele; é fácil de manter e vai crescer entre os vãos, dar um ar mais natural às pedras.

— Está tudo tão cheiroso.

— Acrescentei algumas flores aromáticas.

— Ah, meu Deus, Zane, veja só isso!

Emily seguiu para o pátio de ardósia.

— Você instalou as pedras? — perguntou ele.

Darby concordou com a cabeça.

— Eu e Roy.

— Roy não é muito artístico.

— Ele trabalha bem e aprende rápido.

— Você colocou uma jardineira na janela. Adorei. Para temperos. — Radiante, Emily passou os dedos sobre o manjericão, o orégano, a sálvia, a salsinha e o tomilho. — Eu reconheço as plantas, apesar de não saber cuidar delas.

— Mas vai aprender. Vou lhe ensinar. Pensei que alguns hóspedes talvez queiram aproveitar a cozinha do chalé para preparar suas próprias refeições. Então, você poderá deixar que usem os temperos. E o alecrim ali no canto está protegido e vai crescer bastante. O aroma será maravilhoso, e vocês poderão usá-lo.

— Você pintou as cadeiras daqui também — comentou Zane.

— Para as cores ficarem mais fluidas. E usei vasos maiores, verticais, porque o espaço é mais aberto. São todos autoirrigáveis, assim como os da varanda e o da janela. Eles têm um reservatório e um barbante no fundo para absorver a água, evitando que as raízes apodreçam. As camareiras só precisarão dar uma olhada a cada duas semanas e encher o reservatório se estiver vazio. E podemos mudar as plantas de acordo com as estações.

— A mesinha de piquenique com os bancos.

— Tudo obra de Roy. — Darby sentiu orgulho ao dizer isso. — Ele lixou, pintou e selou a madeira. E nada parece novinho em folha. Nós queríamos uma aparência mais rústica. E bonita.

— Você pode tirar as fotos, Zane? Eu só vou...

Enquanto ela se afastava, Darby deu um passo em sua direção. Zane pôs a mão em seu braço.

— Ela precisa ficar um pouco sozinha.

— Tudo bem.

— Emily ama este lugar, cada centímetro. Nós todos amamos, mas, para ela, sempre foi seu lar, sua herança, um motivo de orgulho e uma responsabilidade. E você o tornou melhor. Ficou incrível. E mais, ficou natural, como se sempre tivesse sido assim. Isso foi um elogio.

Darby também se sentia um pouco emocionada.

— Foi um elogio perfeito.

Zane pegou o celular e tirou os óculos para bater a foto.

O coração dela acelerou. Que bobagem, mas foi isso que aconteceu.

— Seus olhos são iguais.

— O quê?

— Emily. Seus olhos são iguais aos de Emily.

— O verde dos Walker.

— Brody tem os olhos da mãe no rosto do pai, e Gabe tem os olhos do pai no rosto da mãe.

Zane tirou algumas fotos e baixou o aparelho.

— Nunca tinha pensado por esse lado, mas você tem razão.

— A família toda está feliz com o seu retorno.

— Já estava na hora. E você vai morar aqui. É uma mudança e tanto.

— Já estava na hora.

Darby gostava do sorriso dele. Começava lentamente e terminava um pouco torto. Assim como o nariz. Zane o quebrara em algum momento — ela sabia bem como era a sensação.

Emily voltou, suspirando.

— Tudo bem. Zane, preciso que você me faça um favor enorme.

— Claro.

— Pegue uma garrafa de vinho lá em casa.

— Eu tenho vinho — disse a paisagista.

Emily inclinou a cabeça para Darby.

— O suficiente para nós três termos uma conversa séria?

— Vinho para conversas. — Ela concordou com a cabeça. — Tenho bastante.

— Ótimo. Zane, vá ajudá-la. Vou ficar aqui fora, apreciando a vista enquanto espero vocês voltarem.

— Que bom que ela está contente! — disse Darby quando entraram no chalé. — Gosto quando os clientes acompanham o trabalho, mas sua tia não quis ver nada antes que eu terminasse. — Ela pegou o vinho, mas não precisou mostrar a ele onde estavam as taças e o saca-rolhas. — Você já trabalhou aqui.

— É impossível morar com Emily e não trabalhar aqui. É um negócio de família — acrescentou Zane enquanto abria a garrafa.

Ela entendia a parte sobre o negócio de família. Mas a parte sobre morar com Emily era uma informação nova.

E os pais dele? Agora que tinha parado para pensar, não ouvira uma única vírgula sobre Emily ter um irmão ou irmã nas muitas conversas que as duas tiveram.

Os dois levaram o vinho e as taças para o lado de fora, onde a dona dos chalés estava sentada à mesa de piquenique com um sorriso, sonhadora.

— Vou voltar amanhã para tirar fotos para o site. A menos que isso vá atrapalhar você.

— Fique à vontade. — Depois de servir a bebida, Darby sentou-se. — Além do mais, já terei varrido a sujeira.

Emily tomou um gole de vinho analisando a taça.

— Entendo um pouco de vinhos e sei que este é bom. Não entendo nada de flores que não comprei em vasos. Entendo um pouco de árvores e sei reconhecer uma azaleia. — Ela tomou outro gole. — Entendo sobre negócios, atendimento ao cliente, criar filhos. Quando acrescento o fator empresarial ao que vejo, sei que, depois que as fotos estiverem no site e nos panfletos, provavelmente, quase com certeza, este chalé será o mais procurado, o mais alugado. Levando isso em consideração, junto com o restante, não posso deixar você bancar tudo sozinha.

Os ombros de Darby, antes relaxados, ficaram tensos. Do outro lado da mesa, Zane percebeu a mudança.

— Nós fizemos um acordo.

— Mas estou mudando o acordo — rebateu Emily, tranquila. — E meu advogado está presente. Se você tiver o mesmo talento para administração que tem para paisagismo, como imagino que tenha, deve ter guardado as notas e registrado os materiais, o tempo e a mão de obra que dedicou ao projeto.

— Nós fizemos um acordo — repetiu Darby.

— Parece — comentou Zane — que estamos renegociando.

— Estamos mesmo. Aqui vão os meus termos. Vou pagar pelo material. Imagino que você, sendo uma prestadora de serviços licenciada, tenha conseguido um desconto. E eu vou aceitá-lo. — Os ombros de Darby relaxaram um pouco. — E você também deve ter registrado o custo da mão de obra.

— Não. — Darby pegou sua taça de vinho.

— Registrou, sim. Estou disposta a negociar o valor total.

— Roy é o primeiro funcionário da Paisagismo High Country. Eu pago o salário dele.

Zane ergueu uma das mãos.

— Você contratou Roy? Oficialmente?

— Ele vai assinar o contrato amanhã.

— Essa mulher faz milagres — comentou Zane.

— Vamos negociar o valor da mão de obra — continuou Emily. — E, se chegarmos a um acordo, vou contratá-la para fazer os outros chalés.

A boca de Darby abriu e fechou. Ela pressionou os lábios, apertando os olhos.

— Ah... Ah, você está jogando sujo.

— Eu gosto de ganhar.

— Você não vai vencer — comentou Zane. — Confie em mim.

— Eu quero tanto trabalhar nos outros. — Darby apontou para Emily. — Você sabe que eu quero.

— Sei. E tenho outra carta na manga para convencer você. Já percebi como você olha para a minha casa. Depois que terminar os chalés, ela é sua. Quero que você faça na minha casa a mesma coisa que fez aqui.

— Droga! — Levantando-se da mesa, Darby deu a volta no pátio. Então, tirou o boné e passou as mãos pelo cabelo. — Ela é tão bonita, tão perfeita. E tão absurdamente simples. Já bolei uma dúzia de projetos. Não é justo. — Ela sentou-se de novo, bufando. — Metade. Metade do valor da mão de obra. Vamos dividir.

— Certo.

— E não vou incluir o valor da tinta das cadeiras nem a pintura. Nem os vasos, as plantas, a jardineira na janela, o sino dos ventos. Essas coisas foram presentes. E ponto-final.

— Combinado.

Darby encarou a mão que Emily oferecia.

— Sério?

— Sério.

Quando as duas trocaram um aperto de mão, Emily a segurou por mais um instante.

— Não esqueça de me passar os valores amanhã. Quando você pode começar o próximo chalé?

— Amanhã mesmo.

— Amanhã? Não quer nem tirar um dia de folga?

— Não. Não quero mesmo. Passo minhas noites bolando projetos. Sou otimista. Amanhã.

Quando os olhos de Darby se encheram de lágrimas, Zane suspirou e olhou para o céu.

— Você também, não?

— Isso é muito importante para mim. — Agora, ela usava as duas mãos para segurar a de Emily. — Eu consegui ajudá-la aqui e vou poder fazer o mesmo com os outros chalés. Mas, no que diz respeito à minha vida, foi você quem me ajudou.

— Querida, você vai precisar de mais gente além de Roy quando as pessoas conhecerem o seu trabalho.

— É, eu sei. Pensei em pegar Gabe emprestado durante o verão.

— Gabe? — Um sorriso se abriu nos lábios de Emily enquanto seus olhos exibiam surpresa. — Jura?

— Ele é detalhista, trabalha direitinho, é dedicado — e tem um senso ético que imagino ter aprendido com você. Vamos conversar. Enquanto isso, acho que preciso de um advogado também. — Darby se virou para Zane. — Você trabalha com Direito Imobiliário?

Ele tinha visto a tatuagem e a achou quase tão interessante quanto aqueles olhos.

— Por enquanto, não. Mas as coisas mudam. Por quê?

— Estou de olho em uma casa que está à venda. Se tudo der certo, preciso de alguém para me ajudar com os documentos, o pagamento, essas coisas.

— Não seria má ideia.

— Você está contratado. Eu ia dar outra olhada na casa, mas acho melhor fazer logo uma oferta hoje à noite. Sinto como se tudo isso fosse um sinal.

— A casa dos Hubbard, não é? Fiquei sabendo que você foi até lá. Sabe qual é, Zane? Deste lado do lago, mais perto da cidade, no fim daquela ladeira.

— Sei, acho que sei.

— A casa não é grande coisa, mas eu não preciso de muito. O terreno tem 23 mil metros quadrados, que é o que me interessa. Além de uma estufa, um galpão para o equipamento, entre outros. Vai dar certo. Enfim, os chalés. Eles não vão ficar iguais a este.

Emily se retraiu.

— Eu adorei este. Quero o que estou vendo aqui.

— Mas só funciona aqui. Você não quer que seus chalés, a casa longe de casa das pessoas, sejam todos iguais, uniformes, como um condomínio planejado. Precisamos levar em consideração a topologia, a vista, os arredores de cada um. Vou buscar uma harmonização, digamos, mas não várias cópias. Tenho alguns projetos no meu laptop. Posso buscá-lo para você dar uma olhada. E podemos decidir por onde começo amanhã.

— Ela é sempre assim tão rápida? — perguntou Zane.

— Pelo pouco que já vi, sim.

— Desculpe. Se estiver ocupada agora, podemos conversar amanhã cedo.
— Tenho vinho, tenho o meu garoto. Tempo não é problema.
— Ótimo. Já volto.

Zane franziu a testa.

— Ela nunca diminui a marcha?
— Não que eu tenha visto. — Emily apoiou a cabeça no ombro do sobrinho. — Estou tão feliz por você estar em casa, Zane.

Ele beijou os cabelos dela.

— Eu também.

Zane ficou no quarto de hóspedes da desconexa casa velha. Seu lugar de sempre quando ia visitar. Ele sabia que Emily e Lee não se incomodariam em recebê-lo pelo tempo que fosse. Mas era melhor encontrar um lugar só seu. Se fosse para voltar de vez, o que de fato acabara de fazer, precisava fincar, novamente, suas raízes, por assim dizer.

Termos de jardinagem, pensou ele enquanto tentava cair no sono. Devia ser influência da paisagista.

Ele precisava começar a procurar uma casa. Não um apartamento, como em Raleigh. Estava na hora de ter uma casa. E podia até contratar a paisagista para arrumar seu futuro quintal.

Vista para o lago — essencial. Razoavelmente perto da família e do centro da cidade, onde abriria um escritório. Pelo visto, a paisagista — de novo — seria sua primeira cliente em Lakeview — sem contar com os parentes.

Não havia dúvidas de que a mulher deixara Emily feliz, e isso já era um ponto positivo. A tia ficara tão contente que, depois de um jantar em família para comemorar — puxa, como Emily cozinhava bem —, levara todo mundo ao chalé.

E lá, sob a luz da lua, eles apreciaram o que Darby fizera no jardim. A luminária peculiar, com tampo de cobre, a iluminação do caminho e luzinhas sob as calhas — na frente e nos fundos — que eram charmosas e práticas ao mesmo tempo.

Ela saíra do chalé, é claro. De banho tomado, ainda mais bonita. É claro que Darby também era interessante com a camiseta suada e a calça jeans suja.

Interessante, pensou Zane enquanto encarava o teto, não linda como a irmã, como a tia. O cabelo curto, nem ruivo nem castanho, deixava exposta a pequena tatuagem que tinha na nuca.

O símbolo do infinito. Devia haver um motivo por trás daquilo.

O corpo, magro, combinava com sua personalidade, sempre tão agitada. Os olhos eram tão azuis que pareciam quase roxos naquele rosto bem marcado. E o nariz era um pouco, só um pouquinho, torto.

Darby o quebrara em algum momento, pensou Zane. Ele sabia bem como era a sensação.

Ela perdera a mãe um ano antes, pelo que Emily contara. Tinha vendido tudo, feito as malas e se mudado. Isso exigia coragem ou um toque de impulsividade.

Assim como o acordo inicial que fizera com Emily. Talvez ela tivesse as duas características.

Zane tinha a sensação de que Lee sabia mais sobre a mulher, mas preferira não perguntar. O delegado, provavelmente, puxara a ficha dela — só por precaução — e, como já o vira interagindo com Darby, era fácil presumir que nada grave fora encontrado.

Os meninos gostavam dela, assim como Britt e Silas. Pelo visto, a sobrinha e os cachorros a consideravam sua nova melhor amiga. Então, Zane decidiu não se preocupar também.

Além do mais, qualquer um capaz de convencer Roy Dawson a aceitar um emprego fixo devia ter algum talento mágico. Então, ele resolveu parar de pensar no assunto. Mas não conseguiu fazer o cérebro desligar.

Zane se levantou e foi até a janela.

Ele conseguia enxergar as luzes do outro lado do lago, distinguia com facilidade o pisca-pisca do alarme da casa onde vivera acuado, com medo.

Outras pessoas moravam lá agora. Não as mesmas que haviam comprado de Graham e Eliza, mas outras. Zane torceu para qualquer resquício de sua vida anterior ter-se dissipado daquelas paredes.

Aparentemente, Eliza nunca voltara a Lakeview. Ele sabia onde a mãe morava. Depois de cumprir a pena, mudara-se para Raleigh e visitava o marido toda semana na prisão. Não perdia um dia sequer.

Zane nunca a encontrara, e era grato por isso. Raleigh era grande o suficiente para os dois. Ou assim fora no passado. Nos últimos meses, ele se sentia inquieto. Parecia não importar quanto estivesse satisfeito com sua vida e com seu trabalho, a sensação de que poderia virar uma esquina e dar de cara com Eliza nunca desapareceria por completo.

E, mais do que isso, Graham provavelmente conseguiria sair em liberdade condicional na próxima vez que a solicitasse — a audiência aconteceria em breve. Zane não conseguia parar de pensar nisso.

Por muito tempo, achara que nunca mais seria capaz de morar em Lakeview, conviver com as lembranças de angústia e medo. Mas, então, passara a acreditar que precisava de Lakeview, das boas lembranças, das pessoas que constituíam sua verdadeira família.

Chegara uma hora após sua irmã ter dado à luz Audra, porque morava em Raleigh e o trânsito estava caótico. Jogava basquete com Brody, mas nunca assistira a nenhum de seus jogos na escola. E só assistira a dois jogos de beisebol de Gabe porque coincidiram com suas visitas.

O garoto tinha um braço e tanto.

Em pé, observando as luzes, Zane pegou a bola de beisebol que sempre carregava consigo — uma substituta da antiga, que se esfacelara muito tempo atrás.

Os pais não voltariam para lá. A cidade não tinha nada a oferecer aos dois. Mas podia oferecer tudo a ele. Só o que precisava fazer era agarrar a oportunidade e seguir com sua vida.

Zane voltou para a cama sem largar a bola. Esfregando a costura, ouviu a brisa suspirar no lago e sussurrar pelas folhas, que se tornavam verdes com a primavera.

E dormiu

Capítulo 10

♦ ♦ ♦ ♦

Ele não achava que veria Darby de novo tão cedo. Lakeview não era Raleigh, mas abrigava cinco mil pessoas, sem contar os turistas.

Mesmo assim, depois de dois dias, avistou o carro dela na estrada do lago e diminuiu a velocidade para acenar.

Darby parou o carro, gesticulando, então Zane parou também. Como estava com a capota aberta, esperou que ela se debruçasse na janela.

— Achei que você estaria cavando ou algo assim.

— Eu estava. Deixei Roy e Gabe limpando e nivelando o terreno. Vamos receber uma entrega de pedra e terra esta tarde. Não consegui algumas coisas de que preciso na Best Blooms, então tenho que ir a um centro de jardinagem maior. Quero um corniso frondoso, só para começar.

Zane baixou os óculos escuros.

— Cabe uma árvore nesse carro?

— Não, mas eu vou comprar uma picape no caminho.

Ele continuou a encará-la por cima dos óculos.

— Você vai comprar uma picape no caminho para comprar uma árvore.

— Eu a reservei pelo telefone hoje cedo.

— Você reservou... Preciso parar de repetir as coisas estranhas que você fala.

— Não tem nada de estranho nisso. A concessionária tinha o modelo que eu queria, então estão adiantando a papelada. Eu vou até lá, pego o carro, pego a árvore e pronto! Enfim, você ainda tem interesse em ser meu advogado?

— Eu... posso ser.

— Precisamos conversar rapidinho. Vamos para o acostamento.

Como foi isso que ela fez, Zane, confuso, seguiu-a. Os dois saltaram de seus respectivos carros.

Ela usava uma calça cargo marrom, botas resistentes e um moletom vermelho de zíper aberto sobre uma camiseta em um tom amarelo-claro.

— Certo, os Hubbard aceitaram minha proposta. Assinei o contrato de compra e venda hoje cedo.

Rápida, pensou ele de novo.

— Sua manhã foi agitada.

— Prefiro assim. Então, você pode entrar em contato com a imobiliária? É a Imóveis Lakeview; Charmaine está cuidando de tudo. E aí, faça suas coisas de advogado. Seu carro é maravilhoso, aliás do tipo que deixa qualquer um impressionado.

— Qualquer um?

— Darby se aproximou para analisar o estiloso Porsche prateado. — Pois é. É um excelente carro para um cara solteiro.

— Eu sou um cara solteiro.

— Bom, eu preciso de uma picape. Mas, se eu também pudesse ter um carrão, esse estaria no topo da lista. Enfim, você pode resolver toda essa burocracia para mim?

— Posso, mas com uma condição.

Então, foi a vez dela de baixar os óculos escuros e observá-lo com olhos desconfiados.

— Aprendeu isso com Emily?

Ele gostava dela, pensou Zane, no início pela imensa alegria que dera à tia. Mas agora percebia que simplesmente gostava dela.

— Talvez Emily tenha aprendido comigo. O negócio é o seguinte: não vou cobrar.

— Não preciso...

— Mas eu preciso. Passei os últimos oito anos trabalhando como promotor de justiça. Não tenho muita experiência em assuntos mais corriqueiros. Seu caso seria uma forma de praticar. Um contrato simples é um bom começo. Acabei de comprar um prédio inteiro no centro da cidade. Ainda não inaugurei meu escritório, por assim dizer. Preciso treinar, do mesmo jeito que você precisava de um empurrãozinho para começar a trabalhar nos Chalés Lakeside Walker. Então vai ser de graça.

— Veremos.

— E você pode me recompensar com uma consultoria grátis.

Agora, os olhos desconfiados — e fabulosos — pareciam interessados.

— De quê?

— Também estou tendo uma manhã agitada. Quero comprar uma casa e estou indo visitar uma agora. Já fui a outra e acho que vou ficar com ela, mas quero olhar mais duas antes de tomar uma decisão.

Darby ergueu um dedo.

— Vai ser aquela na beira do penhasco, deste lado do lago. A que parece ter sido construída encravada dentro da colina. Cheia de paredes de vidro, com aquele quintal inclinado e irregular em frente ao precipício, e aquela vista que muita gente mataria para ter.

Caramba, pensou ele, puta merda!

— Por quê?

— Porque ela é que nem o seu carro: incrível. Eu a visitei. Só queria dar uma olhada; o lugar não seria adequado para minha empresa. Fiquei babando, mas preciso de um terreno maior e de um lugar mais perto do centro. E tem a questão do preço. A família só está vendendo porque o pai aceitou uma proposta de emprego em Londres, os filhos já são adultos e a mãe é artista, pode trabalhar onde quiser, e tem primos em Brighton.

— Como você sabe de tudo isso?

— Eles me contaram. As pessoas fazem isso, me contam as coisas. Acertei?

— Talvez. Pode ser. Ainda estou pensando.

Depois de pôr os óculos escuros novamente no lugar, Darby abriu um sorriso radiante. Cheio de energia.

— Você devia comprá-la para eu botar as mãos naquele quintal. Ele está bonito agora, mas pode ficar tão arrebatador quanto aquela vista. De toda forma, as consultorias são sempre grátis, para todo mundo.

— E você também deixa todo mundo zonzo?

— Acho que não. Preciso ir. Fale com Charmaine, a mesma corretora que está cuidando da casa que você devia comprar. Depois conversamos sobre os detalhes.

— Darby? — Ela parou com uma das mãos na maçaneta do carro. — Como você quebrou o nariz?

— Ex-marido. E você?

Zane costumava mentir quando as pessoas percebiam e perguntavam — era automático. Dizia que levara uma bolada na cara durante um jogo ou inventava qualquer outra mentira. Mas dessa vez a verdade simplesmente escapou de seus lábios.

— Meu pai.

Ela soltou um suspiro.

— Acho que você ganhou.

Sem dizer mais nada, Darby entrou no carro e foi embora.

Pelo visto, as pessoas realmente lhe contavam as coisas, pensou Zane. E mais, ela estava certa. Ele devia comprar aquela casa. Era perda de tempo visitar outras propriedades quando aquela o deixara babando — outro termo correto que Darby usara.

Agora, teria de lidar com dois contratos imobiliários.

Ele tirou o celular do bolso e, ali mesmo, na beira da estrada, fez o dia de Charmaine.

Zane voltou para a cidade, assinou o contrato, comprou uma pizza e levou Britt para almoçar no escritório vazio, em um prédio na Rua Principal.

Os dois sentaram no chão, tomaram Coca e comeram pizza.

— Podemos fazer isso mais vezes, em uma mesa de verdade, quando você arrumar tudo. Gostei do espaço, Zane. Fica bem no centro, a entrada principal dá direto para a rua e tem uma varandinha. Além de grande o bastante para seu escritório, uma recepcionista, uma pequena biblioteca com livros de Direito e, talvez, uma sala de reuniões lá em cima. Tem até uma cozinha.

— Vai dar certo. Talvez eu dê certo aqui.

— Nosso bisavô era o procurador do município — lembrou ela. — Outra tradição da família Walker. — Sentada ali, em seu discreto vestido cinza com ar profissional, Britt olhou ao redor. — E você comprou um prédio inteiro. E uma casa! Ainda não consigo acreditar.

— Nem eu. Não costumo fazer esse tipo de coisa.

— Comprar casas?

— Agir por impulso. Foi diferente com o prédio. Mas eu comprei uma casa enorme, sem pensar.

— A casa é ótima, ou, pelo menos, é o que parece quando a olhamos daqui de baixo. Nunca fui até lá.

— Ela é maravilhosa, mas mesmo assim. É muito espaço só para mim.

— Não é só para você. — Antes de apontar para o irmão, Britt lambeu o molho no dedo. — Sua família é grande, e esperamos que você nos entretenha bastante e com frequência.

— Ah! Acho que só comprei a casa porque encontrei com a paisagista.

— Darby? Eu gosto dela. Ela... — Pensando, Britt fez círculos com a lata de Coca no ar. — Tem uma simpatia contagiante.

— É uma boa descrição. Bem exata — decidiu Zane.

— Mas o que ela tem a ver com isso?

— Nada, na verdade. Mas, quando Darby começa a falar, as palavras parecem te hipnotizar. Ou não, mas você concorda com tudo. Ela comprou a casa dos Hubbard hoje, pediu que eu cuidasse do contrato, e, quando dei por mim, eu estava falando sobre o escritório e a casa, e ela me convenceu que aquela era a melhor opção. Ela ia comprar uma picape no caminho para comprar uma árvore.

— Certo.

Zane pegou outro pedaço de pizza e o balançou no ar para dar ênfase.

— Não, o que estou dizendo é que ela encomendou a picape por telefone, como eu fiz com a pizza, e foi lá pagar, simples assim, antes de comprar uma árvore inteira e voltar. Roy e Gabe ficaram trabalhando no chalé.

— Ah é, hoje não tem aula. Bem, se ela o convenceu, eu acho ótimo. Porque agora você vai morar em cima do penhasco, trabalhar no centro da cidade e estar sempre por perto. Eu estava morrendo de saudades.

— Eu também estava e senti falta de tudo isso, mais do que conseguia admitir. — Zane se esticou e cobriu a mão da irmã com a sua. — É bem provável que ele consiga a liberdade condicional dessa vez.

— Eu sei. Faz 18 anos, Zane. É muito tempo. Talvez não tempo suficiente para nós dois, mas é bastante. Ela nunca voltou, nem uma vez. Lee saberia se isso tivesse acontecido e nos contaria. Ele também não tem motivo para voltar.

— Ela ainda o visita na cadeia toda semana.

— Ela o ama. — Ao ouvir o som de nojo que o irmão produziu por instinto, Britt insistiu: — Mas é verdade. Lembra como ela testemunhou a *favor* dele no julgamento, mesmo depois de ter mudado de lado para conseguir uma redução na própria pena? E jurou que os dois tinham um relacionamento passional, não violento. Não é saudável nem genuíno, mas é verdadeiro para ela. Talvez para os dois.

— É uma obsessão.

— Sim. — Enquanto falava, Britt girava sua aliança de casamento com o polegar. Um gesto que Zane já a vira fazer quando conversavam sobre os pais. — Sim, é uma obsessão, e eles têm uma dependência terrível e destrutiva um do outro. Nós fomos apenas uma consequência, um sinal de status.

— Os dois só pensavam em si mesmos — acrescentou ele. — Em como as outras pessoas os viam e na conexão doentia que tinham.

— Com certeza. Duvido que sequer pensassem em nós.

— Você deve ter razão.

— Você resolveu voltar agora porque acha que ele vai sair da prisão?

— Em parte.

— E está tentando me proteger de novo?

— Sempre vou fazer isso.

— E eu sempre vou proteger você também.

Quando Britt voltou para o trabalho, Zane ficou perambulando pelo escritório vazio. Talvez pudesse usar alguns móveis do antigo apartamento, que guardara em um depósito.

Sua mesa ficaria bem na recepção. Quando contratasse uma recepcionista ou uma assistente. Quando tivesse clientes de verdade.

Meu Deus, o que estava fazendo?

Passara toda a sua carreira trabalhando como promotor de justiça. Claro, resolvia algumas pendências legais para amigos e ajudava Emily e Britt sempre que precisavam, mas seu foco sempre fora garantir que pessoas ruins pagassem o preço pelo mal que haviam causado.

E ele era bom nisso.

Testamentos, divórcios, recursos de multas de trânsito e processos civis por outro lado? Bem, havia uma demanda para isso. Mas era impossível afirmar se ele teria talento para essas coisas.

Zane foi até a janela, observou as lojas, os restaurantes, as pessoas aproveitando o belo dia de primavera. Reconheceu algumas; outras, não. Ele não conhecia o cara que subia em uma escada no Breezy Café para pendurar uma cesta de flores.

Será que precisaria fazer algo parecido? O prédio tinha uma varandinha, então talvez fosse bom colocar, talvez, um banco, um vaso de flores, alguma coisa lá fora.

Aquela seria uma boa maneira de Darby recompensá-lo pelo contrato imobiliário — e, então, ele mesmo não precisaria pensar nesses detalhes.

Seu sofá de couro ficaria bom na recepção — ou na biblioteca, ou na sala de reuniões. Pelo visto, a maioria dos móveis do apartamento antigo seguia a mesma linha do seu carro.

Coisas de um cara solteiro.

Talvez fosse melhor comprar uma mesa de advogado sério para sua sala, decorar as paredes com quadros de advogado sério — além de pintar aquelas paredes com alguma cor diferente daquele branco insosso.

Zane passara tanto tempo trabalhando em uma sala apertada e abarrotada que não sabia bem o que fazer com tanto espaço. Nem com tanto tempo.

Teria de encontrar uma maneira de preencher ambos.

Uma mulher — nos últimos estágios da gravidez — com cabelo loiro esvoaçante empurrava um carrinho de bebê pela calçada. Ele começou a se virar para se concentrar nas coisas que tinha de fazer, quando se deu conta de quem era.

Zane correu para a porta, saindo para a varanda. E pensou: puta merda!

— Ashley Kinsdale!

A mulher se virou na sua direção e olhou duas vezes. Aquela era a versão dela de "puta merda", pelo visto.

— Zane!

Ele deixou o prédio, foi até a calçada e a puxou para um abraço alegre. Ashley cheirava a talco de bebê, e, por mais estranho que fosse, a criança dentro dela lhe deu um chutinho.

— Puxa, Ashley, olhe só para você!

— Meu menininho está chegando em abril.

— Você está linda. De verdade.

— Estou enorme, mas me sinto ótima. E você... Só vou dizer "hummm". Crescer lhe fez bem. Ah, Zane, estou tão feliz em encontrá-lo. Fiquei sabendo que você ia voltar.

— Não fiquei sabendo que você tinha voltado. Não estava morando em Charlotte?

— Estava, e o lugar era ótimo. Mas eu sentia falta de casa, da minha família, e percebi que queria muito criar meus filhos aqui. Nathan, meu marido, adorou a ideia.

Tão bonita quanto antes, pensou Zane, e aqueles olhos azuis continuavam risonhos.

— Você está feliz.

— Absurdamente feliz. Acabamos de abrir o Grandy's Grill. Sou Ashley Grandy agora. Nathan é chef de cozinha, e, quando voltamos para cá, resolvemos realizar o sonho de ter um negócio próprio. Você precisa ir até lá para jantar um dia desses. Lembra do The Pilot?

— Claro. Levei você lá uma vez, antes de... — Ele parou de falar, fez uma careta e pressionou uma mão fechada contra o peito.

— Zane! Está tudo bem?

— Acontece de vez em quando. Dor de coração partido.

O rosto de Ashley se iluminou com uma risada, e ela lhe deu um tapinha brincalhão.

— Seu bobo! The Pilot agora é o Grandy's Grill. Novo cardápio, nova decoração, tudo novo. E nós temos um bar ótimo, com várias cervejas artesanais. Apareça por lá, Zane!

— Pode deixar. E quem é essa moça bonita?

— Esta é a minha Fiona. Fi, diga oi para o sr. Bigelow.

— É Walker — corrigiu Zane enquanto se agachava.

— Ah, esqueci. Desculpe, eu...

— Não tem problema. É um prazer te conhecer, dona Fiona.

A menina sorriu para ele, uma loirinha que ainda não parecia ter completado 2 anos, e balançou sua boneca.

— Minha filhinha.

— Ela é quase tão bonita quanto você. — Ainda agachado, Zane olhou para Ashley e pensou naquela noite, naquele beijo sob o céu estrelado e a enorme lua. — Você é mãe.

— Pois é. E você é advogado.

— Por falar nisso, está precisando de um?

— Na verdade, estou. — Uma das mãos dela envolveu a barriga redonda do mesmo jeito que ele já vira outras grávidas fazerem. — Com um segundo filho a caminho, eu e Nathan queremos fazer um testamento e nomear um guardião. Não gostamos de pensar nessas coisas, mas precisamos resolver isso. Se alguma coisa acontecer, queremos ter certeza de que alguém vai cuidar dos nossos filhos.

— Isso é muito inteligente e responsável da sua parte. O processo é simples. A gente resolve a papelada, e vocês não precisam mais se preocupar.

— Podemos marcar uma hora?

Zane apontou para o prédio com o polegar.

— Comprei hoje cedo. Ainda não arrumei nada.

— Que tal fazermos assim? Vou passar meu telefone e o do restaurante. Quando o escritório estiver pronto, você me liga. Assim, eu e Nathan também teremos mais tempo para pensar no que queremos. — Depois que lhe passou os números, Ashley abriu outro sorriso. — Seremos seus primeiros clientes?

— Na verdade, depois da minha família, serão os segundos. Consegui a primeira hoje cedo.

— Você não perde tempo! Zane, venha aqui. — Ela segurou seu rosto e lhe deu um rápido beijo nos lábios. — Você foi o primeiro garoto por quem me apaixonei. Quero que conheça Nathan. Ele é o último homem por quem vou me apaixonar.

— Meu dia ficou melhor agora que nos encontramos, Ashley. Juro.

— Então, aproveite o restante dele. Agora, eu, Fiona e Caleb, talvez Connor, ou Chase... — acrescentou ela, esfregando a barriga de novo — temos que botar a mão na massa. Não se esqueça de me ligar, hein? E, se você não aparecer no nosso restaurante para tomar uma cerveja, virei aqui tirar satisfação.

— Pode deixar. Até logo, bela senhorita Fiona.

Zane ficou observando Ashley se afastar, com os cabelos balançando, e olhou para sua varandinha, para a porta aberta.

Caramba, pensou ele. Tudo ia dar certo.

*E*M UMA SEMANA, ele já tinha progredido bastante. Como Emily e Britt tinham opiniões muito fortes sobre cores para as paredes e a decoração, ele deixou que as duas ponderassem, escolhessem, discutissem sobre tons, formas e finalidades.

E, então, escolhera as que ele mesmo queria.

Zane contratara pintores, comprara móveis em Asheville e pela internet, analisara opções de obras de arte em lojas locais e pedira a Darby para dar uma olhada em sua varanda e bolar algo para ela.

Alguns dias depois, enquanto ia encontrar Micah — que estava cuidando do sistema de informática do escritório —, descobriu a varanda decorada com um banco, que parecia um tronco de carvalho talhado e envernizado por elfos, e um lustroso vaso azul, cheio de flores amarelas e azuis com folhas que se estendiam na direção do chão.

Havia outra pessoa por ali que não perdia tempo, pensou Zane ao sair do carro. E, nossa, ficara perfeito! Ele torceu para não acabar matando as plantas.

Zane se aproximou e pegou o bilhete dobrado que ela grudara na porta.

Darby listara o nome das flores — que ele jamais lembraria —, instruções sobre como cuidar do negócio autoirrigável e, como combinado, o preço do banco.

Obrigada pela chave. O vaso e as flores na varanda, a pachira-aquática, no vaso na recepção, e o bambu no banheiro dos clientes ficam por minha conta. Se não gostar das plantas do interior, é porque tem mau gosto. E não esqueça o pátio pequeno nos fundos. Seria bom comprar uma pequena mesa com guarda-sol, algumas cadeiras — talvez umas jardineiras. Pense no assunto.

Ah, e adorei a cor das paredes!

DM

Zane começou a abrir a porta para ver que diabos ela colocara lá dentro, mas virou-se quando alguém chamou seu nome.

Não era Micah, mas a mãe do amigo. Duas noites antes, ele fora jantar na casa dos Carter e passara um bom tempo com Micah, Dave e Maureen.

— Oi! Quer entrar e dar uma olhada nas coisas? Micah deve chegar daqui a uns dez, quinze minutos.

— Quero, sim.

Ela usava um vestido cor-de-rosa simples e sapatos de salto alto de boa qualidade. O cabelo, mais curto do que quando Zane era adolescente, moldava seu rosto.

Ele se lembrava de pensar que Maureen era bonita para uma mãe.

E continuava sendo.

— Adorei o banco. A entrada ficou uma graça.

— Obra da paisagista.

— A garota é esperta, não é? Fui dar uma olhada no chalé que ela terminou e no que está quase pronto. Acho que nós duas precisamos ter uma conversa. Ah, Zane, ficou ótimo!

Maureen entrou e analisou o espaço.

Ele decidira pintar as paredes de cinza-claro. Apesar de ainda não ter pendurado os quadros, a mesa antiga fora posicionada em um ângulo que daria a visão para a porta e para a janela grande para quem se sentasse atrás dela. Em vez do sofá, que acabara indo para a biblioteca, as poltronas de sua antiga sala de estar ocupavam o resto da recepção — grandes, em um tom cinza-escuro.

A planta — havia outro bilhete grudado no vaso —, com mais de um metro de altura, tinha um tronco grosso e entrelaçado. E estava posicionada em um canto, recebendo a luz do sol.

Zane pegou o bilhete.

— É uma pachira-aquática, também conhecida como árvore da fortuna. Ela gosta de luz e não precisa de muita manutenção. Escritórios com plantas são mais alegres, têm um ar mais puro. E esta aqui vai me trazer sorte.

— Outra obra de Darby McCray?

— Pois é.

— Dá um belo toque ao ambiente. Sei que você está ocupado ajeitando as coisas, e quando Micah chegar... Pois bem.

Maureen enfiou uma mão dentro da bolsa e tirou um envelope pardo.

— O que é isto?

— Meu currículo.

— Seu... Sério?

— Você quer alguém na recepção que tenha experiência e saiba como usar um computador. E prefere uma pessoa que já tenha trabalhado em um escritório de advocacia. Em outra vida, um milhão de anos atrás, eu já fiz tudo isso.

— Eu não sabia.

— Faz um milhão de anos. Nesta vida, ajudei Micah a montar sua empresa de informática e segurança. E... tudo isso está no meu currículo. Achei melhor não falar nada no jantar porque não seria justo. Mas, agora, somos só nós dois.

— Não sabia que você estava procurando emprego. Está contratada.

— Não, Zane, querido. Leia meu currículo e o analise da mesma forma que vai analisar os outros que receber.

— Mas eu já conheço você. Sei que é confiável. As pessoas vão aparecer aqui ou ligar quando quiserem se livrar de um casamento infeliz, ou processar um vizinho que detestam, ou, talvez, depois de receberem um diagnóstico horrível do médico e se darem conta de que nunca fizeram um testamento. Sei que posso contar com você. Eu sempre pude contar com você e com Dave.

O rosto de Maureen exibiu uma expressão de teimosia que ele nunca vira antes.

— Não quero que você me contrate porque se sente obrigado.

— Que diabos, eu preciso de alguém em que possa confiar. Aceite, e poderemos conversar sobre o salário e tudo mais.

— Leia o currículo, entre em contato com minhas referências. Você pode confiar em mim, Zane, então acredite quando lhe digo para fazer tudo como manda o figurino.

— Sim, senhora.

— Muito bem. Vou parar de incomodá-lo. E essa planta? — Ela apontou para a árvore da fortuna. — Deu mesmo outro ar para a sala.

Zane também achava que sim, por enquanto.

Sozinho, ele levou o currículo consigo — e deu uma olhada no lavabo, vendo o que presumia ser o bambu em um vasinho. O bilhete que encontrou ali confirmava isso e também continha mais informações: manutenção simples.

Seguiu para sua sala e achou outro bilhete em sua escrivaninha de advogado sério. Este dizia exatamente qual planta ele precisava colocar naquele ambiente, explicando o motivo e onde ela ficaria.

Curioso e nervoso, ele entrou no banheiro de verdade. Ou seja, se um banheiro tão grande quanto um armário pudesse ser considerado um banheiro de verdade. Mas havia um chuveiro apertado, dando a possibilidade de o lugar ser alugado como apartamento.

Nenhum bilhete ali.

Mas havia um na futura biblioteca e outro na cozinha apertada. Franzindo a testa, Zane olhou pela janela, igualmente pequena, para aquilo que um otimista chamaria de pátio.

Para ele, era um quadrado de concreto.

Mas, sim, poderia colocar uma mesinha e algumas cadeiras. Seria um bom lugar para fazer um intervalo ou aproveitar o fim do dia.

Talvez.

Porém, por enquanto, ele apenas voltou para sua sala — o cinza das paredes ali era mais escuro, mais austero, porque, sabe como é: advogado sério.

Zane sentou-se à mesa nova, de costas para a janela um pouco maior que a da cozinha, e abriu o currículo da mãe do seu melhor amigo.

Dez minutos depois, Micah entrou na sala.

— E aí, cara?

— E aí?

Zane ergueu o olhar.

O cabelo de Micah estava preso em um curto rabo de cavalo, e ele exibia uma única argola minúscula na orelha esquerda e um cavanhaque que, surpreendentemente, não era horroroso. Usava uma calça jeans cheia de bolsos e uma camiseta desbotada dos Vingadores.

Um *nerd* meio *hippie*, mas o visual combinava com ele.

— Você comprou uma árvore. Achei maneiro.

— É, também gostei, acho. Quer saber de uma novidade? Vou contratar sua mãe.

— Contratar minha mãe? Para quê?

— Para ser minha assistente administrativa.

— Você está de sacanagem!

— Não. Você sabia que ela já trabalhou em um escritório de advocacia?

— Sabia, mais ou menos. Eita! — Ele se jogou em uma das poltronas de couro cor de vinho, esticou as pernas, cruzou os tornozelos cobertos pelos tênis vermelhos de cano alto da Nike. — Maneiro. Ela nem falou nada.

— Acabei de ler o currículo dela.

— Minha mãe tem um currículo?

— Um ótimo currículo. Você está listado como uma das referências.

— Estou? — O sorriso de Micah aumentou. — Se isso for mesmo verdade, vou mudar meu nome para Sally.

— Ela o ajudou a montar sua empresa, Sally.

— Ajudou mesmo. Sem a minha mãe, O Cara do Computador não existiria. Foi ela que cuidou da parte da contabilidade, do projeto do site. Meu pai sabe?

— Micah dispensou a própria pergunta com um aceno de mão no mesmo instante. — É claro que sabe. Os dois trabalham em equipe. Adorei a notícia, cara. Acho que, agora que parei para pensar, ela anda meio entediada desde que Chloe casou no outono. Os planos da cerimônia a mantinham ocupada.

— Como ela está? Chloe, quero dizer.

— Bem. Ela e Shelly gostam de morar em Outer Banks. Sabe, ainda acho estranho eu ter saído com Shelly na época da escola e ela acabar casando com a minha irmã.

— As coisas mudam.

Micah uniu as pontas dos dedos e fez uma reverência.

— Palavras sábias, meu irmão. Dei uma olhada no chalé que a garota nova e Roy arrumaram e no outro que estão terminando. Cara, ela é gostosa.

— Darby?

— Muito gostosa. Não como a sua irmã. E você sabe que eu digo isso como se Britt fosse minha irmã também, só que hétero, casada e mãe.

— Sim. Felizmente, para nós dois, eu sei.

— Mas essa é gostosa de um jeito diferente. Britt é gostosa tipo capitã das líderes de torcida. A garota nova é gostosa tipo alguém que vai lhe botar no seu devido lugar se você vier de gracinha. Tipo a Viúva Negra, cara. Até o cabelo é meio vermelho. E ela parece não precisar de ninguém. O que é bem sexy.

— Hum... Já que você mencionou, é mesmo.

— Eu estou caidinho por Cassie, saca? Minha namorada é a melhor gata do universo. Mas, se não fosse, deixaria a garota nova me colocar no meu devido lugar.

— Então, que tal a gente falar de dados, comunicação e segurança dos computadores?

— Beleza, vamos começar.

Zane passou um tempo com Micah, respondeu às perguntas sobre o tipo de serviço de que precisava, jogou conversa fora e observou o velho amigo fazer mágica com seus computadores. Então, pegou o laptop e digitou um contrato formal de trabalho, com a descrição completa de todas as atribuições de uma assistente administrativa.

Alterou algumas coisas e, depois, deixou a papelada de lado enquanto recebia alguns móveis e materiais de escritório que haviam chegado.

Em seguida, voltou, releu o texto e o enviou por e-mail à sua nova funcionária.

Agora, se ele conseguisse arrumar um estagiário, estaria pronto para começar a advogar.

Já TRABALHANDO, Darby levou as mãos ao quadril enquanto analisava a posição das cadeiras — lixadas, pintadas e secas — na varanda.

Roy dirigira-se ao próximo chalé da lista para começar a tirar o cascalho enquanto ela dava os toques finais ali.

O único elemento igual ao do primeiro chalé era o poste de luz no jardim. A peça dava simetria às propriedades, algo em comum. Ela esperava que, quando terminasse o serviço, Emily cogitasse dar nomes aos chalés, em vez de números, e prendesse placas nos postes.

Os demais elementos foram customizados de acordo com o espaço, combinando com o ambiente de forma única.

Agora, Darby só precisava terminar os vasos, varrer tudo, verificar as luzes pela última vez e *voilà*.

Ela se virou ao ouvir um carro se aproximar, esperando enquanto ele estacionava. Uma moça saltou. Jovem, notou Darby, com 20 e poucos anos — um corpo forte vestindo calça jeans e uma nuvem macia de cabelo ao redor de um rosto da cor de um bom *cappuccino*.

— Srta. McCray?

— Darby McCray. Posso ajudar?

— Espero que sim. Sou Hallie Younger. Soube que você talvez estivesse contratando.

— Talvez. Você precisa de emprego?

— Talvez. — Hallie abriu um sorriso. — Gosto desse tipo de trabalho. Trouxe meu currículo. Não tenho muita experiência na área, mas sempre ajudei minha avó a cuidar do jardim na primavera e no verão, desde que me entendo por gente, e montei algumas cercas com meu pai. Também sei trabalhar com pedras. Fiz um caminho para a casa dos meus pais há alguns anos. Não tenho medo de trabalho pesado.

— Nesta área, você precisa gostar mesmo. Está empregada agora?

— Trabalho no escritório do Hotel Lakeview. Sou formada em administração, mas, bem, odeio aquele emprego. Não as pessoas — acrescentou ela, rápida. — O hotel é um bom lugar para trabalhar, os chefes são justos, mas eu não gosto de passar o dia inteiro trancada em uma sala. Mas prometi a meu pai que ficaria, no mínimo, um ano lá, para ver se eu gostava.

— Então, você cumpriu o prometido.

Hallie deu de ombros. O cabelo acima deles flutuou em uma nuvem de cachos.

— Sua palavra não vale de nada se você não cumprir o que promete. Vi o outro chalé, e este agora. É isso que eu quero fazer. Acho que eu levaria jeito para a coisa.

— Pode me dar seu currículo?

— Agradeço por me levar em consideração.

A moça tirou o currículo da bolsa.

— Vamos fazer um teste primeiro. Quero a sua opinião.

Darby gesticulou para o chalé.

— Está lindo. Acho que as cadeiras foram pintadas de azul-turquesa para se destacar ao lado do rosa-choque das azaleias. — Quando Darby gesticulou para ela continuar, Hallie respirou fundo e seguiu em frente. — Acho que você queria um visual alegre, então decidiu ser mais discreta com o corniso branco. Está usando plantas nativas, que não dão muito trabalho. A ideia é passar a impressão de que elas nasceram aqui por conta própria. E gostei muito da ardósia com o musgo. Na nossa casa, usei camomila.

— Também é uma boa opção. Aqui, use minhas luvas. Ainda preciso terminar os vasos e as jardineiras. Ajeite aqueles dois na varanda.

— Claro. O que eu planto neles?

— Pode escolher. Enquanto isso, vou dar uma olhada no seu currículo.

Hallie mordeu o lábio.

— Imagino que isso também seja um teste.

— Veja as plantas que prefere. Depois, a gente conversa.

Enquanto a moça trabalhava, Darby sentou-se em uma das cadeiras azul--turquesa e leu o currículo. Cursos de administração, boas notas, empregos de meio expediente durante o ano letivo e nas férias de verão. Havia fotos do caminho de pedra — bom trabalho —, das cercas, de alguns jardins.

Ela entrou e ligou para algumas das referências.

Quando saiu do chalé, Hallie estava sentada sobre os tornozelos com uma expressão no rosto que Darby reconhecia: o puro prazer de plantar.

— Ficou bonito. Boa combinação de texturas, cores e alturas. E isso é ótimo, porque o chalé já está reservado para amanhã. Quer me ajudar com as jardineiras no pátio? Depois, podemos limpar tudo e ir embora.

— Eu adoraria!

— Ótimo. — Darby esticou uma das mãos. — Seja bem-vinda.

— Eu... estou contratada?

— Você está contratada. Podemos discutir os detalhes enquanto plantamos.

Capítulo 11

◆ ◆ ◆ ◆

Zane conseguiu adiantar a assinatura do contrato de Darby em uma semana, mas, ainda assim, sua hospedagem no chalé terminou antes disso. Para dar lugar aos próximos hóspedes, ela teve de se mudar para outro até resolver as pendências legais.

Com Hallie trabalhando apenas dois dias por semana enquanto cumpria o aviso prévio de 15 dias no hotel e Gabe ajudando nos fins de semana e após as aulas — depois dos jogos de beisebol ou dos treinos —, mais três chalés foram concluídos antes de ela pegar as chaves de sua casa nova.

Com os Chalés Lakeside Walker completamente reservados, Darby seguiu com a equipe — ela tinha uma equipe! — para a recepção, onde queria ser um pouco mais ambiciosa, mais ousada. Para isso, precisou de sua nova escavadeira compacta, muita força física e muita terra, mas acabou criando um belíssimo jardim de pedras.

— Parece uma obra de arte, chefe — disse Hallie.

— E vai ficar melhor ainda daqui a algumas semanas. Precisamos terminar amanhã. Depois, passaremos para o Chalé Oito. Ele está vago até o próximo fim de semana. Vamos trabalhar nas pedras primeiro, para não incomodar os hóspedes com o barulho do talhador. Podemos deixar a pintura para depois, mas acho que conseguiremos plantar alguns arbustos antes de o pessoal chegar. E, depois, começaremos a trabalhar na casa de Emily, mas vamos alternar os lugares quando outros chalés ficarem vagos, mesmo que seja só por dois dias.

— Essa mulher vai matar a gente de tanto trabalhar. — Roy jogou terra sobre as raízes de uma roseira. — Queria não gostar tanto dela.

— Acho que o que você queria era não ser tão bom nesse trabalho — rebateu Darby.

— Sou bom mesmo. Sempre gostei de flores, mas, agora, sonho com elas. E sabe o que aconteceu no domingo passado? Minha mãe pediu para eu plantar alguma coisa bonita no quintal dela. Não consigo tirar uma folga.

Por mais que ele reclamasse, Darby via o prazer de plantar estampado em seu rosto.

Horas depois, após carregar sacos de areia, posicionar pedras e cavar buracos, ela dirigiu pela estrada íngreme e estacionou a picape na frente de sua casinha.

E, ao saltar do carro, parou, deu uma volta e viu potencial. Um terreno para limpar, terra para transportar, espaço para construir, para plantar. Uma vista para as montanhas adormecendo com o entardecer, um pedaço de jardim ao abrigo do sol. E, se ela fosse até os limites do terreno, veria trechos do lago lá embaixo.

Darby imaginou os muros de contenção que construiria, os galpões de equipamentos e a estufa, a entrada pavimentada, as cores que acrescentaria com arbustos, um viveiro de flores, um jardim de sombra, visualizando tudo com clareza.

Ela teria todo o tempo do mundo para plantar, para tornar aquilo realidade. Porque estava na sua propriedade, na frente da sua casa.

Darby foi dançando de volta para a picape, para buscar as coisas que já comprara.

Duas viagens depois, ela vagava pelo térreo. A sala de estar poderia ficar aconchegante — depois que comprasse móveis. E o lavabo sob a escada poderia, com um pouco de esforço, deixar de ser apenas utilitário e se tornar agradável.

A cozinha... Bem, ela nunca fora muito de cozinhar, então os eletrodomésticos antigos serviriam por enquanto. E poderia pintar os armários com cores alegres, divertidas e encontrar uma mesa interessante — ou fazer uma — com cadeiras.

Não havia muito espaço de bancada, era verdade, e a superfície amarelada e opaca precisava de uma reforma urgente. Além disso, o papel de parede — uma explosão de margaridas amarelas e cor de laranja — tinha de sair dali o mais rápido possível.

Porém, todas as janelas da casa recebiam a luz do sol e tinham vistas lindas. Como não havia vizinhos próximos, Darby pretendia deixá-las sem cortina.

E adorava o fato de a porta da cozinha se abrir para um trecho plano do terreno. Ela faria um belo pátio, plantaria uma hortinha. Ninguém precisava ser um chef profissional para apreciar uma horta. Como o sol também batia ali, poderia instalar um belo chafariz com painel solar.

Sua própria casa, pensou Darby, e envolveu o próprio corpo com os braços. Aquele espaço era seu para fazer o que quisesse.

Ela subiu. Dois quartos pequenos, um banheiro. O que tinha vista para a frente do terreno seria seu; o segundo seria usado como escritório.

O computador e a escrivaninha já estavam lá, assim como uma cadeira de escritório, outras duas para visitas — e, com sorte, futuros clientes — e uma pachira aquática em um vaso com chamativas listras vermelhas e azuis.

O fato de as paredes dali não terem papel de parede era muito, muito bom, e Darby as pintara em um tranquilo tom de azul que lembrava o do lago, escolhendo branco para os rodapés.

Quanto ao banheiro... bem, mais papel de parede. Dessa vez, de peixes, muitos peixes com olhos esbugalhados, dando voltas pelo cômodo. Os donos anteriores deixaram a cortina na banheira/chuveiro. Mais peixes.

Era meio assustador.

Darby se livraria de tudo aquilo, mas, por enquanto, teria de viver no aquário, com o minúsculo espelho descascando, a pia do tamanho de um balde e a privada, que balançava um pouco quando ela sentava.

Melhor do que acampar, disse a si mesma enquanto dava os poucos passos que a separavam do quarto.

Ali, havia uma cama box, belos lençóis e travesseiros novos. E a vista da janela, que fazia tudo valer a pena.

Darby só precisava de tempo para ir a uma loja de móveis e comprar o que faltava. E bastante tempo — mais do que apenas esforço — para se livrar dos papéis de parede.

No quarto, ele era vermelho e dourado, em um estilo semelhante ao brocado. Era possível que algumas pessoas o vissem como elegante, mas, em sua opinião, era mais assustador que os peixes.

Ela tomou um bom banho e vestiu a calça de algodão e a camiseta que usaria para dormir. Na cozinha, colocou uma pizza congelada no forno.

Na sua casa, pizza congelada e pipoca de micro-ondas eram alimentos básicos e fundamentais.

Ela levou a pizza e uma taça de vinho para o escritório e ligou a música no volume máximo. E passou uma noite muito feliz, planejando o que faria com sua casa e sede da empresa.

Enquanto Darby comia pizza, Zane estava sentado em uma banqueta no bar do Grandy's Grill. Ashley dissera a verdade sobre a seleção de cervejas artesanais, e a clientela, formada por muitos moradores locais e uma boa quantidade de turistas, mantinha os garçons ocupados.

O lugar tinha o clima de um bom *pub* irlandês, com muita madeira escura e lustrosa, a iluminação fraca, o bar comprido com cerca de uma dúzia de torneiras de chope, uma parede de tijolos ao fundo e prateleiras cheias de garrafas.

Ele ainda não se aventurara no salão do restaurante, mas, pelo que via através da abertura entre as duas áreas, os negócios estavam indo bem.

Zane escolheu a cerveja recomendada pela casa naquela noite, a Hop, Drop 'n Roll. Dave, que estava sentado ao seu lado, pediu uma Dark Angel.

O homem — que Zane tinha certeza ser um dos responsáveis por salvar sua vida — praticamente não envelhecera. O tempo acinzentara seus cabelos, mas o visual caía bem nele. Sempre atlético e saudável, Dave agora usava um *smart watch* que monitorava suas atividades físicas. A camisa de algodão, com as mangas dobradas na altura dos cotovelos, moldava os ombros largos e os braços fortes.

Com certeza, ele ainda fazia bom uso de sua sala de musculação.

Os dois conversaram por algum tempo sobre academias dentro de casa. Quando Zane se mudasse para a casa nova, pretendia montar uma no andar inferior.

Com a leveza de uma amizade antiga, os dois mudaram de assunto e começaram a falar da cidade.

— Imagino que você conheça Grandy — começou Zane.

— Sim, conheço. É um cara legal. Ele e Ashley se esforçaram muito para reformar este lugar.

— Fizeram um ótimo trabalho.

Dave ergueu uma sobrancelha.

— Você não está com ciúme, está?

— Meu Deus, não! Mas Ashley sempre será especial para mim, já que foi a primeira garota por quem pensei estar apaixonado e a primeira a partir meu coração adolescente. É bom saber que ela se casou com um cara legal e que os dois montaram um belo negócio juntos.

— E a sua casa?

— Está indo. — Já que estavam na sua frente, ele pegou dois amendoins. — O escritório também. Ainda não acredito que Maureen trabalha para mim. Penso nela me dando carona para a escola, fazendo Hot Pockets para mim e Micah, mandando a gente limpar os pés antes de entrar em casa, "caramba!". Agora, ela está praticamente administrando o meu escritório.

— Nossa casa ficou vazia depois que Chloe se casou e foi morar em Outer Banks, e com Micah morando sozinho... — Quando alguns gritos ecoaram, Zane e Dave olharam para a televisão do bar, que exibia o campeonato de basquete. — Ela estava pensando em voltar a trabalhar havia um tempo, mas ainda não tinha encontrado nada bom. E, aí, você apareceu. Estamos felizes por você ter voltado, Zane.

— Antes, eu não tinha certeza se conseguiria dizer isso e ser sincero, mas estou feliz por ter voltado.

— E aquela sua mansão chique?

— Sabe, quando estou aqui no centro, ou na casa de Emily ou de Britt, penso nela e fico me perguntando se fiquei maluco. — Confuso com as próprias ações, ele comeu mais amendoins. — Mas quando estou lá? É maravilhoso. Tudo naquele lugar é perfeito. Quando eu me mudar e terminar de arrumar tudo, vou convidar vocês para uma visita. Vamos testar a churrasqueira incrível que herdei dos antigos moradores.

— É só marcar!

— Micah já esteve lá e deu uma olhada no sistema interno que comanda a música, as luzes, as televisões e as câmeras de segurança. Posso configurar tudo pelo tablet ou pelo celular. O que significa que precisei pedir para ele voltar e me mostrar tudo de novo. Mas acho que agora aprendi.

— Se não aprendeu, é só ligar para ele de novo.

— É, eu sei.

— Então... — Dave tomou outro gole da cerveja. — Por que não me conta o que está incomodando você?

Zane analisou a própria cerveja; depois, encarou o amigo. O mesmo rosto forte, pensou ele, os mesmos olhos, astutos e bondosos ao mesmo tempo.

— A audiência de Graham para solicitar liberdade condicional será na semana que vem. É bem provável que ele consiga sair dessa vez. Posso ir até lá, depor contra ele para tentar impedir que isso aconteça, mas estaria apenas adiando o inevitável.

— Eu iria à audiência de novo, Zane. Assim como Lee, Emily e Britt.

— Eu sei, e também sei como o sistema judiciário funciona. — Afinal de contas, ele *fora parte* do sistema judiciário. — Graham cumpriu 18 anos — continuou —, não arrumou encrenca com ninguém, fez terapia, trabalha como voluntário na prisão há seis anos. A comissão vai declarar que foi reabilitado. Ele é exatamente o tipo de prisioneiro de que desejam se livrar, e não quero que Britt precise passar por outra audiência. Não quero que nenhum de vocês passe por isso.

— E você?

Zane analisara o assunto, passara horas pensando, deitado na cama, brincando com a bola de beisebol.

— É inevitável, então não há o que fazer. E, às vezes, é necessário seguir em frente.

— Foi por isso que você pediu demissão e voltou para cá?

— Em parte — admitiu ele. — Não preciso esquecer tudo que aconteceu e, com certeza, não preciso perdoar ninguém. Mas já era hora de, sabe, encerrar essa história, e começar outra.

— Tudo bem.

— E a condicional não é moleza. — Zane ergueu a cerveja. — Ele nunca mais poderá praticar a Medicina. Vai ter que se apresentar a um agente, submeter-se a exames toxicológicos. Não vai poder sair do estado. Talvez não possa nem sair de Raleigh e seja obrigado a frequentar terapia para aprender a controlar a raiva. E terá que arrumar um emprego. — Zane deu de ombros. — É bem provável que ele se mude para a casa de Eliza. Ela está morando em um bairro tranquilo e tem um emprego de meio expediente em uma butique cara. — Quando Dave ergueu as sobrancelhas, Zane deu de ombros outra vez. — Eu me sinto melhor sabendo onde os dois estão. Enfim, estou encerrando este capítulo, mas eu queria lhe dizer uma coisa, algo que vai seguir comigo para o próximo capítulo da minha história: você é o pai que Graham jamais foi para mim. Você e Lee, mas você desde que me entendo por gente. Foi através do seu exemplo que eu aprendi a ser homem.

Dave ficou em silêncio por um tempo e tomou outro gole de cerveja antes de conseguir falar.

— É bom pra cacete ouvir isso. É muito bom ouvir isso de um homem adulto de quem me orgulho.

— O que você fez por mim...

— Não comece.

— Não, não foi só naquela noite, Dave, nem nos dias que se seguiram. — Ele precisava falar. Falar tornava as coisas reais, assim como na época em que escrevia nos cadernos. — Não é só porque você estava do meu lado, lutando por mim, quando eu não tinha ninguém. Mas pelo tempo que passei na sua casa, na sua companhia. Você me mostrou a realidade. Uma família de verdade, pais de verdade, até um casal de verdade. Sem isso, sem você... O abuso é cíclico. Sem você, eu poderia ter me transformado nele.

— Impossível, meu camarada.

— Não temos como saber. Mas a questão é que você, Maureen, Micah e Chloe pesaram mais na balança. Eu nunca serei como ele, e isso é o mais importante que você fez por mim.

— Também quero lhe dizer uma coisa: você nunca foi parecido com seu pai ou com sua mãe. Nunca entendi por que você e Britt pareciam tão diferentes dos dois. Eu sabia que havia algo de errado na sua casa, mas nunca entendi o motivo. Queria ter percebido antes, mas isso não aconteceu. Só notava que Graham era um babaca arrogante, e Eliza, um buraco negro enfeitado.

— Nossa, essa foi boa! — Depois de suspirar, Zane tomou um gole da cerveja. — Essa foi boa. "Buraco negro enfeitado" é a descrição perfeita.

— Mas você e Britt? Vocês eram completamente diferentes, não tinham nada deles, não do jeito como havia pequenas partes de mim e de Maureen em nossos filhos. Não havia nenhum vestígio deles em vocês. E sabe o que eu via em vocês? Um coração. Isso era algo que seus pais não tinham. —

Aqueles olhos, sinceros e bondosos, encararam os de Zane. — Eu também não esqueci. Não perdoei.

— Então, parece que estamos na mesma página de um novo capítulo. Dave sorriu.

— Pois é. Que tal pedirmos uma porção imensa de nachos e outra cerveja?

— Boa ideia.

Às 9H EM PONTO, em uma manhã chuvosa de abril, Zane conheceu Nathan Grandy, quando Maureen o escoltou junto a Ashley até sua sala para uma reunião.

Os dois pareciam ter saído de um comercial de uma pasta de dentes muito cara. Ambos eram loiros, tinham olhos azuis e eram extremamente bonitos. Nathan exibia o corpo de um atleta ao lado da gravidez radiante da esposa.

Assim que acomodou Ashley na poltrona diante da mesa, o homem estendeu a mão.

— É um prazer conhecê-lo. E também tenho que dizer que fico muito feliz por seu namoro com Ashley não ter dado certo.

— Nathan Grandy! — foi o protesto risonho dela.

— Acho justo.

— Fiquei sabendo que você foi ao restaurante outro dia. Que pena não termos nos encontrado! Acho que devo ter ido para casa pouco antes de você chegar. Ashley já está no fim da gravidez, então tento voltar a tempo de colocar Fiona para dormir.

— Gostei daquele lugar. Aquela porção de nachos é muito boa.

— É impossível não gostar deles. Então, como isso funciona? — perguntou Nathan. — A gente nunca fez um testamento antes.

— Acho melhor começarmos pelo que vocês querem. — Enquanto falava, Zane pegou um bloco pautado novo e começou a anotar.

— Algo simples, eu acho. Não é? — Ashley olhou para o marido. — Temos a casa, os carros, o restaurante. Todos os bens estão nos nossos nomes. Então, se... sabe, as coisas iriam automaticamente para o outro.

— Um bom começo. Preciso listar todos os bens.

Ele fez perguntas — informações simples, padronizadas —, entendeu o ritmo e o estilo de vida que o casal levava, tudo o que possuíam. Contas bancárias conjuntas, alguns investimentos. Então, respondeu a dúvidas e lhes deu opções. E sentiu que os dois relaxaram.

— Certo, então, se vocês dois não sobrevivessem ao apocalipse zumbi, o que gostariam que acontecesse com seus bens?

— As crianças ficam com tudo. — Pela maneira como Nathan respondeu, Zane soube que o casal conversara sobre aquilo antes. — Mas nossa filha é muito pequena, e este aqui ainda está no forno.

— Podemos criar um fundo fiduciário. Vocês teriam de escolher alguém para administrá-lo e teriam de planejar como seria a distribuição do dinheiro para custear as necessidades deles e sua educação. E definiriam com que idade seus filhos poderão assumir os bens. Ou se querem que recebam a herança aos poucos.

— Os responsáveis legais podem administrar o fundo?

— Vocês é que decidem — respondeu Zane a Nathan.

Os dois trocaram outro olhar que indicava que já sabiam a resposta. Ashley segurou a mão do marido, apertando-a.

— Resolvemos que meus pais serão os tutores. Queremos que nossos filhos cresçam aqui, e Fi adora os avós, os conhece bem, confia neles. E sei que os dois fariam um ótimo trabalho tomando conta dos nossos bebês.

— Então, vamos anotar os dados deles. Nomes completos, endereço.

Enquanto respondia, Ashley fez uma careta e apertou a lateral da barriga com uma das mãos.

— Sabe, Nathan, acho que este aqui está pronto para sair do forno.

— Devem ser contrações de treinamento, Ash. — Ele deu um tapinha no braço da esposa com a tranquilidade da experiência. — Ainda faltam dez dias.

— Ele não concorda. Acho que quer sair hoje.

— O quê? — Zane deixou a caneta cair. — Hoje, tipo, *hoje*? Vou chamar Maureen.

— Não, não. — Ashley sinalizou para ele sentar de novo. — As contrações estão fracas, e esta foi só a terceira. Os intervalos são de doze minutos. Nós ainda temos tempo.

Mesmo assim, Nathan se levantou e pegou o telefone.

— Vou ligar para a parteira, avisar onde estamos. Só um segundo.

— Vocês têm uma parteira? — perguntou Zane enquanto Nathan saía da sala.

— Temos, aqui na clínica da cidade. — Tranquila como uma manhã de primavera, Ashley apenas sorriu e esfregou a barriga. — Ela é ótima. Estou bem, Zane. Minha mãe já está com Fiona, e a clínica fica a cinco minutos daqui. Já fiz isso antes. Então, o que mais precisa saber?

— Estou um pouco atordoado.

Ela sorriu.

— Você falou algo sobre educação. Meus pais abriram uma poupança para pagar a faculdade de Fi e querem fazer a mesma coisa para o próximo neto. Sei que os dois vão cuidar das crianças, dos nossos bens, de tudo. Só queremos deixar as coisas registradas legalmente, para não termos que pensar mais nisso.

— Pois é, isso é... Você está tão calma.

Aqueles belos olhos azuis de Ashley o encararam com um ar radiante.

— Sobre a possibilidade de um apocalipse zumbi?

— Não, sobre... — ele gesticulou — o parto.

— É só daqui a algumas horas, então ainda podemos resolver isso.

Ashley olhou para trás quando Nathan voltou.

— Sandy já está de prontidão. Liguei para a sua mãe. Ela vai avisar seu pai e os outros, e os dois vão levar Fiona para a maternidade quando a gente liberar. — Ele sentou-se ao lado da esposa e se inclinou para esfregar a barriga dela. — Avisei ao restaurante que estou ocupado, então o pessoal vai cuidar das coisas por lá. — Em seguida, Nathan sorriu para Zane, como se Ashley não estivesse prestes a dar à luz a qualquer momento. — Então, o que falta?

A reunião estendeu-se por mais meia hora — e outras três contrações que deixaram a boca de Zane seca de pavor.

Maureen se despediu do casal com um abraço e lhes desejou boa sorte enquanto Zane os acompanhava até a porta.

— Preciso sentar — disse ele, desabando sobre uma poltrona na recepção. — Ela, minha primeira namorada de verdade, entrou em trabalho de parto na minha sala.

— Era só a fase latente.

— Trabalho de parto — repetiu ele. — Ashley vai andando até a clínica para ter o bebê. Andando.

— Bem, já parou de chover, e andar durante a fase latente ajuda. Sabe o que seria ótimo? Se o amigo e advogado dela comprasse umas flores na hora do almoço e as deixasse na maternidade antes de ir embora para casa.

— Posso fazer isso. É só que... é estranho. Ela foi a primeira garota que eu... — Zane se interrompeu quando Maureen estreitou os olhos. — Não é nada disso. A gente nunca... Não. Eu quis dizer... É estranho, vamos deixar as coisas nesses termos. — Ele colocou o bloco pautado na mesa dela. — Os dois não querem nada muito complicado. Você pode fazer um rascunho do testamento e me entregar depois. Se não conseguir entender minha letra, é só perguntar.

— Para um advogado, até que sua letra é bem legível. Você tem uma reunião com Mona Carlson em vinte minutos. O divórcio; talvez dessa vez seja pra valer. Depois, Grant Feister, às 11h30; foi pego dirigindo bêbado. Só mais dois clientes à tarde, mas é um bom dia, Zane, para sua primeira semana com o escritório aberto. — O telefone na mesa dela tocou. — Talvez seja mais um cliente. Bom dia — disse Maureen para a pessoa do outro lado da linha. — Zane Walker, escritório de advocacia.

Ele comprou as flores e as deixou na maternidade por volta das 15h. A mulher alegre na recepção perguntou se ele queria entregá-las a Ashley pessoalmente ou se preferia que ela as levasse.

Zane pediu à mulher que as entregasse. Por favor.

Como não tinha mais nenhum compromisso, foi à casa de Emily com alguns documentos dos quais ela lhe pedira para cuidar.

Encontrou a tia parada na frente da casa, apertando as mãos — do jeito que sempre fazia quando estava nervosa — enquanto observava Darby cavando uma trincheira com sua escavadeira minúscula. Roy e Hallie plantavam uma árvore do outro lado do quintal, agora dividido por um caminho de lajotas que ia até a varanda da frente, onde Gabe e Brody penduravam um balanço da cor de uma pimenta-malagueta.

Zane estacionou o carro, e, como Emily parecia prestes a vomitar ou sair correndo, foi direto até ela.

Com o olhar um pouco desvairado, a tia agarrou seus braços.

— O que foi que eu fiz?

— Não sei. O que está acontecendo?

— A mulher está cavando uma trincheira. No quintal. É para colocar irrigadores ou algo assim, mas... Meu Deus. É um sistema de irrigação para um canteiro de arbustos.

— Como o de Monty Python?

— Ah, Jesus Cristo, ah, meu Deus, é igual ao de Monty Python. Ela disse que as plantas vão ficar coloridas da primavera ao outono, que haverá diferentes texturas o ano todo e que deixarão o quintal mais equilibrado, que não vão precisar de muita manutenção e que todo mundo é capaz de cuidar de plantas.

— Se você não quiser nada disso...

— Você não entende. — Emily lhe deu uma sacudidela desesperada. — A mulher começa a falar, e você só concorda com a cabeça e pensa "vai ficar lindo, é uma boa ideia. Por que eu nunca pensei nisso antes?". Aí, ela começa a trabalhar, e você começa a questionar todas as suas decisões. Veja, veja a cor daquele balanço na varanda.

— Eu reparei. É vermelho-pimenta?

— Ah, meu pai eterno, é *sim*! Fui eu que escolhi. Eu escolhi... Será que escolhi mesmo? — Ainda agarrada ao sobrinho, Emily virou para Darby, estreitando os olhos. — Será que fui eu que escolhi? Acho que ela tem o poder de controlar nossos pensamentos. Estou falando sério.

— Respire fundo, Em. — Para ajudá-la, ele lhe deu um abraço. — Uma coisa é certa: o caminho de pedras está lindo.

Ela olhou para o chão.

— Está mesmo. Essa mulher é genial. Quero dizer, todos os chalés que ela terminou estão maravilhosos, mas...

— Respire fundo de novo. Quer saber de uma coisa? Eu gostei do balanço. Emily respirou fundo.

— Droga, eu também. De algum jeito, ela sempre tem razão. Você pode me distrair da minha loucura. Como vão as coisas?

— Bem. Arrumei alguns clientes. Maureen é perfeita, e já tenho candidatos para o estágio. Se eu escolher minha preferida, estarei cercado de mulheres. Ah, mulheres — lembrou Zane. — Ashley está em trabalho de parto.

— Agora?

— Agora. Começou na minha sala. Foi bem estranho.

Emily apoiou a cabeça no ombro dele.

— Nosso dia está agitado, não acha?

— Parece que sim.

O celular dela fez um barulho, e, depois de olhar a tela, Emily deu um beijo na bochecha do sobrinho.

— Tenho que ir ao escritório.

— Também preciso ir para casa. Tenho algumas coisas para resolver. Mas eu trouxe os documentos que você pediu.

— Ah, obrigada. Venha jantar amanhã, quando eu estiver menos doida.

— Combinado.

Zane começou a se aproximar para cumprimentar os primos quando Darby parou a escavadeira e saltou. Então, seguiu na direção dela, analisando a trincheira.

— Então... Um canteiro de arbustos?

— É sempre bom agradar os Cavaleiros que dizem Ni.

Ele não conseguiu segurar o sorriso.

— Pois é.

Ela tirou o boné para secar o suor da testa.

Qual era a cor daquele bendito cabelo?, perguntou-se Zane. Não era castanho, não era ruivo. Parecia mais ruivo que castanho sob a luz do sol, mais castanho que ruivo quando estava na sombra.

— Eu queria mesmo falar com você — disse Darby enquanto botava o boné de volta na cabeça.

— Precisa de um advogado?

— Por enquanto, não, mas estou sempre atrás de clientes. Quer que eu dê uma olhada na sua casa?

Ele sentiu um pouco do pânico de Emily.

— Você parece bastante ocupada.

Dando de ombros, ela calçou suas luvas.

— Gosto de planejar o futuro. Já tenho algumas ideias, mas quero dar uma olhada no terreno, ouvir sua opinião. Posso dar um pulo lá daqui a duas horas.

Darby seguiu para sua picape e chamou a equipe. Zane passou um breve instante conversando com os primos antes de ela chamá-los também. Ele viu muito plástico preto ao redor, muitas mangueiras pretas.

E chegou à conclusão de que era melhor ir embora antes que a paisagista lhe desse um par de luvas e uma tarefa.

Enquanto dirigia para casa, Zane lembrou a si mesmo que queria mudar algumas coisas no quintal. E ele não cedia com facilidade, então não acabaria com trincheiras e canteiros de arbustos.

Talvez uma árvore. Seria bom ter uma árvore grande que pudesse observar crescer com o passar dos anos. Quem sabe uma rede embaixo dela, para preguiçosas tardes de domingo. Ou duas árvores com uma rede pendurada entre elas.

Ele aceitaria uma árvore, decidiu Zane. No máximo, duas. Talvez alguns arbustos ou moitas — havia diferença entre eles? Canteiros de moitas existiam?

Enfim.

Não haveria um canteiro de arbustos/moitas na sua casa. E ponto-final.

Capítulo 12

◆ ◆ ◆ ◆

DARBY ADMIROU a entrada da casa de Zane. Ela sabia exatamente quais eram os limites do terreno, sabia onde plantaria olaias, ou azaleias; talvez, pés de louro. E os espalharia pela entrada, fazendo parecer que a natureza os colocara lá.

Não apenas os visitantes ficariam deslumbrados conforme subissem até a casa, como também as plantas poderiam ser vistas das janelas e lá de baixo.

Agradável, bonito.

A casa em si, na opinião de Darby, era um espetáculo da arquitetura. Feita de madeira, pedras e vidro, empoleirada no topo da colina, vigiando os arredores. Havia deques, varandas e pátios praticamente implorando pela sua ajuda. A entrada principal — como estavam no Sul, aquilo seria considerado uma varanda, não um alpendre — pedia belos vasos de pedra — talvez de concreto —, altos e coloridos.

Caramba, ela faria amizade com Zane só para poder passar um tempo ali, com o terreno do jeito que estava. Mas, se conseguisse convencê-lo a deixá-la trabalhar naquele quintal, ela, certamente, lhe daria um paraíso nas montanhas.

Darby estacionou e olhou ao redor. Ele não tinha colocado nem uma só cadeira na varanda — que lhe parecia mais um alpendre — diante da suíte principal.

Era óbvio que o homem precisava da sua ajuda.

Zane saiu pelas enormes portas duplas que levavam à varanda, e ela sentiu tudo se encaixar. Ele combinava com a casa, e a casa combinava com ele. Isso tornaria tudo mais fácil.

O homem era alto, então o pé-direito elevado, as janelas amplas, a planta aberta no primeiro andar, tudo combinava com ele.

E ela daria um jeito para o quintal combinar com ele também.

Aquelas pernas compridas não precisavam correr para atravessar longas distâncias, e seu porte, imponente e forte, ainda podia ser considerado esbelto.

Que mulher não admiraria um homem alto, esbelto e de olhos verdes?

— Este lugar é maravilhoso, Zane.

— Ainda não me acostumei. — Ele se aproximou e virou-se, observando a propriedade pelo ponto de vista dela. — Toda vez que chego aqui, me surpreendo com este lugar.

— Tenho a mesma reação com a minha casa. E, depois, faço uma dancinha. É bom estar em casa, não é?

— Você se adaptou rápido.

Darby se virou, apontando para a vista das montanhas, o lago, a cidade. Tudo.

— Por que não? Aposto que você costuma parar diante dessas janelas lindas e ficar boquiaberto com essa paisagem.

— Todos os dias.

— Essa vista é de matar. Sabe o que está faltando?

Zane sentiu os ombros enrijecerem. Seja firme, lembrou a si mesmo.

— Imagino que você vá me contar.

— Você precisa de um muro de contenção de pedras, por ali. — Darby se aproximou do ponto em que o terreno começava a descer. — Não só por causa da erosão, mas por uma questão de estrutura e segurança. Talvez você case, tenha filhos.

Uma árvore, lembrou Zane a si mesmo. Talvez alguns arbustos.

— Acho que um muro deixaria o terreno muito fechado.

— Não um muro alto, nada que bloqueasse a vista daqui, nem lá de baixo. Algo que somasse ao local. Podemos usar pedras artificiais. Vou lhe mostrar um panfleto. Você escolhe as cores, o formato. E nós instalaríamos luzes.

— Luzes, mas...

— Não só para iluminar, mas pela magia. — Ela enfiou a mão em um dos bolsos da calça cargo e lhe mostrou uma tirinha de cobre. — A gente usaria algo assim, com o acabamento que você preferir, dos dois lados. Posso mostrar umas fotos de como o muro ficaria à noite. Seria uma luz agradável, bonita. Entendo por que os donos anteriores queriam que a casa fosse o destaque, sem acrescentar muitas coisas ao quintal. Mas eles não tinham filhos pequenos.

— Nem eu.

— Ainda não. Mas sua irmã tem uma filha pequena, e ela vai correr por aqui. Você não quer que sua sobrinha saia rolando lá para baixo.

Zane não tinha pensado nisso, mas, agora, fazia sentido. E a cena fez sua firmeza vacilar.

— Tudo bem, um muro. Um muro baixo.

— Vou entregar o panfleto a você, tirar umas medidas, fazer um orçamento. Então, vamos ficar apenas com a parte da frente por enquanto.

Ela falou sobre plantar coisas na entrada — quem mais pensaria nisso? —, em decorar a varanda com grandes vasos de concreto, cadeiras, uma mesa, mais plantas na frente.

Zane se viu fazendo exatamente aquilo que Emily descrevera. Concordando com a cabeça. Concordando mesmo enquanto eles passavam para a lateral da casa e conversavam sobre moitas de hortênsias, peônias, lírios.

Mas seu transe foi interrompido pela cascata.

— Você só pode estar de brincadeira!

— Não seriam as Cataratas do Niágara. A casa foi construída no topo de um morro, então já tem a subida, a descida, a queda. Dê uma olhada aqui, Walker, essa área está implorando por um lago grande e irregular. Pedras naturais, água caindo do topo, espalhando-se. Nós poderíamos plantar algo nas bordas, chegando até as árvores. E poderíamos colocar um banco de pedra aqui com alguns arbustos perfumados e um caminho de pedras afastadas, instalar uma iluminação bonita. Pense um pouco, imagine-se sentado aqui, tomando um drinque, ouvindo a água cair, observando a vista, sentindo os aromas todos os dias.

Ela gesticulava com as mãos enquanto falava. Mãos fortes, sem anéis, com dedos compridos e unhas curtas, sem esmalte. Como conseguiam desenhar uma imagem no ar?

— Mas... uma cascata?

— Pense nisso como uma queda-d'água — sugeriu Darby. — Seria uma ótima forma de usar esse espaço vazio. A gente faria a manutenção da bomba.

Você só teria que aproveitar o quintal. Outra ideia... Não seria o que eu escolheria, mas é uma alternativa. Você joga golfe?

— Não.

— Um advogado que não joga golfe? Achei que seria legal colocar um gramado aqui, mas esqueça. Você não gosta de esportes?

— Eu jogava beisebol.

— Ah, eu também. Adoro beisebol.

Isso o fez parar de pensar em cachoeiras.

— Qual é o seu time?

Ela lhe lançou um olhar zombeteiro.

— Zane, eu sou de Baltimore. Nasci torcedora dos Orioles, vou passar minha vida inteira como torcedora dos Orioles e vou morrer sendo torcedora dos Orioles.

Ele sorriu.

— Eu também.

— Sério? — Darby esqueceu a conversa sobre paisagismo e prendeu os dedões daquelas mãos interessantes nos passadores da calça. — Já foi ao Camden Yards?

— Algumas vezes.

Ela suspirou.

— Eu queria morar lá.

Foi quando algo saiu da sua boca antes que ele se desse conta do que dizia:

— Eu queria jogar lá.

A ideia ainda o deixava triste, mas Zane se esforçou para ignorar o sentimento.

— Em qual posição?

— Interbases.

— Ah, eu jogava na segunda base. — Darby ofereceu o punho fechado para ele bater. — Lakeview tem um time, mas a primavera e o verão são as temporadas mais puxadas de trabalho para mim, então não posso jogar. Você ainda joga?

— Não.

Algo naquela única sílaba a fez parar de perguntar.

— Bem, estou pensando em dar um pulo na partida de Gabe no sábado. Enfim. Vou desenhar o projeto para você conseguir visualizar melhor minhas ideias. Enquanto isso...

Ela falou sobre criar canteiros elevados para temperos e plantas sazonais, sobre mais arbustos, outro muro para fazer uma simetria com o que colocariam na frente do terreno.

Zane perdeu o fio da meada.

— Agora que já dei várias ideias, vou tirar as medidas. E já trago os panfletos para você dar uma olhada.

— Ótimo. Quer ajuda?

— Não precisa.

Darby voltou para a picape, e Zane, quase em estado de choque, entrou na casa pela porta da cozinha.

Ele abriu uma cerveja e pensou que devia oferecer uma a ela também. Mas resolveu que precisava se recuperar da conversa primeiro.

Darby cheirava a terra e plantas e tinha as mãos fortes, competentes, que desenhavam imagens no ar. Ela as pintava com suas palavras, fazendo com que ele tivesse um enevoado vislumbre místico daquilo que estava na cabeça dela.

Mas isso não significava que iria na onda dela.

Os muros faziam sentido. Segurança era importante, e ele esperava que Audra passasse muito tempo visitando o tio. E gostou da ideia das luzes reluzindo nas pedras, então tudo bem.

Talvez algumas plantas — algumas. Mas a cascata? Seria ridículo.

Porém, ao mesmo tempo que o pensamento passava por sua cabeça, Zane seguiu para a grande janela do salão e olhou para o espaço em que Darby imaginara a cascata ridícula.

Não. De jeito nenhum. Não. Mas... Talvez ele pensasse no assunto.

A paisagista tinha razão sobre colocar mesas, cadeiras e coisas do tipo do lado de fora. A varanda, os deques, o pátio dos fundos com a imensa e maravilhosa churrasqueira a gás — todos esses espaços precisavam de assentos para que ele e suas visitas pudessem passar um tempo ao ar livre.

Então, tudo bem, Darby tinha razão nesse ponto.

Zane sabia fazer churrasco — Lee fizera questão de ensiná-lo — e queria convidar a família para almoços. Por isso: mesas e cadeiras.

Com a cerveja e o laptop, ele sentou-se à grande bancada da cozinha e começou a pesquisar sobre móveis externos na internet.

A porta de vidro ficou aberta, e Zane já tinha escolhido algumas opções quando Darby bateu em um painel com um dedo.

— Entre. Quer uma cerveja?

— Nossa, como eu quero, mas estou dirigindo. Meia cerveja?

— Meia cerveja.

Enquanto ele levantava para pegar a metade da cerveja, ela vagou pela enorme cozinha. Admirou os armários escuros e bonitos, alguns com portas de vidro, os metros de granito nas bancadas misturados a um dourado fosco, fortes tons de marrom, toques de verde-musgo, alguns vislumbres de mica.

O lugar tinha tudo — adega de vinho climatizada embutida, uma máquina de fazer gelo, lava-louça grande, *cooktop* profissional com oito bocas e um exaustor chique, forno duplo embutido.

Além do mais, por causa da visita que fizera antes, ela sabia que ainda havia uma copa com outro lava-louça, uma geladeira, uma pia grande, mais bancadas e mais armários. E uma despensa tão grande que caberia uma barraca de camping lá dentro.

— Esta cozinha quase me dá vontade de aprender a cozinhar. Aprender a cozinhar de verdade.

— Ainda bem que eu não tenho esses impulsos. — Zane lhe passou a cerveja. — E é por isso que uma horta de temperos não faz sentido.

— Hortas sempre fazem sentido. — Ela fez um brinde com seu copo e a garrafa dele, tomou um gole e suspirou. Então, entregou-lhe os panfletos. — Um desses é da minha empresa, um esboço por enquanto, com alguns trabalhos antigos que podem passar uma ideia do que quero fazer aqui. Ainda estou montando o site, mas já está no ar. Mais ou menos.

— Se você quiser que alguém ajude com isso, fale com O Cara do Computador.

— Micah Carter, não é? Já me falaram dele.

— Meu amigo mais antigo, e, apesar disso, tenho certeza de que ele é o melhor.

— Curioso, Zane abriu um panfleto em uma das páginas marcadas, encontrou muros de pedra em tons parecidos com os da bancada da cozinha e viu as imagens noturnas com aquelas luzinhas interessantes brilhando. — Tudo bem, uau!

— Não é? Você pode ter algo assim.

— Este aqui é... Como se diz? Escalonado. Sabe, com alguns andares, degraus de pedra.

— Você também pode optar por algo assim, sem os degraus. Eles não são necessários. Mas um muro escalonado não só é possível, como também recomendado.

— Você não disse isso antes.

Ela sorriu por cima do copo de cerveja.

— Não queria assustá-lo.

Zane a encarou, seus olhos verdes cheios de cinismo.

— Não queria me assustar, mas falou de cascatas?

— Eu já tinha convencido você um pouco àquela altura. Recomendo dois níveis, por uma questão de estética e de estabilidade.

— E, aí, você planta essas coisas aqui na parte baixa do terreno, e isso...

— São plantas nativas com um sistema de irrigação subterrâneo. Nós fazemos a manutenção, você aproveita.

— Esse deveria ser seu slogan. Sente-se. Posso dar uma olhada nos panfletos enquanto você está aqui.

— Ótimo. — Darby puxou um banco e lhe entregou algumas folhas impressas grampeadas. — Veja isto.

Quando ela exibiu a página com a maldita cascata, Zane vacilou.

— Você construiu isso.

— Eu e minha mãe, sim.

— É maravilhosa.

— Também acho. Ela é maior e um pouco mais complexa do que a que eu faria aqui, mas dá uma ideia do resultado final. A gente trabalharia com o terreno, usaria a inclinação natural.

Zane analisou as fotos. Aquela cascata era bastante alta, tinha plantas caindo das pedras e bordas tão largas que poderiam abrigar uma pessoa.

— Está quase me convencendo.

Darby tomou um gole da cerveja.

— Você já está convencido. Só estou ajudando você a se curar da sua fobia de jardins.

— E o que acontece no inverno?

— Drenamos a água e fechamos a bomba. O espaço se torna apenas decorativo até a primavera, quando ligamos a bomba de novo.

— Puta merda.

Ela não se deu ao trabalho de engolir a risada.

— Vou fazer um desenho do que estou imaginando e passar uma estimativa de preço. E então você decide. — Darby se inclinou e viu a página aberta no laptop. — Já está dando uma olhada nas opções de móveis externos.

— Pois é, você tem razão sobre essa parte. Quero manter a família por perto, mas ainda não tinha pensando em arrumar cadeiras e tal.

— O ideal é não ser nem moderno nem rústico demais. Você... Desculpe, não consigo me controlar. Posso só... — ela fez círculos com um dedo — ver como você está decorando o restante da casa?

— Claro.

— Gostei de como está ficando. Um espaço grande, com pé-direito alto, então as poltronas largas e os sofás imensos fazem sentido. No geral, cores masculinas — continuou Darby enquanto andava —, mas interessantes. Confortável, mas não desleixado, um estilo flexível. Odeio quando tudo é combinadinho. E adorei a mesa da sala de jantar.

— Acabei de comprar. A loja disse que o estilo é rústico industrial, seja lá o que isso quer dizer.

— Não importa, é linda. — Darby passou um dedo pela superfície. — É madeira de demolição, não é? Nossa, sua casa é muito limpa e organizada.

Um soco no estômago se você se esquecesse de guardar suas meias tinha esse efeito, pensou Zane.

— Pois é.

Darby seguiu para a sala de estar e olhou pelas portas de vidro para o cômodo que ele quase terminara de transformar em seu escritório.

— O que você vai fazer com o andar de baixo? Vai manter a sala de televisão?

— Seria loucura me desfazer dela. Preciso comprar algumas coisas para o quarto de hóspedes. Por enquanto, só montei minha academia.

Apertando os lábios, Darby se aproximou dele e segurou seu bíceps direito, apertando-o.

— Bem que eu imaginei. Muito bom. — E, então, continuou a zanzar pela casa, deixando-o confuso. — Tudo bem, você, obviamente, sabe o que está fazendo, do que gosta e o que combina com a casa. Mas eu posso lhe passar uma lista de lugares na região onde você pode ver, tocar e sentar nos móveis em vez de comprá-los pela internet.

— Tudo bem.

— Me passe seu e-mail, e envio tudo quando eu terminar.

— Combinado. Já tenho até um cartão de visita.

Zane tirou uma caixinha do bolso, entregou-lhe um cartão.

— Admirável: "Zane Walker, advogado". É um bom nome para um advogado. Seria melhor ainda para um herói de filme de ação. Meus contatos estão no panfleto, se você tiver alguma pergunta. — Ela lhe entregou o copo. — Obrigada pela cerveja.

— Pela meia cerveja.

— Era só disso que eu precisava.

— Levo você lá fora. Espere, eu tenho um cartão de Micah. — Zane abriu uma gaveta extremamente organizada e pegou um cartão. — Se você precisar de um expert em informática, ligue para O Cara do Computador.

— Estou precisando mesmo, então obrigada.

— Ele acha você gostosa.

— Ele... hum.

— E eu não faço ideia de por que acabei de dizer isso. Micah tem um relacionamento sério e monogâmico com Cassie. E é doido por ela.

— Bom para ele — disse Darby enquanto os dois seguiam para a frente da casa. — E eu sou gostosa mesmo; seu amigo tem razão.

— Ele não vai dar em cima de você.

— É bom saber disso. Nossa, como eu adoro a sua casa! — Ela saiu para a varanda e inspirou o ar, observando a vista. — Quando eu terminar com seu quintal, vai haver fadas dançando e anjos cantando.

— E uma cascata?

Darby riu.

— Se você for esperto, sim. Nos falamos mais tarde.

Ele a observou descer os degraus e andar até a picape. Sim, ela com certeza era gostosa, concluiu Zane, de um jeito estranho, visceral, cativante, difícil de entender.

— Ei! — gritou ele. — Talvez a gente se encontre na partida do Gabe.

— Espero que sim.

Darby entrou na picape, acenou e foi embora.

Zane percebeu, enquanto a paisagista se afastava, que a energia que parecia vibrar no ambiente havia desaparecido.

E sentiu falta dela.

ZANE DIRIA QUE seu relacionamento por e-mail com Darby começou quando lhe escreveu para contar que escolhera as pedras para os muros. E acrescentou que estava cogitando as ideias dela para o pátio. E as luzes.

Ela respondeu em duas horas, aprovando a decisão e enviando o orçamento, minuciosamente detalhado, da mão de obra e dos materiais, incluindo uma estimativa de prazo e de data para o começo da obra (dependendo do clima).

O fato de o valor total ser um pouco menor do que ele temia não impediu que fizesse uma careta. Zane seguiu para a varanda do quarto e olhou para o terreno, iluminado por refletores. E imaginou um brilho suave e agradável contra as pedras.

Então, entrou e respondeu ao e-mail, pedindo que ela enviasse um contrato.

Darby o fez em meia hora. E Zane, coitado, imprimiu, assinou, digitalizou e enviou o contrato de volta. Logo depois, visualizou a confirmação de recebimento dela.

Tudo isso antes da meia-noite do mesmo dia em que ela o visitara.

Na noite seguinte, depois de jantar com a família, ele abriu sua caixa de entrada e encontrou outra mensagem dela.

Esta vinha com o projeto completo da cascata em anexo, incluindo todas as medidas. Zane o analisou, cobiçou e fechou o e-mail.

Quando chegou em casa, andou pelo quintal e observou o espaço — praticamente ouviu a água batendo contra as pedras. Entrou, então, e foi até o escritório.

Eu topo, escreveu ele. Você está começando a me irritar.

A resposta de Darby veio logo em seguida:

As pessoas sempre me dizem isso. Você quer
fazer outro contrato ou prefere esperar
até eu calcular o restante?

> Faça logo as contas com tudo incluído. Não vou
> aceitar todas as suas ideias, mas faça as contas.
> Depois, eu escolho. E decidi que você não
> é tão gostosa quanto pensa que é.

Até a partida de Gabe, já devo ter fechado o valor total. De toda forma, se nos encontrarmos lá, pago um cachorro-quente para você. E sou mais que gostosa, sou uma delícia. Você sabe/pode estabelecer uma sociedade limitada?

> Sim. Mas vai custar um milhão de
> dólares. E um cachorro-quente.

Ótimo. Podemos negociar. Ligo para seu escritório para marcar uma hora.

O restante da semana de Zane foi surpreendentemente cheio. Ele contratou uma estagiária, uma universitária da região muito esperta. A moça fora criada pelos avós — não conhecia o pai, e a mãe a abandonara havia muito tempo. Como os avós decidiram se mudar para Lakeview para aproveitar a aposentadoria, alguns anos antes, ela resolveu arrumar um trabalho temporário perto deles.

Era impossível ficar mais perto do que na rua principal da cidade, e, como cumpria todos os requisitos de Zane, Gretchen Filbert foi escolhida.

O que significava que ele precisava comprar uma nova mesa de trabalho e tudo mais.

Zane cuidou do acordo de separação de uma mulher infeliz, convenceu seu antigo professor de História Americana a não processar o irmão por algo que era, basicamente, intriga de família, aceitou um cliente que precisava de ajuda para fazer o inventário dos bens da mãe, já que o advogado dela também tinha morrido.

Sua agenda ainda não estava lotada, mas, para um cara que acabara de abrir um escritório de advocacia em uma cidade pequena, as coisas pareciam estar indo bem.

Ele voltou da reunião na casa de uma cliente sentindo-se esgotado, exausto e encharcado da chuva da tarde, e desabou em uma das poltronas da recepção.

Maureen se virou para observá-lo.

— Você está com cara de quem acabou de passar duas horas com Mildred Fissle. O olhar perdido, o cabelo em pé, o cérebro sobrecarregado, a boca aberta de choque. Quer um café?

— Com uísque?

— Não. Você tem uma reunião em meia hora. Nada de álcool.

— Ela... Sabe, a mulher já era velha e assustadora quando eu era garoto. Agora, está decrépita e apavorante. Tive que passar duas horas sentado em uma cadeirinha dura naquela sala de estar. Duas horas encolhido. E tive que tomar um chá horrível que tinha gosto de flores com lama.

Maureen fez uma careta exageradamente triste.

— Coitadinho.

— Tudo cheirava a pétalas de rosas secas e gatos; eu vi, pelo menos, cinco gatos lá. É provável que ela tenha mais. Um deles ficou me encarando o tempo todo. Ele nem piscava, então achei que estivesse morto e empalhado. Mas aí o bicho se mexeu. — Zane estremeceu. — Eu vou ter que voltar lá, Maureen. Vou ter que voltar lá.

Divertindo-se e fascinada, Maureen se inclinou para a frente.

— Dona Mildred queria mudar o testamento de novo, não é?

— Ela me mostrou um milhão de testamentos antigos, cláusulas adicionais e um monte de bilhetinhos que escreveu. Dezenas de *post-its* com estampa de gatos.

Maureen se levantou.

— Vou pegar uma Coca para você, meu querido. Sente-se aí e descanse um pouquinho. — Ela voltou com uma garrafa gelada e um copo de água com gelo e limão de que ela própria gostava. — Sou amiga de uma das netas dela; estudamos juntas. Até os netos a chamam de dona Mildred. Ela muda de testamento como as pessoas mudam de roupa. O filho, neto, bisneto ou tataraneto favorito da vez é informado sobre os vários esconderijos pela casa em que ela guarda dinheiro, joias, talões de cheque, contratos de seguro, o testamento mais recente, e assim por diante. E, aí, o favorito muda. Dona Mildred reescreve os bilhetes, muda os esconderijos, liga para o advogado atual e faz tudo de novo.

— Ela tem seis filhos **vivos** — disse Zane —, 29 netos, 67 bisnetos e 19 tataranetos. E mais três a caminho. — Ele tomou um longo gole da garrafa. — Cada um vai receber coisas específicas, com exceção daqueles que ela resolveu que não merecem nada. E há ainda aqueles para quem ela faz questão de deixar um dólar. "Tais brincos vão para Sue, tal mesa vai para Hank, e Wendall vai receber um dólar porque não se deu ao trabalho de vir de Seattle para me visitar no Natal." As duas horas inteiras foram assim.

— Já passou, já passou.

— Muito engraçado. Vou dizer a mesma coisa depois que você passar o resto da sua tarde transformando minhas anotações desesperadas em um testamento.

— Aceito o desafio — disse Maureen enquanto ele abria a maleta e pegava o bloco e uma pasta. — Vai ser mais fácil da próxima vez, daqui a uns três meses. Além do mais, ela já tem uns 98 anos, né? A mulher não vai viver para sempre.

— Ela tem 99, e eu não teria tanta certeza disso.

Zane se levantou, prendeu a alça da maleta no ombro enquanto seu celular apitava com uma mensagem de texto. Ele pegou o aparelho no caminho para sua sala.

Darby.

Está sentado? Se não estiver, me responda
depois de sentar. E talvez seja bom
ter algo alcoólico por perto.

Zane sentou-se à mesa do escritório e se perguntou por que sentia ondas de ansiedade e prazer sempre que falava com Darby McCray.

Estou sentado. Como levo meu trabalho a sério
e são só 15h — e Maureen me proibiu —,
não tenho nada alcoólico por perto.

Talvez você desobedeça a ela daqui a pouco. Vou
lhe mandar um e-mail com vários anexos. Darei

um pulo no jogo de Gabe amanhã, mas, depois, vou ter que compensar a tarde que perdi hoje por causa da chuva e dos trovões. Até lá.

Zane ouviu a notificação de e-mail e olhou, desconfiado, para o computador. Será que o orçamento era tão ruim assim? De qualquer forma, não aceitaria todas as ideias dela.

Só aceite as que quiser, Walker, disse a si mesmo. Só aceite as que quiser.

Zane abriu o e-mail, soltando uma gargalhada ao ver o GIF do cachorro-quente dançando. Então, baixou e abriu os anexos.

O primeiro, prova da inteligência e da astúcia de sua adversária, apresentava os desenhos do projeto pronto.

— Não vou cair nessa — murmurou ele. — Meu Deus, é incrível! Mas não vou ser influenciado.

Zane passou para uma lista detalhada de nomes de árvores, arbustos, plantas, tudo com o preço — e a garantia de que seriam trocadas de graça caso morressem em menos de um ano.

Justo.

Depois, havia itens como areia, terra, adubo, sistemas de irrigação, vasos, cântaros, jardineiras.

Essa parte o deixou confuso. Adubo era só bosta — e bosta não devia ser barata?

Em seguida, vinha a mão de obra, e, quando a cabeça dele parou de girar, o valor total apareceu.

— Puta que pariu!

Maureen veio correndo.

— Que linguajar é esse? Ficou doido? Um cliente podia estar esperando lá fora!

Zane apenas apontou para a tela do computador.

Ainda com expressão de mãe zangada no rosto, ela contornou a mesa.

— Ah, meu Deus do céu!

— Viu só?

— Isso tudo para arrumar seu quintal? O que você vai fazer lá, uma filial da Disney? Emily me disse que Darby é razoável nos orçamentos, e eu estava pensando em conversar com ela sobre o quintal lá de casa. Mas isso é um absurdo!

— Não precisa ficar desanimada. Ela colocou um monte de coisas doidas aqui. E, por algum motivo, incluiu os muros e a cascata que eu já tinha concordado em fazer.

— Cascata? Você quer uma cascata?

— Não. Talvez. Não. É loucura. Eu estou louco.

Zane abriu o arquivo e mostrou o projeto. E ela soltou um longo suspiro de admiração.

— É muito bonito. Ah, esses muros... com as plantas. Ora, elas quase parecem fazer parte do morro, não é? Como se tivessem nascido ali. Zane, que coisa linda! O que mais?

Relutante agora, ele mostrou os outros desenhos.

— É fabuloso, mais que fabuloso! É magico, mas, não sei, ao mesmo tempo parece natural.

— Você não está ajudando — murmurou ele.

— Ora, que pena, mas estou falando a verdade. Abra o orçamento de novo.

Quando Zane obedeceu, ela massageou seu ombro.

— Essa parte também é impressionante. Espere, tem outra página.

— Não pode ser. — Mas, então, ele viu. — Parece que eu estava ocupado demais tendo um ataque cardíaco e não percebi.

— Tudo bem, tudo bem — tranquilizou Maureen. — Aqui, ela colocou o contrato anterior e o preço porque está lhe dando o que chama de "desconto de cliente VIP" na mão de obra. É um bom desconto, Zane. Não estou dizendo que você vá pagar barato, mas é um bom desconto.

Ele encarou os números.

— Darby é esperta. Pergunte só a Emily. Ela é esperta. Esperou para mencionar o desconto depois de me causar um ataque cardíaco, ou um derrame, ou um coma. Ela esperou, não mencionou que eu poderia ter um desconto quando aceitei o muro e a cascata, mas diminuiu o valor total. Esse sempre foi seu plano. Darby está tentando me convencer aos poucos. É assim que ela trabalha.

Maureen voltou para as fotos e emitiu aquele som de novo.

— Se ela conseguir fazer tudo isso, convencer as pessoas é o menor dos seus talentos. Ora, a moça é uma artista! Ela faz mágica. O que você vai fazer?

— Vou fechar as fotos e os desenhos e só pensar no custo total, para lembrar por que não posso mais olhar para nada disso. — Zane ouviu os sininhos soarem, outra coisa que Micah instalara para lhe avisar quando a porta da frente fosse aberta. — E vou tirar essa ideia da cabeça.

Ele fechou o arquivo.

— Vou lhe dar dois minutos para se recuperar e, depois, trago o próximo cliente. — Maureen foi até a porta e olhou para trás. — Mas você precisa admitir que seu jardim ficaria maravilhoso.

— Não quero nada maravilhoso. Prefiro minha sanidade.

Capítulo 13

♦ ♦ ♦ ♦

A CHUVA DE SEXTA-FEIRA complicara sua vida, mas o sol brilhava na manhã de sábado. E Darby acordou enquanto ele raiava.

Ela tomou café e comeu uma tigela de cereais com um punhado de mirtilos enquanto verificava a previsão do tempo para o dia e o restante da semana.

Depois, vestiu seu uniforme de primavera — calça cargo, camiseta e casaco de moletom —, satisfeita ao completar o visual com o boné azul-escuro da Paisagismo High Country, que também exibia uma flor de corniso. Supôs que usar o símbolo da Carolina do Norte seria bom para os negócios.

Enquanto seguia para a picape, olhou para o ponto do terreno que já escavara para a construção dos galpões de ferramentas e equipamentos. Com sorte, o espaço estaria preenchido com concreto e inspecionado até o começo da próxima semana.

Darby ouviu o canto dos pássaros matinais e viu as cores dos lírios-do-bosque em meio às árvores que margeavam seu mundinho. O sino dos ventos que se dera de presente balançou ao vento, acrescentando mais música e mais cor.

Como sua vida poderia ser melhor?

Otimista, ela dirigiu até o lago, enevoado com o nascer do sol, que pintava o céu a leste. Uma garça, tão branca quanto um vestido de noiva, atravessou a névoa como um sonho.

Matutina desde sempre, tanto por natureza como pelos ossos do ofício, ela acreditava que um dos benefícios do seu trabalho era poder testemunhar o começo das manhãs.

Sozinha na estrada tranquila do lago, Darby pensou em seus compromissos do dia. Teria tempo de fazer tudo, e talvez ainda sobrasse algum tempinho à noite para dar um jeito nos armários da cozinha.

As portas iriam para o lixo. As de vidro que vira na casa de Zane a deixaram inspirada. Ela removeria aquelas portas horrorosas, pintaria o restante, e pronto.

Desse jeito, seria mais fácil encontrar as coisas.

Darby se permitiu pensar em Zane por um instante. O último e-mail, com os anexos, ainda não tivera resposta. Isso era estranho. Normalmente, as respostas dele vinham rápido.

Ele ainda devia estar digerindo aquilo tudo, o que fazia sentido. Além do mais, ela não esperava que todas as suas ideias fossem aceitas. Mas torceu para Zane considerar com cuidado suas prioridades, a fim de ajudá-la a criar algo que lhe agradasse.

Ela estacionou diante da recepção e pegou as luvas e as ferramentas.

Passou uma hora trabalhando, sozinha, antes de Hallie chegar, seguida por Roy — de ressaca, em função de uma festa na noite anterior. Darby tinha combinado que os dois começariam mais tarde, já que ela queria tirar uma hora de intervalo para assistir a um pouco da partida de beisebol.

Quando Emily apareceu, os três estavam cobrindo raízes com terra e arrumando vasos. Ela se aproximou da paisagista, que, com cuidado, passava ramos de clêmatis pelos ganchos que prendera ao novo poste de jardim.

— Estou me acostumando. — Emily suspirou. — Estou me acostumando a pensar "claro, faça o que quiser", seguido de "ah, meu Deus, o que ela está fazendo?" e, então, "nossa, está perfeito".

— Só queremos deixar nossos clientes felizes.

— Bem, eu estou feliz, apesar de ainda não ter saído da segunda fase quando olho para minha casa.

— Vamos para lá assim que terminarmos aqui. Na semana que vem, acabamos.

Mesmo assim, quando Emily olhou ao redor, Darby viu suas sobrancelhas franzirem de preocupação.

— Acho que vou acabar matando todas elas.

— Manutenção simples — lembrou a paisagista. — E vou lhe ensinar tudo o que precisa saber.

— Uhum... Qual é a árvore que Roy está plantando?

— Um resedá. Ele floresce no fim do verão. Vou colocar um na sua casa também.

— Certo, boa sorte para o coitado. Tenho duas horas antes de Marcus vir me cobrir para que eu vá assistir ao jogo de Gabe.

Agachada, Darby analisou a clêmatis e aprovou o resultado.

— Vou tentar dar um pulo lá.

— Guardo um lugar para você. Darby, apesar de sua impressionante ética de trabalho ser ótima para mim, também entendo a pressão de administrar seu próprio negócio. Querida, você devia tirar uma folga.

— Quase não trabalhei ontem, e vai chover na próxima quarta, então já terei outro dia livre.

Emily agachou-se.

— E o que você faz no tempo livre?

— Planejo e crio estratégias para fazer novos clientes entrarem em pânico.

Com um afeto genuíno, Emily acariciou a bochecha dela.

— Posso apostar que faz isso mesmo. A gente se vê no jogo.

Quando terminou, Darby ainda teve tempo de tirar fotos para seus arquivos, mandar a equipe para a casa de Emily e limpar tudo com a mangueira do quintal.

— Volto às 13h. Ou às 13h30, se vocês quiserem que eu compre o almoço. Por minha conta.

— Um sanduíche bem apimentado! — gritou Roy.

Hallie, cujo cabelo agora estava preso em várias tranças unidas com um elástico, se apoiou na pá.

— O meu é metade presunto e metade queijo *pepper jack* com tomate. E com mostarda, não maionese.

— Tudo bem.

— E batatas fritas — acrescentou Roy. — Com pimenta-jalapenho.

Darby gostava de comida apimentada, mas Roy era exagerado.

— 13h30! Mandem mensagem se acontecer alguma coisa.

Ela contornou o lago, admirou as flores, cumprimentou mentalmente os jardineiros que trabalhavam em quintais pelo caminho e chegou à cidade, lotada de pessoas que estavam aproveitando o sábado para fazer compras.

E seguiu para o outro lado, onde ficava o campo de beisebol.

Foi difícil achar uma vaga — um excelente sinal do apoio da comunidade ao esporte. Enquanto Darby atravessava o quarteirão que separava sua picape do jogo, ouviu o som de bastões acertando bolas, gritos da torcida, sentiu cheiro de cachorro-quente e sanduíche de carne.

Então, fez uma pausa para observar as crianças jogando, pequenos atletas aprendendo o esporte e a importância do trabalho em equipe. Sob o sol, ela seguiu para o campo dos mais garotos velhos e avistou Zane, Emily e Lee no alto de uma das arquibancadas.

Pelo placar, Darby notou que só perdera duas entradas e que o time da casa anotara uma corrida.

Alta da terceira entrada, duas eliminações, um jogador na primeira base. Gabe rebatia na terceira.

Ela esperou até o batedor — bela rebatida! — acertar a bola.

Enquanto subia a arquibancada, foi cumprimentada por um monte de gente, o que era muito legal. Morar em um lugar em que as pessoas a conheciam e se davam ao trabalho de lhe dizer oi era fantástico.

Ao se acomodar ao lado de Zane, ele lhe lançou um olhar demorado sob o boné, por trás dos óculos escuros.

— Gabe está indo bem?

— Conseguiu fazer a RBI, fez uma boa queimada dupla na primeira corrida. Rebateu uma bela *line drive* antes de o corredor chegar à segunda base, acertou uma *pop-up*.

— Excelente. O que você quer no seu cachorro-quente?

— Mostarda.

— Só?

— Só.

— Tudo bem. — Ela se inclinou na frente dele para falar com Emily e Lee. — Vou comprar cachorros-quentes no fim dessa entrada. Como querem o de vocês?

—Só mostarda. Obrigada.

Lee se esticou atrás da esposa.

— Completo.

— Isso, sim, é um cachorro-quente.

Darby observou o primeiro batedor fazer o segundo arremesso.

— Então, cadê Brody?

— Por aí, com a namorada que não é namorada.

— Jenny? Ela é uma fofa. Ele deve estar tomando coragem para convidá-la para o baile de formatura. Seu plano era parecer despreocupado, então o jogo de beisebol é um bom lugar para fazer isso.

O comentário fez Zane parar de prestar atenção no próximo batedor.

— Como você sabe disso?

— Brody me contou. Ele não queria fazer muito estardalhaço, apesar de ela já ter deixado bem claro que está esperando pelo convite. É a vez de Gabe.

— É!

Os dois observaram o primeiro arremesso para o batedor, um *strike*. E murmuraram juntos:

— Alto e dentro.

Em solidariedade, Darby lhe deu uma leve cotovelada nas costelas.

— E, então, já superou o choque do orçamento, pensou nas suas prioridades?

— Talvez.

O segundo arremesso deixou o placar 1 x 1.

— Você vai poder se vingar na quarta.

— Por que na quarta?

— A previsão do tempo diz que vai chover, então liguei para o seu escritório na tarde de sexta e marquei uma hora. Isso aí! — Ela aplaudiu quando o batedor acertou outra bola. — Boa jogada.

— Emily disse que você está quase terminando a recepção.

— Já terminei. Ficou ótimo. Vamos passar o restante do dia na casa. Amanhã cedo, vou adiantar o Chalé Seis no intervalo entre o *check-out* e o *check-in*.

O rebatedor se moveu tarde demais — bola de falta.

Darby se virou, e os olhos dos dois se encontraram por um instante, protegidos pelos óculos escuros, sob a sombra da aba dos bonés.

— É assim que você passa seus domingos?

— Preciso cavar enquanto há sol, Walker.

Terceira bola. Contagem cheia.

As pessoas aplaudiram, assobiaram, bateram os pés.

Um garoto com cerca de 3 anos, sentado nos ombros do pai na grama ao lado da arquibancada, balançou seu minúsculo taco de plástico no ar. Três garotas com pernas e cabelos longuíssimos passaram por um grupo de garotos que fingiu não notá-las.

Alguns degraus abaixo de Darby, uma mulher que fazia crochê gritou:

— Tira essa bola daí, Willy!

— A bola vai cair dentro — murmurou Zane.

— Você acha?

— Preste atenção. Ele vai tentar chegar mais perto para o garoto bater.

Darby observou. A bola caiu dentro, quase acertando a borda da base. Em vez de tirar a bola de lá, Willy tomou a decisão mais esperta. Ele não tentou rebater, ganhando uma base por bolas.

— Outra boa jogada — comentou ela. — Willy é rápido. É capaz de correr direto até a segunda base.

Mais uma vez, Zane lhe lançou um olhar demorado.

— Como você sabe?

— Tento assistir a algumas entradas quando tenho tempo. Às vezes, assisto até a uns treinos depois do trabalho. Isso aí, Gabe!

Gabe andou até a base, ajeitou-se, testou o taco e se posicionou.

O garoto tinha uma ótima postura, pensou Zane. Muito foco e bons instintos. Ele se lembrava de ter estado no mesmo lugar que o primo agora ocupava em tardes ensolaradas, sentindo cheiro de churrasco, grama, terra e giz.

E lembrou-se de como, naqueles momentos, seu mundo inteiro se resumia a esses aromas, a esses sons, à sensação do taco em sua mão, à visão da bola branca girando em sua direção.

Gabe não perdeu tempo e acertou a primeira bola, lançando-a além do jogador da primeira base.

Como Darby previra, a rebatida simples deixou a segunda base livre. Ela gritou, assobiou e trocou um *high-five* com Zane.

— Vai com tudo, Luke!

— Você conhece todos eles? — perguntou Zane.

— Se você vai morar e gerir um negócio em uma cidade pequena, precisa se familiarizar com a comunidade. Além do mais, é beisebol.

O placar estava 2 × 2 antes de Luke quicar a bola no campo esquerdo. Isso lhe rendeu a jogada e fez Gabe avançar para a segunda base.

Enquanto o treinador pedia um tempo e ia até o montinho com o arremessador para acalmar o rebatedor, Darby se virou para Zane.

— Dependendo da sua agenda, podemos conversar sobre suas opções para o projeto do quintal na quarta mesmo, quando eu for ao seu escritório. Ou você pode passar na minha casa amanhã, ou, então, eu passo na sua. De toda forma, estarei livre por volta das 10h ou depois das 15h. — Ela fez uma pausa. — A menos que eu o tenha assustado demais.

— Você não me assusta.

— Que bom! Então, me avise que dia é melhor.

Emily se inclinou para a frente.

— Vocês estão falando da casa do Zane. Ele me mostrou seus projetos. Parece cenário de um filme!

— Só que real — rebateu Darby, com um sorriso.

A conversa no montinho ajudou. O arremessador eliminou o rebatedor com um placar de 1 x 2 antes de enganá-lo com uma *pop-up* fácil de ser acertada.

O próximo correu da primeira para a segunda base, não conseguiu ultrapassar a bola e terminou a entrada.

— Acabou. — Darby bateu as mãos. — Hora do cachorro-quente.

— Zane, ajude a moça.

Darby dispensou o comentário de Emily com um aceno.

— Não precisa. Nós temos um acordo.

Ela desceu a arquibancada, virou na direção da barraquinha e parou na fila. A mulher na sua frente se virou.

— Oi, Darby.

— Laurie. — Que trabalhava na Best Blooms e entendia tudo de plantas. — Como vão as coisas?

— Bem. O filho da minha cunhada está jogando, e parece que vamos vencer. Vi você na arquibancada. — Ela remexeu as sobrancelhas. — Não sabia que você e Zane Walker estavam juntos.

— Claro, a gente... Ah, não, não juntos, juntos. Eu queria ver Gabe jogando. Só estou sentada com a família.

— Bem, que pena, porque vocês formariam um belo casal! — Laurie balançou a cabeça para ajeitar os cachos rebeldes enquanto olhava para a arquibancada. — É bom vê-lo aqui de novo, em um jogo.

As duas andaram um pouco na fila e ficaram quietas enquanto a torcida gritava por uma bola ter sido pega no ar pelo campista central.

— Eu estava alguns anos à frente na escola — continuou Laurie —, mas minha irmã era da turma dele. Zane era a estrela do time, ganhou o prêmio de Jogador do Ano no campeonato estadual duas vezes seguidas.

— Uau, então ele era bom mesmo — comentou Darby.

— Ah, sim, era. E teria ganhado de novo se não tivesse... — Ela considerou melhor suas palavras e jogou o peso do corpo de um pé para o outro. — Ele se machucou e não pôde mais jogar.

— Pela temporada?

— Para sempre, pelo que fiquei sabendo. Quebrou feio o braço ou alguma coisa assim. Enfim, é bom vê-lo de volta a Lakeview, de volta ao campo.

Laurie fez seu pedido, deixando Darby ruminando o assunto.

Ele teve o nariz quebrado pelo pai, pensou ela. Teria sido o braço quebrado pela mesma pessoa? Bem provável. E talvez isso explicasse por que ninguém falava do pai dele. Nem da mãe, parando para pensar.

E por que Zane e Britt moraram com Emily e Lee.

Laurie pegou a bandeja de papelão cheia de bebidas, cachorros-quentes e batatas fritas.

— Venha nos visitar na Best Blooms.

— Com certeza.

Darby pediu os cachorros-quentes de acordo com as especificações que recebera. E pensou em um adolescente, a estrela do time, jogador do ano, que sonhava em atuar em Camden Yards.

Seu coração ficou apertado.

Ela se forçou a afastar o sentimento enquanto subia as arquibancadas com a comida. Se Zane quisesse que essa informação chegasse até ela, ele próprio lhe contaria.

Darby distribuiu os cachorros-quentes, com guardanapos.

— Este pagamento é só uma entrada — disse ela a Zane. — Ainda temos que negociar seu orçamento de um milhão de dólares.

— Não comentei que isso é o que eu cobro por hora?

— Não. Minha sociedade vai ser banhada a ouro?

— É assim que eu faço as coisas.

Ela comeu o cachorro-quente e permaneceu até o fim da quarta entrada.

— Preciso ir. Emily, depois dê uma olhada na recepção. Foi um prazer encontrá-lo, delegado. Zane.

Mais uma vez, Darby desceu a arquibancada, seguindo para a estrada.

— Ei!

Quando se virou, descobriu que Zane a seguia.

— Onde você estacionou?

Ela apontou, impulsionando o dedo no ar algumas vezes para indicar a distância.

— Vou até lá com você para esticar as pernas.

— Bem, suas pernas já são bastante esticadas.

Os garotos menores haviam terminado a partida, e o jogo da próxima faixa etária parecia estar quase no fim. Zane parou por um instante e ficou observando o campista central errar feio a bola.

— O treinador costumava nos levar para comer pizza depois do jogo de sábado, perdendo ou ganhando.

— Ele devia ser um bom treinador.

— Pois é. Então... Pensei bastante nos seus planos absurdamente ambiciosos para aquilo que vamos chamar de meu patrimônio.

— Que bom! Mas acho que você precisará de um terreno maior, uma casa de hóspedes e uma piscina de borda infinita para poder usar o termo patrimônio. Talvez uma quadra de tênis ou de *squash* também.

— Eu já vou fazer uma cascata, ora — lembrou ele. — Pensei no assunto. Estou pensando desde que minha assistente administrativa conseguiu me acordar do transe causado pelo choque, com um pouquinho de admiração.

Darby alternou o peso entre os pés e enfiou os dedões nos bolsos da frente da calça.

— Pensei em ir lhe contando aos poucos, mas não seria justo. Pode me dizer as partes classificadas como "não, nem pensar, você é louca", e eu ajusto os planos e o orçamento.

— Nada.

Ela ficou paralisada.

— Você não quer nada? A casa é sua, Zane, mas eu vou ser sincera: você precisa, no mínimo, de plantas para firmar a terra, algumas árvores. Se for só isso, posso fazer tudo sozinha e dar um desconto na mão de obra.

— Não, você não entendeu, apesar de essa ter sido minha reação no início. De jeito nenhum, esquece, ela é louca. Então, cometi alguns erros.

— Que erros?

Ela não sabia aonde Zane queria chegar, mas começou a sentir a pele formigando.

— O primeiro? Mostrei o projeto a alguns amigos e à minha família. Foi um erro enorme. Depois, dei uma olhada nos chalés que você terminou. Até conversei com alguns hóspedes em um dos quintais, um casal que se hospeda lá há três anos, toda primavera. Muitas pessoas gostam de voltar.

— Como eu já fui hóspede de Emily, sei bem por quê: ótimas acomodações, uma vista maravilhosa e um serviço excepcional e personalizado.

— Basicamente, foi isso que eles disseram. Então, acrescentaram seu trabalho no quintal, disseram que sentar na varanda e olhar para o jardim era tão bom quanto admirar o lago. E que adoravam tomar um drinque no pátio dos fundos depois de passar o dia no lago. E que tudo estava tão bonito que era como se tivessem, nas palavras deles, "um paraíso particular".

— É muita gentileza.

— Depois disso, voltei para casa e continuei pensando: Não, não e não, talvez aqui, talvez, posso cogitar aquela ideia. Depois de refletir um pouco mais, vim para o jogo e evoluí para: Não e não, talvez, tudo bem, provavelmente. E aí...

Zane parou ao lado da picape dela e olhou ao redor. Viu as montanhas reluzindo sob o azul puro do céu, as casas, a grama verde, as varandas coloridas, as flores nos canteiros. Ouviu o jogo — o som ecoava.

Ele conhecia o chão sob seus pés, o gosto do ar.

— Aí, comecei a assistir ao jogo, sentado ao lado de Emily e Lee, cumprimentando pessoas que conheço, que me conhecem. Que me conheciam. E pensei: este é o meu lugar. Minha casa é aquela lá em cima, e este é meu lar, este é meu povo. Foi por isso que eu voltei. É por isso que vou continuar aqui. E é por isso que foda-se. Ela é minha. E eu quero tudo.

— Tudo... isto.

— Tudo isto — concordou ele quando Darby gesticulou para os arredores.

— E todos os seus planos absurdamente ambiciosos.

A paisagista ergueu um dedo, virou-se e se afastou alguns passos.

— Eu não esperava por essa.

— Está dizendo que não vai conseguir fazer tudo?

— É claro que vou conseguir. — Ela se virou para encará-lo. — Não faço promessas que não posso cumprir. Só não esperava que você... Eu não esperava. Caramba... — Darby voltou e lhe deu um soquinho no braço. — Caramba! Que ótimo! Você não vai se arrepender.

— É melhor eu não me arrepender mesmo. Acabei de aceitar tudo que você queria.

Darby sacudiu a cabeça em negação.

— Você também queria, ou não teria concordado.

— Não importa; eu aceitei. E tudo que ganhei foi um soco no braço e a garantia de que não vou me arrepender.

— Sim. É verdade. Você merece algo melhor. Eu posso fazer melhor.

Ela jogou os braços em torno do pescoço dele — isso, sim, foi inesperado — e fez muito melhor com um beijo demorado e intenso que o acertou como um soco.

Um soco forte o suficiente para quase fazê-lo perder o equilíbrio e agarrar o quadril dela antes de se dar conta do que fazia.

Então, Darby se afastou e sorriu.

— Pronto. Preciso voltar ao trabalho. E comprar sanduíches para a equipe no caminho de volta. Mas vou entrar em contato com você.

Zane continuou agarrado a ela.

— Você é *mesmo* gostosa.

Darby riu e lhe deu outro beijo — breve e amigável dessa vez.

— Eu avisei.

Ela se virou para a picape, entrou e se debruçou na janela.

— Mas não vou lhe pagar um milhão de dólares.

Com essa despedida, a paisagista deu partida e saiu do estacionamento. Em seguida, fez o retorno para a cidade e, quando ficou completamente fora do campo de visão, parou a picape.

— Puta merda! — Puxando o ar, exalando devagar, ela esfregou a mão sobre o coração disparado. — Puta merda mesmo!

Como se conseguir o trabalho — o trabalho *inteiro* — já não fosse bom o suficiente? Ela perdera a cabeça com um beijo impulsivo no acostamento da estrada.

Qualquer um precisaria de um tempo para se acalmar.

Não pense demais, disse a si mesma. Não pense demais, ou, pelo menos, tente não pensar. Ela sabia muito bem quais eram as consequências de erros impulsivos.

— Tudo bem, sem problema. — Darby respirou fundo de novo. Depois, deu um comando por voz para o celular e solicitou o número de seu fornecedor de pedras. Pediu para falar com seu revendedor. — Oi, Kevin, aqui é Darby McCray, da Paisagismo High Country. Pode aprovar aquele pedido que eu deixei reservado. E releia os itens para mim, só para garantir que está tudo certo.

Quando Darby, finalmente, estacionou na frente da casa de Emily, já tinha confirmado as primeiras entregas. Ela pegou a sacola com os sanduíches e as batatas fritas, e analisou o canteiro de arbustos, que agora estava pronto.

Perfeito.

As plantas na base da casa também estavam perfeitas. E, com as pedras novas, a demão de tinta e a clêmatis subindo pelo poste, o lugar parecia extremamente aconchegante.

Ela já escolhera jardineiras incríveis para a linda varanda que cercava a casa. E, como Emily cozinhava, poderia plantar pés de tomate e vários temperos.

Darby foi para os fundos, onde Roy e Hallie testavam outro trecho do sistema de irrigação.

E abriu um sorriso radiante para os dois.

— Precisamos contratar mais gente.

NA SEMANA SEGUINTE, depois de 18 anos, Graham Bigelow saiu da prisão. Seu cabelo, raspado rente ao couro cabeludo, estava grisalho, com trechos completamente brancos nas têmporas. Rugas profundas ao redor da boca, dos olhos, nas bochechas e na testa marcavam seu rosto pálido de prisioneiro. Ele usava uma calça cáqui e uma blusa polo azul-clara sobre um corpo levemente mais arredondado na barriga do que costumava ser, apesar de ele malhar na academia da prisão.

Eliza o aguardava do outro lado do portão. Ela usava um vestido verde-esmeralda de tecido leve. O cabelo escuro, recentemente pintado e escovado, moldava seu rosto, que passara uma hora inteira aperfeiçoando.

Com as pernas trêmulas, ela se aproximou do marido e lhe deu um abraço, sentindo os braços dele ao seu redor. E se esforçou para não chorar enquanto erguia o rosto para, pela primeira vez em quase duas décadas, suas bocas se encontrarem.

Graham a virou na direção do carro, a Mercedes preta que ele mesmo escolhera. Apesar de suas mãos se fecharem em punhos por um instante — não tinha mais carteira de motorista —, ele abriu a porta para a esposa e deu a volta para sentar no banco do passageiro.

Seus olhos encararam com rigidez o portão, os muros e os guardas da prisão, tudo aquilo que o mantivera trancafiado e o humilhara. Ainda trêmula, Eliza saiu com o carro.

— Graham. Ah, Graham.

— Só dirija, Eliza. Preciso sair daqui.

— Está tudo pronto para você, meu amor. Suas roupas novas, suas comidas favoritas. Vendi a casa, como você mandou, e aluguei aquela que escolheu no outro bairro. O advogado disse que precisamos ficar na Carolina do Norte, mas podemos pedir para sair de Raleigh. Achei que Charlotte poderia ser uma boa ideia. Seria um novo começo para nós.

Os carros passavam por eles em alta velocidade. Eram tantos. Tanto barulho, tanto céu, tudo tão aberto.

— Não se preocupe. — Ela tocou a mão dele. — Não se preocupe, Graham. Você está livre agora. Nós estamos livres e estamos juntos. Já vamos chegar em casa.

Finalmente, ela entrou no terreno de uma casa de dois andares — menor, bem menor do que a que ele perdera tantos anos atrás. Mas a vizinhança antiga, com calçadas rachadas, significava espaço entre as propriedades, árvores e cercas criando limites e distância.

Eliza estacionou na pequena garagem. E ele sentiu um imenso alívio ao ouvir o portão fechando.

De novo em um ambiente fechado, longe do excesso de céu, de barulho, de olhos curiosos. Entre paredes, mas sem grades, sem trancas.

Os dois transaram primeiro, rápida e violentamente. Impulsionando-se dentro da esposa, sendo arranhando pelas unhas dela, com a respiração acelerada dela contra seu rosto, Graham começou a se sentir como um homem de novo.

Depois, tomaram banho juntos.

Ela esquentou o jantar feito por uma cozinheira para que tudo ficasse perfeito, colocou a mesa com velas e serviu champanhe.

Eles comeram e beberam juntos, foram para a cama juntos, com mais calma desta vez.

Então, dormiram juntos e acordaram juntos, permanecendo aconchegados na cama enquanto tomavam café da manhã.

Começaram uma nova vida.

Graham demorou quase 48 horas para lhe dar o primeiro soco.

Capítulo 14

♦ ♦ ♦ ♦

Conforme a primavera ia se transformando em verão, Darby contratou Ralph Perkins como funcionário de meio expediente. O homem, atarracado, com uma juba de cabelos grisalhos e óculos de lentes grossas, tinha experiência em trabalhar com pedras e sabia operar maquinário pesado. Seu conhecimento sobre árvores e plantas era limitado, mas ela queria alguém experiente para ajudá-la com os materiais rígidos que seriam usados no quintal de Zane.

E, em sua opinião, qualquer pessoa era capaz de aprender a plantar, não importava se tratava-se de uma petúnia ou de um carvalho.

Ralph preferia se comunicar através de resmungos, bebia Dr. Pepper como se fosse água e tinha um toque delicado com a escavadeira compacta que Darby comprara.

E parecia gostar de Gabe, ensinando pacientemente a arte da construção de um muro de retenção ao garoto.

Zane observou o terreno inferior tomar forma, deixando de ser um penhasco íngreme e pedregoso e se transformando em uma borda larga criada pelos golpes da garra da escavadeira.

Ele perdera a conta de quantas vezes parara na varanda do quarto nas manhãs, tomando seu café, com medo de aquela máquina maldita escorregar morro abaixo.

Mas Darby parecia saber o que estava fazendo, assim como o cara novo. Então, todos os possíveis desastres foram evitados.

Todas as manhãs, quando saía para o trabalho, ele acenava para o grupo. Na maioria dos dias, todos já tinham ido embora quando voltava. Mas pequenos progressos já eram visíveis — no geral, buracos maiores, mais largos.

Um dia, Zane chegou e encontrou árvores ladeando a estrada íngreme e plantas na base da casa, no pé — não interessava o termo técnico —, adornando a parede frontal.

À medida que o muro ia tomando forma, com as pedras se amontoando, ele se pegava diminuindo a velocidade, até mesmo parando o carro na ladeira que levava à casa. E pensando, todas as vezes, que o caminho devia ter sido assim desde o começo.

Darby e sua equipe pareciam gnomos que trabalhavam quando ninguém estava olhando, desaparecendo em meio à névoa.

Uma noite, ao chegar, Zane ficou surpreso ao encontrá-la no quintal. As plantas ao longo da base da varanda também o pegaram desprevenido. Darby, vestida com short cargo, botas, camiseta e boné, estava ajoelhada, espalhando adubo.

Ela se levantou enquanto ele estacionava e esperou que se aproximasse.

— O que acha?

— Está ótimo. Mas de um jeito meio assustador. Sinto que vou ter que aprender um monte de coisas para cuidar delas, o que não me anima muito.

— Elas crescem pouco, devagar e não precisam de muitos cuidados.

— Não parece ser assim tão fácil. Que planta é essa?

— São hortênsias, e elas são fáceis, sim. Adoro a mistura desses verdes e azuis intensos com o toque de rosa em cada pétala. Tudo muito especial. As flores nascem na madeira velha, e é ruim podá-las na época errada do ano. Então, não precisa podar nada. Elas vão ficar floridas até o meio do outono. E as perenes vão dar estrutura o ano todo, mais flores, uma textura bonita. — Darby limpou as luvas uma na outra. — O muro está indo bem, então eu pedi a Roy e Hallie para plantarem estas aqui, para surpreendê-lo quando chegasse em casa. Você está sendo muito paciente, Walker, e merecia um espetáculo.

— É um espetáculo mesmo. Sério, está lindo. Você é uma artista.

— Um elogio para terminar bem meu dia. Obrigada.

Darby tinha pernas maravilhosas, pensou ele. Braços compridos, torneados. E cheirava a cedro e grama.

— Desde que você foi lá no escritório, a gente só conversou por e-mail.

— Você redige bons e-mails.

— Você também. Quer meia cerveja?

— Claro.

— Entre.

— Ah, eu estou imunda — disse ela, abrindo os braços. — Vou deixar um rastro de pegadas dentro da sua casa.

— Podemos sentar aqui fora. Vou pegar as bebidas.

Quando Zane entrou, ela se espanou com as mãos e guardou as luvas. Então, seguiu para a varanda, acomodou-se em uma das largas e confortáveis poltronas com as almofadas azul-marinho grossas que ele escolhera e soltou um suspiro demorado de fim de expediente.

Era muito bom sentar. E, melhor ainda, admirar a vista, sentir o cheiro da terra remexida.

Quando Zane voltou e lhe passou um copo, ela o bateu contra a garrafa dele, fazendo um brinde.

— Você fez um bom trabalho com os móveis aqui fora. Confortáveis, simples, mas elegantes.

— Eu gosto assim. — Ele sentou-se na poltrona ao seu lado e gesticulou para a vista. — Agora, eu sou rei de tudo que meu olhar alcança.

— Isso mesmo. Como vai a vida de advogado?

— Agitada. — E recompensadora, pensou ele. Mais do que imaginara possível. — Contratei uma estagiária para trabalhar no escritório durante as férias de verão, e ela é boa. Inteligente. Não preciso nem perguntar como vão seus negócios. Sou testemunha ocular. Você tinha razão sobre o muro.

— Claro que eu tinha.

Zane sacudiu a cabeça.

— Não estou falando só da parte estética, que ainda está incompleta, mas do alívio no rosto da minha irmã quando todo mundo veio para um churrasco e ela viu que o terreno estava mais seguro.

— Que bom! E como foi? O churrasco?

— Eu só precisei comprar os hambúrgueres, as salsichas e as bebidas. Como Emily e Britt cuidaram do restante, deu tudo certo. Então, e quanto ao seu ex-marido?

Erguendo as sobrancelhas, Darby o encarou.

— Que jeito sutil de mudar de assunto!

— Na minha cabeça, funcionou. O que aconteceu? Ou é uma pergunta muito pessoal?

— Se fosse muito pessoal, eu teria dito que levei uma bolada na cara e quebrei o nariz. — Ela deu de ombros. — Certo. Eu tinha acabado de terminar a faculdade, e lá estava ele. Um cara lindo, amigo de um amigo de um amigo, que conheci em uma festa. Trent Willoughby.

— Willoughby. *Razão e sensibilidade*.

— Você ganhou pontos por conhecer Jane Austen.

— Somos uma família de leitores ávidos — respondeu Zane.

— Pois é, a minha também. Então, Willoughby. Ele era aquele tipo bonitão, charmoso, romântico. A família dele era podre de rica, mas não achei que isso o afetasse muito. Ele tinha aberto uma empresa de marketing com dois amigos da faculdade. Nós conversamos, rolou um clima, e, como ele era amigo de um amigo de um amigo, pensei que, claro, posso dar meu número.

— Imagino que Trent tenha ligado.

— No dia seguinte. Ele não tentou me beijar nem nada na festa, apenas conversamos. Então, disse que a família tinha um camarote no Camden Yards, que os Orioles iam jogar em casa e me convidou para ir. E eu aceitei, porque quem recusaria um convite desses? Se você nunca assistiu a um jogo no camarote, não sabe o que está perdendo. Também descobri que Willoughby não entendia nada de beisebol, mas achei isso fofo. Ele tinha pensado naquele programa para me agradar. Uma graça. Uma coisa levou à outra, blá blá blá. Conheci a família dele, apresentei-o à minha mãe. Tudo ia bem. Namoramos por seis meses, e tudo que eu via era um cara maravilhoso, atencioso, interessante, romântico e que estava louco por mim. Ele me levou a Paris para passarmos um fim de semana prolongado. Sério, *Paris*. — Darby soltou uma risada e tomou outro gole de cerveja. — Eu nunca tinha saído do país, nunca. Na verdade, nunca nem mesmo tinha ido para o lado oeste do Mississippi, e lá estava eu em Paris. Foi uma loucura. Ele me pediu em casamento nas margens do Sena, sob a luz da lua, e, meu Deus, eu não estava nem cogitando casamento em um futuro próximo, mas Paris, a lua... Então, aceitei. — Ela fez uma pausa e analisou a bebida. — Eu não queria uma cerimônia enorme, espalhafatosa, mas as coisas saíram de controle. Do meu controle. A família dele meio que tomou as rédeas da situação, e eu fiquei sem saber o que fazer. Enfim, mais blá blá blá. Agora, olhando para trás, eu sei que todos os sinais estavam lá. Mas era impossível perceber na época. Ele era exigente, possessivo, controlador? Sim, mas tudo era tão sutil, tão bem camuflado por toda aquela paixão que sentia por mim, pelo romance, pelos pequenos gestos carinhosos. Eu fui burra — murmurou ela. — E ele era ótimo em esconder quem era de verdade.

— Uma pessoa não precisa ser burra para ser seduzida — corrigiu Zane.

— Talvez sim, talvez não. Enfim, pouco antes do casamento, ele me levou para um condomínio chique e parou na frente de uma mansão monstruosa em um labirinto de mansões monstruosas. E disse que aquela seria nossa casa. E eu não sabia o que dizer. Meus sogros tinham pagado a entrada como presente de casamento. Já estava tudo acertado, e ninguém me perguntou nada. Mas ele fingiu que aquilo não era grande coisa. Surpresa! Dez dias antes do casamento, comecei a ficar um pouco apreensiva. Eu não queria aquela mansão monstruosa em um condomínio perfeito, a quarenta minutos de distância da minha mãe e da nossa empresa.

— Você disse isso a ele?

— Tentei. Mas não me esforcei muito. E permiti que ele me manipulasse; isso é óbvio. Pensei que as coisas dariam certo. Eu podia dar um jeito no quintal, deixá-lo com a minha cara. Podia acordar mais cedo para ir trabalhar. Eu o amava, não amava? O mais importante era que começaríamos uma vida juntos. E foi isso que fizemos. Tivemos a imensa festa de casamento espalhafatosa, que a família dele conseguiu organizar em seis meses, porque a festa *precisava* ser na primavera. Apesar de essa ser a época que minha agenda de trabalho fica mais cheia. Passamos a lua de mel em Paris, onde ele começou a insistir para eu parar de tomar pílula, para começarmos logo uma família.

— Vocês não tinham conversado sobre isso antes?

— Tínhamos e havíamos concordado em esperar um pouco. Então, fui um pouco mais firme nessa questão, queria dar ao menos um ano para nosso casamento antes de começarmos a pensar em ter filhos. Caramba, eu só tinha 23 anos; nós tínhamos tempo de sobra. Na volta, mal colocamos os pés em casa, e ele trouxe o assunto à tona de novo. Seria bom termos um bebê, começarmos nossa família. Eu não queria ter filhos com ele? Foi quando passei a ouvir que eu trabalhava demais, que aquilo era um exagero. Que voltava para casa muito tarde, muito cansada. Que ter uma empresa significava que eu não precisaria trabalhar. — Quando Zane soltou uma gargalhada, Darby sorriu. — Pois é! Ter um negócio significa trabalhar mais que todo mundo, mas ele não entendia isso. E eu já tinha visto que ele não trabalhava tanto assim na própria empresa. Então, era uma discussão sem-fim.

Ela fez uma pausa, observou a vista, os barcos passando pelo lago. Zane esperou, quieto.

— Seis semanas e dois dias depois do casamento, cheguei em casa depois de um dia cheio e cansativo, horas de trânsito no caminho de volta, e lá estava ele, com a bunda plantada no sofá, tomando uma gim-tônica. — Darby precisou parar de novo e suspirar. — Ele havia resolvido que as coisas tinham que mudar. Olhe para mim, exausta, imunda, nunca estava em casa. Na casa que ele me dera. Eu iria vender a empresa e começar a me comportar como uma mulher casada. Eu estava tão cansada. Mas não era o trabalho, sabe, porque eu amo o que faço, embora fosse difícil morar tão longe de tudo. Respondi que não, que não venderia a empresa e que não teria aquela conversa naquela hora, porque precisava tomar um banho. Quando dei por mim, estava caída no chão. — Darby balançou a cabeça. — Nós passamos um ano juntos, e ele nunca tinha mostrado qualquer sinal de violência. Nada. Willoughby era controlador, sem dúvida, insistente, teimoso e, sim, às vezes, me atacava com palavras. Mas aquele tapa me pegou completamente desprevenida. Ele também pareceu surpreso. E se arrependeu na hora, estava horrorizado com o que tinha feito. Chorou. Inventou desculpas. Disse que tivera um dia péssimo, que bebera demais, que estava preocupado comigo, essas coisas. Implorou pelo meu perdão. Eu estava casada havia seis semanas, e, agora, meu marido estava de joelhos na minha frente, chorando.

Zane ficou quieto. Ele já imaginava o final da história.

— Eu disse a ele que lhe daria uma única chance. Que, se me batesse de novo, estaria tudo acabado. E que eu prestaria queixa na polícia.

— Quanto tempo isso durou?

— Três semanas. Mas, a essa altura, eu já tinha entendido que não daria certo, que me apaixonei pelo homem que eu achava que ele era, não por quem ele realmente era. Agi como Marianne Dashwood e fiquei morrendo de vergonha.

Zane não conseguiu evitar e colocou a mão sobre a de Darby.

— Ela teve um final feliz.

— Sim, mas levou um tempo para compreender as coisas. Eu também. O homem com quem me casei era tão carente e... estranho. Se eu passasse tempo fora do trabalho com minha mãe ou alguma amiga, era porque não queria ficar com ele. Se eu discordasse de qualquer coisinha, estava sendo implicante ou não o amava o suficiente. Se eu direcionasse qualquer segundo, pensamento ou afeto a algo ou alguém diferente do meu marido, estava sendo uma péssima esposa. — Burra, pensou Darby outra vez. Fora tão burra. — Um dia, cheguei do trabalho, e ele veio para cima de mim. No início, me atacou apenas com palavras. Até me acusou de estar tendo um caso com um colega de trabalho; um cara que eu conhecia havia séculos, que era feliz no casamento e tinha dois filhos. Meu erro foi rir desse comentário. Aí, ele me atacou de verdade.

Ela fez outra pausa e observou a paisagem até se sentir melhor, capaz de continuar com a história.

— Não foi um tapa dessa vez. O primeiro soco quebrou meu nariz. Ele estava enlouquecido e me surrava. É impossível pensar quando se está apanhando dessa forma. Você tenta escapar, acabar com aquilo. Em resumo, ele me espancou, rasgou minhas roupas, berrou o tempo todo, e eu não conseguia fazer nada. Não conseguia fugir. Em algum momento, a gente deve ter derrubado uma luminária, porque eu a alcancei e bati com ela contra sua cabeça, com força suficiente para deixá-lo atordoado. Saí correndo. Encontrei vizinhos na rua, graças a Deus. Eu corri, gritei por socorro. Nem sabia aonde estava indo. As pessoas vieram me ajudar. Mesmo enquanto ele saía da casa para me pegar, elas me ajudaram. Alguém ligou para a polícia, que também me ajudou. Até quando ele tentou dizer que fui eu que o ataquei, ninguém acreditou. Prestei queixa, entrei com o pedido de divórcio e voltei para a casa da minha mãe. Ela me deu tanto apoio, tanto. Willoughby arrumou um ótimo advogado, mas eu tinha o prontuário do hospital, o boletim de ocorrência da polícia, os depoimentos das testemunhas. Ele foi condenado de três a cinco anos de prisão.

— Deveria ter sido mais.

— Pois é, mas o advogado era muito bom. Ele foi solto após três anos. Consegui uma medida protetiva para ele não se aproximar de mim, mas isso não fez diferença.

— O cara foi atrás de você?

— Apareceu quando eu estava chegando em casa, depois de ir ao cinema com alguns amigos. Mas foi ele quem foi pego de surpresa dessa vez. Fiz aulas de defesa pessoal e artes marciais: Kung Fu.

— Sério? Kung Fu?

— Pode acreditar. Eu já era faixa marrom na época, então ele apanhou mais do que me bateu. Mas apenas porque o peguei desprevenido. Chamei a polícia, ele foi preso. E teve que cumprir os cinco anos.

— Deveria ter sido mais.

— Mas não é assim que as coisas funcionam. Eu e minha mãe pensamos em nos mudar quando ele foi solto, mas preferimos ficar. Nós tínhamos uma casa, uma empresa, e Willoughby sabia que, se viesse atrás de mim de novo, teria que passar muito mais tempo atrás das grades. Mas, quando ela morreu, não havia motivo para permanecer lá. Então, decidi recomeçar minha vida.
— Darby terminou a cerveja. — E essa é a minha história.

— Willoughby a procurou de novo?

— Nunca mais. Ele nem deve saber onde estou agora, e também não há motivo algum para vir atrás de mim depois de tanto tempo. Então, acabou.

— Você não deve ter sido a primeira.

Darby apontou para Zane, balançando o dedo.

— Você é esperto. Investigamos um pouco e descobrimos que ele tinha agredido duas pessoas antes. Não foi tão violento, mas era um padrão. Moral da história: não deixe um cara bonito com um nome legal seduzir você a casar com ele. Apesar de que, como o casamento propriamente dito só durou três meses, acho que não devia contar.

— Você pode anulá-lo. Conheço um advogado que sabe fazer isso.

— Já cogitei essa possibilidade, mas acho que não vale a pena. Passado é passado.

Como um capítulo encerrado, pensou Zane. Mas ele sabia que essas coisas não desapareceriam simplesmente. Nunca.

— Está com fome?

— Outra forma sutil de mudar de assunto. Talvez eu queira comer alguma coisa. O que você tem?

— A única coisa que sempre tenho na geladeira é pizza congelada.

— Pizza nunca dá errado. E eu poderia tomar a outra metade da cerveja se comesse.

— Então, vamos comer.

— Só vou deixar minhas botas aqui fora e me limpar no lavabo.

— Tudo bem. — Zane se levantou enquanto ela se inclinava para tirar as botas. — E o Kung Fu?

— Sou faixa preta agora. Segundo grau. Também vou tirar as meias. Estão suadas.

— Você é uma mulher muito interessante, Darby.

— E você é um cara bonito com um nome legal, então nem tente me seduzir para casar com você.

— Vou me conter.

Ele abriu a porta, e ela entrou descalça — com as unhas dos pés pintadas no mesmo tom de verde-escuro que sua tatuagem.

E isso o fez pensar em outra pergunta.

— Qual é a história da tatuagem?

— Ah. — Darby a tocou. — Fiz no dia em que Trent foi condenado. A vida continua, não é? Minha mãe gostava de dizer que não importa se as coisas estão indo bem ou mal agora, tudo sempre muda. A vida é formada por ciclos. — Agora, Darby olhava ao redor. — Você comprou mais móveis.

— Pois é, estou mobiliando a casa aos poucos.

— Gostei daquele.

Ela apontou para o quadro sobre a lareira. O lago ao pôr do sol, enevoado e misterioso, refletindo as cores do céu, que acordava a leste.

— Ah, sim, chamou minha atenção. É de um artista local.

— Capturou bem o momento. Eu teria imaginado que, como você é homem, colocaria uma televisão enorme ali em cima.

— Ela está no salão.

— A casa está ficando bonita, Walker, de verdade. Já sente como se fosse seu lar? — perguntou Darby enquanto os dois entravam na cozinha.

— Já. E a sua?

— Por enquanto, estou me concentrando no quintal. A parte de dentro precisa de uma boa reforma, mas pode esperar até o inverno, quando eu não tiver tanto trabalho. Ou pelos dias de chuva.

Ele tirou uma pizza do freezer.

— Gosta de *pepperoni*?

— Desde que eu nasci. — Enquanto ele ligava o forno, Darby sentou-se em uma banqueta. — Gosto de ver um cara bonito com um nome legal tentando pilotar um fogão.

— Ah! Devia me ver fazendo meu renomado sanduíche de manteiga de amendoim e geleia. — Zane pegou uma cerveja, outro copo e dividiu a garrafa com ela. — E, então, você também vai reformar a parte de dentro?

— São coisas estéticas. A casa está praticamente toda coberta com papéis de parede assustadores. Vou ter que tirá-los, lixar tudo e pintar. Estou fazendo as coisas aos poucos também. E sua cozinha me inspirou.

— É mesmo?

— Sim, as portas de vidro. Os armários da minha cozinha são uma porcaria. Horrorosos! Vou ter que comprar armários novos, mas, por enquanto, resolvi pintá-los. Foi quando me lembrei das suas portas de vidro e resolvi arrancar as minhas. Não preciso esconder nada, não é? Pintei o que sobrou, comprei uns pratos e copos bonitos. E pronto. Bem, também tive que pintar os armários de baixo. — Darby tomou um gole de cerveja enquanto Zane tirava a pizza da embalagem, a colocava no forno e ajustava o timer. — Tudo bem, então você já sabe a história do meu nariz quebrado. Posso saber a sua?

Ele ergueu a cerveja para dar mais um gole e analisou-a por cima do copo.

— Estou surpreso por ninguém ter lhe contado.

— Eu também, porque as pessoas costumam me contar tudo. Tudo mesmo. Mas descobri que todo mundo aqui é muito cuidadoso e respeitoso quando se trata da família Walker/Keller. Eu também posso ser, se você preferir não me contar.

— Não é segredo. É uma boa surpresa saber que a fofoca não corre solta por aí. Quer a versão resumida ou a história completa?

— Gosto de histórias longas. Os detalhes fazem toda a diferença.

— Bem, talvez demore um pouco para contar tudo. Para começar, meu pai batia na minha mãe desde que me entendo por gente. Graham Bigelow. O Dr. Graham Bigelow, admirado, respeitado, bem-sucedido, importante. Para o restante do mundo, ele e Eliza, sua esposa, eram perfeitos. Eles tinham filhos perfeitos e viviam no condomínio perfeito de Lakeview.

— O Residencial Lakeview.

Surpreso por Darby acertar, o que, provavelmente, significava que sua perspectiva sobre aquele lugar era a mesma que a dele, Zane apenas assentiu.

— Isso mesmo. Ele era cirurgião-chefe do Hospital Mercy, em Asheville. Ela organizava jantares, eventos de caridade, era presidente da Associação de Pais e Mestres. Tínhamos uma faxineira/cozinheira que ia lá três vezes por semana, jardineiros e duas Mercedes na garagem. A típica família sofisticada de classe média alta.

— Mas havia um lado oculto. Era assim que eu chamava, o lado oculto de Trent.

— É um bom termo. — Distraído, Zane pegou a bola de beisebol, que deixara sobre a bancada, e esfregou a costura. — Pois é, um lado bem oculto. A gente nunca sabia quando ele ia surtar; nunca na frente dos outros, e os socos eram sempre em lugares estratégicos. E o outro lado oculto, já que vamos usar esse termo, algo que não entendi por muito tempo, era que Eliza, minha mãe, gostava disso.

— Ah, Zane...

— Já sei o que você vai dizer. Conheço a patologia de um cônjuge agredido, as muitas razões pelas quais as pessoas não vão embora e se culpam pelo que acontece. Mas não é nada disso. Você vai entender com o desenrolar da história.

— Tudo bem.

— Não lembro direito quando foi a primeira vez que ele me bateu. Não estou falando de um tapinha no traseiro. Meu pai gostava de mirar no estômago, no fígado e nas costelas. Ele sabia exatamente onde bater. E não agredia Britt, não naquela época. Preferia zombar dela, de todos nós, mas era a única coisa que fazia com ela: abuso verbal e emocional. Nós, eu e Britt, nunca éramos bons o suficiente em nada. Nunca.

— Deve ter sido horrível crescer dessa forma. Vocês não contaram a ninguém?

— Graham era assustador e os dois trabalhavam juntos. Nós éramos apenas um detalhe, símbolos de status. E até, de certa forma, um disfarce. Se ele começasse a bater na nossa mãe de noite, Britt costumava ir para o meu quarto e nós esperávamos juntos até os dois acabarem. Depois, eles transavam.

E isso era quase tão perturbador quanto as brigas. Enfim, essa era nossa vida, nosso cotidiano. Mas tudo mudou no dia 23 de dezembro de 1998.

Zane fez um relato completo, sua chegada com Britt em casa, o sangue, os gritos. Como perdera a cabeça e tentara segurar Graham. A surra que levara.

— Então, entendo como é ser espancado — concluiu. Quando o timer tocou, ele pegou uma travessa redonda, onde serviu a pizza, e tirou um cortador da gaveta. — Imagino que você queira um prato.

— Eu... — Darby precisava respirar, acalmar o aperto em seu coração. — Faço questão de um prato. Na verdade, eu mesma pego. Suas portas de vidro práticas já me mostraram onde estão.

— Garfo e faca?

Ela o encarou, séria.

— Não me ofenda. Que tal eu levar os pratos para sua mesa nova? A noite está bonita; podemos comer lá fora.

— Por mim, tudo bem.

Darby levou os pratos enquanto tentava digerir o que tinha ouvido. Era impossível pensar em qualquer coisa além das duas crianças vivendo em meio a tanta crueldade, medo e violência. De algum jeito, os dois conseguiram sobreviver àquilo tudo sem sucumbir ao terrível lado oculto dos pais.

Zane saiu, sentou-se diante dela e serviu uma fatia em seu prato.

— Você tem um negocinho de servir pizza. Estou impressionada.

— Bem, aqui, chamamos de espátula. Quer ouvir o resto da história?

— Sim, mas só se você quiser contar.

— Bom, já chegamos até aqui. Meus pais disseram para todo mundo que eu estava gripado. Meus avós tinham vindo de Savannah, estavam na casa de Emily. Todo mundo se reuniria para a ceia de Natal na nossa casa. Eles tinham contratado um bufê. Mas, então, mudaram tudo. Não deixaram ninguém me visitar. Emily fez canja de galinha para mim, levou até a casa, e não deixaram que ela subisse. Britt me contou que Em insistiu bastante, mas foi obrigada a ir embora. Não havia nada que ela pudesse fazer.

— Ainda bem que ela foi lá. Acho que sua tia é minha pessoa preferida em Lakeview. Que bom que ela tentou ajudar e defender você!

— Ela fez mais que isso. Já vamos chegar a essa parte. No dia seguinte ao Natal, fomos para um *resort* de esqui. Era uma tradição de família. Ele me pôs no carro ainda dentro da garagem, e nós saímos muito cedo. No *resort*, Graham disse para as pessoas que eu havia caído da bicicleta. Quando voltamos de viagem, falou que eu havia caído enquanto esquiava.

— E as pessoas acreditaram?

— Por um tempo. Eu me recuperei e fui conversar com Dave, o pai de Micah. Pedi para ele me ensinar a fazer musculação. Disse que era por causa do beisebol.

— Você queria ficar mais forte.

A versão dele das artes marciais.

— E fiquei. Meus pais tinham resolvido que eu estudaria Medicina, mas eu resolvi que me inscreveria em bolsas para jogar beisebol na faculdade quando chegasse a hora. E não contaria para eles. Eu ganharia as bolsas, economizaria meu dinheiro, arrumaria um emprego, faria qualquer coisa. E, quando completasse 18 anos, sairia dali. Ele nunca tinha batido em Britt, e ela só teria que aguentar mais dois anos. Eu faria o que pudesse para ajudá-la. Mas Graham nunca mais me surraria daquele jeito. — Zane deu uma mordida na pizza. — E, é claro, quando eu estivesse jogando beisebol na faculdade, os olheiros dos Orioles ficariam maravilhados com meu talento e me contratariam na mesma hora.

— Fiquei sabendo que você era bom. Campeonato estadual, atleta do ano.

— Era o sonho da minha vida. Mas as coisas mudaram de novo.

Zane contou sobre o baile, sobre Ashley.

— Ashley Grandy? Ashley, do Grandy's Grill?

— A própria.

— Adoro ela.

— Meu primeiro amor. — Ele bateu no coração. — A noite foi ótima, divertida. Até eu chegar em casa quatro minutos atrasado e encontrar Graham me esperando.

Darby ouviu tudo, cada vez mais horrorizada. A crueldade, a malícia, o garoto desesperado tentando ajudar a irmã. Tentando se defender e, no fim das contas, sendo atacado e traído pela própria mãe.

— Mas, meu Deus, como alguém acreditou que você atacou sua família daquele jeito?

— Porque o Dr. Bigelow disse que foi isso que aconteceu, e Eliza confirmou a história.

— Ninguém acreditou na sua versão?

— Só Dave. Ele acreditou em mim, ficou comigo. Não saiu do meu lado em momento algum; no caminho para o hospital, no hospital. Nunca vou me esquecer disso. Ele ligou para Emily. Brigou com o policial que tomava conta de mim, mas o cara tinha recebido ordens do delegado, que era amigo de Graham.

Darby ficou chocada.

— Não acredito que Lee fez isso!

— Não, não era Lee, ele não morava em Lakeview na época. Meu braço estava arrebentado e eu tive que operar depois. Mas a ortopedista o imobilizou. Ela também tentou me ajudar, mas a polícia recebera ordens. Dei minha chave de casa para Dave, pedi para ele pegar meus cadernos no esconderijo. E fui levado para Buncombe.

— O que é isso?

— Um reformatório. Quer outra metade de uma cerveja?

— Não. — Ela estava enjoada. — Não, obrigada.

— Uma Coca? Só tenho Coca de verdade, não estou usando o termo sulista genérico para qualquer refrigerante.

— Eu... — Talvez ele também precisasse de um minuto para respirar. — Sim, quero uma Coca.

Quando Zane entrou, Darby pensou na própria mãe, na certeza absoluta que sempre tivera de que ela a defenderia de tudo e de todos. Pensou em como de fato o fizera. Em como nunca saíra do seu lado, nem no hospital, nem quando falava com a polícia ou com os advogados. A mãe sempre estava lá.

Zane voltou, sentou-se, e Darby se inclinou para a frente.

— Sua mãe não tentou ajudá-lo?

— De jeito nenhum.

— Então, você tem razão. Ela não era uma vítima. Era tão abusiva quanto ele. Você devia estar apavorado.

— Naquela época, eu já estava anestesiado. Não foi uma noite fácil. Mas eu não sabia que, enquanto estava na cadeia, Britt havia fugido do hospital. Graham estava lá quando ela acordou, fez ameaças, basicamente a isolou do resto do mundo. Tirou o telefone do quarto. Ela fugiu e ligou para Emily, que já estava lá tentando entender o que tinha acontecido.

Enquanto ele falava, Darby imaginou a garotinha machucada, descendo as escadas, descalça, usando uma camisola de hospital. Sendo ajudada por uma mulher que a amava e acreditava nela. E indo à delegacia.

— Foi lá que encontraram Lee. O detetive Lee Keller, da polícia de Asheville — continuou Zane.

— Foi assim que os dois se conheceram?

— Foi. Ele escutou Britt. Não sei se acreditou nela no começo, mas escutou. Dave pegou meus cadernos, voltou para Asheville e foi à delegacia. Lee se convenceu o suficiente e começou a investigar. Ele ligou para as pessoas, fez perguntas. Conversou com os funcionários do *resort* e descobriu que eu já estava machucado quando fui para lá, dois anos antes. Ah, e Graham tinha tentado convencer a todos que eu era viciado em drogas, mas o exame toxicológico voltou limpo. Lee conhecia o delegado antigo, foi conversar com ele, de policial para policial, mostrou todas as provas. A história do acidente no *resort* foi desmentida, assim como a história da queda da bicicleta. Ele foi me buscar em Buncombe e conseguiu que Emily ficasse com nossa custódia. E prendeu Graham e Eliza.

— Lee merece alguém tão legal quanto Emily. Ele é um herói.

— É um dos meus.

— Os dois foram presos, então?

— Eliza cumpriu alguns anos de cadeia. Ele, dezoito. Mas foi liberado sob condicional recentemente.

Darby ouviu o comentário anterior de Zane ecoar em sua cabeça.

Deveria ter sido mais.

— E como você se sente sabendo disso?

— Os dois só encontrariam humilhação se voltassem para cá. Ele não pode mais praticar Medicina, e isso não vai mudar. Dezoito anos de cadeia. Essa parte foi ótima.

Aquele era o advogado falando, pensou Darby. Mas não estava convencida de que o garoto dentro do homem se sentia assim.

— Você os visitou na cadeia?

— Para quê?

— Acho que essa é uma postura muito saudável. Não sou psicóloga como sua irmã, mas fiz terapia, depois de Trent — explicou Darby. — Mas acho que é saudável cortar o contato. Seus pais são pessoas tóxicas. Além do mais, sua família está aqui, e é maravilhosa. E a história de como Emily e Lee se apaixonaram é linda. Faz com que tudo tenha um final feliz. Ela é sua mãe.

— É, sim, de todas as formas que importam. Vamos acabar logo com os assuntos difíceis. Como você perdeu sua mãe?

— Ela foi atropelada.

— Ah, meu Deus, Darby, sinto muito. Pegaram o motorista?

Ela sacudiu a cabeça em negação.

— Mamãe gostava de correr cinco quilômetros nas manhãs de domingo. A estrada era tranquila e as pessoas corriam na pista de bicicleta. A polícia acha que o carro passou por cima dela, sem parar. E que a morte foi instantânea. Espero que isso seja verdade. Encontraram o carro abandonado a quase um quilômetro de distância. Roubado. — Darby tomou um gole do refrigerante. — O dono estava reformando o carro para o filho. Era um Mustang clássico, de 1967. Estava estacionado na frente de casa quando a família foi dormir, mas, no dia seguinte, tinha sumido. Parece que uns garotos fizeram ligação direta no motor durante a madrugada. Queriam se divertir, beber, fumar maconha. O carro fedia a tudo isso, mas, depois que atropelaram minha mãe, eles foram espertos e jogaram fora as latas e garrafas, limparam o cinzeiro, as portas, o volante. Não havia impressões digitais nem DNA.

— A polícia investigou os amigos e os colegas de escola do filho do dono?

— Sim. Um monte de gente foi investigada, mas nunca encontraram o culpado. Foi o pior dia da minha vida. Ela era uma ótima mãe.

— E o seu pai?

— Foi embora quando eu tinha uns 4 anos... Você conhece aquela música de Bruce Springsteen? "Tenho uma esposa e um filho em Baltimore, Jack. Fui dar uma volta e nunca mais voltei."? — Darby deu de ombros. — Pelo menos, fez as coisas do melhor jeito possível.

— Como assim?

— Bem, meus pais tinham uma poupança, mas ele não tocou no dinheiro. Não ficou com o carro, deixou-o na rodoviária, e levou apenas suas roupas e sua guitarra da Gibson. Ele não gostava de ser casado, de ser pai, de ter uma família.

— Britt perguntaria como você se sente a respeito disso.

— Não é algo que me incomoda. Odeio saber que ele magoou minha mãe. Ela o amava. Quase não me lembro daquela época. Sei que meu pai nunca me maltratou e me pergunto se ele foi embora porque tinha medo de fazer isso caso tentasse levar uma vida que não lhe trazia felicidade.

— Você também tem uma postura muito saudável.

— Nós somos duas pessoas saudáveis.

— A gente devia... Primeiro. — Zane inclinou a cabeça. — Agora que parei para pensar, percebi que, além da minha família, que inclui Micah, Dave e Maureen, nunca contei a versão completa da história a ninguém. Preciso entender por que falei isso tudo para você enquanto a gente come pizza e bebe cerveja.

— As pessoas me contam as coisas.

— Talvez. Enfim, agora que os assuntos difíceis acabaram, a gente devia comer a sobremesa.

— Sobremesa? — Darby mexeu as sobrancelhas. — Este está se tornando um jantar e tanto. O que você tem?

— Rocambole.

— De supermercado?

— É claro.

— Adoro! Um clássico.

Capítulo 15

♦ ♦ ♦ ♦

Os dois comeram o rocambole enquanto o sol se punha atrás das montanhas, a oeste. O céu parecia arder em fogo.

— Aí está outra pintura — comentou Darby. — Imagine só, estar sentado aqui, comendo um pedaço de bolo, observando o pôr do sol, escutando a melodia da água batendo contra as pedras e caindo no lago.

— Você já me convenceu.

— Mas imagine mesmo assim. Você precisa de um bebedouro para beija-flores.

— Por quê?

— Beija-flores — respondeu ela, prática. — Algumas plantas vão atraí-los, além de outros pássaros e borboletas. Mas eles ficariam felizes com um belo bebedouro. Adoro este lugar. Eu podia passar a vida inteira brincando com seu quintal.

— Aposto que sim.

— Mas, por hoje, chega. Vou colocar os pratos na lava-louça para agradecer pela pizza e pela cerveja.

— Eu poderia dizer que você não precisa fazer isso, mas que diferença faria?

Darby levantou-se, empilhou os pratos e limpou a mesa. Ele a seguiu até a cozinha, observando enquanto ela colocava tudo na lava-louça.

— Sabe — começou Zane —, a gente não conversou sobre aquele beijo no dia do jogo.

— E deveríamos?

— Estou pensando no seguinte: você é minha cliente; eu sou seu cliente. Acho que as duas coisas se anulam.

— Concordo.

— Já concluímos que somos pessoas saudáveis. Eu sou um cara bonito com um nome legal; você é uma mulher gostosa que fica muito bem em um short cargo.

— Isso é verdade.

— Talvez a gente devesse sair para beber, ou para jantar, ou ir ao cinema. Sei lá.

Darby se virou, apoiando-se na bancada.

— Você já me deu uma cerveja e meia, pizza e rocambole. Já bebemos e jantamos juntos.

— Agradeço por você notar. Então, só falta o cinema.

— Eu assistiria a um filme. E a parte do "sei lá" também me interessa.

Zane se aproximou e observou os olhos dela. Sim, havia interesse e uma boa dose de divertimento ali.

— Tenho Netflix e TV a cabo completa. Posso encontrar um filme em dois minutos.

— Você tem pipoca?

— De micro-ondas.

— É uma ideia tentadora. — Especialmente quando ele segurou seu quadril, do mesmo jeito que fizera quando os dois se beijaram no dia do jogo. — Seria bom ver um filme, e imagino que a parte do "sei lá" também seria ótima. Mas...

Zane parou no meio do caminho para selar o acordo com um beijo.

— Tenho a impressão de que não vou gostar da próxima parte.

— Estou imunda — lembrou Darby. — Prefiro fazer o "sei lá" quando estiver limpa e mais apresentável.

— Pode tomar banho aqui. E eu gosto do seu short. Ainda mais quando você está usando aquelas botas.

— Obrigada, é muita generosidade da sua parte. Que tal se fizermos de outra forma? Se você estiver livre amanhã à noite, posso tomar banho na minha casa depois do trabalho e vir assistir ao filme lá pelas nove. E, aí, se nós dois estivermos a fim, tentamos o "sei lá".

Zane gostava de negociar.

— Oito e meia. E vamos tomar drinques antes.

— Ahhh, drinques! Que chique! Com certeza, eu preciso estar mais apresentável para algo assim.

— Tudo bem. Que tipo de filme?

— Como será, basicamente, uma preliminar, nada muito triste. Aceito uma boa comédia romântica ou um pouco de ação.

— Você é uma mulher muito interessante.

Zane se aproximou para beijá-la, e Darby o encontrou no meio do caminho, ficando na ponta dos pés, passando os braços ao seu redor. Ele sentiu que se perdia no momento, nela, como se estivesse mergulhando no lago em um dia quente de verão.

O desejo tomou conta e o dominou até suas mãos percorrerem o corpo dela, passando pelas costas, sentindo seu formato, decorando-o.

E notou que Darby se entregava um pouco mais, só um pouco mais.

Quando Zane se afastou um centímetro, ela tocou seu rosto, e os corações disparados pareciam bater juntos.

— Talvez eu goste de mulheres imundas.

— Puxa vida! — A respiração dela, deliciosamente ofegante, vibrava nos lábios dele. — E a gente tinha um plano tão sensato. Você precisa me convencer a mudar de ideia.

A boca dele a tomou de novo, dando uma mostra do fogo, liberando sua avidez. Agora, quando as mãos de Zane seguraram sua cintura, Darby pulou e enroscou as pernas em torno da cintura dele.

— Fui convencida. — Com um som rouco, ela mordiscou a lateral do seu pescoço. — Você está tão mais cheiroso que eu. Talvez aquele banho fosse uma boa ideia.

— Depois.

— Depois — sussurrou Darby enquanto ele a carregava pela casa. — Eu devia estar resolvendo burocracia de trabalho agora.

— Eu também.

Zane parou ao pé da escada, convenceu-a um pouco mais e a carregou para o andar de cima.

— Adoro sua casa. Provavelmente, transaria com você só para ver todos os cômodos.

— Você podia ter me contado isso antes.

Darby riu, aninhou-se no pescoço dele de novo, mas ergueu a cabeça quando Zane passou pelas portas duplas da suíte principal.

— Ah, meu Deus, olha só este lugar!

— Mais tarde, eu mostro tudo a você.

— Ah, não me coloque na cama. Minhas roupas...

— Você já vai se livrar delas. E eu tenho outros lençóis.

Zane a jogou na cama, indo logo atrás. E, segurando as mãos de Darby, beijou-a como um homem faminto.

Talvez estivesse faminto mesmo. A paisagista fizera seu apetite aumentar desde a primeira vez que a vira, deixara-o intrigado desde a primeira conversa. E o deixara de quatro no dia do jogo.

Agora, ele podia se refestelar.

As mãos de Darby, fortes, ásperas; a boca, lisa, macia. Os ângulos marcantes de seu rosto; a pele do queixo, do pescoço, macia como seda. Músculos firmes, rijos; seios macios.

A mulher era uma personificação de contrastes fascinantes.

Zane arrancou a blusa dela, e Darby não perdeu tempo retornando o favor. Mais pele, mais músculos. Ela passou aquelas mãos firmes pelo peito dele e suspirou:

— Hum, isso.

Zane queria olhar para ela, apenas olhar, mas não conseguia fazer as mãos pararem. Quando elas abriram o simples sutiã branco, ele pensou *hum, isso* e capturou um dos seios dela com a boca.

Enquanto Darby se arqueava, Zane lutava contra o cinto dela, contra os botões do short, sedento por mais.

Ofegante, lutando para retomar o controle e um pouco de compostura, ele se afastou.

— Eu devia ir mais devagar.

— Não — respondeu Darby, decidida, e se remexeu um pouco para ajudá-lo a tirar suas roupas. — Não devia, não.

— Graças a Deus!

— Posso... — Ela gesticulou entre os dois, e suas rápidas mãos habilidosas abriram o cinto dele. — Pronto.

Enquanto Darby puxava sua calça, os dois giraram para ele chutar a peça para longe; depois, giraram de novo, ansiosos pelo que estava por vir.

A lentidão ficaria para a próxima. Ela queria rapidez, intensidade e liberdade. Ali, com ele, queria que os dois perdessem o controle, que fossem tomados pelo desespero irracional da luxúria. Queria ser tocada, desejada, sentir o tesão emanando dele como emanava dela.

Quando Zane a penetrou, finalmente, finalmente, o prazer a atingiu em cheio, pontiagudo como uma flecha.

Seu quadril se ergueu, seus dedos apertaram os dele enquanto ela apreciava a força e a velocidade. O clímax atravessou seu corpo, deixando-a trêmula, arfante.

Grata.

E ele seguiu em frente, fazendo tudo aflorar de novo.

Darby se manteve firme, firme, encontrando-o a cada estocada frenética. Quando se perdeu de novo, quando as mãos que o apertavam deslizaram para a cama, fracas, ele também se perdeu.

Depois de um instante em que os dois permaneceram deitados, tentando recuperar o fôlego, Zane girou para apoiar as costas no colchão, e eles ficaram lado a lado, encarando o teto, tão atordoados quanto sobreviventes de um naufrágio.

— Acabei de confirmar — disse ele com dificuldade. — Gosto de mulheres imundas.

A risada de Darby, ainda um pouco ofegante, terminou com um suspiro.

— Parece que eu gosto de homens levemente sarados — Ela se esticou e deu um tapinha na barriga de Zane. — Seria um pouco intimidador. Quando minha visão dupla passar, vou dar uma olhada em você.

— Acho que podemos dizer que essa foi a rodada relâmpago.

— Nós dois saímos ganhando.

— Com certeza. Já fazia um tempo para mim, então tinha que ser relâmpago mesmo.

Darby também ficou satisfeita ao perceber que os dois estavam confortáveis, deitados, exauridos pelo sexo, tendo uma conversa de verdade.

— Defina "um tempo".

— Acho que uns nove meses, talvez dez. — Encarando o teto de caixotões, Zane concluiu que seu cérebro estava atordoado demais para fazer contas. — Eu estava em um relacionamento, mais ou menos. Nada muito sério, mas exclusivo. Quando resolvi voltar, ela entendeu, me apoiou. E decidimos não nos encontrar mais.

— Nove, dez meses? — Darby soltou uma bufada. — Isso não é nada. Para mim, era mais que o dobro.

— Por quê?

— Ex-marido psicótico, um tempo questionando minhas escolhas, um tempo me concentrando em mim mesma e no trabalho, a morte da minha mãe, a decisão de arrancar minhas raízes e replantá-las em outro lugar.

— Faz sentido.

— De toda forma, deu tudo certo. A gente apertou o botão do "chegou a hora" ao mesmo tempo.

Zane mudou de posição e a encarou.

— E você está pensando em apertar o botão de novo?

— Bem, a primeira vez foi boa. Mas eu quero aquele banho antes. Pelo que me lembro, é um chuveiro enorme. Com bastante espaço para duas pessoas saudáveis.

— E bastante água quente.

— Ótimo. Mas não vou botar aquelas roupas sujas de novo. Tenho uma muda no carro. Nunca se sabe...

Castanho-avermelhado, pensou Zane. Por enquanto, diria que o cabelo dela era castanho-avermelhado.

— Nunca se sabe quando se vai acabar transando com alguém?

— Nunca sei se vou me sujar toda de lama ou acabar com a roupa rasgada. — Darby girou para fora da cama. — Vou buscá-las rapidinho. Já volto.

— Espere. Você vai sair assim?

Ela passou uma mão pelo cabelo.

— Assim como?

— Nua. E, aliás, *você* é sarada.

— A picape está ali na frente, e não tem ninguém aqui além de você, que já me viu nua. Dois minutos.

Enquanto ela saía correndo, Zane sentou-se. Ele não se considerava um cara tímido, mas Darby estava nua no quintal.

A mulher com quem saía em Raleigh não saía nua nem do banheiro.

E também não saía de casa sem maquiagem ou o cabelo penteado. Ele achava que nunca vira Darby maquiada.

Se alguém tivesse perguntado, Zane teria dito que ela não fazia seu tipo. E, mesmo assim, estava ansioso por aquele banho.

Levantando-se, ele seguiu para as portas da varanda, abriu-as e saiu para ver uma Darby nua tirando uma bolsa de academia da picape. Ela olhou para cima, riu e abriu os braços.

— Em Baltimore, eu seria presa se fizesse isso.

Zane jurava que alguma coisa mudara de lugar em seu peito.

— Você parece uma sílfide, vestindo só a luz da lua.

— Uma *sith*?

— Não. — Agora, ele riu. — Não um *jedi* do lado negro da força. Uma sílfide, tipo uma fada mitológica.

— Gosto mais dessa opção. Tem problema se eu passar na cozinha? Posso levar um pouco de água aí para cima.

— Eu tenho um frigobar no *closet*.

— Óbvio... Estou subindo.

O DESPERTADOR BIOLÓGICO de Darby a acordou antes de o sol nascer. Ela continuou imóvel, pensando no fato de ter acordado na cama de Zane.

Dormir ali não estava nos seus planos, e, provavelmente, não estava nos dele também. Sexo entre duas pessoas saudáveis e excitadas era uma coisa. Passar a noite juntos acrescentava uma camada extra de intimidade ao evento.

Mas, depois da transa no chuveiro, os dois quiseram comer mais um pedaço de rocambole, e, por algum motivo, o doce os levara a transar de novo. E aquela rodada — que poderia ser chamada de rodada lenta — os deixara exaustos.

Então, quando ele murmurara que ela deveria ficar, uma sonolenta Darby aceitara antes de cair no sono.

Agora, vinha o problema: Zane, provavelmente, só teria de acordar dali a uma hora ou mais, e ela precisava levantar e se arrumar. Fazia muito tempo desde a última vez que dormira com alguém, e Darby torceu para não ter perdido suas habilidades de ninja.

Enquanto seus olhos se ajustavam à escuridão, ela pensou no quarto, na disposição dos móveis. As portas da varanda ficavam à direita; o banheiro e o *closet*, à esquerda. Isso fazia com que a cômoda estivesse a sudeste, e a namoradeira e a mesa de centro, a sudoeste.

E a calçadeira, obviamente, ao pé da cama — onde deixara sua bolsa. Era difícil determinar onde estavam as roupas que usara na noite anterior, mas ela as encontraria.

Darby saiu com cuidado da cama e foi na ponta dos pés até a calçadeira, tentando encontrar com o pé qualquer peça perdida. Encontrou o sutiã e a camiseta e seguiu até a bolsa.

— Por que você está tentando ir embora de fininho no escuro?

Ela não deu um pulo, exatamente, mas prendeu a respiração ao ouvir o murmúrio saído do escuro.

— Droga. Sou uma péssima ninja. Desculpe por tê-lo acordado. Eu só ia embora de fininho para que isso não acontecesse.

— Eu tenho o sono leve.

— Percebi. Volte a dormir. Vou me vestir no banheiro. Mas, já que acordou, será que, por acaso, teria uma escova de dente sobrando?

— Segunda prateleira do armário de toalhas. Dentro do que Emily chama de "cesta dos hóspedes". Tenho tudo de sobra. Ainda está escuro.

— Na verdade, está começando a amanhecer. Silêncio, volte a dormir.

Ela se fechou no banheiro e tomou um banho rápido. Seguindo sua rotina, passou o protetor solar, que estava na bolsa. E, depois que se vestiu, encontrou a escova de dentes exatamente onde Zane dissera que estaria.

Agora, só precisava achar o short de ontem, que incluía o cinto, o celular, o canivete e algumas moedas.

Seu plano era sair sem fazer barulho, mas, quando abriu a porta do banheiro, encontrou o quarto iluminado e Zane parado diante das portas abertas da varanda, de cueca boxer.

— É uma mistura de dia e noite — disse ele. — Nunca tinha pensado dessa forma antes.

— Adoro como os pássaros acordam assim que começa a amanhecer, tão felizes. — Ela se aproximou e lhe deu um beijo nas costas. — Mas desculpe por ter acordado você.

— Havia uma mulher no meu chuveiro, então comecei a pensar nela nua e toda molhada. Seria impossível dormir de novo.

— Já que é impossível, confia em mim para fazer o café?

Zane se virou, analisando-a.

— Você vai fazer o café?

— Sim, e será mais fácil se você tiver cereal. Não que o rocambole não seja uma refeição totalmente aceitável para começarmos o dia, mas eu tento deixar esse tipo de coisa para os fins de semana.

— Tenho Cheerios.

— Ótimo. Alguma fruta?

— Acho que bananas.

— Então, vou preparar o café.

Darby lhe deu outro beijo suave e seguiu para fora do quarto, pegando o restante das roupas pelo caminho.

Quando ele finalmente desceu, ela já abrira as portas do salão para a manhã. A mesa externa oferecia a refeição de novo, arrumada com um jogo americano que ele nunca usava, guardanapos de verdade e até um pequeno vaso com o que pareciam ser ervas daninhas coloridas. Ela arrumara tigelas, um açucareiro, um jarro de leite, um de suco e copos.

Fora a caixa de cereal, a mesa parecia montada para um café da manhã ao ar livre casual, mas ao mesmo tempo sofisticado. Zane notou que as botas de Darby estavam ao lado da porta aberta dos fundos, e ela apareceu descalça.

— Oi. Eu não sabia se você ia demorar muito, então ainda não fiz o café. Preciso de um tempinho para entender sua cafeteira chique. — Ela foi até aparelho e posicionou uma das canecas grandes dele. — Pode sentar. Eu levo tudo.

Ainda atordoado, Zane obedeceu enquanto a cafeteira zumbia e aquele aroma cheio de vida finalmente tomava o ar.

Darby levou as canecas — uma cheia apenas pela metade. Quando ela colocou a outra diante dele, Zane a ergueu e inalou o aroma até que enchesse seu cérebro.

— Você toma puro. Acho fantástico quando vejo as pessoas fazendo isso. Não gosto muito de café.

Enquanto ele observava, ela encheu a caneca de leite e colocou uma, duas — meu Deus! —, três colheres cheias de açúcar.

— Isso aí não é mais café.

— Pois é. Mas ainda me dá a energia de que preciso de manhã.

Balançando a cabeça, Zane serviu cereal na tigela dela e, depois, na sua. Darby a encheu de leite e picotou metade de uma banana sobre tudo. E ofereceu a outra metade.

— Quer?

— Pode ser.

Antes de ele pegar a fruta, ela a picotou sobre sua tigela.

— Sem açúcar? — perguntou Zane enquanto ela comia.

— Eu gosto de Cheerios. E estou vendo que você misturou os sabores mel e frutas vermelhas.

— Pois é.

— Adorei a ideia. Acho que também vou fazer isso em casa.

Os dois comeram em um silêncio tranquilo até Zane apontar com a colher para o vaso.

— Não são ervas daninhas?

— Flores silvestres — corrigiu Darby. — Flores silvestres nativas. Suas, já que seu lindo pedacinho de bosque está cheio delas. Lírios-do-bosque, amores-perfeitos, gerânios. Acho que preciso lhe dar um livro para você aprender a identificar seu tesouro.

Ele tomou mais um gole de café.

— A manhã combina com você. E está com cheiro de praia.

— Obrigada. É o protetor solar, e daqui a pouco passa. O cheiro de praia, quero dizer. Reaplico durante o dia, mas a praia perde para o suor, a terra e tudo mais. Falando nisso, preciso começar a trabalhar.

— O pessoal ainda não chegou.

— Mas vai chegar.

Ela se levantou e começou a empilhar as louças.

— Eu faço isso. Você cozinhou.

— Na verdade, eu só coloquei a mesa. Compenso minhas péssimas habilidades culinárias com a apresentação. Mas vou levar as coisas para a cozinha, porque quero roubar uma Coca para mais tarde.

Zane levou o restante, tirou uma lata da geladeira e lhe entregou.

— O filme e a pipoca ainda estão de pé?

O sorriso de Darby surgiu primeiro nos olhos.

— Claro. Oito e meia, não é?

— Oito e meia.

Ele segurou seu quadril, puxou-a e ergueu, beijando-a como se quisesse deixá-la com aquela lembrança até os dois se encontrarem de novo.

— Bem. — Os dedos de Darby acariciaram o cabelo de Zane. — Se eu chegar às oito, você pode terminar de me mostrar a casa.

— Chegue às oito.

E ele a beijou de novo.

Conforme os dias passavam, o muro ia sendo concluído. Darby se alternava entre trabalhos, feliz por estar atraindo o interesse das pessoas. E passava mais noites na cama de Zane do que os dois, provavelmente, pretendiam.

Ela não pensava no futuro com ele. Por enquanto, o futuro era seu trabalho, sua permanência em Lakeview, a vida que construía para si mesma.

Mesmo assim, no dia em que viu o muro de contenção pronto, com o piso inferior coberto de terra pronta para receber plantas, pensou em Zane.

Não importava o que acontecesse, ele teria aquilo e se lembraria.

— Está bonito pra cacete. — Gabe parou ao seu lado, com um sorriso radiante que Darby entendia muito bem. — Nunca ajudei a construir nada assim. E está bonito pra cacete!

Ela segurou um dos ombros dele. O garoto superava em alguns centímetros o 1,70 metro da chefe.

— E vai ficar mais bonito quando terminarmos de plantar tudo.

Hallie segurou o outro ombro de Gabe e o apertou.

— Vamos botar a mão na massa.

— Roy, acho melhor você ajudar Ralph com o muro dos fundos. Vou mostrar a Hallie e Gabe o que fazer aqui.

Ele tirou o boné da empresa, balançou-o diante do rosto e colocou-o sobre o cabelo bagunçado de novo.

— Dona Darby, assim a senhora me mata de tanto trabalhar.

— Você parece muito saudável. Além do mais, precisamos adiantar tudo que pudermos esta tarde. A previsão para amanhã é de chuva.

Roy franziu a testa para o céu e afastou a aba do boné.

— Não parece que vai chover.

— Confie em mim. Ou na meteorologia. Teremos trovoadas hoje, e o céu vai desabar amanhã. Você vai poder dormir até tarde.

Isso o animou.

— Talvez eu durma o dia todo.

Darby ajudou a carregar as plantas em um carrinho de mão e desceu para o degrau inferior, para, junto com Gabe, recebê-las de Hallie. A força dos três juntos foi necessária para carregar o resedá, que ficaria na outra extremidade.

Depois de ter posicionado tudo, ela subiu e analisou o resultado.

— Gabe, troque o louro-da-montanha, esse aí, com aquela azaleia. Isso, isso, está mais equilibrado. Vai ficar lindo. Preparem suas pás, pessoal. Vou dar uma olhada no que Roy e Ralph estão fazendo.

Darby via a sólida estrutura de boa qualidade do muro enquanto os dois homens trabalhavam, comunicando-se com resmungos enquanto o iPod de Roy tocava *country rock*.

Ali, ela plantaria lilases, que floresceriam em todas as estações, colorindo e perfumando o ambiente, uma em cada canto, como âncoras para todas as texturas e cores no meio.

E, quando Zane sentasse em seu lindo pátio, com aqueles aromas e aquele visual, com a pequena horta, que ela já começara a plantar nos vasos, ele se lembraria.

Darby tomou um bom gole de sua garrafa de água e mergulhou no trabalho.

E só parou para olhar o relógio quando Hallie gritou:

— Quer dar uma olhada, chefe, antes de a gente começar a cobrir as raízes com adubo?

— Quero, sim. Vou aí dar uma olhada. Quando terminarmos isso, vocês estão liberados. — Ela cutucou Roy nas costelas. — Todo mundo.

— Não vejo a hora!

— Zane já vai chegar — comentou Hallie enquanto caminhava com Darby.

— E vai encontrar uma vista deslumbrante.

— Você vai esperar?

— Depende.

A moça parou fora do alcance dos ouvidos de Gabe, lá na frente, e dos homens, nos fundos.

— Sabe, nas manhãs em que ele aparece para ver a gente trabalhando antes de ir para o centro, eu sinto o... — Ela balançou os dedos no ar.

— O? — Darby imitou o gesto.

— Eu sei guardar segredo, amiga, mas acho melhor que saiba que não é nenhum mistério que você e Zane estão... passando algum tempo juntos.

Darby, sinceramente, não estava preocupada com isso.

— Não é segredo, é só, hum... discrição.

— Percebe-se. — Hallie lhe deu um tapinha no ombro. — Enfim, ele é o que minha avó chamaria de um partidão.

— Não estou atrás de partido nenhum.

— Chefe, todo mundo está atrás de um partido. Faz parte da nossa natureza.

Darby pensou nisso enquanto limpava tudo, enquanto a equipe ia embora. Talvez, apenas para testar a situação, fosse melhor serem mais discretos.

Ela entrou na picape e foi para casa. Parando na estrada lá embaixo, olhou para cima. E suspirou ao ver a curva comprida do muro, as plantas se agigantando, balançando.

— Bom trabalho — disse em voz alta. — Bom trabalho mesmo.

A mensagem de Zane chegou logo depois de ela sair do banho.

Uau. Nossa! Estou lhe devendo uma cerveja, uma
garrafa de vinho e metade da lasanha que comprei
no caminho para casa. Volte.

Ah, como ela queria fazer isso — talvez um pouco demais. Mas olhou ao redor, notando o quanto negligenciara sua própria casa.

Espere só até anoitecer e as luzes acenderem.
Aí vai ser um uau e tanto. Vamos deixar a cerveja
ou o vinho e a lasanha para outro dia. Preciso
cuidar de uma papelada. Dê uma volta no
quintal à noite por mim.

Pode deixar. Não se mate de trabalhar. Até amanhã.

Será que ninguém se dava ao trabalho de ver a previsão do tempo? Mas Darby só escreveu:

Boa noite.

A tempestade desabou, cheia de raios e trovões. Com o sono pesado, ela não acordou durante a barulheira. Mas, por algum motivo, abriu os olhos uma hora antes de seu despertador biológico tocar. Darby ficou deitada no escuro, observando as luzes, escutando os ecos dos estrondos e o trovejar da chuva forte.

Completamente sem sono, sua mente vagou para cascatas— mal podia esperar para começar —, documentos de trabalho — todos devidamente resolvidos — e Zane. Será que ele também estava acordado?

Se ela tivesse voltado como ele pedira, teria companhia agora, durante a tempestade violenta.

E seus documentos não estariam devidamente resolvidos.

Não havia como ter tudo na vida, refletiu ela, e sua mente continuou perdida em pensamentos.

Quando os raios iluminaram o quarto como um palco da Broadway, Darby resolveu se levantar. Na cozinha, fez café e o tomou diante da porta aberta, absorvendo a fúria da tempestade.

Era interessante admirar tanta energia correndo e golpeando, as rachaduras que partiam o céu como vidro estilhaçado, os rápidos clarões que destacavam as montanhas de um jeito assombroso antes de atirá-las na escuridão novamente.

Mesmo assim, aquilo a fazia se lembrar de quanto estava isolada do resto do mundo. Ela poderia muito bem estar em uma ilha no meio do mar revolto.

Com bastante comida, pensou Darby, um teto sobre sua cabeça e energia. Pelo menos, a casa ainda tinha luz.

Pensando nisso, ela caçou suas lanternas, verificou se estavam com pilha, encheu alguns jarros de água e pensou em comprar um gerador pequeno.

E um cachorro. Cachorros eram boas companhias. Seria bom ter um.

Mas aquele parecia o momento certo para atacar o papel de parede feio.

Ao meio-dia, havia muito tempo que a tempestade se transformara em uma chuva mais estável, ainda forte, e o ar mais parecia uma sauna. Após alguns intervalos para descarregar sua frustração, Darby arrancou a última faixa teimosa do papel de parede da cozinha.

— Puta merda — murmurou ela, tirando o boné para secar o suor do rosto. — Venci, seu desgraçado.

Talvez a cozinha parecesse uma zona de guerra, mas ela vencera. Agora, só precisava limpar as paredes, que descobrira serem pintadas com um horrendo tom de verde-musgo, esperar que secassem — provavelmente, dali a um milhão de anos —, passar a seladora e pintar.

Darby passou por cima da pilha do papel de parede derrotado e se agachou para pegar um balde sob a cadeira. E quase morreu de susto ao ouvir alguém batendo à porta aberta.

Lá estava Zane, com o cabelo um pouco molhado, usando um terno escuro.

— Meu Deus, você me assustou. Não escutei seu carro subindo na chuva. — Um cachorro, pensou ela. Seria bom ter um cachorro. — Você está de terno.

— Fui ao tribunal hoje cedo.

— Você fica diferente. De um jeito bom, mas diferente.

Ele observou a zona de guerra e sorriu.

— Está limpando a casa?

Darby enrijeceu-se e cutucou a pilha de faixas e restos de papel.

— Matei todos eles.

— Pelo que estou vendo, foi autodefesa. Consigo livrá-la da prisão.

— Eles colocaram papel de parede por cima de papel de parede. Quem imaginaria uma coisa dessas?

Zane analisou a cozinha.

— Acho que a cor é pior ainda.

— É sim. Eu sei. Talvez seja melhor eu chamar um padre, um pajé, uma bruxa, sei lá, para exorcizar os demônios da decoração ruim.

— Você estava fazendo isso e lavando todas as suas roupas? Sinto cheiro de roupa recém-lavada.

— Amaciante. Dá para fazer um solvente de papel de parede muito bom e sem química com meia medida de amaciante e meia medida de água fervendo.

— Como você sabe disso?

— Achei na internet. Cuidado para não sujar seus sapatos com essa porcaria. Eles parecem caros. Trouxe comida nessa sacola aí?

— Eu estava passando por aqui, mais ou menos, voltando do tribunal e só preciso voltar para o escritório daqui a duas horas. Então, comprei comida chinesa.

— Você comprou comida chinesa.

Talvez ela tivesse se apaixonado um pouco enquanto o observava ali, parado na sua cozinha fumegante com paredes horríveis, em seu terno de advogado e sapatos caríssimos, segurando a sacola de um restaurante chinês.

— Só quis ver se estava tudo bem com você. A tempestade, hoje de manhã, foi bem feia. Caíram galhos e troncos em vários lugares. Além do mais, eu queria vê-la.

Sinceridade sem rodeios, decidiu Darby, dos dois lados.

— Hallie mencionou que ela... que as pessoas estão comentando sobre a gente.

— Você não está mais em Baltimore — começou Zane, inclinando a cabeça. — Ter gente comentando sobre nós é um problema?

— Não. Mas achei que você poderia se incomodar.

— Por quê?

Darby suspirou.

— Não sei direito. Já esqueci como essas coisas funcionam, Zane. Além do mais, eu sou a garota nova da cidade, e você é o filho pródigo.

E, até agora, pensou ele, o relacionamento entre os dois consistia quase exclusivamente de noites e manhãs passadas na sua casa.

Isso seria fácil de consertar.

— Você tem planos para sábado à noite?

— Preciso dar uma olhada na minha agenda social lotada.

— Que tal encaixar um jantar no Grandy's?

— Acho que consigo encontrar uma hora livre.

— E, por enquanto, o que acha de carne de porco agridoce?

— Adoro. A gente pode comer na varanda da frente. Está mais fresco lá fora do que aqui dentro. E a vista com certeza é mais bonita.

— Perfeito.

— Vou só me limpar... Não, não encoste em mim. Estou nojenta.

— Acho que tem um pedacinho limpo aqui.

Zane continuou se aproximando, segurou seu queixo e a beijou.

Parte Três

Das raízes às flores

Corações bondosos são os jardins,
Pensamentos bondosos são as raízes,
Palavras bondosas são as flores,
Atos bondosos são os frutos.

— Henry Wadsworth Longfellow

O mundo permanece estilhaçado e quebrado apenas
para quem permanece estilhaçado e quebrado.

— Walt Whitman

Capítulo 16

♦ ♦ ♦ ♦

Na noite seguinte, apesar dos avisos de Darby de que não seria uma boa ideia, Zane apareceu na sua casa para ajudar com a batalha contra os papéis de parede.

— Você não sabe onde está se metendo.

— Você está duvidando da minha capacidade. Até trouxe minha própria espátula.

Ele ergueu a ferramenta.

— Ah, tão limpinha e nova. Ela não vai continuar assim por muito tempo. Tudo bem, suba. Vou lhe mostrar o campo de batalha. E é melhor já deixarmos claro que, se você decidir bater em retirada, não vou guardar ressentimento.

— Aceito o fato de você não acreditar na minha capacidade, na minha resistência, mas na minha... Puta merda. — Zane olhou para as paredes do quarto, boquiaberto. — O que é isso?

— O monstro. Ele é mitológico.

— É... — Hesitante, Zane passou a mão pela parede e sentiu a textura estranha. — É uma mistura de bordel abandonado com inferno. Como você dorme aqui?

— Com os olhos fechados.

— Mesmo assim. Acho que precisamos de reforços. Ou de napalm.

— Talvez seja melhor começarmos com o banheiro. É menor.

Zane a seguiu para o outro lado do corredor e encarou os peixes.

— Isso é engraçadinho, de um jeito estranho.

— Não diria isso se tivesse que tomar banho com todos eles encarando você.

— Ruim, mas nada absurdo. Acho melhor sermos ambiciosos e lidarmos com o dourado, vermelho e preto. Vamos enfrentar o monstro. Agora, me ensine como se faz.

Meia hora depois, Zane olhou para sua parede parcialmente desnuda — e para a tinta azul escandalosa que descobrira. Então, virou-se para observar o progresso de Darby. Um pouco melhor, mas ela tinha prática.

— Reforços — anunciou ele. — Vou alistar Micah.

— Zane, não posso pedir a ele para...

— Você, não. Eu. Temos cerveja, vinho e petiscos?

— Sim.

Ele tirou o celular do bolso, e Darby engoliu seus protestos. Principalmente depois de olhar para as paredes do quarto, e fazer as contas de quanto tempo levariam para exterminar aquele pesadelo.

— Micah topou. Cassie também está vindo. Na verdade, ela já fez isso antes. — Ele guardou o celular. — E ainda tem as ferramentas.

Darby gostava de Cassie, que dava aula de ioga, fazia vasos de cerâmica e acrescentava uma exuberância mística ao estilo de *nerd* despreocupado de Micah.

— É muita gentileza da parte deles. Mas eu estou um pouco preocupada.

— Com o quê? Os dois sabem que você comprou a casa assim.

— Não é isso. Mas... E se, em um cômodo tão apertado, Micah se distrair com a minha gostosura e se machucar?

— Engraçadinha.

Zane a agarrou e a trouxe para perto de si.

ENQUANTO ZANE E DARBY arrancavam papel de parede com o divertido Micah e a alegre e tagarela Cassie, Eliza lavava a louça do jantar.

Graham até elogiara sua tentativa de preparar frango e arroz, e comera tudo, apesar do arroz empapado e do frango seco.

Não era de se admirar que fosse louca pelo marido.

Ele parecia estar se adaptando muito bem. No começo, depois que conseguira recuperar a carteira de motorista, queria que ela o acompanhasse a todos os lugares. Mas, aos poucos, fora recobrando a confiança.

Eliza sabia que Graham detestava o emprego. Trabalhar na loja de equipamentos médicos era uma humilhação, mas cumpria os termos da condicional, e, agora que ele podia ir e voltar do shopping dirigindo, readquirira também certa independência.

Ela também detestara seu emprego no começo — regras da sua própria condicional. Mas, agora que o marido voltara e insistira para que pedisse demissão, Eliza sentia falta de interagir com outras pessoas.

Seus contatos sociais eram inexistentes, e, como ele levava o carro, a única coisa que podia fazer era ficar em casa o dia todo.

A vida antiga, com as festas, o Country Club, os almoços com as amigas, tudo parecia um sonho.

Calculando o humor do marido e o momento certo, Eliza preparou um drinque pós-jantar para os dois. A louça podia esperar. Afinal, teria o dia seguinte inteiro, sozinha, para lavá-la.

Depois de levar as bebidas para a sala de estar, ela sentou-se ao lado de Graham e se aconchegou com as pernas sobre o sofá. Ele lhe deu um beijo na bochecha.

— Obrigado, meu amor.

— A noite está tão bonita. Talvez a gente pudesse dar uma volta.

— Os vizinhos fofoqueiros vão ficar nos vigiando.

— É verdade. — Eliza apoiou a cabeça no ombro dele. — Graham, eu estava pensando que seria bom ter um carro.

— Para quê?

— Para fazer compras, ir ao supermercado.

— Você já faz tudo isso nos meus dias de folga.

— Sim, mas, às vezes, lembro que precisamos de alguma coisa bem no meio do dia e sei que você não gosta quando peço para fazer compras no caminho para casa.

As rugas em torno da boca dele ficaram mais profundas.

— Você precisa ser mais organizada. Só isso, Eliza. Não é você que tem que acordar cedo todo dia para ir trabalhar em um empreguinho humilhante, é?

— Não. — Por instinto, ela esfregou a coxa dele. — Odeio saber que você precisa passar por isso. Fico com raiva pela sua situação, mas não vai durar para sempre. Quando tudo acabar, poderemos ir para onde quisermos, começar uma vida de verdade, juntos de novo. As coisas serão como antes, Graham. Compraremos uma casa bonita, entraremos para o Country Club. Poderemos viajar. E vamos...

— Você é burra?

— Graham.

— Como vamos pagar por essas coisas? Aqueles advogados malditos sugaram quase tudo.

— Eu sei, eu sei. — Eliza esfregou e esfregou a coxa dele. — Mas ainda temos algum dinheiro e eu tenho minha poupança. A gente...

Graham jogou a bebida no rosto dela, cegando-a para que o primeiro tapa a pegasse desprevenida.

— Não. Por favor. Depois da última vez, você prometeu que não me bateria mais. As coisas são diferentes agora, Graham, e eu não posso...

— Tudo é diferente agora. — O marido lhe deu outro tabefe. — *Sua* poupança, sua vaca idiota, egoísta. — Ele a jogou no chão, acertando-a de novo quando ela tentou se levantar e fugir. — Você quer uma mansão, o Country Club e a porra de um carro para poder vagabundear por aí enquanto eu sou humilhado vendendo medidores de pressão?

Quando Graham a puxou para cima e a empurrou contra a parede, Eliza tentou se debater, mas ele torceu seu braço, causando uma dor tão grande que seus joelhos ficaram bambos.

— O que você faz? Que porra você faz? Passa o dia inteiro sentada, pensando no que reclamar? Você não consegue nem preparar um jantar decente, sua piranha inútil.

— Pare, pare, pare.

— Você quer um carro? Quer um carro para ir para um motel com o desgraçado com quem trepava enquanto eu estava trancafiado como um animal?

— Eu nunca... com ninguém. Esperei por você.

— Sua mentirosa. — O soco na barriga a teria feito se encolher se Graham não a tivesse segurado contra a parede. — Você nunca conseguiu passar dois dias sem sexo. Eu sei muito bem disso.

— Com você. Com você.

— Comigo.

Ele levantou a saia dela, puxando a calcinha para baixo. Doeu, doeu. Enquanto o marido a estuprava contra a parede, só havia dor, nenhuma excitação, nenhum desejo extremo, sombrio.

E, quando terminou, deixando-a cair de joelhos, chorando, Graham se afastou e fechou o zíper da calça.

— Você não serve mais nem para isso.

Ele a chutou, mas sem muita força. Aquela raiva gloriosa, revigorante, passara. Em seguida, seguiu para a cozinha e olhou com nojo para a louça que ainda não fora lavada.

E preparou outro drinque.

Depois que os clientes foram embora, Zane permaneceu sentado à mesa. Clint e Traci Draper o deixaram com uma sensação ruim. A reunião sobre uma disputa de limites de terreno fora bem estranha, com os possíveis clientes querendo processar um vizinho por causa de menos de três metros quadrados.

Como Draper se denominara dono do espaço depois de uma vistoria conduzida por ele mesmo, o caso não era dos melhores. Mas o que deixara Zane preocupado eram os clientes em si.

O fato de Draper — cuja fivela do cinto exibia a bandeira confederada — ser o suprassumo da ignorância não o incomodava. O comentário sobre o filho dos vizinhos ser uma bichinha fora bem mais problemático.

Porém, pior do que a conversa grosseira e preconceituosa do sujeito fora o fato de que sua esposa passara boa parte da reunião olhando para baixo, muda.

Ele conhecia a família Draper — pessoas que viviam nas montanhas e não interagiam muito com o restante da cidade. Desde que era garoto, sabia que tinham a reputação de ser encrenqueiros mal-educados e intolerantes. Mas era uma surpresa ver que Clint, o filho mais novo, queria manter viva essa reputação.

Zane se levantou, caminhou pela sala e pegou sua bola de beisebol, esfregando a costura enquanto andava de um lado para o outro.

Ele se lembrava vagamente da irmã mais velha de Traci.

E não era estranho que, quando ele a mencionava ou fazia qualquer pergunta direta para ela, a mulher olhava para o marido — como se pedisse permissão — antes de responder?

Não era estranho, corrigiu-se Zane.

Era um sinal.

Ele pôs a bola novamente na mesa e foi para a recepção.

— Os Draper não pareciam muito contentes quando foram embora — comentou Maureen.

— Provavelmente não gostaram quando eu disse que ninguém aceitaria a avaliação que ele mesmo fez para ganhar um pedaço minúsculo de terra quando duas vistorias profissionais alegam o contrário. Além do mais, os vizinhos usam o tal pedacinho, plantaram uma cerca viva lá há mais de vinte anos. E, por eu ter comentado isso e dito que seria melhor contratar uma vistoria profissional se ele quisesse dar continuidade ao processo, Draper resolveu que eu sou um advogado babaca de cidade grande que não sabe de porra nenhuma.

— Viram o adesivo no para-choque da picape dele? — perguntou Gretchen, uma moça pequena, magra, com mechas loiras no cabelo e ótima advogada, sem sair de sua mesa. — Desculpem, interrompi sua conversa.

— Não, tudo bem, e eu não vi. O que tem o adesivo?

— "Você não vai tirar minhas armas, mas talvez receba minhas balas."

— Que simpático! — Zane sentou-se. — O que você sabe sobre Traci, Maureen? Não me lembro dela, mas conhecia a irmã de vista.

— Pouca coisa. Ela é mais nova que meus filhos. O pai é mecânico. Ainda levamos nossos carros na oficina dele. Um cara legal, simpático.

— Certo, certo, esqueci. O sr. Abbott, claro.

— A mãe é um pouco tímida, mas boazinha. Trabalha na padaria aqui no centro. Os Draper, por outro lado, preferem as montanhas ao lago.

— Também me lembro disso.

— Bem, acho que os filhos, quatro meninos, estudaram em casa. Estou tentando me lembrar de todas as fofocas que já ouvi — acrescentou ela —, mas acho que um deles entrou para as forças armadas, outro foi embora e acabou preso por produzir metanfetamina. Um casou, mora com a esposa e os filhos nas terras da família. Clint é o mais novo, acho, e faz um ano que se casou com Traci.

— Certo.

— Se quiser saber mais, pergunte a Lee. Sei que os dois caçulas já passaram algumas noites na cadeia da delegacia. Mas estou curiosa. Por que tantas perguntas se você não vai aceitar o caso?

— Ela não olhou para mim, em momento algum. E mal abriu a boca.

— Talvez Traci seja tímida, como a mãe.

— Aquilo não era timidez. Eu tenho alguns minutos livres agora, não tenho?

— Seu próximo compromisso é daqui a uma hora.
— Vou dar uma saída.

Zane foi direto para a delegacia. É claro, em uma cidade pequena do Sul, direto significava parar meia dúzia de vezes, enquanto atravessava a distância de três quarteirões, quando as pessoas chamavam seu nome e puxavam assunto sobre o tempo — quente e úmido —, perguntavam sobre Emily, se ele estava gostando de viver naquela casa chique.

Quando, finalmente, chegou ao seu destino, encontrou dois policiais, incluindo o cunhado, trabalhando em suas respectivas estações, e a telefonista em seu posto.

Mais conversas — felizmente, curtas.

— Eu queria dar uma palavrinha com Lee. Ele está?
— Sim, na sala dele — respondeu Silas. — Pode entrar.

Zane encontrou o delegado sentado à sua mesa, olhando de cara feia para o computador. Sua expressão melhorou quando o viu.

— Bem que eu precisava de uma distração. Estou fazendo orçamentos; um saco. Entre.

A sala combinava com ele — pequena, sem muita decoração, apenas algumas fotos de família. Havia duas cadeiras que estalavam quando os visitantes sentavam, um quadro de avisos, uma lousa branca — ambos lotados de informações —, uma cafeteira com restos de café e uma pilha de arquivos sobre a mesa.

Apesar de a porta de Lee raramente ficar fechada, Zane a encostou.

O delegado ergueu as sobrancelhas.

— Algum problema?
— Não sei. Acabei de rejeitar um cliente: Clint Draper.
— Ah. — Concordando com a cabeça, Lee apontou para uma cadeira e recostou-se na sua. — Os limites do terreno. Não importa quão errado ele esteja nem quantas vezes escute que está errado, o sujeito não larga o osso. Imagino que queira processar Sam McConnell.

— Com base em uma inspeção que ele mesmo conduziu com o irmão. E não gostou de ouvir que ninguém o levaria a sério.

— Está preocupado que ele faça alguma coisa contra você?
— Deveria?

Lee suspirou.

— Acho que ele não arrumaria encrenca. Você é jovem, forte, e Clint é um covarde. Nós fomos lá algumas semanas atrás. Mary Lou, a esposa de Sam, nos acionou quando Draper começou a discutir com o marido dela por causa do terreno e tentou arrancar a cerca viva. Mas Sam é mais velho que eu e não é do tipo robusto. Essas propriedades estão dentro da minha jurisdição. A polícia do condado é responsável pelo restante dos Draper. Ainda bem.

— Maureen disse que ele já foi seu hóspede aqui na delegacia algumas vezes.

— Por se embebedar, arrumar confusão, empurrar algumas pessoas.

— Já teve que ir à casa dele por algum motivo além do problema do terreno?

Mais uma vez, Lee ergueu as sobrancelhas.

— E que outro motivo seria esse?

— Ele levou a esposa, Traci, para a reunião. Eu conheço aquele olhar, Lee, aquele comportamento, os sinais. Sei quando vejo uma pessoa que comete abuso e uma pessoa que sofre com ele.

Dessa vez, o delegado suspirou.

— Ninguém nunca o denunciou por violência doméstica. Apesar dessa lenga-lenga do terreno, as casas são bem distantes. E o irmão de Clint, Jed, com quem ele vive colado, mora do outro lado. O pai dos dois mora nos fundos.

Lentamente, Zane concordou com a cabeça.

— Então, ela está cercada.

— Por assim dizer. Sei que, um mês depois do casamento, Traci caiu e sofreu um aborto espontâneo. Os dois disseram que ela ficou tonta e tropeçou na escada. A mãe dela veio falar comigo, jurou que o genro era culpado, mas Traci nunca contou outra versão da história, e não havia qualquer sinal de que estivesse mentindo.

— Mas você não acreditou.

— Também conheço os sinais, o comportamento, o olhar. Mas ela nunca deu outra versão. Insisti o máximo possível, até lhe dei o cartão de Britt.

— Tudo bem. Eu queria saber se meus instintos estavam certos. Obrigado, Lee.

— Não há nada que você possa fazer — disse o delegado enquanto Zane se levantava. — Nada que a polícia possa fazer, a menos que ela desminta a história, a menos que peça ajuda.

— Eu sei. E espero que faça isso, porque eu sei que você a ajudaria.

Talvez, pensou Zane enquanto voltava para o escritório, Traci precisasse conversar com alguém que já sentira aquele medo, aquele desamparo.

Ele não disse mais nada sobre o assunto; porém, dois dias depois, foi dar uma olhada no terreno disputado entre os vizinhos. Foi caminhando casualmente pela área e seguiu até a casa dos Draper. Zane sabia, porque perguntara a uma outra pessoa, que a família construíra a pequena propriedade de dois andares.

As janelas brilhavam de tão limpas, e alguém tentara embelezar o espaço com um pequeno canteiro de flores, que não parecia estar vingando. Ele viu um varal, uma horta nos fundos — e Traci removendo ervas daninhas.

Enquanto se aproximava, ele teve certeza, *certeza*, pelo olhar apavorado no rosto da mulher, que tinha razão sobre o que acontecia naquela casa.

— Sra. Draper.

Ele abriu um sorriso amigável, mas manteve a distância. Ela usava um chapéu de palha e um vestido comprido de algodão com as mangas dobradas até os cotovelos.

Devia estar morrendo de calor.

E, apesar de saber a resposta, de ter se certificado dos fatos antes de ir até lá, Zane perguntou:

— O Sr. Draper está?

— Ele foi trabalhar. Está com o irmão na fazenda de grãos perto de Asheville. Só volta depois das quatro e meia.

— Ah, tudo bem. Eu só queria dar uma olhada no terreno, talvez indicar um fiscal.

— Meu marido não precisa de fiscal. Ele e meu cunhado já fizeram a vistoria. E eu tenho que terminar de cuidar da minha horta.

— Seus tomates parecem ótimos. É um bom terreno. — Não era, mas Zane notou que ela tentara melhorar o ambiente. — Aquele espacinho não vai fazer tanta diferença assim.

Traci continuou olhando para o chão, sem encará-lo. Suas mãos agarravam a enxada como se fosse uma arma.

— Clint quer o que é dele.

— Imagino que ele já usufrui de tudo a que tem direito. Sra. Draper, Traci, eu já estive na sua situação.

Os olhos dela se ergueram e, logo, voltaram para o chão.

— Não sei do que o senhor está falando. Preciso voltar ao trabalho.

— Pois acho que você sabe. Sua irmã estava alguns anos à frente de mim na escola. Ela deve ter ficado sabendo da história. Eu também sentia medo. Medo de contar para os outros. Medo de que ele me machucasse mais se eu fizesse isso, de que ninguém acreditasse em mim. Nós podemos ajudá-la.

— O senhor precisa ir embora. Clint não gosta que eu receba visitas enquanto ele está fora.

— Porque quer mantê-la isolada, sem contato com o restante do mundo. Sob o domínio dele, perto da família dele, longe da sua. Você pode confiar no delegado Keller. Pode confiar em mim e na minha irmã. A única coisa que precisa fazer é pedir, e nós faremos tudo que estiver ao nosso alcance para ajudar. Ele nunca mais vai machucá-la.

— Meu marido não me machuca. Agora, é melhor o senhor ir embora.

— Se precisar de ajuda, me ligue. — Zane tirou um cartão do bolso e o colocou sobre um toco de árvore que parecia ser usado para cortar lenha. — É só ligar.

Quase certo de que ela não faria isso, ele se afastou e voltou para os limites do terreno, passando para a propriedade dos McConnell — um estudo de contrastes.

Apesar de a casa parece ter tão pequena quanto a dos Draper, praticamente dobrara de tamanho com o passar dos anos, recebendo janelas grandes e varandas espaçosas.

E, agora que ele sabia reconhecer o que via, uma boa dose de paisagismo.

Assim como Traci, Zane encontrou o casal McConnell nos fundos. A mulher, robusta, usando uma bermuda que batia na altura dos joelhos e um chapéu de aba larga, ajeitou-se e pressionou uma mão contra as costas.

— Ora, veja só, Sam. É o jovem Walker. Venha aqui, Zane. Você não deve se lembrar de mim. Eu era professora da escola no ensino fundamental, mas nunca lhe dei aulas. Mas fui professora da sua irmã por um ano.

— É um prazer vê-los. — Ele trocou apertos de mão com os dois. — Este é um jardim e tanto.

— A gente sempre planta coisas demais. — Sam, com a careca coberta por uma bandana e os joelhos ossudos escapando da borda da bermuda, balançou a cabeça. — Nossos netos montaram uma barraca na beira da estrada para vender algumas coisas, mas sobra tanto que estamos sempre doando sacos abarrotados.

— Hora do intervalo — declarou Mary Lou. — Que tal sentarmos na sombra da varanda e tomarmos uma limonada?

— Gostei da ideia.

Zane os seguiu e sentou-se com Sam enquanto Mary Lou entrava na casa.

— Você é advogado agora, não é?

— Sim, senhor.

Sam tirou outra bandana do bolso para secar o rosto suado.

— O rapaz dos Draper o contratou?

— Tentou. Mas o caso não faz sentido, sr. McConnell, e eu tentei explicar isso a ele. Imagino, considerando a situação, que o seu advogado tenha dito a mesma coisa.

— Disse mesmo. E também que, se ele continuar nos perturbando, podemos processá-lo por assédio moral. Mas eu prefiro evitar esse tipo de coisa.

— Com razão.

Zane se levantou para pegar a bandeja que a sra. McConnell trazia.

— Já ouvi o suficiente por aí para saber que você tem o bom senso de não aceitar um cliente tão idiota e agressivo — disse ela, servindo a limonada em copos cheios de gelo.

— Sim, senhora, tenho. Mas não estou aqui por causa da questão do terreno. Isso foi só uma desculpa. Eu queria perguntar, e sei que não é da minha conta, mas preciso saber se ficaram sabendo de alguma confusão na casa dos seus vizinhos. Entre Clint e Traci.

O casal trocou um rápido olhar.

— Preferimos não nos meter com aquela gente — começou Sam. — Ficamos o mais longe possível. Eles não são exatamente amigáveis.

— Aquela moça nunca dá um pio — continuou Mary Lou. — Fui professora dela na escola por dois anos. Ela é esperta, tirava notas boas, tinha amigos. Era um pouco tímida, mas não antissocial. Quando os dois se mudaram para cá, levei um bolo para eles. Ela foi educada, mas não me convidou para entrar. Disse até que não se lembrava das minhas aulas, apesar de ser óbvio que estava mentindo. Tentei de novo quando a pobrezinha perdeu o bebê. Ele não me convidou para entrar, mas aceitou o assado que levei sem nem pestanejar. Nunca devolveu o pote.

— Ah, puxa, Mary Lou, aquele pote nem era dos melhores.

— É uma questão de princípios, Sam. O delegado Keller nos fez a mesma pergunta. Tivemos que dizer a ele o que estamos repetindo para você agora. Nunca ouvimos nem vimos nada que indique que ele a agrida fisicamente. Mas, das janelas do segundo andar, eu já vi aquela moça chorando enquanto pendurava roupa no quintal. Ela não é a mesma menina que era aos 10, 12 anos. Não é. A mãe está arrasada. É uma mulher tão boa, e suas visitas são proibidas. A irmã também não é bem-vinda. Não desde que ela perdeu o bebê, e, mesmo antes disso, as duas já não apareciam muito.

— Os Draper são complicados — acrescentou Sam. — Nós preferimos manter distância, e nunca tivemos problemas com eles antes de o garoto construir aquela casa. Já estou tão cansado dessa história que abriria mão da terra, mas Mary Lou não quer.

— Não quero mesmo. Quando você cede para uma pessoa assim, ela logo encontra outro motivo para encher o saco.

— Isso é verdade — concordou Zane.

Ele ficou remoendo o assunto por mais algum tempo e acabou contando tudo para Darby. Ela ouviu a história enquanto tomavam uma cerveja no pátio dos fundos.

— Conheci a irmã de Traci na Best Blooms. Joy nos apresentou. Allie estava lá procurando uma cesta para o Dia das Mães, e Joy perguntou por Traci. Parece que ela costumava trabalhar lá durante a alta temporada.

— Eu não sabia disso.

— Allie disse que fazia um tempo que não via a irmã. Achei que ela não queria dar muitos detalhes por minha causa, então me afastei. As duas passaram um tempo conversando. Para mim, parece a clássica tática de isolamento. — Darby mudou de posição e o encarou. — Então, era isso que estava incomodando você. Achei que era algum problema de trabalho que não podia me contar. Por que não falou nada antes?

— Os dois não são clientes, então não preciso manter confidencialidade, mas...

Zane abanou a mão, e ela apontou para ele.

— Não é isso.

— Não completamente.

— Alguns aspectos são semelhantes ao que aconteceu comigo. A parte do isolamento, por exemplo. Achou que eu ficaria incomodada em conversar sobre uma mulher em um relacionamento abusivo? Porque você tem razão: o relacionamento *é* abusivo. Se não for abuso físico, com certeza é emocional.

— Fiquei um pouco preocupado, sim. Essas coisas nunca somem, não é? E as memórias, os sentimentos, voltam com muita facilidade. Eu não queria que isso fosse um gatilho.

— É óbvio que você gosta de proteger os outros. É parte da sua natureza. Mas eu não quero ser protegida. Não posso querer. É uma questão de sobrevivência. Não tenho problemas em falar sobre abuso e gatilhos. Minha experiência foi curta, ainda bem, e me tornou mais esperta e mais forte.

— Não posso pedir desculpas pela minha natureza.

— Não, nem eu. Mas se estamos namorando... — Inclinando a cabeça, ela o encarou por um tempo. — Você diria que estamos namorando?

— Em suma, eu diria que sim.

— "Em suma"... Você é muito advogado. — Ela sorriu e deu um gole em sua bebida. — Sendo assim, a gente devia poder conversar sobre esse tipo de acontecimento problemático. Agora, quer saber o que eu acho?

— Quero.

— Pelo que você disse, parece que Clint foi educado para acreditar que os homens estão no comando e são superiores. As mulheres devem obedecer às suas ordens, cuidar da casa e ter filhos. Ela estava grávida; deve ter sido por isso que se casaram. Agora, não está mais. Não importa se Traci perdeu o bebê por culpa dele, apesar de eu ter certeza que sim, foi ela que não cumpriu seu dever. E está isolada da própria família, cercada pela dele e por essas ideias retrógradas.

— Traci pode ir embora — disse Zane. — A família dela está bem aqui. A polícia também. Eu sei que as coisas não são tão simples, mas...

— Não, não, não. Sim, ela é adulta. Você não era. Sim, ela tem uma família, teria a quem pedir ajuda. Mas... — Darby soltou um suspiro longo e triste. —

Depois de Trent, parte da minha terapia era participar de sessões em grupo. Meu Deus, Zane, as histórias que ouvi... Mulheres que permaneciam com os maridos por anos. Mulheres que saíam de casa e voltavam o tempo todo.

— Nós chamávamos isso de "porta giratória" — disse Zane.

— Mas não é porque gostam de apanhar ou porque são fracas. É porque o psicológico delas é tão atacado quanto seu corpo. Sua essência é abalada. Porque ficam presas a um ciclo. Sofrem abuso dos pais; depois, do marido. Ou acreditam que ele mudou, convencem a si mesmas de que aquilo não vai acontecer de novo, ou aceitam as desculpas dele. Ou, se acontecer de novo, acham que a culpa é delas. E, em alguns casos, porque não têm para onde ir.

— Eu sei. Já cuidei de vários casos de violência doméstica. E também sei que nem eu, nem Lee, nem a família de Traci, ninguém pode ajudá-la se ela não tomar uma atitude.

— E você quer ajudar — concluiu Darby. — Talvez até precise ajudar. E está irritado por não poder agir.

— Com certeza. Mas, já que é assim, vamos esquecer essa história. Vamos esquecer tudo. Podemos ligar para Britt agora e convidá-la com Silas, Audra e Molly para virem até aqui.

Darby ergueu uma sobrancelha.

— E o que eles vão comer? Acho difícil que já tenham jantado.

— Hum... Podemos pedir comida.

Ela sacudiu a cabeça em negação.

— Você tem uma churrasqueira enorme e maravilhosa bem ali. E, se esperar até amanhã, vai poder convidar a família toda e fazer um churrasco, porque já terá comprado carne. E o muro dos fundos não só vai estar pronto, como também cheio de plantas.

— Não seria tão espontâneo.

— Não. Mas... — Darby se levantou, contornou a mesa e sentou-se no colo dele. — A gente pode tentar fazer outra coisa espontânea.

— Podemos — observou Zane, um pouco atordoado, enquanto ela tirava a blusa. — Aqui? Mas é...

— Uma noite muito bonita — concluiu Darby, dominando a boca dele.

Capítulo 17

◆ ◆ ◆ ◆

Ele não batera nela com tanta força assim, apesar de Deus ser testemunha de que Eliza merecia. Aquilo e muito mais. Ela passara pouquíssimo tempo inconsciente quando sua cabeça acertara o chão — fazendo um barulho muito prazeroso.

Graham não se deu ao trabalho de lhe dar outro tapa e, com certeza, não se daria ao trabalho de comê-la. A esposa não lhe era mais atraente nesse sentido.

Era curioso quanto já fora louco por aquela mulher, como os dois combinavam perfeitamente em todos os sentidos. Nossa, ele até a perdoara por traí-lo, aceitara seu pedido choroso de desculpas, suas alegações de ser fraca, covarde, e ter sido manipulada pela polícia, pela própria família.

Mas, agora, presos naquele casebre horroroso, quando voltava de um trabalho humilhante e era recebido com uma gororoba nojenta todas as noites?

Eliza o lembrava — todos os dias, todas as horas, todos os minutos — tudo que perdera. A culpa também era dela. Se tivesse lidado com aquela fedelha no andar de cima, ele teria dado um jeito no filho decepcionante e desrespeitoso que a esposa lhe dera.

E, então, ela se virara contra ele, contara seus segredos em troca de uma pena mais branda.

Graham cumprira 18 anos por causa da fraqueza de Eliza.

Já estava mais do que na hora de ela compreender que acabara com sua vida. De aceitar que seria punida.

Se a esposa tivesse cumprido com o combinado, ele ainda seria o Dr. Bigelow. Ainda seria importante. Ainda teria sua vida. E não acordaria, suado, no meio da noite, depois de ter pesadelos com o presídio.

Sim, Eliza o fizera perder tudo, e ele jamais devia esquecer isso. Ela e os filhos que os dois nunca deveriam ter tido eram os responsáveis. Ela o fizera perder quase vinte anos e tinha a cara de pau de insinuar — de novo — que queria um carro, um emprego, uma casa nova.

E o fitou com aquele olhar tristonho ao recuperar a consciência.

Mesmo assim, a esposa foi lavar a louça — ele não precisou reclamar *disso* pela segunda vez — enquanto Graham assistia à televisão, porque o que mais poderia fazer naquelas noites intermináveis no barraco que alugavam como dois fracassados?

Ele não notou a fala arrastada dela no começo — não estava prestando atenção naquela tagarelice irritante. Mas, então, Eliza disse seu nome, como se fizesse uma pergunta, antes de cair no chão, antes de ter uma convulsão.

Graham passou alguns instantes observando, mais fascinado do que assustado, antes de se aproximar para ajudá-la. Mas já sabia, já determinara o diagnóstico, enquanto a observava partir.

Hematoma subdural — uma hemorragia no cérebro. Socos na cabeça tinham esse problema, com tantas veias minúsculas nas meninges. Quando Eliza morreu em seus braços, ele acariciou seu cabelo e até chorou.

Foi quando compreendeu a verdade. Sair pelo portão da cadeia não lhe trouxera liberdade. Aquilo, sim.

Havia dinheiro na casa. Tinha instruído Eliza a fazer saques toda semana, toda semana durante todos aqueles anos. Talvez tivesse previsto, por instinto, que aquele momento chegaria.

Seria fácil conseguir mais, seria necessário conseguir mais, já que cartões de crédito deixavam rastros. E teria de esperar dois dias — apresentar-se ao oficial de justiça na sexta; ir trabalhar no sábado. Suas folgas eram no domingo e na segunda.

Ele poderia — já que ainda não fizera isto — faltar na terça e na quarta, alegar que estava doente. Duvidava de que o supervisor denunciasse sua ausência imediatamente, então teria até uma semana antes de começarem a procurá-lo.

E tinha um carro. Poderia usar estradas secundárias — sem ultrapassar o limite de velocidade — e pagar tudo em dinheiro. Enquanto expectativa e determinação tomavam sua mente, ficou claro que, no fundo, aquele sempre fora seu plano.

Graham não apenas sabia o que fazer, mas também como fazer.

Ele passara anos salvando vidas e haviam arrancado tudo dele. Não seria justo tirá-las agora? Tirar a vida das pessoas que haviam roubado a sua?

— Você me libertou, Eliza. — Graham acariciou seu cabelo, seu rosto. — Fique feliz por mim.

Ele se levantou, foi para o quarto, pegou uma coberta e um travesseiro e arrumou tudo no minúsculo quartinho de hóspedes. Então, levou-a para lá, acomodou-a com cuidado e a cobriu com um lençol.

Ele não era um animal.

$\mathcal{D}$ARBY CONVERSAVA com uma cliente no belo chalé às margens do lago onde ela morava. Observando o cais, o barco, o declive e os frágeis degraus de madeira que levavam até lá, sua mente já se enchia de ideias.

— Aposto que, quando a senhora não está no lago, está aqui fora, olhando para ele — comentou ela.

— É verdade. — Patsy Marsh, uma mulher alegre com 50 e poucos anos, apenas sorriu. — Eu e meu Bill adoramos morar aqui. Nossos filhos já estão na faculdade, mas quando vêm para casa, passam o tempo todo com a gente. Você gosta de velejar?

— Ainda não tentei. Ando muito ocupada.

— Estou vendo. Espero que possa nos ajudar, apesar de isso lotar ainda mais sua agenda. Está vendo — disse Patsy, gesticulando para o declive. — Não podemos ficar aparando aquela grama. Bill falou que não tinha problema, mas acabou caindo com o cortador, e eu resolvi acabar com essa história. Ele não se machucou, mas podia ter sido grave. Então, finalmente cedeu e disse para eu ligar para "aquela garota que ajeitou os chalés da Emily".

— Que bom, porque a senhora tem razão; ele podia mesmo ter se machucado. E sua ideia era colocar plantas rasteiras?

— Algo que a gente não precise aparar, mas que não seja feio.

— Posso recomendar algumas, mas...

— Ih! — Agora, Patsy riu. — Emily me disse para tomar cuidado quando você viesse com "mas".

— Ela me conhece bem.

— Estou aberta a sugestões.

— Gosto de pensar no quintal dos meus clientes como se fosse meu. E a primeira coisa que eu faria aqui seria substituir aqueles degraus por pedras. E torná-los mais largos.

— Já falei para Bill que, um dia, alguém vai acabar torcendo o tornozelo. Continue.

— No declive, eu estenderia este belo pátio com alguns canteiros elevados, combinando com a pedra dos degraus. Eles poderiam ser curvados, acompanhando o contorno do lago, com arbustos baixos e plantas perenes. E, na base, eu colocaria pedras de rio.

— Eu vi o muro que você construiu na casa de Zane. Ficou lindíssimo. Mas é muito estruturado. Acho que não combinaria com nosso chalé.

Ah, pensou Darby, uma pessoa capaz de compreender que nem tudo se adequa a certos ambientes.

Excelente.

— A senhora tem razão, não combinaria. O ideal aqui é algo bonito e um pouco mais... típico de chalé. Como esse tom de bege arenoso do pátio. Eu seguiria esse estilo.

— Nunca consegui plantar nada naquela porcaria de declive.

— Seu jardim da frente é lindo, e as jardineiras do pátio também. A senhora cuida de tudo sozinha?

— Sim, eu adoro jardinagem. E seria ótimo ter plantas aqui. Terraços inclinados — repetiu ela. — Acho que ficaria uma graça.

— Sem dúvida. Olhando da casa, do pátio e do lago. Posso fazer um esboço para a senhora mostrar ao seu marido.

— Isso seria ótimo. E vamos precisar de um orçamento.

— Pode deixar. Só preciso tirar algumas medidas.

— Emily me disse que você teria ideias.

Darby tinha — um milhão — e, terminando com Patsy, foi oferecê-las a outra cliente em potencial no Residencial Lakeview.

Ao lado da alegre e simpática Charlene, ela caminhou pelo quintal dos fundos, que oferecia vista para o lago — um quintal gigantesco.

— Sua casa, sua vista, seus jardins, tudo aqui é deslumbrante. Por que precisa da minha ajuda?

— Eu quero que o quintal continue deslumbrante. Ele não está assim por minha causa. Nós nos mudamos no inverno passado, e Joe e eu estamos nos esforçando para manter tudo como está. Mas nós dois trabalhamos em tempo integral, além de termos um filho agitado de 2 anos, que está com a avó hoje. E o segundo vai chegar em novembro.

— Parabéns!

— Obrigada. Estamos animados. Mas precisamos de alguém que faça a manutenção no outono, a limpeza da primavera e que, pelo menos por um tempo, venha nos ajudar uma vez a cada quinze dias. Os proprietários anteriores fizeram um ótimo trabalho, mas ela era aposentada e adorava jardinagem. E eu fiquei sabendo que os donos antes deles tinham jardineiros.

— E é isso que você quer.

— Mais ou menos. Joe e eu também gostamos de cuidar do jardim. É relaxante e prazeroso. E o quintal é nosso. Mas não sabemos muito bem o que fazer e queremos aprender. Achamos que, quando tivermos um tempo livre, podemos observar enquanto vocês trabalham.

— Esse é o tipo de coisa que eu gosto de ouvir. Não há nada de errado em ter um terreno bonito e contratar alguém para cuidar dele. Mas acho melhor ainda colocar a mão na massa. Vocês são ocupados — acrescentou Darby. — E nós podemos ajudar com isso. A gente faria a manutenção duas vezes por mês e também alguns ajustes conforme a estação.

— Perfeito.

— Posso perguntar quem nos indicou?

— Britt Norten. Trabalhamos juntas na clínica. Sou médica da UTI. E, por coincidência, Britt morava aqui.

— Ela, ah...

Aquela era a casa na qual Zane crescera. Darby se virou para analisá-la de novo; todo aquele vidro a fazia parecer muito aberta. No passado, isso seria fachada. O quintal, cheio de flores, tão gracioso, que transmitia calma, também seria uma farsa.

Será que ele se incomodaria se ela aceitasse o trabalho?

— Você conhece Britt, não conhece?

— Sim, sim, conheço Britt. Conheço a família. Vou lhe dar nossa lista de preços, e, se decidir fechar com a gente, envio o contrato.

— Perfeito. Já que você está aqui, tenho algumas plantas que não consigo identificar mesmo depois de procurá-las em livros e na internet. Talvez você as conheça.

— Claro.

Ela caminhou com Charlene e identificou algumas das plantas misteriosas enquanto a cliente conferia a lista de preços.

Zane, com certeza, andara por ali quando era garoto, talvez descobrira alguns cogumelos, jogara beisebol. Será que sentava-se no cais à beira do lago para sonhar acordado?

Para sonhar com uma maneira de escapar daquele lado oculto que assolava com tamanha violência aquela casa tão bonita?

— É exatamente disso que precisamos.

— Perdão? — Darby obrigou-se a voltar para a realidade. — Eu estava distraída.

— Eu disse que é exatamente disso que precisamos. Pode mandar os contratos para Jon e eu darmos uma olhada mais tarde?

Quando as duas terminaram de combinar tudo, Darby foi embora, dividida entre a alegria de conseguir uma cliente regular duas vezes por mês e a preocupação sobre como Zane se sentiria.

A Mercedes do outro lado da rua teria passado despercebida — o condomínio estava cheio de carros luxuosos — se o motor não tivesse sido ligado assim que ela chegou à picape. O motorista usava boné e óculos escuros, e foi difícil enxergar outros detalhes enquanto ele acelerava e dava a partida.

Darby achou estranho não ter visto o homem andar até o carro nem entrar nele, mas deixou para lá. Sua cabeça continuava em outro lugar.

Ela ainda precisaria fazer mais duas paradas antes de se juntar à equipe. Por fim, tinham conseguido encaixar o trabalho de um dia inteiro no intervalo entre a saída e a entrada de hóspedes no penúltimo chalé.

Mas o viveiro era prioridade, e, como Joy, da Best Blooms, já tinha entrado em contato com sua grande amiga Patsy Marsh, ela queria discutir os terraços planejados e as plantas.

A conversa, que imaginava que duraria dez minutos, acabara durando meia hora, mas tudo foi resolvido. Depois, Darby seguiu para a loja de ferragens e engajou-se em outra conversa. Afinal de contas, ali era o Sul e ela já aprendera a fazer as coisas com calma.

Apesar de seu plano ter sido ir direto para o chalé, parou na recepção quando avistou a picape de Emily estacionada. Para verificar o jardim de pedras, ela fez o caminho mais longo, assentindo com a cabeça, satisfeita, antes de voltar para a porta da frente.

Lá dentro, Emily apertava o telefone entre a orelha e o ombro enquanto digitava.

— Pode deixar. Vocês estão confirmados: quatro pessoas, amanhã, às 8h. Isso mesmo. Sim, vão cuidar disso para vocês. De nada. Até logo.

Depois de soltar o telefone, ela girou os ombros e estalou o pescoço.

— Você devia comprar um *headset*.

— Sempre penso nisso.

— Emily, seu cabelo!

Mordendo o lábio, ela tocou os fios, recentemente cortados na altura da orelha.

— Ficou muito ruim?

— Adorei! Sério! Parece elegante e jovial e... Você fez luzes — acrescentou Darby ao se aproximar.

— Só um pouco, para alegrar o visual.

— Funcionou muito bem. O corte ficou ótimo. Onde você corta? Estou aparando as pontas desde que cheguei, porque, bem, é difícil confiar nosso cabelo a alguém. Mas eu confiaria na pessoa que cortou o seu.

— Sarrie Binkum, do Salão Reflection.

— Lá tem pedicure? Estou fazendo meus pés também. Meu trabalho os maltrata.

— Claro que tem!

— Vou experimentar. E eu estou atrapalhando você.

— Não está, não. Na verdade, você chegou bem na hora, porque eu preciso fazer um intervalo. Vamos sentar lá fora, no meu lindo pátio.

— Cinco minutos.

— Também não tenho mais tempo que isso. Mas é o suficiente para beber alguma coisa gelada e descansar um pouco. — Na cozinha, Emily serviu chá, fazendo o gelo nos copos estalarem. — Eu ia ao Chalé Oito para perguntar se os hóspedes de amanhã podem fazer o *check-in* ao meio-dia. Acha que tudo estará pronto até lá?

— Vou dar um jeito.

— Você é maravilhosa, Darby. — Depois de levar as bebidas para o pátio, Emily sentou-se à mesinha com um alegre guarda-sol listrado. — Vou aproveitar nossos cinco minutos para repetir o que eu disse na casa de Zane na outra noite. Adoro seu trabalho, e você tinha razão. Eu sorrio todas as vezes que olho pela janela. Além do mais, as reservas aumentaram. — Suspirando, ela olhou ao redor. — Eu e este lugar estávamos presos na rotina. Você nos arrancou dela.

— E eu vou agradecer de novo pelas indicações. Consegui duas clientes novas hoje.

— Ora, meus parabéns!

— Uma delas mora na antiga casa de Zane.

Emily fez uma pausa. Depois, concordou lentamente com a cabeça.

— Entendi. Você está com medo de que Zane, Britt e todos nós não gostemos dessa ideia.

— Sim. Bem, não acho que Britt se incomodaria, já que foi ela quem me indicou. A cliente é a Dra. Charlene Ledbecker, que trabalha na UTI da clínica.

— Que bom para Britt — disse Emily.

— Não deve ter sido fácil para ela fazer amizade com a mulher que mora na casa que marcou tanto seu passado.

— Britt é forte. Zane também.

— Eu sei, mas...

— É só uma casa, Darby. Não foi a casa que machucou aquelas crianças. Quer saber o que eu acho?

— Foi por isso que eu vim.

— Converse com Zane e esqueça isso.

— Pode deixar. E eu queria conversar com você também.

— É só uma casa. — Emily deu um tapinha na mão dela. — De vez em quando, penso em Eliza lá. Naqueles momentos em que você não consegue dormir e sua mente começa a vagar e revisitar todos os seus erros.

— Conheço bem esses momentos.

— Eu queria ter me esforçado mais para me aproximar dela, mas, por outro lado, que diferença isso teria feito? Teria mudado alguma coisa? De vez em quando, penso na minha irmã e me pergunto se devia tentar entrar em contato. Nossos pais estão envelhecendo, e faz quase vinte anos que eles não se falam. Será que deviam se falar? Não sei se isso faria diferença ou mudaria alguma coisa. Mas eu sei que Zane e Britt merecem todo o meu apoio e lealdade. Então, não tento encontrá-la. — Ela deu de ombros. — Gosto de ver meu sobrinho feliz. E você o faz feliz.

— Acho que nós dois estávamos prontos, que estávamos prontos para ser felizes. E ser feliz com alguém é um bônus. Agora, vou terminar seu chalé.

— Passarei lá para dar uma olhada assim que puder.

— Fique sentada — disse Darby quando Emily começou a se levantar. Ela deu a volta por trás da cadeira e massageou os ombros da mulher. — Termine seu chá, aprecie o aroma das suas flores.

— Mais cinco minutos. — Esticando a mão para trás, Emily apertou a de Darby. — Continue feliz.

— É isso que pretendo fazer.

ZANE NÃO SABIA muito bem o que esperar quando Darby lhe enviou uma mensagem dizendo que pretendia fazer o jantar. Ainda mais quando ela colocou a palavra "fazer" entre aspas assustadoras.

Mesmo assim, se tudo desse errado, havia pizza congelada ou ravióli enlatado na casa.

Quando ele chegou, depois de ter um ótimo dia, ela estava na cozinha, picando um monte de folhas para o que parecia ser uma salada. E o cheiro da comida misteriosa no forno até que era bom.

Havia uma garrafa de vinho aberta sobre a bancada, ao lado de duas taças.

— É assim que eu gosto! Minha mulher preparando minha boia.

Ele exagerou no sotaque sulista e deu um tapinha no traseiro dela para acompanhar essas palavras.

Quando Darby apenas revirou os olhos e riu, Zane se inclinou para beijar o símbolo do infinito na sua nuca.

— O que estamos comemorando?

— Além do fato de ser terça? Terminamos o penúltimo chalé, começamos a montar sua cascata e eu consegui mais duas clientes.

— Que dia cheio! Pelo visto, eu é quem devia cozinhar.

— Fica para a próxima. Mas pode servir o vinho.

Zane gostava de encontrá-la ali quando chegava em casa. Talvez gostasse tanto que isso o deixava nervoso, mas era só olhar para ela que qualquer nervosismo se dissipava.

Também seria fácil ficar nervoso pela rapidez com que o nervosismo ia embora, mas isso seria paranoia demais.

— Então, o que vamos comer?

— Esta salada muito saudável, que inclui capuchinhas do seu quintal.

— Eu tenho capuchinhas? O que é isso?

Darby apontou para as chamativas flores amarelas e cor de laranja sobre a bancada.

— Flores? — Aquilo o assustou. — Vamos comer flores?

— Elas não só são comestíveis e bonitas, como também muito gostosas. E as folhas também, que já estão na salada.

— Tudo bem, mas você come primeiro.

— Covarde. — Ela puxou uma pétala da flor e a colocou na boca. — Nham.

— Sei. E o que vamos comer além de flores?

— O delicioso macarrão com queijo que eu fiz. Não veio de uma caixa. Fiz tudo do zero.

— Fala sério. Como isso é possível?

— Eu fiz a mesma pergunta quando Hallie e Roy começaram a discutir sobre suas respectivas mães terem a melhor receita de macarrão com queijo do mundo. Comentei qualquer coisa sobre aqueles pacotinhos para micro-ondas darem na mesma e fui amplamente julgada. De verdade. Enfim. — Ela pegou sua taça de vinho, tomou um gole e gesticulou. — Depois dessa humilhação, veio a inspiração. Fiz a de Hallie, porque ela ligou para a mãe na mesma hora e me passou a receita, acrescentando que qualquer idiota conseguiria fazer. Eu sou essa idiota. — Darby gesticulou de novo, tomando outro gole. — E já quero deixar claro que foi bem difícil. Macarrão com queijo parece fácil na teoria. Não quero nem lembrar de tudo que tive que fazer. — O timer apitou. — Bem, está pronto!

Ela foi até o fogão e abriu o forno.

— O cheiro está bom — disse Zane por cima do ombro dela. — A aparência também.

— Sim. Sim.

Darby colocou luvas e levou a travessa para a bancada, onde os dois analisaram o resultado final.

Ela pegou o celular.

— Vai tirar uma foto?

— Não me julgue, Walker. — Ela pegou a travessa de novo e a levou para o quintal. — Traga a salada e o vinho. Vamos começar por ela enquanto o macarrão esfria um pouco. E eu vou encher a cara de vinho se tiver ficado uma porcaria.

Darby tinha colocado flores na mesa de novo — dessa vez, em um vaso de vidro azul que devia ter trazido ou comprado em algum lugar. Zane a observava enquanto ela servia a salada; aquele cabelo curto castanho-avermelhado — ele resolvera continuar chamando-o assim —, aqueles olhos azuis que pareciam uma lagoa profunda, aquelas maçãs do rosto lapidadas como diamante.

— Eu poderia me acostumar com esta vida — concluiu ele. — Chegar em casa e encontrar uma mulher bonita, uma bela mesa posta para o jantar e uma refeição gostosa.

— Eu não me acostumaria com a refeição gostosa. Juro por tudo que é mais sagrado que cavar um buraco no chão rochoso com uma picareta é mais fácil do que cozinhar. E posso dizer isso com certeza, porque fiz as duas coisas hoje.

— Uma mulher de múltiplos talentos. A salada está boa. Até as flores, por mais estranho que pareça. Então, clientes novos?

— Sim. Patsy e Bill Marsh.

— Conheço os dois. São amigos de Emily e Lee, adoram barcos.

— É verdade. Vou criar uma atmosfera de casa do lago, em vez de um ambiente de casa de beira de estrada, porque eles estão quase na beira da água. E eu fui convidada, ou intimada, para um passeio de barco.

— Não gosta de barcos?

— Não é isso. Já passeei em um motorizado e andei de caiaque algumas vezes. Mas nunca velejei. Adoro observar barcos à vela, a forma como deslizam pela água. Parece mágica. Imagino que você saiba velejar.

— Sim. Cresci cercado de barcos. Mas faz anos que não velejo. Deve ser um gatilho. — Do qual ele não se dera conta até aquele momento. — Eu devia testar essa hipótese. Posso alugar um barco para a gente velejar.

— Acho que vou ter que experimentar em algum momento, porque o lago está bem ali. Está pronto para provar o prato principal?

— Mais do que pronto!

— Tudo bem, lá vai. — Um pouco nervosa, ela serviu o macarrão com queijo. E, observando Zane, pegou uma garfada. — Juntos, no três. Um, dois...

Ele comeu, inclinou a cabeça e, então, erguendo um dedo, pegou mais um pouco.

— Está ótimo.

Com nítida surpresa, Darby analisou sua próxima garfada.

— Está muito bom! Quem diria?

— E apimentado também.

— Tabasco. Continua sendo mais difícil que cavar buracos, mas, no fim das contas, igualmente recompensador. — Ela lavantou as sobrancelhas. — O que você iria fazer se estivesse intragável?

— Meu plano era ser sincero, mas solidário, com um toque de "pelo menos você tentou", já que você perceberia se tivesse ficado horrível, e qualquer tentativa de fingir o contrário soaria como um papo-furado ridículo.

— Uma resposta aceitável. Preciso contar sobre meus outros clientes novos.

— Tudo bem.

— Eles se mudaram para cá no inverno passado, para o Residencial Lakeview. Compraram a casa em que você morava.

Zane ficou em silêncio por um instante, mas parou de comer e encheu as duas taças de vinho.

— Certo.

— A dona, Charlene Ledbecker, conhece Britt e trabalha com ela na clínica. Ela é médica. Ele é engenheiro, trabalha em Asheville. O segundo filho deles vai nascer no próximo outono. Queria apenas lhe passar uma ideia do tipo de gente que são.

— Tudo bem.

— Eu não sabia, até Charlene mencionar que Britt tinha morado ali, que aquela era a casa. Eles precisam de ajuda com o quintal duas vezes por mês e na mudança das estações. Querem aprender a cuidar do jardim. E... você não está interessado em nada disso.

— Não muito. Então, você fez macarrão com queijo para mim.

— Inspirada na discussão de Roy e Hallie — insistiu Darby. — O que é mais reconfortante do que macarrão com queijo? Eu tinha que lhe contar, mesmo sabendo que isso traria lembranças ruins.

— Para eu descontar meus sentimentos na comida?

Ela percebeu o tom de voz, reconheceu a irritação.

— Meu plano não era ser condescendente, Zane. Eu queria fazer algo legal para compensar o fato de que iria chateá-lo. Em vez disso, acabei irritando você.

— O que me irrita, Darby, é o fato de você achar que precisa ter tanto cuidado para me contar que conseguiu um cliente que, por um acaso, mora naquela casa.

Ela sentiu suas costas se enrijecendo e sua indignação começar a fervilhar.

— Eu não queria ofender seu ego masculino. Se tive tanto cuidado, foi mais por minha causa do que pela sua. Porque, certo ou errado, eu me sinto culpada. Culpada por lucrar com algo que lhe fez mal.

— Aquele lugar não me fez mal, e, sim, meu ego está ofendido. Eu não teria voltado para Lakeview se não conseguisse lidar com essas coisas. E tanto meu ego como meu cérebro sabem que alguém mora naquela casa. E, se essas pessoas quisessem me contratar para lidar com uma questão judicial, eu aceitaria. Por que agiria diferente?

Darby ficou quieta por um instante, então disse duas palavras:

— Traci Draper.

Ele começou a falar e sentiu sua irritação justificada ir por água abaixo.

— É, bem, você me explicou que era idiotice da minha parte me preocupar com isso, então devia saber que também seria idiotice da sua se preocupar com a casa.

— Para mim, parece a mesma coisa, e você ainda ganhou macarrão com queijo por causa disso. Não me importo de brigar, mas é uma tremenda idiotice ficar irritado porque alguém se preocupa com seus sentimentos.

— Nós não estamos brigando. — Quando Darby lhe lançou um olhar demorado e sério, ele bufou. — Estamos argumentando, e parece que chegamos a um acordo.

Ela sorriu.

— Advogado.

— Culpado. Veja bem, eu passei um tempo odiando aquela casa. Até fiz um desenho dela no meu diário da época. E olhe que meus desenhos são ridículos. Eu a cerquei com os nove círculos do inferno.

— Você leu Dante na adolescência?

— Eu lia qualquer coisa. Era o jeito mais fácil de escapar da realidade por um tempo. Mas já não odeio mais a casa. Ou não a odeio tanto. Não vou me incomodar se você trabalhar lá. Então, não deixe que isso incomode você.

— Tudo bem.

— Viu? Caso encerrado. Vou comer mais um pouco. — Zane se serviu de mais macarrão. — Quer?

— Metade dessa porção.

— O que você acha de deixar algumas coisas aqui em vez de ficar carregando suas roupas na mala?

Isso a pegou desprevenida, surpreendendo-a. Num instante, os dois estavam "argumentando", e, logo depois, ele estava abrindo espaço para ela em seu armário.

— Eu...

— E eu posso deixar algumas coisas na sua casa — continuou Zane no mesmo tom tranquilo —, para aqueles dias chuvosos em que levo comida depois do trabalho e ajudo com a pintura.

— Na primeira vez, eu achava mesmo que seria só uma transa sem compromisso.

— Sim, mas, agora, não é *só* isso.

Não, pensou Darby, não era. Ele já lhe dera uma chave e o código do alarme. Por praticidade; deixar algumas roupas ali atenderia ao mesmo propósito, não? Praticidade.

Por que fazer estardalhaço?

— Quem vai lavar as roupas? — perguntou ela.

— Hum... Eu diria para você lavar o que estiver na sua casa, e eu lavo o que estiver aqui, mas você passa mais tempo aqui do que eu passo lá, então não seria justo. Podemos nos revezar.

— Tudo bem. Trago algumas coisas amanhã. Meu Deus! — Darby afastou o prato. — Ficou ótimo, mas não aguento mais comer.

— Que tal fazermos o seguinte? A gente lava a louça e vai caminhar um pouco para fazer a digestão. Podemos dar uma volta pelo quintal enquanto você me conta o nome de todas essas flores, apesar de eu ter certeza de que vou esquecer tudo.

— Com o tempo, vai acabar lembrando.

Zane sorriu e terminou de comer seu jantar.

— Que bom que você acredita nisso, querida!

Tomando o vinho, Darby refletiu sobre o que havia acontecido. Os dois tiveram sua primeira briga, mais ou menos, e resolveram o problema. Concordaram em deixar itens pessoais na casa um do outro.

E ele a chamara de *querida* pela primeira vez, naquele lindo sotaque arrastado de High Country.

Não havia dúvida alguma de que tinham acabado de entrar na próxima fase de seu relacionamento, seja lá qual fosse ela.

Capítulo 18

♦ ♦ ♦ ♦

Graham pagou em dinheiro por seus quartos em hotéis de beira de estrada durante a cautelosa viagem entre Raleigh e Lakeview. Ele usou o wi-fi grátis e o tablet de Eliza para buscar informações sobre Emily, o detetive Lee Keller, seu — obviamente incompetente — advogado, o promotor de justiça, o juiz que presidira o caso.

Todos eles, sem exceção, haviam colaborado para arruinar sua vida, a humilhá-lo. Então, era justo que os destruísse também.

Infelizmente, o juiz tinha morrido seis anos atrás. Graham só podia ter a satisfação de imaginá-lo queimando no inferno.

O promotor se aposentara e se mudara para as Ilhas Salomão, então teria de esperar. O advogado, também aposentado, ainda vivia em Asheville.

Seu fim viria mais rápido.

Ele sabia disso porque Eliza lhe contara, em uma das visitas ao presídio, que a piranha nojenta da cunhada casara com o policial corrupto. E sabia que, agora, o policial era o delegado de polícia de Lakeview e que o casal tinha dois filhos.

Havia tantas formas de machucá-los. Enquanto Graham estava sentado no quarto de hotel, com a televisão ligada para alertá-lo se as buscas por ele haviam começado, ficou imaginando todas elas.

A ideia de colocar fogo naquela casa caindo aos pedaços, com a família inteira lá dentro, parecia adequada.

Ele pensou em Dave Carter, o babaca do vizinho intrometido. Ah, ele tivera sua parcela de culpa. Hora de acertar as contas. Em letras de forma, o nome de Dave Carter foi acrescentado à lista no caderno que comprara no Walmart.

Talvez um acidente trágico. Cortar o freio do carro. Ele poderia pesquisar como fazer isso — era fácil encontrar qualquer coisa na internet.

E, então, é claro — e mais importante —, havia a prole que traíra o próprio pai. O pai que colocara um teto sobre suas cabeças, que lhes dera o que vestir, o que comer.

O pai que lhes dera a vida. O pai que lhes tiraria a vida, que a tiraria com as próprias mãos.

Graham releu a lista de nomes várias vezes. Meticuloso, anotou toda e qualquer informação que lembrava ou encontrava sobre cada uma daquelas pessoas.

Detalhou cada mal que lhe haviam feito, preenchendo linhas, linhas e mais linhas.

Antes de dormir, ele se forçou a fazer cinquenta flexões, cem abdominais, agachamentos, passadas. Todas as manhãs, repetia a série, usando a lista de vingança para impulsionar o corpo.

Quando dormia, sonhava que operava seus pacientes, executando milagres que apenas Deus poderia imitar. E, como Deus, ele julgaria aqueles que o haviam traído.

Graham não se barbeava pela manhã. Fazia três dias agora, e a barba, que crescia, ajudava a esconder seu rosto. Ele passava um produto no cabelo para esconder os fios grisalhos e continuaria a usá-lo enquanto os fios cresciam.

Junto com o caderno, comprara um boné de beisebol, óculos escuros, tênis baratos, calças jeans e camisetas. A prisão lhe ensinara algumas coisas — misturar-se à multidão, de modo a não chamar a atenção para si mesmo, era fundamental. Assim como mudar a placa do carro — coisa que já fizera duas vezes.

Ao entrar em Lakeview, ele tremia de ansiedade e empolgação.

As coisas haviam mudado. Um sinal de trânsito onde antes não havia nenhum. Lojas, restaurantes novos. Isso o deixou furioso e desorientado.

Graham precisou encostar o carro para se localizar, para respirar fundo e se recuperar daquilo que identificava como um ataque de pânico — afinal de contas, ele era médico, porra.

O suor escorria por seu rosto; o coração batia disparado. A visão embaçou, ficou dupla por um instante. Mas a nitidez voltou quando viu o filho da puta de Zane atravessando a Rua Principal como se fosse o dono dela.

Ele tinha deixado o cabelo crescer como um *viadinho*, estava com os ombros mais largos, crescera, mas era fácil reconhecer seu maldito filho. Graham precisou reunir todas as forças para não pular do carro bem ali e dar a surra que aquele desgraçado merecia.

Isso teria de esperar. Seria melhor se os dois estivessem sozinhos.

Ele observou Zane subir os degraus até uma varanda e entrar em um prédio. Cogitou segui-lo — talvez ficassem sozinhos lá dentro —, mas viu movimento na grande janela da fachada. Uma mulher, vagamente familiar, com quem Zane conversava diante do vidro.

O escritório dele. Apesar de o garoto se achar importante agora, Graham sabia a verdade. O fracote desgraçado não aguentara Raleigh, então voltara para Lakeview com o rabo entre as pernas.

E, ali, sua traição, finalmente, seria vingada.

Mais calmo, ele foi para o Residencial Lakeview. O condomínio também estava diferente, percebeu. Havia um parquinho para pessoas que não conseguiam manter os filhos em casa, onde deveriam estar. Graham viu crianças em balanços, escorregas, bicicletas — muitas sem a supervisão dos pais.

Ridículo.

Então, seguiu para sua propriedade — que não era mais a maior do condomínio, já que vários vizinhos exibidos haviam acrescentado cômodos extras sobre as garagens, ou solários e varandas fechadas.

Mais uma vez, ele estacionou e, dessa vez, analisou a casa. Sua casa. Os desconhecidos que moravam ali agora não passavam de invasores. Na época em que o mundo fazia sentido, Graham os despejaria dali em um estalar de dedos.

Agora, o intruso era ele. E a culpa era de Zane.

A ideia de arrombar a porta passou por sua cabeça, para ver o que os invasores haviam feito com seu lar. Ele descobriria seus nomes e os colocaria na lista.

Enquanto pensava em uma forma de se vingar, uma mulher saiu pelos fundos e se aproximou da picape na entrada.

Vestida como um homem, pensou Graham. Cabelo curto como o de um homem. Devia ser lésbica. Aquilo era intolerável! Ele devia ir até a *sua* casa e arrastá-la para fora, puxando-a pelo cabelo de sapatão.

Mas, quando a mulher olhou na sua direção, o nervosismo o dominou, abalando-o, e ele deu partida, saindo rapidamente dali. Aquele não era o momento certo, disse a si mesmo. Não era a tensão que o movia, mas, sim, a força de vontade.

Graham se trancou no quarto do hotel e se serviu de um copo de uísque para se acalmar. Mas apenas um. Havia trabalho a ser feito.

Ele sentou-se com o tablet de Eliza e sua lista de nomes, começando a fazer buscas nas redes sociais. Foi fácil encontrar o site do escritório de advocacia de Zane e o dos chalés decrépitos de Emily. Enquanto os analisava minuciosamente, sua raiva fervilhava. Emily tinha uma página no Facebook para os negócios, mas a pessoal era privada. Apesar de ele ter aprendido algumas coisas na prisão, não sabia como invadi-la.

Os fedelhos dela também não deixavam as páginas públicas — nem Britt ou Zane. Mas a mãe idiota de Eliza lhe deu o que queria.

Um precioso catálogo de fotos e notícias da família para quem quisesse ver.

Tudo que ele precisava, exposto e postado pela velha tagarela. Graham analisou uma foto daquelas pessoas patéticas, descrita como o primeiro churrasco na casa nova de Zane. Outra com um dos fedelhos de Emily e o filho desgraçado.

Os netos, Zane e Gabe na frente da casa, com inúmeros comentários de embrulhar o estômago sobre como Gabe gostava de paisagismo, seu emprego de férias. Graham leu toda aquela idiotice apenas para tentar encontrar algo útil.

Em seguida, analisou a casa. Ele a vira enquanto dirigia lentamente em torno do lago, uma construção ridícula no topo da colina.

Agora, sabia exatamente onde encontrar o filho para terem aquele momento a sós.

ZANE ACORDOU assim que as luzes de segurança se acenderam. Quando ele girou para fora da cama, Darby nem se mexeu. Por experiência, sabia que a mulher conseguiria dormir ao som de canhões e só acordaria quando seu despertador biológico tocasse.

No caminho para as portas da varanda, ele pegou uma calça e a vestiu. Foi quando viu o brilho vermelho do farol traseiro de um carro afastando-se.

Alguém entrara na rua errada e percebera o engano quando os sensores de movimento acenderam as luzes. Satisfeito com essa conclusão, Zane voltou para a cama, onde Darby parecia desmaiada.

Ele nunca conhecera alguém que se encaixasse tanto nesse clichê. Quando ela caía no sono, permanecia praticamente imóvel e muda até o amanhecer. O que a tornava uma ótima companheira de cama para alguém que sofria de um caso crônico de sono leve.

Zane voltou a dormir, mas foi acordado uma hora depois pelo celular. Seu coração martelava no peito — outro clichê, mas ligações às 4h nunca eram boas. Assim como o fato de o nome da empresa de segurança aparecer na tela.

— Zane Walker.

Apesar de a Bela Adormecida não precisar disso, ele saiu do quarto enquanto falava com a empresa sobre uma possível invasão no seu escritório. Apesar de lhe garantirem que a polícia fora avisada, Zane voltou para o quarto e acendeu as luzes na intensidade mais baixa possível para encontrar suas roupas.

O celular tocou de novo.

— Zane, aqui é Silas.

— Acabei de falar com a empresa de segurança.

— Pois é, alguém jogou uma pedra na janela do seu escritório. Olhe, recebemos três ligações sobre situações parecidas. Deve ser alguma brincadeira idiota.

— Puta merda!

— Dei uma olhada pelas janelas, mas não encontrei nenhum outro problema. Sei que você vai querer ver por si, mas não precisa ter pressa. Ninguém entrou. Estou vendo a droga da pedra no chão, e as portas estão trancadas.

— Tudo bem. Estou indo, mas vou me arrumar primeiro.

— Venha com calma. Está tudo sob controle.

Zane se vestiu e pegou os documentos do seguro no escritório de casa. Lá embaixo, fez café e, depois, preparou uma segunda xícara — leite extremamente adocicado, com um leve gosto de café. Levou as duas xícaras para o quarto. Ele podia deixar um bilhete, mas Darby acordaria dali a vinte minutos de toda forma.

O fato de os olhos dela se abrirem naquele momento o deixou boquiaberto.

— Café — disse ela.

— O cheiro de café faz você sair do seu coma, mas luzes e o barulho do telefone, não? Qual é o seu problema?

— Café — repetiu Darby, aceitando a xícara que ele oferecia. — Quem ligou?

— Alguém jogou uma pedra na janela do meu escritório.

— O quê? Puxa vida! — Ela piscou, focando sua visão. — Ah, Zane.

— Pelo visto, tem alguém fazendo isso por toda Lakeview hoje à noite. Vou dar uma olhada no estrago.

— Quer que eu vá junto? — Darby afastou a franja do rosto. — Fico pronta em dois minutos.

— Não, mas obrigado. Foi o que Silas disse; deve ter sido uma brincadeira idiota. Vou resolver tudo. Tomo café da manhã por lá.

— Tudo bem. Sinto muito. Que droga!

— Pois é, uma droga mesmo! — Ele se inclinou, dando-lhe um beijo. — Até mais tarde.

— Mande mensagem — gritou Darby. — Quero notícias.

— Pode deixar.

Ela bebeu metade do café na cama — de preguiça — enquanto o cérebro acordava. Que forma horrível para Zane começar o dia! Vandalismo nunca fazia sentido, na sua opinião. Grafites criativos em prédios abandonados eram arte urbana, mas vandalismo desproposital era idiotice.

Que tipo de satisfação ou adrenalina alguém sentia ao destruir a propriedade dos outros?

Darby levantou-se e, já que tomara banho na noite anterior — com Zane —, vestiu suas roupas de trabalho. Seu plano era beber um pouco mais de café, comer cereal e verificar a previsão do tempo.

E ir adiantando a cascata.

Enquanto descia, acendeu as luzes. Depois de ajustar a cafeteira de Zane para preparar metade de uma xícara, verificou a previsão do tempo no tablet da cozinha.

Quente, úmido, possibilidade de tempestade no fim da tarde ou à noite. Típico. Bocejando de sono, ela serviu o cereal e pegou os mirtilos que estocara na geladeira para as manhãs que acordasse ali.

Enquanto botava leite e açúcar no café fresco, as luzes de segurança se acenderam. Seu primeiro pensamento: um cervo.

Darby tinha o hábito de pôr seu repelente orgânico caseiro nos quintais, ou pedia a Zane e aos homens da equipe que fizessem xixi nos arbustos — outro repelente de alta qualidade, achava ela. E instalara muitas plantas resistentes a cervos por ali.

Mas era impossível prever as ações do Bambi.

Ela desligou o alarme, abriu a porta da cozinha e saiu, determinada a expulsar os invasores.

O golpe a acertou como um míssil, jogando-a para trás, contra a bancada da cozinha, e a derrubando no chão.

Por um instante, confusa, Darby imaginou um animal com uma gigantesca galhada entrando pela porta. Então, viu o homem.

— Parece que Zane arrumou uma putinha. Que é igual a um homem. Faz sentido. — Ele fechou a porta. — Eu vi sua picape. Só queria que me deixasse entrar enquanto ele está no centro da cidade. Obrigado pelo favor. — O homem veio na sua direção com as mãos fechadas em punhos. — Agora, você vai ficar quietinha aí no chão.

Porra nenhuma.

Darby pulou, girando, e deu um chute forte na barriga dele. O instinto a fez sair correndo enquanto o homem cambaleava. Ela conseguiria sair, despistá-lo na floresta.

Mas como avisaria a Zane se seu celular estava no carregador?

Então, ela virou, com o coração disparado, e assumiu a postura de combate. Iria se defender.

Com os olhos faiscando, o homem atacou. Rápido, pensou Darby, ele é rápido, e, usando o impulso dele enquanto girava para fora do caminho, deu-lhe um chute nos rins. Ele derrapou e caiu de joelhos.

— Agora, fique aí.

O sujeito levantou, dando socos. Darby bloqueou um golpe com o antebraço e sentiu o impacto reverberar até seu ombro. Em seguida, ela se esquivou e ergueu a base da mão. Sentiu o osso se partir enquanto quebrava o nariz dele.

O homem conseguiu acertá-la, socou seu ombro já latejante e mirou seu rosto com a mão esquerda. Ela afastou o braço que tentava atacá-la, deu um chute alto e acertou seu queixo. Quando o desconhecido cambaleou para trás, ela lançou o pé — dois chutes fortes e ágeis — contra sua virilha.

Dessa vez, ele caiu e não se levantou.

E Darby correu.

Zane estava parado no escritório, com as mãos nos bolsos. Apenas vidro quebrado, lembrou a si mesmo. Ninguém tinha se machucado, e era um problema fácil de resolver. O seguro cobriria.

Mas era incômodo e inquietante saber que alguém destruíra algo seu deliberadamente.

— A única pessoa com quem tive algum problema desde que voltei foi Clint Draper — explicou a Silas.

O cunhado, com o cabelo louro-escuro ainda um pouco amassado da cama e o rosto magro exibindo a barba por fazer, concordou com a cabeça.

— Eu sei. Vamos investigá-lo. Mas, como eu disse, recebemos três denúncias de janelas quebradas em um intervalo de quinze minutos.

— Todas na Rua Principal?

— Acho que não. Preciso verificar. Ginny está de plantão hoje. Foi ela quem me ligou quando foi avisada sobre seu escritório. Ela cuidou das outras duas chamadas, mas achou que eu iria querer ficar com esta. Moro a dois minutos daqui e faço parte da família. Por falar nisso, achei melhor avisar ao delegado. — Silas balançou a cabeça enquanto encarava a pedra e os cacos de vidro. — A gente não costuma ver esse tipo de vandalismo por aqui. Algumas caixas de correio quebradas na estrada do lago, moleques jogando papel higiênico no quintal dos outros de vez em quando, carros arranhados, essas bobagens.

— Bem, se algum desses delinquentes precisar de um advogado, pode me indicar.

— Está certo. — O rádio apitou. — Espere um pouco. — Silas se afastou e voltou depois de uma conversa rápida. — O delegado está a caminho. Ele quer que você espere. Disse que precisam conversar.

O cunhado era bom em esconder o que estava pensando, mas Zane o conhecia bem demais para não perceber que estava preocupado.

— O que houve?

— Ele entrou em contato com a polícia de Raleigh, só para se certificar de que Graham Bigelow está no lugar certo.

— Por quê?

— A casa de Dave Carter foi um dos alvos do vandalismo. E a casa em que vocês moravam no Residencial Lakeview também. Isso faz com que haja uma conexão, Zane. Então é melhor garantir.

— Por que raios ele... Darby. — O medo o fez gelar. — Ela está sozinha na minha casa.

Zane correu para fora do escritório antes que o cunhado conseguisse segurá-lo e saiu cantando pneu ao mesmo tempo que Lee estacionava a viatura.

— Entre — gritou o delegado para Silas. — Acabamos de receber um chamado da casa de Zane.

— Darby está lá.

— Eu sei. Foi ela quem ligou.

O Porsche chegou a 130 quilômetros por hora antes mesmo de sair do centro da cidade, e Zane não diminuiu. Ele tentava usar o bluetooth para ligar para Darby, para avisar que precisava se esconder, se trancar em algum lugar, quando o celular tocou.

— Darby. Você precisa encontrar um lugar seguro, trancar a porta. Acho que Graham vai tentar entrar na casa.

— Tarde demais. Estou bem. Já chamei a polícia.

— Estou chegando.

— Estou bem. Não foi nada grave. Eu... estou vendo você. Não precisa correr. Jesus Cristo, não bata o carro! Eu estou bem.

Zane a via agora, sob o clarão das luzes de segurança, sentada nos degraus da varanda. Seu rosto estava tão pálido que a mancha de sangue em sua pele brilhava.

Enquanto ele freava, derrapando, ela se levantou, perdeu o equilíbrio e sentou de novo.

Zane a ergueu.

— Onde você se machucou? O que ele fez? Para onde foi?

— Estou bem. Ele tentou, mas não me machucou de verdade. E não foi a lugar nenhum, está lá dentro.

O corpo dele gelou e enrijeceu.

— Lee está chegando. Ouviu as sirenes? Fique aqui, espere por ele. Fique aqui, Darby.

Zane entrou, preparado, talvez até mesmo ansioso para atacar o homem que ousara ferir alguém que lhe era tão precioso.

E encontrou o Dr. Graham Bigelow caído no chão, desmaiado, as pernas e os braços amarrados com... cordas elásticas.

— Havia algumas na minha picape — disse Darby, da porta.

— Você fez isso?

— Eu... estou um pouco enjoada.

Quando ela cambaleou para o quintal, Zane a segurou de novo e a ajudou a sentar.

— Coloque a cabeça entre as pernas. Respire devagar, querida. Respire.

Ele esperou até Lee estacionar atrás de seu carro e ficou observando o delegado e Silas saltarem.

— Graham está lá dentro. Não vai causar problemas. Darby já cuidou dele.

— Ela se machucou? Quer que eu chame uma ambulância?

— Acho que não. — Zane continuou esfregando as costas dela em gestos lentos, porém firmes. — Só está um pouco nervosa. Se ela tiver que ir até a clínica, posso levá-la. Vocês podem decidir se *ele* precisa de um médico.

— Eu estou bem — repetiu Darby, mas continuou com a cabeça entre os joelhos.

Silas voltou para o quintal e se agachou diante dela. E usou o mesmo tom tranquilo com que falava com Audra.

— Meu bem, você amarrou aquele filho da puta com cordas elásticas?

— Era o que eu tinha.

— Que tal nós entrarmos para você sentar no sofá e tomar uma água gelada? Se não quiser ir para a clínica agora, posso ligar para Dave Carter e pedir que ele venha até aqui dar uma olhada em você.

— Ligue para ele, Silas — disse Zane. — Eu devia ter pensado nisso.

— Não estou machucada — começou Darby, mas Zane a ignorou e a pegou no colo. — E eu consigo andar.

— Não — disse ele, levando-a para dentro.

Os dois passaram direto por Graham e Lee, que trocava as cordas elásticas por algemas, e foram para o sofá do salão.

— Sente-se.

— Vai me dar um petisco agora?

— Pare com isso. — Zane foi até a cozinha, pegou uma garrafa de água, voltou, umedeceu um pano e melhorou o mau humor dela ao limpar o sangue de seu rosto com delicadeza. — Não é seu sangue — murmurou ele e lhe deu um beijo na bochecha.

— Não. É dele. Quebrei o nariz dele. Por você.

Aquela declaração acabou com sua compostura. Zane agarrou a mão livre dela, pressionou-a contra os lábios e a manteve ali. Então, olhou-a bem nos olhos.

— Não sei o que dizer.

— Bom trabalho?

— Ah, meu Deus, Darby.

— Aqui. — Ela ofereceu a água. — Acho que você também precisa de um gole. E talvez seja bom a gente passar um minuto aqui para recuperar a compostura.

Lee os encontrou daquele jeito, sentados, passando a garrafa de água um para o outro.

— Dave e Jim estão vindo. Silas vai ficar com Bigelow, e eu chamei mais dois agentes. Ele vai precisar de cuidados médicos, então vamos levá-lo. Você se machucou?

— Não muito.

— Sua camisa está suja de sangue.

— Não é meu. Quebrei o nariz dele e lhe dei um chute na cara. E outro no saco. Sou... sou faixa preta. De Kung Fu.

Suspirando, Lee sentou-se.

— Já se acalmou o suficiente para me contar o que aconteceu?

— Sim. Eu estava um pouco nervosa antes. Nunca tinha... Treinos e competições não são a mesma coisa. Eu estava na cozinha e as luzes de segurança se acenderam. Achei que fosse um cervo. Sempre passo repelente nos quintais, mas eles são espertos. Então, desliguei o alarme, abri a porta dos fundos para sair e expulsá-lo. Fui pega de surpresa. Ele se jogou em cima de mim. E esse foi seu erro.

— Erro?

— Se tivesse me dado um soco, provavelmente teria me desorientado, talvez eu tivesse desmaiado, mas ele apenas me atirou contra a bancada, acho. Eu caí, fiquei um pouco tonta, mas não perdi a consciência. Acho que o vi ontem, estacionado na frente da casa dos Ledbecker.

— Você notou o modelo do carro?

— Era um sedã preto de quatro portas. Não entendo nada de carros, então não sei a marca, mas parecia caro. E novo, mas não tenho certeza.

— Tudo bem, você caiu no chão. E depois?

— Graham me xingou e disse alguma coisa sobre ter visto minha picape.

— As luzes acenderam pouco depois das três — comentou Zane. — Eu vi a luz de um farol se afastando quando levantei. Ele deve ter vindo até aqui e descobriu que eu não estava sozinho.

— Ele deve ter me visto entrar na picape na casa dos Ledbecker e juntou os pontos. Espere, Graham disse que queria que eu o deixasse entrar enquanto Zane estava na cidade. A janela quebrada do escritório. — Chiando, ela bateu na cabeça. — E eu caí na armadilha. Bem, as coisas não aconteceram como o planejado, não é? Ele queria que eu ficasse quieta, no chão, e veio para cima de mim. Mas eu me levantei. E ele pareceu achar graça da ideia de eu tentar me defender. Só que não imaginava que eu fosse acabar com a raça dele. — Lágrimas escorriam, fazendo-a pressionar os olhos. — Desculpem.

— Não precisa se desculpar — ordenou Lee. — Podemos conversar mais tarde.

— Não, não, eu estou bem. Graham não sabe lutar, só bater e machucar os outros. Eu o machuquei primeiro, mas ele não desistiu. Então, eu o derrubei e comecei a correr, mas percebi que não estava com meu celular, que até poderia me embrenhar na floresta para despistá-lo, mas não poderia avisar Zane nem ligar para a polícia. Resolvi cuidar do problema. — Ela precisou de um minuto para secar as lágrimas e beber mais água. — Graham se levantou, e eu... cuidei do problema. Quando ele desmaiou, corri para a picape. Achei as cordas elásticas para amarrá-lo, para o caso de ele acordar antes de eu conseguir chamar ajuda. E foi isso.

Ela tentou se levantar, mas Zane a pressionou contra o sofá.

— Quero uma Coca.

— Eu pego. Fique sentada.

Quando ele entrou na cozinha, viu Dave se aproximando rapidamente com seu parceiro Jim logo atrás. E Graham sentado, com as mãos algemadas às costas, o rosto cheio de sangue e hematomas.

— Que prazer encontrar você, Graham! — Dave fez uma pausa para encará-lo com zombaria. — É bom vê-lo assim. Cuide dele, Jim. Vou dar uma olhada na moça.

Ele seguiu para os fundos da casa; seus olhos encontraram os de Zane por um longo instante. Então, aproximou-se de Darby, agachou-se e sorriu.

— Como vai, heroína?

— Estou bem.

— Vamos ver. Está sentindo tontura, enjoo?

— Não. No começo, sim, mas foi só o susto.

Dave abriu seu kit de primeiros socorros e pegou o medidor de pressão.

— As juntas dos seus dedos estão inchadas e feridas. E seu braço esquerdo está roxo também.

— Bloqueei um soco. Ele é forte.

— E gosta de bater na barriga dos outros.

— Mas não na minha. Até conseguiu acertar o meu ombro, que já estava latejando por eu ter bloqueado o soco, acho; a adrenalina deixou tudo meio confuso. Estou um pouco enferrujada, foi por isso que ele me pegou.

— Se isso é estar enferrujada — comentou Lee —, quero ver o que você consegue fazer em plena forma.

— Eu também — concordou Dave. — Vamos ver esse ombro.

Quando ela começou a tirar a camiseta, Lee se levantou.

— Estou de top — disse Darby. — Você veria gente mais despida na academia, não se preocupe.

O ombro doeu, mas, trincando os dentes, ela se despiu. Virando a cabeça, deu a primeira olhada no estrago.

— Certo, que merda! Ele me acertou feio.

— As costas dela estão roxas e arranhadas. — A voz de Zane era de uma calma gélida, diretamente oposta ao seu sangue, que fervilhava sob a pele.

— Só está um pouco dolorido. — Para provar, Darby ergueu o cotovelo e, depois, o braço, girando o ombro para trás e para frente. — Não distendi nem quebrei nada. Consigo me mexer. Sei como é a dor de quebrar alguma coisa. Está tudo bem. Nada que um relaxante muscular não resolva.

— Depois de uma visita à clínica — disse Lee.

— Não preciso...

— Vou levá-la — interrompeu Zane.

— O caso de Bigelow só pioraria se você precisar de cuidados médicos — argumentou o delegado. — Isso nos ajudaria.

— Tudo bem, tudo bem. Mas preciso falar com minha equipe. Eles devem estar lá fora, sem entender nada.

— Já volto.

Quando Dave foi conversar com Jim, e Lee saiu para atender ao telefone, Zane pegou um saco de ervilhas congeladas na geladeira.

— Nunca como nada disso — disse ele enquanto entregava a Coca a Darby e colocava a embalagem congelada em seu ombro. — Mas sempre as deixo no congelador.

— Ah, eu também. São só uns arranhões, Zane.

— Eu sei. — Mesmo assim, ele acariciou seu cabelo. — Mas você precisa ir à clínica.

— Vamos levar Bigelow para Asheville — disse Dave. — Nossa Jackie Chan acabou com ele. Nariz quebrado, olhos roxos, alguns dentes moles. Talvez a mandíbula esteja quebrada. E os bagos doloridos. Lee vai mandar dois policiais com a gente. E você. — Dave se aproximou, segurou o rosto de Darby e lhe deu um beijo. — Vamos avisar à clínica que está a caminho. — Então, foi até Zane, passou um braço em torno de seus ombros e o apertou. — Não se preocupe. Já o pegamos.

Quando levantou, Darby sentiu todos os músculos protestarem, uma rigidez no corpo que não estava pronta para admitir.

— Preciso trocar de blusa. Preciso falar com a minha equipe.

— Eu pego uma camiseta para você.

— Se eu não me mexer, vou ficar dolorida.

Ele estava com medo de perder o controle, de simplesmente perder o controle.

— Deixe que eu cuide de você.

— Você está cuidando de mim, desde que chegou aqui dirigindo como um louco. Acredite, isso fez diferença. Mas, tudo bem, pegue a camiseta e me leve para a clínica depois de eu conversar com o pessoal.

— Zane. — Lee voltou. — Preciso falar com você.

— O que houve?

Ele percebeu que algo sério estava por vir.

Darby deu um passo para trás.

— Vou só...

— Não. — Zane segurou a mão dela, mantendo-a ao seu lado. — O que houve?

— Recebi uma ligação de Raleigh. A polícia local conseguiu entrar na casa dos Bigelow. Eliza está morta, Zane. É provável que tenha acontecido há alguns dias. Vão fazer uma autópsia para determinar a causa da morte.

Darby chegou mais perto e apertou a mão dele.

— Eu devia sentir alguma coisa, mas não sinto. Talvez mais tarde.

— Não quero que você se preocupe com isso. Vou cuidar desse assunto.

— Emily. Meus avós.

— Deixe comigo. Cuide da sua namorada, e deixe o resto comigo. — O delegado segurou o ombro de Zane com firmeza. — Deixe comigo.

Entorpecido, anestesiado, ele apenas continuou parado onde estava.

— Quero saber os detalhes quando você descobrir.

— Pode deixar. E eu quero saber os detalhes sobre o seu estado, Darby, então vá para a clínica. Preciso de fotos dos ferimentos.

— Claro. Tudo bem.

— Vou pegar uma camisa limpa para ela.

Concordando com a cabeça, Lee tirou o celular do bolso.

— Deixe Zane cuidar de você, está bem? Isso vai ajudá-lo.

Darby vira a inexpressão nos olhos dele, sentira a completa imobilidade em seu corpo.

— Nós vamos cuidar um do outro.

Capítulo 19

♦ ♦ ♦ ♦

Enquanto, em uma coincidência estranha, a médica que morava em sua antiga casa examinava Darby, Zane foi até o consultório de Britt. Ele a encontrou antes da primeira consulta do dia, e o sorriso surpreso da irmã desapareceu quando ela viu seu olhar.

— Acho que você devia sentar.

— A vovó. — Enquanto obedecia, Britt levou uma mão ao peito. — O vovô.

— Não, não é isso. — Geralmente, era melhor ir direto ao ponto. — Eliza morreu.

— Ah. — Enquanto sua mão escorregava para a mesa, ela soltou um suspiro demorado, trêmulo. — Isso não me surpreende. Por que me surpreenderia? Ele a matou.

— Ainda não é oficial, mas é claro que sim. E tem mais.

Enquanto Zane contava tudo, Britt levantou-se, foi até a janela e deu a volta na sala, apertando as mãos.

Ele não devia se admirar com a força da irmã, mas ela sempre o impressionava.

Quando Britt falou, sua voz esboçava um toque de condolência.

— Graham podia ter seguido com a vida. Os dois podiam. Mas não era suficiente. Nós o fizemos perder tudo; foi assim que ele viu as coisas. Não conseguia pensar de outra forma. Nós precisávamos sofrer. Ele pretendia matar você.

— E Darby também, só porque ela estava lá. Só porque estava comigo. Se pudesse, ele teria ido atrás de você.

A única reação de Britt foi concordar com a cabeça.

— Sim, você primeiro; depois, eu. E, então, Emily, Lee, Dave e, provavelmente, Charlene e Joe, porque moram na casa que ele ainda via como sua. — Ela apoiou o quadril na mesa. — Deve haver uma lista, escrita ou na cabeça dele. Todo mundo que Graham considera responsável por arruinar sua vida. Lee devia verificar, só para garantir, se Lakeview foi sua primeira parada. Imagino que sim, que você seria a prioridade, mas a polícia precisa procurar o advogado dele e o juiz que deu a sentença.

— Meu Deus! — Em contraste com a calma admirável da irmã, Zane passou uma mão pelo cabelo. — Eu devia ter pensado nisso. Lee já deve ter feito essa conexão.

— Depois de tudo que aconteceu hoje cedo, muito me surpreende você se lembrar do próprio nome. Ele não conseguiria machucá-lo, Zane. Graham não sabe nada sobre o homem que você é.

— Darby o impediu. Ele não sabia nada sobre a mulher que ela é.

— Darby, meu Deus! — Britt esfregou o rosto. — Charlene é uma boa médica. Se tiver acontecido algo mais sério, ela vai descobrir. Eu quero fazer uma visita, mas, droga, nem sei o que dizer.

— Você vai pensar em alguma coisa. — Zane se surpreendeu ao abrir um sorriso, mesmo que breve. — É um talento seu.

— Eu devia desmarcar minhas consultas. Talvez Emily precise de mim. As duas eram irmãs. E a vovó, o vovô... Não importa o que aconteceu, ela era filha deles. Ah, meu Deus, Zane, como vamos ajudá-los? O que podemos fazer para ajudá-los?

— Vamos dar um jeito. — Ele a puxou e a abraçou. — Vamos dar um jeito — repetiu. — Nós ficaremos bem, não é? Nós dois? Conseguimos superar o pior. Vamos conseguir superar isso, e eles também.

— Que bom que você está aqui! Que bom que voltou para casa! — Ela o apertou e se afastou. — Tive uma ideia. Sei de uma coisa que pode ajudar Emily, a vovó e o vovô. Uma coisa boa.

— Desembucha.

— Fiz xixi num palitinho hoje cedo.

Confuso, Zane estreitou os olhos.

— Por que raios você... — Mas, então, seu cérebro começou a funcionar. — Ah. Sério?

— Acho que positivo seria um termo melhor. Ainda nem contei para Silas, porque ele estava... Bem, você sabe onde ele estava. Eu ia esperar algumas semanas para contar a todo mundo, mas, dane-se, acho que todo mundo merece receber uma boa notícia agora. A gente queria que nossos filhos tivessem idades próximas, então botamos a mão na massa.

— Que ótimo, Britt, que notícia maravilhosa!

— E isso mostra quem somos. Estamos moldando nossas vidas, vivendo; nós dois, Zane. Sim, ficamos bem. Os dois não conseguiram nos tirar isso. Somos quem somos, apesar dos nossos pais.

Apesar dos nossos pais, pensou Zane. E, em alguns aspectos, por causa dos dois. Ele voltou para a UTI e, enquanto esperava, ligou para Maureen.

Provavelmente, ela já ficara sabendo da fofoca, mas ele lhe contou os detalhes, disse que estava bem, que levara Darby à clínica. E lhe pediu para entrar em contato com o seguro e desmarcar as reuniões do dia.

O trabalho teria de esperar.

Darby, aparentando estar um pouco irritada, saiu do consultório com a bela e grávida Dra. Ledbecker.

— Você deve ser Zane. Sou Charlene. Esta aqui está sob seus cuidados hoje?

— Ei.

Ele ignorou a indignação de Darby.

— Isso mesmo.

— Ela não quebrou, não torceu, nem distendeu nada. Mas há muitos hematomas, e o ombro vai ficar dolorido por alguns dias. Gelo e ibuprofeno devem bastar. Nada de levantar mais de dois quilos e nada de cavar por 48 horas.

— Entendi.

— O mesmo vale para as costas e o quadril. — A médica entregou um saquinho a Zane. — Algumas amostras de remédios para as juntas dos dedos e uma receita. Volte daqui a dois dias.

— Vou trazê-la.

— Meu telefone está na receita. Qualquer problema, é só ligar.

— Obrigada. Vou ficar bem — disse Darby.

— Nada de cavar! — alertou Charlene enquanto ela puxava Zane para longe da UTI.

— Meu Deus, que mulher meticulosa! Fiquei com medo de ela usar sanguessugas. Você falou com Britt?

— Sim, está tudo bem.

— Certo. Vá falar com Emily depois de me deixar na casa.

— Esse é o plano.

Não o plano completo, mas a primeira parte.

Ao deixá-la, Zane a irritou de novo ao explicar as restrições da médica a seus funcionários — horrorizados, revoltados e fascinados. E acrescentou que, se não a vigiassem, teriam de se ver com ele.

Em seguida, foi para a casa de Emily.

Ela estava sentada, sozinha, no pátio dos fundos, encarando o nada, mas deu um salto quando o viu.

— Eu devia ter procurado você. Não...

— Pare. Estou bem.

— Darby.

— Dave e a médica já a examinaram. Ela também vai ficar bem. — Zane viu que a tia já chorara, que parecia lutar contra as lágrimas agora. — Você falou com Lee.

— Eu o mandei para a delegacia. Ele tem tantas coisas para fazer lá, seria besteira ficar aqui. Preciso ligar para os meus pais, mas...

— Isso pode esperar.

Ele a abraçou.

— Ah, meu Deus, meu Deus, Zane! É um absurdo Graham voltar depois de tantos anos. Para machucá-lo de novo. Ou pior. Acho que seu plano era fazer algo pior. Ele matou Eliza; você sabe que ele matou Eliza.

— Eu sei. — O sobrinho acariciou suas costas, tentou acalmar a tremedeira e, finalmente, pressionou os lábios contra o topo de sua cabeça. — Não precisa se segurar, não precisa.

E, com isso, a mulher mais forte que ele conhecia se agarrou aos seus braços e desabou em lágrimas. Zane a segurou, acariciou, embalou e ficou em silêncio.

— Não sei por que estou agindo assim. Você não se machucou. Lee também garantiu que Darby vai ficar bem. Preciso falar com ela, mas... E aquele desgraçado está sob custódia da polícia. No hospital, graças àquela moça maravilhosa, e sob custódia. Nós estamos bem. Estamos todos bem. Minha família está bem.

— Sua irmã morreu.

— Ah, Zane. — Emily se afastou e enxugou as lágrimas com as mãos. — Eu não consigo nem me lembrar do rosto dela. Não consigo.

— Sente-se. Vou buscar água e um lenço para você.

Ele voltou com dois copos cheios de água e colocou a caixa de lenços de papel diante da tia. Ela puxou algumas folhas, assoou o nariz e secou o rosto.

— Nós nunca fomos próximas — continuou Emily, devagar. — Parecia que brigávamos o tempo todo. Muitos irmãos brigam. Meu Deus, em algumas épocas, Gabe e Brody só sabiam se provocar e implicar um com o outro. Mas os dois têm uma conexão. Eu e Eliza nunca tivemos.

— Vocês eram opostas — disse Zane. — Não tinham nada em comum.

— Eu nunca a amei. Pelo menos não me lembro de ter amado. E não sinto vergonha disso. A culpa não é minha.

— Não, não é. Então, por que sua consciência está pesada?

Emily suspirou.

— Não sei. De verdade, não sei. — Ela se inclinou para fazer carinho no cachorro fielmente deitado aos seus pés. — Mas fico triste por nunca ter amado minha irmã, por não ter conseguido amá-la. Fico triste por ela ter morrido, fico triste por suas escolhas a terem levado a esse fim. Fico triste pelo sofrimento que isso vai causar aos meus pais, porque os dois a amavam.

Zane segurou sua mão.

— Vamos cuidar deles. Nós somos unidos.

— E vamos fazer o que tem de ser feito. Você falou com Britt?

— Sim, e está tudo bem. Na verdade... Eu não deveria dizer nada, mas vou fazer fofoca. Ela está grávida de seu próximo neto.

— Ela... — As lágrimas vieram de novo, mas a tia balançou a cabeça e apontou para o próprio rosto. — De alegria. De muita alegria. A vida não está só continuando, Zane, está prosperando. — Emily tocou a face do sobrinho. — E é assim que as coisas devem ser.

A vida de Zane continuaria, e ele torcia mesmo para que tudo fosse próspero. Mas, primeiro, precisava resolver uma questão pendente.

Quando ele chegou ao hospital em Asheville, Lee o esperava do lado de fora da emergência.

— Achei que seria uma perda de tempo lhe dizer para não vir.

— Seria mesmo — concordou Zane.

— Vou deixar você conversar com ele. Mas só depois de mim. Agora, vão levá-lo para um quarto. Querem deixá-lo em observação por algumas horas antes de fazerem a transferência para Raleigh.

— É tempo suficiente.

— É sim. — Lee segurou o ombro de Zane. — Vamos dar uma volta. Aqui fora é bem mais tranquilo do que lá dentro. Não sei se ele vai dizer muita coisa.

Zane enfiou uma mão no bolso e agarrou a bola de beisebol que guardara lá.

— Ele pediu um advogado?

— Ainda não. Mas, considerando que tiveram que imobilizar sua mandíbula, ele não está falando muito. Deram um jeito no nariz, pelo que fiquei sabendo, tiraram raios X e coisas do tipo. Parece que o chute no saco também foi bem forte.

— Preciso comprar flores para Darby. Muitas flores.

Lee sorriu; depois, suspirou.

— Que bom que ela o machucou bem mais do que foi machucada! Então, já que estamos aqui, vou aproveitar para contar o que descobrimos.

— Ele matou Eliza. Isso é certo.

— Não duvido, mas precisamos esperar o laudo da autópsia. O que sei, com certeza, é que Graham estava trabalhando em uma loja de equipamentos médicos e tirou alguns dias de folga porque alegou estar doente. Os vizinhos declararam que o viram entrando e saindo da casa em que morava no sábado, mas que Eliza não aparecia desde quinta. O vizinho mais próximo disse que a viu no quintal na tarde de quinta, antes de Graham chegar. E essa foi a última vez.

— Então, ele a matou na noite de quinta.

— Imagino que sim, mas vamos esperar pela confirmação. Entrei em contato com os detetives de Raleigh. Parece que o supervisor não comunicou à polícia quando ele faltou ontem, já que tinha dito que estava doente. Domingos e segundas são seus dias de folga.

Zane concordou com a cabeça;

— Então, Graham deve ter saído do trabalho no sábado e veio para cá com calma, provavelmente pegando estradas secundárias, pagando por quartos de hotel, gasolina e tudo o mais em dinheiro.

— Estão tentando rastreá-lo. Nós também. Descobrimos que ele passou duas noites hospedado em um hotel às margens da rodovia 40. Confiscamos um iPad, um pouco de dinheiro e um caderno. Encontramos mais dinheiro no carro estacionado naquele belo mirante pouco antes da estrada que leva à sua casa. — Lee coçou o queixo. — Havia um monte de coisas no caderno, a começar por uma lista de nomes.

Britt tinha razão, pensou Zane.

— Uma lista de vingança.

— Pois é. Muitos detalhes sobre todas as mágoas que guardava contra as pessoas na lista, informações sobre suas vidas. Endereços, empregos. Ideias de como se vingar.

— Eu, provavelmente, seria espancado até a morte. E você?

Lee caminhou um pouco em silêncio.

— Não vou contar isto a Emily nem aos meninos. Não há necessidade. Mas a ideia preferida dele era colocar fogo na casa com todos nós lá dentro.

— Minha nossa, Lee! O homem enlouqueceu. — Zane ergueu uma mão e começou a pensar como o advogado, o promotor. — A pessoa que aceitar defendê-lo vai tentar esse argumento, vai tentar alegar insanidade, mas aposto que não vai colar. Ligar para o trabalho avisando que está doente para ganhar tempo, a janela quebrada para me tirar de casa, o dinheiro, o planejamento minucioso... Está mais do que óbvio que ele pensou em cada passo. Nada disso se encaixa nos critérios legais para insanidade. — Zane pensou nas possibilidades. — Graham deixou as coisas no hotel porque ainda não tinha terminado. Seu plano era voltar e fazer o *check-out* depois de lidar comigo, com Darby. A menos que...

Não teria sido suficiente, pensou Zane, ignorando o som da sirene de uma ambulância que se aproximava.

O pai não ficaria satisfeito só com aquilo.

— Ele sempre foi um filho da puta arrogante, Lee. Seu plano seria ir atrás de Britt, de Emily, da sua família. De Dave e das pessoas que ele ama, de todo mundo em Lakeview que está na lista. Somos todos culpados, e ele pretendia acabar com a gente antes de ir embora.

— Concordo, mas ele nunca vai ter essa oportunidade. Louco ou não, Bigelow será preso, Zane, e nunca mais sairá da cadeia.

— Eu quero participar do interrogatório. Vou ficar calado — continuou Zane, rápido. — E, se ele reclamar da minha presença, eu saio. Mas não acho que isso vá acontecer. Você quer uma confissão para acabar logo com essa história? Me deixe participar.

Lee andou de um lado para o outro por um tempo, argumentando mentalmente consigo mesmo.

— Vamos fazer assim: você entra, mas fica quieto até eu acabar. Se ele pedir para que saia, você sai. Se estragar meu interrogatório, nós dois vamos ter uma longa conversa bem desagradável.

— Isso não vai acontecer. Obrigado, Lee.

— Bem, então vamos logo. Preciso perguntar se já o liberaram para falar. Se é que ele vai conseguir dizer alguma coisa.

O hospital fizera algumas mudanças na emergência com o passar dos anos, e, dessa vez, Zane entrou lá completamente ileso e livre. Mas as lembranças vieram, trazendo consigo sofrimento e medo. Como reflexo, seu braço doeu; sua garganta ardia de tão seca.

Ele permaneceu calado enquanto Lee liberava sua entrada, enquanto subiam de elevador.

— Deixei um guarda na porta — explicou o delegado —, e Silas está lá dentro. Não quis arriscar.

Zane apenas concordou com a cabeça.

Lee mostrou o distintivo às enfermeiras do andar e continuou andando.

— Pode fazer um intervalo, Donny — disse ele ao guarda na porta. — Eu aviso se precisar de alguma coisa.

— Claro, delegado.

Silas se levantou quando Lee e Zane entraram, deixando de lado a revista que folheava.

Dessa vez, era Graham que estava algemado à maca, com o rosto cheio de hematomas e curativos. O monitor de sinais vitais apitou, indicando a Zane que o coração do pai disparara quando o vira através de seus olhos roxos e inchados.

— Ligue o gravador, Silas, para eu poder conversar com o sr. Bigelow.

A resposta de Graham saiu ríspida e breve por entre seus dentes trincados.

— Dr. Bigelow.

— Não é mais, e já faz algum tempo. Pode ir tomar um café, Silas.

Lee apontou para a cadeira que o policial liberara.

Zane sentou-se.

— Aqui é o delegado de Lakeview, Lee Keller, interrogando Graham Bigelow após ele ter sido liberado pelos médicos para dar seu depoimento. O senhor foi informado sobre seus direitos, sr. Bigelow? Também gravamos essa parte, mas é bom deixarmos tudo claro, não acha?

— Eu conheço meus direitos.

— Que ótimo! Muito bem, o senhor foi acusado de arrombamento e invasão de domicílio, ameaça e agressão. Também existe o probleminha de ter roubado uma placa e a usado ilegalmente em seu veículo. Sua condicional foi violada de todas as formas possíveis e imagináveis, então o senhor terá que cumprir os dois anos restantes de sua pena antes mesmo de começarmos a lidar com as outras acusações que mencionei. — Lee apoiou o quadril ao pé da cama, no que poderia ser confundido com um gesto amigável. — E ainda nem falamos sobre as futuras acusações de assassinato. A polícia local encontrou o corpo de Eliza, Bigelow. Ela estava onde você a deixou, no chão, com a cabeça em um travesseiro, enrolada em um edredom e coberta por um lençol. E com sinais óbvios de espancamento.

— Um acidente.

— Essa será sua versão? Você espancou sua esposa até a morte *sem querer*, largou-a no chão e, depois, veio para cá em uma tentativa de, digamos, espancar Zane até a morte *sem querer*?

— Ela caiu. Eliza caiu e bateu a cabeça. Um hematoma subdural.

— Ela caiu de cara no chão primeiro? Eles me mandaram uma foto. — Lee tirou o celular do bolso e continuou falando enquanto abria a imagem na tela. — Como é que alguém cai de cara no chão e arrebenta a parte de trás da cabeça? Que estranho! — O delegado virou o celular e o enfiou na cara de Graham. — Você espancou sua esposa mais de uma vez, pelo que já foi determinado, e ela bateu a cabeça na bancada da cozinha. Encontramos sangue lá.

— Eliza caiu. Caiu. Um hematoma subdural.

— Então, você simplesmente a deixou morrer?

— Não havia o que fazer. Era tarde demais.

— Você não chamou alguém para ajudar?

— Eu sou médico — rosnou Graham.

— Não, não é. Você é um criminoso violento que agrediu a esposa, que, por algum motivo que jamais vou entender, ficou ao seu lado, o esperou, traiu os filhos por você e acabou morrendo por causa disso. Encontramos seu quarto de hotel, Graham, seu carro. Seu tablet. Dois minutos naquele iPad bastaram para entendermos que você estava vigiando Zane, Britt, Emily e muitas outras pessoas.

Graham virou a cabeça para encarar o filho.

— O que está olhando? Está se achando importante? Você não é nada, nunca foi. E continuará sendo ninguém.

Em vez de responder ou reagir, Zane apenas observou o pai. No seu bolso, os dedos esfregavam a costura da bola de beisebol.

— Seu filho era importante o suficiente para você largar sua esposa morta no chão, vir até aqui, invadir a casa dele e agredir uma mulher — argumentou Lee.

— Um ninguém. Aquela casa enorme? Isso não é nada. Um advogadozinho de merda? Isso também não é nada. Fica aí, sentado, com tanto medo que nem fala.

Zane continuou olhando e sorriu.

— Tire essa porra desse sorriso da cara! — Graham fez uma careta ao falar, tentando gritar com a mandíbula imobilizada. — Seu babaca inútil de merda. Eu devia tê-lo matado no berço, junto com aquela vaca resmungona da sua irmã. Vocês destruíram a minha vida. Destruíram a sua mãe.

Lee olhou para Zane e assentiu levemente com a cabeça.

— E como eu fiz isso? — perguntou ele ao pai.

— Seu pivete insolente. Nunca consegui fazê-lo virar um homem de verdade. Eu lhe dei a vida, e você acabou com a minha. Eu devia ter matado você naquela noite, e a vagabundinha da sua irmã também. Eliza ainda estaria viva. Nós seríamos felizes.

— Não conseguiu parar de bater nela, não foi? Depois de tantos anos na prisão, depois de ela ter esperado por você todo aquele tempo, você não conseguiu parar.

— Eliza não era mais a mesma. Ela se perdeu. A culpa é sua.

— Então, depois que bateu nela pela última vez e a viu morrer, resolveu voltar para se vingar de mim.

— Você precisa pagar; todos vocês!

— Jogando pedras em janelas para me tirar de casa e depois invadi-la. — O tom de Zane era de chacota, debochado. — Você deve ter pensado que seria fácil; afinal, só tinha uma mulher lá dentro. Sua preferência sempre foi bater em pessoas menores, mais fracas. E, depois, poderia ficar esperando por mim, para se vingar.

— Você tirou a minha vida, então vou tirar a sua.

— Você invadiu minha casa e atacou Darby com a intenção de esperar que eu voltasse para, então, me matar.

— Eu lhe dei a vida. Tenho o direito de tirá-la. Tenho o direito de fazê-lo sofrer por cada minuto de cada dia que passei trancafiado como um animal.

— Você matou sua esposa.

— Eu acabei com a mulher vazia que ela se tornou. Tirar aquela vida vazia foi um ato de caridade. Você a tirou de mim. Você devia morrer.

Zane se levantou e se aproximou da cama.

— É uma pena eu ter perdido a chance de enfrentá-lo cara a cara, meu velho. Mas uma mulher tomou meu lugar e lhe meteu a porrada. Isso deve ser muito humilhante para alguém como você, e saber disso me deixa muito satisfeito. Reflita sobre isso enquanto passa o resto da vida atrás das grades: há 19 anos, uma garotinha esperta e durona acabou com seus planos para mim. E, hoje, uma mulher esperta e durona frustrou seus planos de novo. — Zane começou a andar para a porta, parou e olhou para trás pela última vez. — E, se eu colaborei para colocá-lo no lugar em que estava antes, para onde vai voltar em breve, isso é só mais um motivo de comemoração para mim.

Silas se aproximou quando ele saiu do quarto.

— Você está bem, cara?

— Estou ótimo. Pela minha experiência, Graham disse o suficiente para o promotor acusá-lo de homicídio doloso junto com todo o resto. Ele vai arrumar um advogado, e vão tentar fazer um acordo para homicídio culposo, mas não tem jeito. Graham vai ser preso, e seja lá quanto tempo ainda tiver de vida será passado na cadeia.

— Bem, ele mereceu. Escute, se você quiser conversar, tomar uma cerveja, pode contar comigo.

— Eu sei. Diga a Lee que eu falo com ele mais tarde. Preciso ir para casa ver se Darby está se comportando.

E respirar um pouco de ar fresco.

Zane não sabia se alguém como Darby tinha uma flor favorita, então levou um pouco de todas as opções coloridas, alegres e perfumadas. Depois, percebeu que os dois jarros que tinha não dariam conta de tudo, e, com a ajuda da vendedora empolgada, comprou vasos pequenos, grandes, quadrados, compridos, além de um enorme balde galvanizado para abrigar todas as flores até que chegasse em casa.

Como já estava no ritmo, resolveu esbanjar e comprar algumas garrafas de champanhe.

Ele raramente comprava joias e não pretendia fazer isso agora, mas um pingente chamou sua atenção, parecia um sinal divino. Em vez de colocá-lo em uma pulseira — que ela, provavelmente, não usaria —, Zane o colocou em um colar.

Quando voltou para casa, com a capota do carro aberta, o vento soprando o aroma das flores e as montanhas verdes contra o azul do céu, ele percebeu que algo mudara dentro de si.

O aperto que Graham e Eliza causavam em seu peito fora aliviado. Livre, pensou Zane, agora, estava livre de verdade.

Ele parou ao lado do lago só para caminhar um pouco, olhar para o céu, para as montanhas refletidas na água. Talvez ninguém nunca se livrasse totalmente dos lados ocultos, mas ele jamais seria assombrado novamente.

Continuaria conseguindo novos clientes para o escritório de advocacia, levaria Darby para velejar. Talvez, talvez até tentasse jogar beisebol de novo.

E se esqueceria do passado, assim como de Graham.

Zane seguiu para casa e observou a firmeza de seu lar — ele era responsável por aquilo —, o charme dos pátios, das árvores novas — Darby era responsável por aquilo.

Ele se perguntou se ela também começara a enxergar o lugar, a casa, como uma mistura dos dois. E o que isso poderia significar para seu relacionamento.

Por ora, Zane apenas estacionara diante da casa, levando tudo que comprara lá para dentro. Pela porta, analisou como Darby posicionava as pedras, como ela e Ralph levavam em conta a inclinação do terreno na arrumação, no projeto, enquanto Gabe carregava o peso.

Ele ainda não entendia o que estava acontecendo, mas concluiu que, se não confiasse no bom gosto dela a essa altura do campeonato, seria um idiota. E um homem esperto o suficiente para ter Darby McCray na sua vida não era idiota.

Zane abriu as portas, deixando-as escancaradas, e saiu, ouvindo as batidas do rock que soava pelo quintal.

Ralph o viu e ergueu uma mão.

— Ela não está levantando mais peso que o limite. Estamos atentos.

— Que bom! Onde estão os outros?

— Serviço de manutenção. — Darby secou o suor. — Você veio me vigiar? Já não tenho babás suficientes?

— Ela está meio irritada — disse Gabe.

— Quem não estaria? — murmurou Darby, apontando para o ponto no qual queria que o garoto deixasse a pedra.

— Já está quase na hora de tomar os remédios.

Sob o boné, ela encarou Ralph.

— Eu sei que horas são.

— Que trabalho cansativo — comentou Zane. — Que tal eu preparar uma jarra de limonada?

Darby se virou para ele.

— Você sabe fazer limonada?

— Claro. Você tira a lata da geladeira, abre, coloca tudo na jarra e mistura com água.

O bom humor pareceu voltar.

— Que engraçado, essa também é minha receita de família!

— Então, eu cuido da limonada, vocês fazem um intervalo e Darby toma os remédios.

E, pensou Zane enquanto entrava, ele ligaria para o escritório e trabalharia um pouco de casa. Depois, colocaria algumas costeletas e espigas de milho na churrasqueira — talvez também algumas batatas.

Porque, gostando ou não, pretendia cuidar dela.

Capítulo 20

◆ ◆ ◆ ◆

Suada, dolorida e contente, Darby tirou algumas fotos da cascata em construção antes de encerrar o serviço do dia.

Ela sabia que Zane estava sentado no pátio dos fundos com o laptop, uma Coca e uma das bolas de beisebol que costumava carregar para todo canto. E ainda teve de ouvir uma gracinha de Ralph:

— Alguém tem de ficar de olho em você, chefe.

Assim como tivera de aguentar um adolescente lhe passando uma bolsa de gelo de hora em hora, lembrando-a de que deveria fazer um intervalo para cuidar do ombro.

Ela sabia que não era idiota e poderia muito bem fazer seu trabalho *e* ficar irritada ao mesmo tempo que se sentia grata pela preocupação de todos.

Agora que o expediente acabara e a equipe fora para casa, preparava-se para ser paparicada por Zane.

Darby foi até a mesa, pegou a Coca dele e tomou um gole.

— Sabe, você não precisava ter ficado aqui fora. Gabe e Ralph já estavam prestando atenção em tudo que eu fazia.

— Uhum! — Zane terminou de escrever o último e-mail. — Na verdade, eu aproveitei para passar a tarde trabalhando em casa, no quintal, cercado pela paisagem que minha namorada criou. Foi uma boa mudança para mim. — Ele indicou a cascara com o queixo. — Está ficando bonita.

— Está. E, se você voltar à rotina e passar o resto da semana trabalhando, como deveria, poderei concluir o trabalho até o fim de sábado, se a chuva não atrapalhar.

— Jura? Que ótimo, porque eu estava pensando, já que você terá acabado praticamente tudo até o fim do mês, posso dar um festão no Dia da Independência.

— Sério?

— Daqui de cima, a gente vai ter uma vista ótima para os fogos do lago.

— Hum. — Depois de baixar os óculos escuros, ela estreitou os olhos enquanto o observava. — Você parece estar de bom humor.

— Acho que sim.

— Que estranho!

— Meu humor está suficientemente bom para eu querer acender a churrasqueira. Gostou da ideia?

Ele não parecia preocupado demais com ela, concluiu Darby sem saber o que pensar a esse respeito, nem sobre todo aquele bom humor.

— Pode ser. Vou tomar um banho.

Ela entrou e voltou quase imediatamente.

— Vai abrir uma floricultura na cozinha?

— O quê? Ah. — Balançando a cabeça e rindo, Zane se levantou. — Esqueci. São para você.

— Para mim? Walker, deve haver umas sete ou oito dúzias de flores lá dentro.

— Não consegui escolher, então comprei várias. E os vasos — acrescentou ele enquanto os dois entravam. — Pensei em arrumá-las, mas concluí que você faria um trabalho bem melhor.

— Puxa! — Darby tentou encontrar a palavra certa e acabou ficando com: — Uau!

— Não comprei um cartão, porque seria difícil encontrar um que dissesse tudo. Tipo, obrigado, melhoras, talvez parabéns. E o mais importante: você é especial. Você é especial, Darby.

"Uau" não chegava nem perto de como Zane a fizera se sentir naquele momento. As palavras, a forma como ele a olhava, as cores e os aromas maravilhosos que os cercavam.

— Estou imunda, mas dane-se! — Ela se aproximou, enroscou-se nele e torceu para que o beijo conseguisse transmitir tudo que sentia. — É tudo lindo demais, Zane. Loucamente carinhoso. — Antes de se afastar, ela tocou as bochechas dele. — Vou me divertir muito arrumando todas essas flores.

— Podemos tomar champanhe enquanto você se diverte.

Darby piscou.

— Champanhe.

— Comprei algumas garrafas. — Ele foi até a geladeira e começou a abrir uma. — Mas me esqueci de perguntar se você gosta.

— Eu só não gostaria se fosse louca. Zane, aonde você foi hoje?

— Conversaremos sobre isso mais tarde. — Ele estourou a tampa da garrafa, produzindo um alegre som abafado. — Agora, abra isto.

Então, passou-lhe uma caixinha embrulhada antes de pegar as taças.

Atordoada, talvez até mesmo um pouco ansiosa, ela encarou a caixa.

— Zane, eu só me machuquei um pouco. Todas essas coisas são dignas de um coma, no mínimo.

— Se você estivesse em coma, não poderia beber champanhe. Abra. Se não gostar, eu fico com ele, porque me faz lembrar de você.

O nervosismo não superou a curiosidade, então Darby desfez o laço da caixa e tirou o papel de embrulho. Encontrou um pingente em forma de livro, pendurado em um cordão, com uma citação escrita em caligrafia floreada.

— "Apesar de pequena, é perigosa."

Erguendo a peça contra a luz, ela o encarou.

— Tenho 1,70 metro. Não sou tão pequena assim.

— Comparada a mim, é. E Deus é testemunha de que a parte do "perigosa" é verdadeira.

— Bem, eu adorei, então você não vai ficar com ele. — Darby colocou o colar em torno do pescoço. — A partir de hoje, farei um grande drama por qualquer arranhãozinho de trabalho para ver se ganho alguma coisa.

Zane não sorriu.

— O que aconteceu foi pessoal.

— Certo. Que tal nos sentarmos lá fora para apreciar esse vinho chique enquanto você me conta por que saiu daqui nervoso e irritado, mas voltou muitíssimo bem-humorado?

— Certo, vamos falar logo disso. Em seguida, vou acender a churrasqueira enquanto você arruma as flores.

Zane sentou-se ao seu lado e foi direto ao assunto, porque queria encerrar logo aquela parte da noite.

— Você sabe que conversei com Britt hoje cedo, que fui falar com Emily... Já volto para essa parte. Mas, depois, fui visitar Graham, em Asheville.

— Imaginei que faria isso.

— Ele parece ter levado dez surras de um lutador profissional, o que, de fato, aconteceu. Dois olhos roxos, além do nariz quebrado. Tiveram que imobilizar sua mandíbula. E não vi os bagos dele, mas me disseram que a situação também não é das melhores. Não fique preocupada.

— Nunca bati em ninguém, nunca machuquei tanto uma pessoa. É diferente quando é só um treino. Mesmo daquela vez com Trent, não foi assim.

Zane esticou o braço e suspendeu a manga da camiseta dela para exibir o hematoma.

— Você acha que ele teria parado por aqui?

— Não. Eu sei que fiz o que tinha que ser feito.

— Lee me deixou assistir ao interrogatório. A polícia encontrou o carro de Graham e descobriram o quarto de hotel no qual ele estava hospedado. Há provas, provas demais até, do que ele estava planejando. E, com o tempo, como imaginei que aconteceria, minha presença o deixou realmente incomodado. Ele não suportou me ver sentado em um canto, observando tudo, e todo aquele ódio, toda aquela raiva, acabaram por dominá-lo.

Zane contou tudo, sem amenizar os detalhes, querendo chegar logo à conclusão da história.

— Ele confessou. — Chocada, horrorizada, Darby apertou as próprias mãos sob a mesa. — Confessou que matou a esposa, que veio aqui para matar você.

— Eu queria dizer que Graham mudou desde a última vez que nos vimos, mas seria mentira. — Zane pegou a bola, girou-a, analisando-a. — Acho que a prisão e a vida que levou depois dela acabaram com seus disfarces. Ele não consegue mais fingir, criar barreiras para esconder a verdade. Agora, ele deixou bem claro quem realmente é.

Era bom estar ali, sentado com Darby, sentindo o aroma das flores, o ar fresco, enquanto desabafava sobre os eventos do dia.

Zane soltou a bola.

— Lee recebeu o laudo preliminar da autópsia de Eliza há uma hora. Graham acertou a causa da morte: hematoma subdural, causado por um trauma na cabeça. Seu corpo tinha ferimentos recentes e antigos. Imagino que ele vá alegar homicídio culposo.

— Mas...

Zane ergueu um dedo.

— Por causa das circunstâncias, do padrão de comportamento, das provas, é provável que ele seja condenado a uns vinte anos. Se acrescentarmos a lesão corporal grave contra você, as infrações da condicional e assim por diante, além do histórico de comportamento violento, ele nunca mais será solto. Vai morrer na prisão. — Fazendo uma pausa, Zane olhou para tudo que era seu, para tudo que Darby tornara seu; as flores dispostas em locais que jamais cogitaria colocar, as árvores jovens, os vasos coloridos. — Eu nunca o confrontei depois daquela noite. Era eu quem estava no hospital, algemado, na ocasião. E testemunhei no julgamento, mas nunca o tinha enfrentado cara a cara. Mas fiz isso hoje, por mim. Por Britt e Emily. Pelos meus avós. Por você. E, quando fui embora, percebi que acabou. Eu não me sentia assim antes, porque aquilo tudo estava enterrado em mim. Agora estou livre. Arranquei tudo, como... uma erva daninha, com raízes e tudo. Acabou.

— Foi muito corajoso da sua parte ir até lá.

— Ele não podia encostar em mim.

— Não fisicamente. Mas as feridas emocionais são mais dolorosas, e nós dois sabemos bem disso. Foi corajoso e inteligente. Muito inteligente, Walker. Você sabia o que dizer para provocá-lo. Aposto que era um ótimo promotor.

— Eu não era dos piores. — Ele sorriu. — Não mesmo. Agora, vamos voltar para o começo da história e terminar com uma notícia boa. Emily vai ficar bem. É difícil para ela, para meus avós, mas vai dar tudo certo. Britt também, porque todos nós vamos nos concentrar em algo bom e positivo: ela está grávida.

— Ela... Isso é maravilhoso! — Depois de fazer uma rápida dancinha na cadeira, Darby ergueu a taça e brindou com a dele. — Essa é a melhor notícia do mundo! Para quando é o bebê?

— Não sei. Ela acabou de descobrir. Não pretendia contar nada ainda, mas, com todos os eventos recentes, achou melhor dar logo a notícia. Britt sempre soube como equilibrar as coisas.

— Estou vendo. Você devia ter levado flores para sua irmã.

— É verdade. Farei isso amanhã. Você pode arrumar as suas, tomar seu banho e colocar gelo nesse ombro. Eu cuido do jantar. Depois, vamos encher a cara de champanhe.

— Gostei desse plano. — Darby segurou a mão de Zane. — Este dia começou da pior maneira possível, mas nós vamos terminá-lo felizes, bem-alimentados e um pouco bêbados.

Enquanto seus hematomas melhoravam, Darby deu seu depoimento à polícia de Asheville, para o promotor do caso, e teve de lidar com jornalistas do *Semanário de Lakeview*, além de repórteres de Asheville, Raleigh e da Associated Press.

O caso original contra o dr. e a sra. Graham Bigelow já tinha chamado bastante atenção na época. E os acontecimentos recentes o trouxeram de volta à tona, acrescentando os novos fatos.

Ela sabia que Zane também tivera de falar com jornalistas, assim como sabia que os dois ficaram aliviados quando o foco das notícias passou para outro escândalo.

Conforme junho se aproximava de julho, o trabalho na casa de Zane ia terminando, e Darby usava os intervalos para cuidar do último chalé de Emily e iniciar o trabalho na casa da família Marsh, na beira do lago.

Com a ajuda de sua equipe e a surpreendente descoberta de que Zane sabia como usar um pregador pneumático, ela instalou um telhado no galpão de equipamentos, terminou e estocou um galpão menor para plantas e ergueu a estrutura de sua estufa.

Talvez ainda estivesse negligenciando o interior da casa, mas os negócios ficavam cada vez melhores, crescendo cliente após cliente.

E, em uma bela tarde de sábado, Darby trabalhava com dois desses clientes enquanto o filho deles tirava uma soneca na sombra.

— Quanto à poda... — Ela fazia uma demonstração para Charlene e Joe. — Vocês não apenas deixam a planta ou o arbusto mais limpo, como também o incentivam a florescer. E será melhor tirar essas flores desses temperos.

— Ah, mas são tão bonitas — rebateu Charlene.

— Mas a energia da planta está indo para a flor, não para a vegetação, e isso torna as folhas mais amargas. Também é bom podar os galhos, para incentivá-la a encher. Vejam aqui, onde o galho se bifurca. Deixem umas duas folhas e cortem o cabo. Vocês poderão usá-lo para cozinhar, mas, até lá, o manjericão será estimulado. E vai crescer mais forte.

— A gente só tirava uma folhinha ou outra — explicou Joe.
— É, estou vendo.
Ele analisou as plantas através de seus óculos de armação grossa.
— É por isso que elas parecem tão vazias?
— Sim. Tentem fazer como ensinei, e, quando chegar a hora da colheita, terão um monte de folhas.
— Se der certo, vou fazer um molho *pesto* para você.
Darby inclinou a cabeça para Joe.
— Vou me lembrar disso.
Ela caminhou pelo quintal com os dois, dando conselhos, feliz ao perceber que os alunos anotavam suas dicas.
— Ih. O chefe está acordando. Eu cuido dele, querida.
Joe fechou o caderno enquanto seguia até o garotinho.
— É muito legal da sua parte vir nos ensinar essas coisas. Sua equipe é muito prestativa.
— É o nosso trabalho.
— Seus hematomas parecem melhores. O ombro ainda dói?
— Nem um pouco. Ele está daquele tom amarelo horroroso agora, e, quando acordo, sinto os músculos um pouco enrijecidos, mas menos do que antes. Está melhorando rápido.
— Essa é a vantagem de ser uma pessoa ativa e estar em forma — declarou Charlene. —Ficamos surpresos quando recebemos um convite para a festa do Dia da Independência.
— Por quê? Você é amiga de Britt. E é minha médica.
— Agora que sabemos o que aconteceu nesta casa, achamos que Britt e a família se afastariam.
— Vocês não têm relação alguma com o que aconteceu. Nem a casa.
— Quando eu penso que ele poderia ter entrado aqui naquela noite... Nosso filho. Nossos filhos — disse a médica, pressionando a mão contra a barriga, protetora.
— Esqueça isso. Ele está atrás das grades e vai continuar lá.
— Joe sempre me diz a mesma coisa. Mas eu fico pensando... Mesmo em uma comunidade tranquila e segura como esta, coisas assim acontecem. Talvez você pudesse nos dar algumas aulas de defesa pessoal.

— Ah, não sou capacitada para isso.

Charlene soltou uma gargalhada.

— Você está falando sério? Pense no assunto. Talvez no inverno, quando sua agenda estiver mais livre.

— Vou pensar no assunto se você e Joe cogitarem uma composteira.

— Sei que devíamos ter uma. — Charlene suspirou. — mas parece tão trabalhoso.

— Mas valeria a pena. Preciso ir para a casa de Zane e ainda tenho que fazer outra parada no caminho. Os preparativos para a festa estão pegando fogo. A gente se vê lá.

— Com certeza!

Darby olhou para o outro lado da rua enquanto entrava na picape. Mesmo sabendo que não encontraria nenhum homem violento dentro de uma Mercedes, não conseguia perder o hábito.

Por enquanto.

Ela foi à casa dos Marsh para dar uma olhada no trabalho de Roy e Ralph, e passou uma hora ajudando os dois a terminarem os novos degraus de pedra.

No barco, os donos do chalé se aproximaram.

— Ficaram lindos! — gritou Patsy. — Maravilhosos!

— E seguros — berrou Darby de volta.

— Querem dar uma volta no lago?

Ela respondeu à pergunta de Bill, sacudindo a cabeça negativamente.

— Não posso, preciso ir. Já estou atrasada. Vejo vocês na festa.

Darby se virou e viu que Roy tinha andado até o cais e sentara-se, balançando as pernas sobre a água.

— O que houve com ele? — perguntou a Ralph.

O homem respondeu com seu habitual resmungo e deu de ombros.

— Deve estar emburrado porque precisou trabalhar no sábado.

— Bem, você pode terminar de limpar as coisas e ir para casa. Na segunda, começaremos com os terrenos.

Apesar de revirar os olhos, Darby foi até o cais e sentou-se ao lado de Roy.

— O expediente acabou. Esta é a pior hora do dia para ficar fazendo birra.

— Não estou de birra. Gosto de olhar para a água. Mas nunca ando de barco porque fico enjoado, o que é um saco.

— Deve ser mesmo.

— Mas gosto de olhar. E gosto de me sentar aqui e ver os degraus que ajudei a construir. Eles ficaram muito bonitos.

Darby seguiu o olhar dele.

— Ficaram, sim.

— E estou aqui, olhando para a água, vendo os degraus, e caramba, consigo imaginar o que vamos fazer no declive. Consigo imaginar de verdade. Se você tivesse me contado o que planejava fazer no ano passado, ou até alguns meses atrás, eu teria dito que aquilo era só um declive idiota, cheio de ervas daninhas. Mas, agora, consigo imaginar exatamente como vai ficar. — Roy deu um tapinha na coxa dela. — E, agora, também sei o que preciso fazer; pelo menos, em parte. Então, estou sentado aqui, olhando para a água, aproveitando esse vento gostoso, e me dei conta de que eu tenho uma profissão. Não é bizarro?

— Você é forte, Roy. Leva jeito para o trabalho, tem bom gosto. E, embora você ainda esteja aprendendo, sempre teve talento. E, se estiver pensando em me largar para abrir a própria empresa, vou lhe dar uma surra.

Ele baixou a cabeça e sorriu.

— Eu ia levar uma coça. Não, estou pensando que tenho um bom emprego. Tenho uma profissão. E estou ganhando um salário decente, estável. Então, acho que, dane-se, talvez seja uma boa ideia pedir Adele em casamento.

— Caramba, Roy! — Darby lhe deu um soco no ombro e, depois, o agarrou e beijou, fazendo-o baixar a cabeça de novo e rir. — Ela é fantástica!

— E sabe o que é mais fantástico? Ela nunca tentou mudar nada em mim. Adele me ama como eu sou. Acho que mudei um pouco sozinho, com a sua ajuda, e ela continua me amando.

— É melhor não deixá-la escapar, meu amigo.

— Com certeza, não.

— Saia daqui, arrume-se e converse com ela. Nos falamos na segunda. — Darby lhe deu outro soquinho e se levantou. — Estou muito atrasada!

Ela subiu pelos degraus novos, satisfeita com a sensação das pedras — firmes, niveladas — sob suas botas. E sorriu durante todo o trajeto até chegar à casa de Zane.

Lá, encontrou-o com Emily e Britt no pátio.

— Desculpem, desculpem. Coisas para resolver. Mas estou no clima de festa agora. O que precisam que eu faça?

— Elas querem pisca-piscas — reclamou Zane. — E dizem que preciso de, pelo menos, mais duas mesas com toldos para comida.

— Claro, podemos fazer isso.

Ele fechou os olhos.

— E eu achei que você fosse me apoiar.

— Nós contratamos uma banda local — declarou Emily.

— Música ao vivo? Que maneiro!

— Tenho caixas de som no quintal — lembrou Zane. — E uma *playlist* gigante.

— Mas ao vivo é diferente. — Britt deu tapinhas na mão dele. — Vamos bolar brincadeiras para as crianças. Com brindes.

— Adorei. Tenho madeira compensada em casa. Se fizermos um buraco bem no meio e pintarmos tudo, teremos um jogo de tiro ao alvo. Podemos fazer uma guerra de balões de água, uma caça ao tesouro. E muito mais!

— E eu achando que seria só um churrasco com muita comida, um monte de bebidas e convidados se apoiando nos carros.

As três mulheres o encararam com um misto de zombaria e compaixão.

— Então — continuou Darby —, posso fazer uma bela salada, mas, se vocês me liberarem da cozinha, o que será bom para todo mundo, posso ficar responsável pelas brincadeiras e os brindes para as crianças.

— Combinado, mas vou ajudar nessa parte também — acrescentou Britt. — Vai ser divertido. E, provavelmente, precisaremos da sua ajuda com as luzes.

— Vou pagar pela banda.

— Emily, você não vai pagar...

Ela interrompeu o sobrinho com um olhar.

— A casa pode ser sua, Zane, mas esta é uma operação Walker-Keller--Norten-McCray. Agora, como eu dizia, as pessoas vão trazer comida, porque todo mundo faz isso, mas nós temos que bolar um cardápio, uma lista de compras e distribuir as tarefas.

Vencido e sem aliados, Zane recuou do campo de batalha.

Depois de as mulheres da sua vida organizarem toda a festa, ele sentou-se com Darby no pátio. E ficou contemplando a cerveja.

— No que eu estava pensando?
— Em uma festa divertida — lembrou Darby.
Ele a encarou por um tempo.
— Minha definição de "festa" parece ser completamente diferente da de vocês.
— Vai ser ótimo. Você não pode ter uma casa, um quintal e uma vista dessas e não dar uma festa enorme. — Ela sorriu enquanto ele fazia cara feia.
— Que tal eu preparar um macarrão com queijo?
Zane a encarou de novo, parecendo menos amuado agora.
— Do zero, como da outra vez?
— Você parece estar precisando ser reconfortado.
— Preciso mesmo. Na verdade... — Ele cutucou sua lista de tarefas. — Preciso muito. Isso pede exige aperitivo.
— Meus dois aperitivos infalíveis consistem em abrir um pote de azeitonas ou colocar queijo sobre biscoitos de água e sal. Se quiser esbanjar, podemos colocar a azeitona junto com o queijo sobre o biscoito.
— A gente consegue fazer melhor que isso.
Zane se levantou e a puxou.
Enquanto ele a fazia recuar para dentro da casa, o sorriso dela se tornou malicioso.
— Sinto que você não está pensando em comida.
— Não sei. Você é bem apetitosa.
— É verdade. Sou mesmo. — Empolgada, Darby mudou de direção e começou a fazê-lo andar de costas até o sofá do salão. — E ainda bem, porque o jantar vai demorar para sair.
Zane pensou em mencionar que as portas do pátio estavam escancaradas, mas logo se viu deitado no sofá, com Darby em cima dele.
E resolveu que não era da conta de ninguém o que ele fazia dentro da própria casa.
— Vamos ver se sexo aumenta ou diminui seu apetite.
Ela tirou a regata.
Mas, antes que conseguisse se inclinar sobre ele, Zane tocou os hematomas pálidos em seu ombro.
— Ainda está doendo?

— Não o bastante para que você se preocupe. — Porém, como o olhar dele parecia obviamente preocupado, Darby segurou seu rosto. — Pare com isso — murmurou. — Venha aqui.

Então, levou os lábios aos dele, lentamente intensificando o beijo.

Só nós dois, pensou ela enquanto as mãos de Zane a acariciavam. Só você, só eu, enquanto a brisa da noite assoprava contra sua pele iluminada por um brilho dourado.

O ato que deveria ser rápido e divertido acabou se tornando lento e carinhoso enquanto os dois se consolavam.

Mesmo enquanto seus batimentos cardíacos aceleravam, eles não se apressaram, deixando o momento se prolongar enquanto se tocavam, se sentiam.

Ela desabotoou a camisa de Zane, afastando-a para deslizar as mãos pelo seu peito. E, então, pressionou a boca contra seu coração.

Um coração bom, pensou Darby, generoso e acolhedor, apesar de tudo que ele vivera. Ou, talvez, fosse por causa disso. Ela queria cuidar daquele coração, ajudar a apagar suas cicatrizes profundas, ocultas.

Zane sentou-se para encontrá-la, para olhá-la nos olhos enquanto, lenta e cuidadosamente, tirava o sutiã dela. Então, roçou os lábios pelos hematomas. Ele também queria cuidar dela.

Aquela mulher era forte e perigosa, mas havia mágoas escondidas em seu interior. E ele sentia a necessidade de mostrar que, acima de tudo, sempre a protegeria, sempre a defenderia.

E, agora, naquele momento, lhe daria paz através do prazer.

Zane segurou seus seios, roçando os dedões até aqueles olhos profundos se fecharem. O corpo de Darby se movia sobre o seu, devagar, sinuoso, conforme as sensações iam se acumulando e aumentando com o toque das mãos, o encontro dos lábios.

Ela mudou de posição, gemendo enquanto ele a despia, enquanto se interrompia para dominar sua boca. Sua respiração falhou quando o recebeu, quando seus olhos e seus lábios se encontraram.

Ele a preencheu, de corpo e alma, de um jeito tão bonito que ela se perguntou como os dois conseguiam suportar aquele momento. Então, moveram-se juntos, navegando por ondas lentas, reverberantes. Dando e tomando em medidas iguais enquanto a luz brilhava e o vento os cercava, quente e doce.

E, segurando-se um ao outro, olhando-se nos olhos, os dois chegaram ao clímax.

Darby sentiu as lágrimas brotando em seus olhos. Ela não sabia explicar a razão, então apoiou a cabeça no ombro dele até conseguir controlá-las. Tentou pensar em algo divertido e bobo para dizer, mas não encontrou nada, percebendo aconchegada a ele, enquanto suas costas eram acariciadas.

— As coisas mudaram. — Zane falava baixinho. — As coisas mudaram entre nós. — Quando Darby não respondeu, ele tracejou o símbolo do infinito com um dedo, pensou na história da tatuagem. — Isso a assusta?

— Talvez. Um pouco. Sim. Eu cometi um erro tão absurdo antes.

Ele a afastou o suficiente para que ela conseguisse ver o rápido brilho de raiva em seus olhos.

— Isso não é um erro. E eu não sou Trent.

— Zane, você é completamente diferente de Trent. É o oposto dele. E isso, por mais idiota que pareça, é uma das coisas que me assustam um pouco. — Para acalmar os dois, ela esfregou sua bochecha na dele. — Como fui capaz de achar que o amava, como fui capaz de casar com aquele homem e, agora, sentir o que sinto por você? Mas essa é a realidade.

— Eu queria poder dizer que isso realmente é uma idiotice, mas não é; pelo menos, não totalmente. E você é quem você é. E eu sou eu. E meu plano não era encontrá-la, não era encontrar nada disso. Mas aqui estamos, Darby.

— Eu gosto de onde estamos.

— Eu também. E esse é um dos motivos por que eu quero pedir para você vir morar aqui, comigo.

— Ah. — Ela lhe deu um abraço apertado e fechou os olhos. — Não me peça ainda. Sei que estou sendo idiota de novo. Sei que é uma idiotice, ainda mais porque passo mais tempo aqui do que em minha própria casa. Mas preciso ter o meu espaço por enquanto. Fui direto da casa da minha mãe para a de Trent; aquele lugar nunca foi meu. E, depois, voltei para minha mãe. Preciso ter algo só meu por enquanto.

— E eu aceito isso por enquanto. Mas, sabe, quando o "por enquanto" acabar, a casa ainda será sua. E eu continuarei apaixonado, esteja você pronta ou não.

Zane a fazia sentir-se tão completa que seu coração parecia inflar, latejar.

— É tanta idiotice... — murmurou ela. — Eu preciso de um tempo. Preciso me sentir segura, saber que consigo me virar por conta própria.

— Isso é sério? — Pego de surpreso, ele se afastou. — Nós temos todo o tempo do mundo, não é disso que estou falando, mas do resto. Você é a pessoa mais segura e firme que eu conheço.

— Há um ano, as coisas eram muito diferentes. Eu mal conseguia sair da cama. Nós dois resolvemos recomeçar nossas vidas e estamos indo bem. Vamos só esperar um pouco mais.

— Tudo bem. — Zane passou os dedos de leve pelas costas dela. — Principalmente porque você vai acabar cedendo.

— Vou?

— Com certeza. Você é louca por mim.

Darby riu e se afastou.

— Até parece.

— Louca por mim — repetiu ele enquanto ela pegava suas roupas. — E eu tenho a casa para garantir minha vitória. Você vai ceder.

Ela se levantou com as roupas nas mãos, usando apenas as botas que Zane não conseguira tirar — e o colar que lhe dera. E isso o fez desejar repetir a dose.

— A casa é um bom trunfo; isso é verdade. Talvez eu só transe com você por causa dela.

Ele apenas sorriu.

— Louca por mim.

— Claro, claro. Vou tomar um banho.

— Boa ideia.

O olhar de Zane enquanto ele se levantava a fez se afastar sem dar a costas para ele.

— Só para me limpar. Você não quer jantar hoje?

Aquele olhar se manteve nos olhos dele. Quando deu por si, Darby estava correndo e rindo. Ele a pegou no colo no meio da escada.

O jantar demorou muito para ficar pronto.

Capítulo 21

♦ ♦ ♦ ♦

Darby conseguiu concluir a maior parte das tarefas do dia antes de a tempestade da tarde desabar sobre as montanhas. A chuva significava abandonar o trabalho externo, que fazia para os clientes, e passar para o trabalho dentro de casa, pessoal.

Isso depois de um passeio à loja de ferragens para comprar tinta.

A cozinha tinha ficado alegre e chamativa com paredes pintadas em um tom de amarelo-ovo e armários e prateleiras coloridas em um azul chamativo. E, como aceitara que não era tão habilidosa assim, ela contratara alguém para trocar as feias superfícies das bancadas, preferindo deixá-las brancas, para destacar as outras cores.

Darby prometeu a si mesma que, um dia, trocaria aquele piso horroroso. Mas, por enquanto, entrar na cozinha, abrigando-se da chuva, e ver o resultado das mudanças já a deixava feliz.

Em uma feirinha de usados localizada nos limites da cidade, ela encontrara um conjunto fofo com mesa e duas cadeiras, que pintara no mesmo tom de azul dos armários, com alguns detalhes em amarelo. E todo aquele colorido após a chuva cinza lhe trazia alegria.

Darby tirou o casaco molhado e o boné de trabalho, pendurou ambos nos ganchos de girassol que prendera à parede e, depois, tirou as botas. Seus temperos — mais por uma questão estética e aromática do que culinária — ocupavam vasinhos brancos no peitoril da janela sobre a pia. Depois de verificar a terra, ela molhou todos.

Então, foi pegar uma Coca na geladeira e parou, franzindo a testa. Ela jurava que tinha quatro garrafas, mas havia apenas três ao lado da caixa de leite. Dando de ombros, pegou o celular e acrescentou refrigerante à lista de compras.

Depois de colocar a garrafa no bolso da perna da calça cargo, levou a tinta e o selante para a sala de estar — ou para o lugar que um dia seria a sala de estar.

Naquele momento, o espaço servia como armazém para tintas e equipamento de pintura, ferramentas, algumas jardineiras e outros acessórios de jardinagem comprados em promoções, tudo organizado por categoria.

Ela pegou um rolo de fita crepe, uma lona e, então, parou, confusa.

Por que raios colocaria a estátua de fada — que ficaria no pequeno jardim que planejava plantar na próxima primavera — sobre as latas de tinta? E por que o sino dos ventos, ainda na caixa, estava junto com as ferramentas?

Mais irritada consigo mesmo do que assustada, Darby colocou as coisas no lugar certo e levou a lona e o rolo de fita para o andar de cima.

O corredor pequeno ainda seria pintado, mas o quarto, assim como a cozinha, já estava mais habitável.

Ela escolhera um tom azul-claro, discreto, e acabamentos em tom bege. Ainda não havia uma cama decente, mas o edredom branco, com muitas almofadas coloridas, deixava o ambiente aconchegante e acolhedor. Em algum momento, ela pintaria a cômoda de segunda mão que comprara, mas dera sorte com o espelho grande que posicionara sobre o móvel, com a moldura de ferro em forma de videiras entrelaçadas.

Talvez o espaço pedisse um tapete, e ela chegaria lá, mas adorava o trio de aquarelas — o lago, as montanhas, um belo jardim — que pendurara na parede.

Darby entrou no banheiro apertado. Quando matara e arrancara os peixes, tinha encontrado paredes brancas encardidas. Sua intenção era usar um verde-claríssimo nas paredes e no teto, e deixar os acabamentos da mesma cor que usara no quarto.

Depois de colar a fita nos rodapés, forrou o chão com a lona. Enquanto a chuva caía, com os clarões dos relâmpagos e o estrondo ocasional dos trovões, ela vestiu o que chamava de uniforme de pintura. Enquanto trocava de roupa, pensou em montar uma *playlist* para aqueles momentos. Talvez alguns clássicos do rock, com uma batida boa, pesada.

Darby abriu a primeira gaveta da cômoda, procurando uma bandana para proteger o cabelo da tinta.

E ficou paralisada.

— Isso está errado — murmurou ela, respirando fundo. — Não, está errado.

Lentamente, afastou-se do móvel e, com o coração disparado e o corpo tenso, escancarou a porta do armário.

Apenas roupas, notou enquanto sua cabeça parecia explodir como os trovões lá fora.

Mas estava errado. Havia algo errado.

Ela tirou as chaves do bolso, segurou uma entre os dedos da mão fechada com a ponta para fora e inspecionou a casa.

Quando terminou, certa de que estava sozinha, pegou o celular.

— Lee, aqui é Darby. Acho que alguém esteve na minha casa. Sim, eu estou aqui agora. Não, já olhei tudo. Não achei ninguém, mas... Obrigada. Sim, obrigada.

Ela enfiou o aparelho de volta no bolso e, enquanto esperava pela polícia, fez uma inspeção mais cuidadosa.

Lee chegou em poucos minutos, mas Darby já fizera uma lista mental. Ela abriu a porta da frente, notando que a chuva molhava as costas do delegado.

— Obrigada por vir tão rápido.

— É para isso que estamos aqui. Algum sinal de arrombamento?

— Não que eu tenha visto.

— Vou dar uma olhada. — Parado sobre o capacho do lado de dentro, com a capa de chuva preta pingando um pouco, ele analisou a sala de estar. — Por que você acha que alguém entrou aqui?

— Sei que vai parecer bobagem, mas... Bem, podemos começar por aqui. Estou usando a sala como depósito por enquanto. Organizei as coisas por categoria.

— Estou vendo. Todas as suas coisas têm um lugar certo, não é, Darby?

— Sim, isso economiza tempo. Se tudo estiver arrumado, você não se atrasa procurando pelo que quer. Mas algumas coisas estavam fora do lugar. Fui pintar o banheiro do andar de cima, então peguei uma lona e um rolo de fita primeiro, antes de voltar para buscar o rolo e a bandeja. E havia coisas de jardinagem misturadas com coisas de pintura. Eu não faço isso. Sei que parece fácil fazer algo assim e esquecer, e, no começo, deixei para lá, mas... — Ela ouvia o que estava dizendo, o nervosismo em sua voz, então tentou soar mais calma. — Quando voltei para dar outra olhada em tudo, percebi que algumas ferramentas estavam no compartimento de jardinagem. E aquela caixa? Tenho certeza de que não a abri. É a cortina do banheiro e tudo mais, para quando eu terminar lá em cima. Eu não a abri, mas está aberta.

— Tudo bem, querida. Percebeu mais alguma coisa?

— Uma Coca. E eu sei que parece loucura, mas tenho *certeza* de que havia quatro garrafas na geladeira, mas só encontrei três.

— Uma está no seu bolso — comentou Lee.

— Esta é uma das três. — Tirando-a da calça, ela abriu a tampa e a fechou de novo para manter as mãos ocupadas. — Lee, quando sobram apenas três Cocas, eu as coloco direto na minha lista de compras. É um hábito. Mas também deixei isso para lá. Não pensei no assunto, só que, lá em cima... — Colocando a garrafa de volta no bolso, Darby suspirou. — Vou lhe mostrar. — Enquanto os dois subiam, ela continuou: — Fui pegar uma bandana para cobrir o cabelo antes de selar as paredes, porque não queria sujar o boné da minha empresa. Mas quando abri a gaveta... — Darby gesticulou para aquela que deixara aberta. — O negócio é o seguinte: eu guardo minhas calcinhas e sutiãs, meias e bandanas na gaveta de cima.

Lee se aproximou, observando o conteúdo da gaveta.

— Estou vendo.

— Tenho oito calcinhas, oito *tops*, dois sutiãs, um preto e um branco, oito pares de meias de trabalho, oito pares de meias normais, oito bandanas. Lavo roupa uma vez por semana e tenho um item extra de tudo para o caso de adiar um dia. Deixo um de cada na picape, só para garantir. E dois de cada na casa de Zane. Bem, não os sutiãs normais, porque raramente os uso.

— Certo, continue.

— Estou usando uma calcinha, um *top*, um par de meias de trabalho. Isso significa que deveria haver mais quatro de cada peça na gaveta. As únicas peças no meu cesto de roupas sujas são uma calça e uma camiseta que usei no trabalho. Faz uns dois dias que não venho aqui, tirando passadas rápidas. Só há três calcinhas aí dentro, e estão dobradas do jeito errado.

Ele concordou com a cabeça e a encarou.

— Mais alguma coisa?

— No armário. Não há nada faltando, mas as coisas estão em lugares diferentes, como se alguém tivesse mexido nelas. Eu deixo uma caixa lá com algumas coisas que eram da minha mãe. Nada valioso, apenas lembranças, acho. Como seus óculos de leitura, suas luvas de trabalho, um colar de miçangas que eu fiz para ela quando tinha 12 anos, cartões de condolências que as pessoas mandaram. Não dei falta de nada, mas alguém mexeu ali.

E, meu Deus, meu Deus, isso a incomodava mais do que qualquer outra coisa: um estranho mexera nas coisas da sua mãe.

— Você deixa dinheiro em casa?

— O quê? Desculpe, sim. Tenho duzentos dólares em notas de cinco, dez e vinte na gaveta da mesa de cabeceira. Mas só encontrei cem. Por que alguém deixaria cem, e não levaria tudo?

— Estavam torcendo para você não perceber, pelo visto.

Darby foi inundada pelo alívio. Lee acreditava nela.

— E mexeram no armário de remédios. Só tenho analgésicos, mas também estão fora do lugar.

— A casa estava trancada?

— Estava. Também é um hábito. Entrei pelos fundos, pela porta da cozinha. Usei a minha chave.

— Quando foi a última vez que você esteve aqui?

— Não vim ontem, mas passei um tempinho aqui anteontem, depois do trabalho. Só dei um pulo. Eu queria pegar outra folha de madeira compensada para as brincadeiras da festa de Zane e um comedouro de passarinho para um trabalho. Eu teria notado, acho que teria notado se as coisas estivessem fora do lugar.

— Tudo bem. Vou dar uma olhada nas portas e nas janelas.

— Obrigada.

Darby desceu com Lee e ficou observando enquanto ele abria a porta da frente e a analisava.

— Está vendo esses arranhões?

— Agora, estou. Alguém arrombou a fechadura?

— Imagino que tenha usado um cartão de crédito. Não é uma fechadura tão boa assim.

— Droga, droga, *droga*! Vou comprar uma melhor. Cem dólares e uma calcinha? Tenho ferramentas aqui que custam muito mais que isso, além da pequena televisão na cozinha. Daria para sair daqui com ela embaixo do braço.

— Deve ter sido coisa de adolescente.

Darby sentiu outra onda de alívio, mas a sensação logo desapareceu.

— Você não acredita mesmo nisso. Adolescentes teriam levado todo o dinheiro e não tomariam tanto cuidado.

Lee não argumentou.

— Vou dar uma olhada lá fora. E vamos tentar colher impressões digitais da fechadura e dos móveis. Pretende dormir aqui hoje?

— Agora, não. Acho que vou deixar para pintar o banheiro outro dia.

— Vamos fazer rondas por aqui nos próximos dias. E eu vou ficar de olho para ver se descubro alguma coisa.

NADA DE IMPRESSÕES DIGITAIS, pensou Darby mais tarde enquanto dirigia na chuva. Nada nas maçanetas, nas gavetas reviradas. Ela não precisava que Lee explicasse que o invasor usara luvas e se dera ao trabalho de limpar as superfícies.

Trabalho exagerado para alguém que só levara cem dólares e uma calcinha. O que era muito assustador.

Ela não se sentia em perigo nem com medo de verdade. Mas estava extremamente decepcionada com o fato de a comunidade que adotara e pela qual se apaixonara abrigar alguém que violara seu lar, sua privacidade.

Por motivo nenhum.

Darby contornou o lago, cinza-escuro e tenebroso por trás da cortina de chuva. O céu pesado encobria as montanhas, apagava as cores.

O clima adequado a seu humor.

Ela disse a si mesma para não ser ingênua. Toda comunidade tinha um lado ruim, um lado triste, segredos obscuros. Afinal de contas, Lakeview, com todo o seu charme sulista, já abrigara uma dupla de pais abusivos.

Lados ocultos, pensou.

E, mesmo assim, uma invasão pavorosa não podia nem iria fazer com que ela esquecesse todas as coisas boas que o lugar oferecia.

Darby lembrou a si mesma que devia sentir-se grata por ter um porto seguro na casa do namorado, por ter amigos, pessoas em quem confiava.

Quando entrou na estrada da casa de Zane, sentiu o otimismo voltando. As luzes do grande muro reluziam contra a névoa pesada, imprimindo um tom acolhedor ao lugar. A iluminação simples e estável, que instalara na cascata, fazia com que se destacasse.

Não importava o que estava escondido sob a superfície, ela enfrentaria. E seguiria em frente.

Mais calma, tirou as botas na varanda, abriu a porta e reconfigurou o alarme. Depois de levar as botas para o vestíbulo e tirar o casaco, foi cuidar da importantíssima questão de se servir de uma taça de vinho.

Então, na casa silenciosa e vazia, sentou-se à bancada com o laptop e procurou chaveiros nas redondezas. E, apesar de seu lado otimista odiar ter de fazer aquilo, a mulher prática dentro de si começou a pesquisar sistemas de alarme.

As pancadas de chuva abafaram o som do carro de Zane se aproximando, e ela não ouviu a porta abrir e fechar, então deu um pulo ao escutar passos, girando para saltar do banco.

— Meu Deus, meu Deus, meu Deus! — Batendo uma mão contra o peito, Darby sentou-se de novo. — Você não devia estar aqui.

— Eu moro aqui.

— Sim, mas ia jantar com Micah e Dave hoje.

Zane se aproximou, acariciou o cabelo dela e lhe deu um beijo.

— E você ia pintar o banheiro dos peixes. Planos mudam. — Descendo as mãos para os ombros dela, ele a esfregou de leve. — Você está bem?

— Imagino que alguém tenha lhe contado sobre o ladrão de calcinhas.

Agora, as mãos nos seus ombros a sacudiram um pouco.

— Não adianta fingir que não está incomodada.

— É claro que estou incomodada. Ninguém gosta de imaginar uma pessoa invadindo sua casa e mexendo nas suas coisas. Mas foi isso que aconteceu, e eu vou tomar a única atitude possível e resolver o problema tarde demais: ligar para um chaveiro amanhã e procurar um sistema de alarme. — Tentando acalmar o brilho irritado nos olhos dele, Darby deu um tapinha na mão que continuava em seu ombro. — Você não precisava mudar seus planos.

— Precisava, sim. E, agora, estou me perguntando por que você acha que eu iria querer tomar uma cerveja e comer asinhas de frango depois de alguém ter invadido a sua casa. — Zane segurou o rosto dela com firmeza. — Não faça isso.

— Não quero agir como uma mulher carente.

Ele soltou uma risada e foi buscar uma taça para se servir de um pouco do vinho.

— Você é a pessoa menos carente que eu conheço. Na verdade, acho que um pouco mais de carência não faria mal.

— Foi por carência que me envolvi com Trent.

Zane sentou-se, analisando-a.

— Acha mesmo isso?

— Tenho certeza. Meu pai abandonou a mim e à minha mãe, e isso fez com que eu quisesse... que precisasse de alguém que me amasse, de um cara que me apoiasse, ficasse ao meu lado. Em todos os momentos. Trent percebeu isso, utilizou-se disso, e, bem, eu me ferrei. Talvez eu esteja exagerando na direção oposta agora — admitiu Darby. — Mas eu quero encontrar um equilíbrio.

— Querer alguém que a ame, a apoie e fique ao seu lado não é carência, querida, é humano. E eu estou aqui, agora, com você.

— Eu sei. — Ela sabia mesmo, e isso fazia sua garganta arder. — E, por trás de todos os "estou bem, isso é bobagem", fico muito feliz por você estar ao meu lado. Quero dizer, que tipo de tarado rouba uma simples calcinha de algodão? Ela nem sequer era sexy.

— Em você, era. Então, foi só isso e metade do dinheiro que você guarda em casa?

— A calcinha, cem dólares e uma garrafa de Coca. Acho que a maioria das pessoas nem teria percebido. Até o dinheiro, você pode pensar que se confundiu, não é? É esquisito e perturbador, mas inofensivo. Mais do que tudo, estou irritada por não conseguir me sentir à vontade para dormir lá hoje e pintar o banheiro.

— Faremos isso amanhã, depois do trabalho.

— Amanhã já é dia três. Temos que começar os preparativos para a festa.

— Aquele banheiro deve ter 1 metro quadrado de parede. Não vai demorar muito. Depois, podemos arrumar a festa.

Ele a acalmara quando ela nem entendera que precisava ser acalmada, percebeu Darby.

— Podemos começar agora, com a sua lista. Você alugou as mesas e cadeiras extras?

Zane ficou emburrado de novo. Ela achou fofo.

— Comprei as malditas mesas e cadeiras. Vou buscá-las com Micah amanhã. Nós vamos jantar pizza — resolveu ele, levantando-se para ligar o forno.

— Você comprou?

— Não se faça de inocente para um advogado. Essas coisas são óbvias para a gente. Você e as outras resolveram que a festa seria o evento do ano, então comprei mesas e cadeiras, que, agora, vou ter que guardar no depósito e só retirá-las uma vez por ano. — Zane serviu-se de mais vinho. — Junto com aquelas toalhas vermelhas, brancas e azuis ridículas que Britt fez questão de adquirir, e os pratos, guardanapos, copos, talheres e bandejas idiotas combinando. E as luzes, luminárias e sei lá mais o quê. Isso sem contar o meio milhão de hambúrgueres, salsichas, pães, litros de cerveja, vinho, refrigerantes e os sacos de lixo gigantescos que vamos precisar para jogar tudo isso fora depois que a festa acabar.

Darby tomou um gole do vinho e sorriu enquanto ele tirava a pizza do congelador.

— Você não comprou isso tudo.

— Comprei algumas coisas e paguei por tudo.

— Que mal-humorado!

— Um momento de fraqueza, e vou ter que passar o resto da minha vida dando uma enorme festa de Dia da Independência por ano.

— Agora, provavelmente, não é o melhor momento para mencionar que você também vai querer dar uma enorme festa de Natal todos os anos.

Zane estreitou os olhos.

— Quem disse que eu vou querer fazer uma coisa dessas? — Ela se levantou, e o abraçou. — Isso não vai me convencer.

— Não era o que eu pretendia fazer. Tenho outras formas de convencê-lo. É um abraço por você estar aqui quando eu não queria precisar que estivesse.

— Pode ir se acostumando — respondeu ele, roçando os lábios no cabelo dela. — Vamos combinar o seguinte. Chega de pensar em tarados que roubam calcinhas ou festas malucas. Vamos comer pizza, tomar vinho, estourar um saco de pipoca no micro-ondas, tomar mais vinho e assistir a um filme. E, depois, vamos fazer sexo selvagem.

— O que você entende por sexo selvagem? Nossas definições podem ser diferentes.

— Vamos descobrir.

Mas Zane pensou em tarados e em como a casa de Darby era isolada e vulnerável. Pensou tanto nisso que, no dia seguinte, saiu de casa logo depois dela para encontrar Lee antes do expediente.

— Veio tomar café? — perguntou o delegado. — Convenci Emily a fazer rabanada.

— Ninguém recusa a rabanada de Em — disse ele, dando um beijo na bochecha da tia.

— Então, você deu sorte. — Ela retribuiu o beijo antes de o sobrinho se abaixar para fazer carinho em Rufus. — Gabe já saiu, e Brody ainda está dormindo. Você acordou cedo.

— Está começando a se tornar um hábito. Darby acorda de madrugada.

À vontade, Zane se serviu de café, pegou outro prato e sentou-se ao lado de Lee.

— Imagino que você queira saber se eu descobri quem invadiu a casa dela.

— Considerando a situação, acho que seria um milagre descobrir qualquer coisa.

— É verdade. Ninguém precisa ser um gênio para perceber que ela passa algumas noites fora e tem fechaduras fáceis de arrombar.

Zane se recriminou por não ter pensado em nada disso antes.

— A parte das fechaduras será resolvida hoje, e ela quer falar com Micah sobre sistemas de alarme.

— É bom saber disso.

Emily colocou uma travessa cheia de rabanadas sobre a mesa e sentou-se com os dois.

Agora que a família tinha se acomodara, Rufus se aconchegou sob a mesa para lhes fazer companhia.

— Como ela está? — perguntou a tia.

— Na minha opinião, menos irritada do que deveria. Mas, no geral, confusa, porque a situação como um todo parece bastante ridícula.

Lee passou um pouco de manteiga na rabanada em seu prato e se serviu de calda.

— Eu concordaria se não fosse pelo fato de a porta e as gavetas terem sido limpas. Não encontramos uma única impressão digital. Bem, pode ter sido algum garoto idiota, cheio de hormônios, que ficou com medo de deixar impressões depois de assistir a um monte de programas de televisão, mas, nesse caso, eu esperaria que ele levasse o dinheiro todo. — Lee balançou o garfo no ar. — Foi inteligente levar só uma parte. A maioria das pessoas juraria que havia duzentas pratas ali, mas, depois, concluiria ter pegado uma parte do dinheiro e esquececido. E eu não conheço ninguém que saiba exatamente quantas calcinhas tem na gaveta, quantas Cocas na geladeira, e assim por diante.

— Darby saberia — disse Zane. — Ela é assim.

— Eu percebi, e seria fácil acreditar que foi um garoto idiota querendo uma aventura. Mas é tudo muito estranho. Espero que ela instale o alarme o mais breve possível. Eu ficaria mais tranquilo sabendo que, se alguém tentar entrar lá quando Darby estiver em casa, vai levar um belo susto.

— O problema é que ela desmaia quando dorme. Sério.

Lee abriu um sorrisinho.

— É mesmo?

— Nas primeiras vezes, até fui verificar la estava respirando. Quando aquela mulher apaga, nada a acorda. Juro, se uma bomba estourasse do seu lado, ela nem se mexeria.

— Então, é melhor Darby ficar com você até Lee descobrir o que aconteceu e as fechaduras e os alarmes serem instalados. — Emily franziu a testa, preocupada. — Não gosto de pensar nela sozinha naquela casa depois disso tudo.

— Nem eu. Antes de tudo isso acontecer, eu pedi que ela viesse morar comigo. Mas ela não está pronta.

— Você... — Emily baixou o garfo. — Isso é um passo importante, Zane. Um passo muito importante, mas, pelo visto, você está pronto.

— Pois é, que surpresa! Estou.

— Então, peça de novo.

Ele sacudiu negativamente a cabeça.

— Darby não está pronta. Ela tem mais traumas do que parece.

Lee o cutucou.

— E o que você vai fazer?

— Esperar até ela se sentir pronta. E tentar mostrar que essa é a escolha certa. Darby vai ficar comigo até poder voltar para casa. Ela é capaz de cuidar de si mesma e sabe disso, mas não é burra. E, quando for morar comigo, vai querer que a casa continue protegida. Não imagino que vá vender suas coisas e o terreno.

— Para se proteger de outras maneiras? — perguntou Emily.

— Talvez por um tempo, mas, principalmente, porque é o espaço dela, além de um lugar para guardar equipamento, talvez fazer reuniões, experimentos com plantas.

Emily se esticou por cima da mesa e apertou a mão do sobrinho.

— Você pensou bastante sobre esse assunto.

— Pensei bastante nela. Darby é a pessoa que eu quero na minha vida. Mas eu posso esperar até ela ter certeza de que me quer na dela. — Zane deu de ombros e abriu um sorriso. — Porque eu já sei disso.

*D*EPOIS DE PASSAR as orientações da manhã para a equipe, Darby foi se encontrar com a chaveira e Micah na sua casa.

Rochelle era prima em segundo grau por parte de mãe de Ralph. Ela usava óculos de armação metálica no mesmo tom que seu cabelo, preso em uma trança grossa, e um batom de um forte tom de vermelho.

— Minha mãe disse que Ralph adora o trabalho novo. A aposentadoria não estava fazendo bem a ele.

— Que bom! Tenho sorte por ter seu primo na equipe.

— Ele é caladão, nosso Ralph, então, quando diz que a senhora tem bom senso e trabalha pesado, sabemos que não está de brincadeira. A prima Lydia, a mãe dele, achava que Ralph não ia gostar de trabalhar para alguém tão jovem, ainda por cima uma mulher. Mas ele adora.

— Que ótimo! Espero envelhecer, mas é bem provável que continue sendo mulher.

Rochelle soltou uma gargalhada e deu um tapinha nas costas de Darby.

— A gente tem isso em comum. Então, fiquei sabendo que a senhora teve problemas aqui.

— Alguém entrou na casa. A pessoa não levou muita coisa nem fez grandes estragos, mas eu preciso de fechaduras melhores.

— Isso é verdade, srta. McCray.

— Darby.

— Continua sendo verdade. Posso trocar as fechaduras, mas, como você é jovem, mulher e uma boa chefe para o primo Ralph, me sinto na obrigação de avisar que eu conseguiria derrubar essa porta com um chute de meia-tigela.

— É, eu pensei nisso. — Darby encheu as bochechas de ar. — Talvez eu troque as portas da frente e dos fundos no inverno, mas, por enquanto, só quero fechaduras boas e resistentes. E Micah Carter está vindo para conversarmos sobre um sistema de alarme.

— Aí está o tal bom senso. Aquele garoto sabe o que faz, apesar de eu não entender quase nada do que fala. Sua casa é bem isolada — acrescentou Rochelle enquanto olhava ao redor. — Mas ouvi dizer que você sabe se cuidar. E ouvi também que vai dar um curso de autodefesa no centro comunitário.

— Ah, bem, eu não...

— Eu me inscreveria. Ninguém me acusaria de ser uma dama, mas seria bom aprender técnicas de autodefesa. Nunca se sabe aonde meu trabalho vai me levar. E minha filha, Reanne, tirou sua licença de corretora agora, está trabalhando com Charmaine. Você conhece Charmaine.

— Sim, conheço. Ela me ajudou a comprar a casa.

— Bem, minha Reanne é uma moça tão pequena e bonita. Eu ficaria mais tranquila se ela soubesse se defender.

Quando Darby, finalmente, conseguiu voltar ao assunto das fechaduras, as duas concordaram que seria bom instalar ferrolhos nas portas da frente e dos fundos. Em seguida, Micah chegou, iniciando outra rodada de conversa fiada.

Pensando em todo o trabalho que ainda precisava fazer, ela deu um jeito de levá-lo para dentro da casa enquanto Rochelle pegava a furadeira.

— Certo, tudo bem, acho que só preciso de um alarme básico. Algo para assustar qualquer um que tente entrar aqui.

— Posso fazer isso. — Micah coçou o cavanhaque. — E Zane me daria uma coça. Ele está bem assustado, Darby, então dê um desconto para o cara. — Micah ergueu as duas mãos antes que ela começasse a protestar. — Primeiro, aquele babaca do Bigelow a ataca; agora, outro idiota invade sua casa. O cara merece um desconto, não acha?

— Talvez.

— Então, vamos chegar a um meio-termo aqui. — Micah abriu um sorriso radiante. — A vida é assim mesmo, não é? A gente precisa abrir mão de algumas coisas. Meu camarada Zane quer que você tenha de tudo e mais um pouco, como câmeras, detectores de movimentos...

— Ah, francamente!

— Eu sei, eu sei. Você só quer algo barulhento para espantar idiotas. Então, acho que podemos equilibrar um pouco das duas coisas. Posso proporcionar o barulho, um alarme que faça um estardalhaço se alguém tentar abrir a fechadura, quebrar a janela ou arrombar a porta. Mas Zane diz que, se você estiver dormindo, talvez nem isso a acorde.

— Meu sono não é tão pesado assim! Eu... Merda. Talvez sim, talvez não.

— Então, quero acrescentar alguns detalhes. O sistema pode acionar as luzes. A casa toda se acende. E o alarme manda uma mensagem para Lee.

— Não quero incomodar Lee com...

— Um meio-termo. As pessoas, provavelmente, vão ficar sabendo que você instalou um alarme. Na verdade, isso vai acontecer porque eu vou contar aos outros. Ninguém vai tentar entrar aqui de novo. Então, é melhor que seja assim. Caso contrário, Zane vai encher o saco até você mudar de ideia. Advogados só param de argumentar quando ganham, não é?

Darby revirou os olhos.

— Quero uma Coca. Vamos tomar uma.

Ela foi até a cozinha e abriu a geladeira.

— Nossa, ficou bonito aqui! Cara, se essas cores não fazem com que você acorde de manhã, não sei o que faria. Gostei.

— Eu também. — Ela lhe passou a Coca. Pelos seus cálculos, o alarme básico custaria um rim. Agora, enquanto bebia o refrigerante, Darby analisou Micah. — Qual é o orçamento para o meio-termo?

Quando ele respondeu, ela suspirou.

— Micah, isso é menos do que custaria um alarme básico. Pare com isso.

— Você vai receber o desconto de amigos e família. Comigo, é assim. Além do mais, preciso de uma planta igual àquela que você colocou no escritório de Zane. Ela é maneira. Cassie vai fazer um vaso bonito.

Darby suspirou de novo.

— Está combinado então.

— Ótimo. — Ele bateu com o punho no dela. — Sabe o que mais eu faria se morasse aqui?

— O quê?

— Já pensou em ter um cachorro?

Darby cutucou o peito dele.

— Sim! Mas eu estou começando a empresa e passo tempo demais na casa de Zane.

— A gente tinha uma cadela quando eu era garoto. Acho que Zane a amava mais do que eu, e todo mundo lá em casa era louco por Betsy. Ele queria um cachorro, mas era impossível naquela casa, então ia lá mais para brincar com ela do que passar um tempo comigo.

— Sério?

— Ele falou qualquer coisa sobre pegar um cachorro quando voltou, mas disse que passa o dia todo fora e não seria justo. Mas e quanto a você? Parece um bom meio-termo. E, por acaso, uma amiga minha tem um abrigo.

Com outro sorriso radiante, Micah terminou a Coca.

Parte Quatro

Verdades que curam

*A cura é uma questão de tempo,
mas, por vezes, também de oportunidade.*

— Hipócrates

*Porém, sobretudo,
seja fiel a si mesmo.*

— William Shakespeare

Capítulo 22

♦ ♦ ♦ ♦

Zane dirigia pela longa estrada serpenteante pensando que merecia uma boa bebida, considerando não apenas o dia que tivera como também a noite que passaria, cuidando dos preparativos para aquela festa maluca.

Enquanto fazia a última curva, um latido grave e descontrolado atravessou o silêncio. Algo surgiu, aos pulos, dos fundos da casa, como um borrão preto e branco.

E dentes, notou ao estacionar, vendo a criatura exibi-los.

Ele o encarou por um tempo, de dentro da segurança patética do conversível com a capota aberta, enquanto Darby vinha correndo.

— Zod! Pare.

Ela bateu palma duas vezes.

A criatura, que parecia um cachorro, parou de latir e virou o focinho, que parecia ter sido amassado por uma prensa, para Darby.

— Sente! — ordenou ela, e o bicho obedeceu, balançando o toco que era seu rabo.

Quando ela se inclinou para acariciá-lo, o cão a encarou com seus enormes olhos esbugalhados cheios de adoração.

— Isso é um cachorro? — perguntou Zane enquanto saía do carro lenta e cuidadosamente.

— Sim. Ele não morde. Só queria me avisar que alguém tinha chegado. Não era minha intenção — continuou Darby, falando rápido. — Juro por tudo que é mais sagrado que só fui dar uma olhada, e, dependendo de como fosse, a gente poderia conversar. Só que ele... Droga.

— Tem certeza de que isso é um cachorro?

— Claro que é um cachorro. É o General Zod.

— Da Zona Fantasma, saído de Krypton?

— Os filhos de Vicky deram o nome.

— Vicky...

— Vocês estudaram juntos. Micah... A culpa é dele.

— Certo. — Agachando-se, Zane o observou. O focinho amassado era quase todo branco, assim como o rabinho. O restante, cerca de 12 quilos de músculos compactos em pernas curtas e grossas como o rabo, era uma mistura de preto e branco. Os olhos, esbugalhados, brilhavam como tigelas cheias de petróleo. — Mas que cachorro feio!

— Pois é. Pensei que seria bom ter um cão, para usar o latido como outra medida de segurança, e estava pensando em pegar um assim que tivesse tempo para treiná-lo; talvez um filhote que pudesse ensinar desde pequeno a não cavar e fugir. Aí, Micah tocou no assunto, disse que uma amiga tinha um abrigo. E eu fui dar uma olhada.

— Zod. — Olhando para o cão, Zane bateu no joelho. O animal veio correndo, lambeu sua mão com a língua larga e molhada. — Medida de segurança?

— Bem, sim. Quero dizer, como você já viu, ele late como um louco. Mas obedece quando você manda parar. Isso é fundamental. E não morde, gosta de crianças... Vicky tem dois pares de gêmeos.

Enquanto Zane coçava as orelhinhas pontudas de Zod, o cachorro gemeu como se sentisse uma satisfação intensa, profunda. Aqueles olhos estranhos brilhavam enquanto ele apoiava o queixo no joelho do novo dono.

— Viu! É isso que ele faz! Olha para você como se fosse o centro do mundo. Vicky disse que ele nunca mexeu nas flores dela. E já foi treinado, gosta de outros cachorros e de pessoas. Ele é meio afobado, mas bonzinho. Gostou de passear de picape. Isso também era fundamental, porque pretendo levá-lo comigo para o trabalho. Zod se comportou muito bem hoje... E eu devia ter conversado com você antes.

— Quando eu era garoto, a gente não podia ter nenhum bicho de estimação.

— Micah me contou.

— Também era inviável em Raleigh, morando em um apartamento, passando mais tempo no trabalho do que em casa. Pensei que, no dia que escolhesse um, seria um labrador ou um golden retriever. Sabe... — ele abriu os braços para indicar tamanho — um *cachorro*. — Depois de esfregar o estranho corpo musculoso do cão e ganhar mais gemidos de alegria, ele se levantou. — General Zod — murmurou, fazendo o animal se balançar.

— Vicky estava com ele há três meses. Os donos anteriores resolveram que não queriam mais um cachorro. Ele tinha cerca de um ano, então o levaram para o canil. Quando Vicky o encontrou, o coitadinho estava no corredor da morte, sabe? É isso que ela faz. Vou levá-lo para passear, dar comida e tudo mais quando estivermos aqui.

Zod deitou-se e virou de barriga para cima na grama.

— Por que só você vai poder se divertir?

— Você não está zangado?

— E por que eu ficaria? Nossa, minha avó diria que ele é feio como o pecado. Até que eu achei legal. — Zane se inclinou, esfregando a cabeça larga do animal. — Ajoelhem-se perante Zod!

Com uma risada, Darby jogou os braços ao redor do namorado, fazendo o cachorro se enfiar entre os dois e erguer a cabeça, soltando um uivo demorado.

— Que raios de raça é essa?

— Ela não sabia direito. Talvez uma mistura de buldogue com beagle e alguma outra coisa. Eu estava mostrando a casa para ele, tentando convencê-lo a usar o bosque como banheiro.

— Boa ideia. Vamos beber alguma coisa e passear com o cachorro.

— Ele tem um hábito peculiar — alertou Darby enquanto os dois contornavam a casa com Zod entre eles.

Achando graça, Zane observou o cão andando empinado sobre as perninhas estranhas.

— Querida, ele é peculiar.

— Zod rouba qualquer peça de roupa que caia no chão. Não come nada, só a leva para a cama. Ele gosta de dormir com uma meia ou uma camisa com cheiro de gente. Até pega coisas no cesto de roupa suja. Se você tentar pegá-la de volta antes do amanhecer, ele vai uivar até que a devolvê-la.

— Achei aceitável. — Zane olhou para ela e para o cachorro e se sentiu muito bem. — Alguma outra coisa?

— Bem, é melhor não dizer a palavra b-i-s-c-o-i-t-o, a menos que tenha um por perto, porque ele fica meio enlouquecido.

— Você tem algum?

— Vicky me deu um saco. Coloquei alguns no bolso para o caso de precisar convencê-lo a sair do gramado e ir para o bosque.

— Tudo bem, então. *Biscoito*.

Por um instante, Zod congelou — a estátua canina mais feia do mundo —, mas, então, para a alegria de Zane, pulou meio metro de altura, como se fosse impulsionado por molas; seus olhos arregalados e cheios de uma alegria enlouquecida. Quando o petisco não apareceu na mesma hora, ele continuou pulando, dando um giro desengonçado no ar.

— Um cachorro de circo. Dê o biscoito a ele.

Obedecendo, Darby jogou um no ar. Zod o pegou e ficou correndo em círculos antes de engoli-lo.

— Ele pode ser feio —concluiu Zane, passando um braço em torno dos ombros dela —, mas é divertido. — O menino dentro do homem enfiou uma mão no bolso de Darby, sorrindo, e gritou: — Biscoito!

*P*OUCO DEPOIS do amanhecer, com um dia de preparativos para a festa pela frente, Darby seguiu para o trabalho. Duas horas bastariam para adiantar o serviço e dar mais experiência ao seu companheiro canino, então ela poderia voltar para Zane com tempo de sobra para se preparar para as festividades da noite.

Zod estava ao seu lado na picape, as orelhas pontudas vibrando com o vento que entrava pela janela aberta. Enquanto se afastava da cidade e seguia pela estrada tranquila que levava às montanhas, Darby chegou à conclusão de que eles haviam sorte.

Ambos tinham encontrado seu lugar.

Atrás deles, o sol subia no céu, iluminando o que prometia ser um dia perfeito de verão.

— Vai haver muitas crianças mais tarde, Zod, e cachorros também. Nossa festa vai ser incrí...

Darby pisou nos freios com força. Enquanto o cão gania, surpreso, ela virou o carro para o acostamento. Tinha visto a mulher, com o rosto todo machucado, correndo e mancando na direção das árvores enquanto a picape se aproximava.

— Espere — disse ela para Zod e para a mulher, saindo da picape. — Não vou machucar você! Quero ajudar. Sei que está machucada.

Ignorando o instinto que lhe dizia para se aproximar correndo, Darby permaneceu ao lado da picape.

Ela tivera apenas um vislumbre, mas vira medo naqueles olhos roxos e inchados.

— Eu quero ajudar. Posso levá-la aonde quiser ir. Meu nome é Darby. Já me machucaram também, e eu precisei de ajuda. Deixe-me ajudá-la. — Ela ouviu o barulho do farfalhar das árvores e se obrigou a permanecer imóvel. — Ou posso ligar para alguém, se preferir. Ligo para quem você quiser e fico aqui até chegarem.

Outro vislumbre de um rosto magro, cheio de hematomas, do cabelo louro-escuro comprido.

— Não posso ir na mesma direção que você. Vão me ver.

— Podemos dar meia-volta. Podemos ir para onde você quiser. Olhe, que tal eu virar a picape agora? Vou virar a picape para irmos na direção certa. Você está machucada. Não posso deixá-la aqui, sozinha. Só vou virar a picape, está bem?

Com o coração martelando no peito, Darby voltou para o carro.

Não fuja, por favor, não fuja, pensou ela enquanto fazia um retorno lento e cuidadoso.

— Eu não conheço você.

— Meu nome é Darby. Darby McCray. Eu me mudei para Lakeview em fevereiro. Posso ligar para alguém e esperar aqui com você caso não queira ir comigo.

A mulher saiu da floresta, hesitante, e seus olhos sofridos foram de Darby para o cachorro.

— Ele se chama Zod. É um doce. Não vai machucá-la.

Para garantir que o cão não latiria, Darby o acariciou enquanto os olhos da mulher se desviavam para a estrada. Mancando o mais rápido que podia, ela seguiu para a picape e entrou no veículo.

— Você pode sair daqui? — As palavras vieram apressadas, trêmulas. — Só sair daqui?

— Claro. — Calma e tranquila, pensou Darby. Permaneça calma, tranquila e relaxada. — Posso ir para a clínica — começou ela enquanto dirigia. — Ou para a delegacia, para...

— Não, não, não.

— Tudo bem, não se preocupe. Iremos para onde você quiser. Sua família mora por aqui?

— Não posso ir para lá. Eles me encontrariam.

— Tudo bem.

Enquanto Darby falava com um tom de voz calmo, Zod lambeu uma das mãos trêmulas da mulher e apoiou a cabeça em seu colo.

Ela começou a chorar.

— Você pode vir para casa comigo ou...

Ainda tremendo, a mulher pegou um cartão de visita amassado no bolso.

— Pode me levar a este endereço? Até ele?

Ao analisar o cartão, Darby respirou fundo.

— Você é Traci, Traci Draper? Não tenha medo — acrescentou ela rapidamente quando a mulher agarrou a maçaneta da picape como se fosse abrir a porta e pular. — Eu conheço Zane. Somos amigos. Ele me contou o que estava acontecendo e disse que estava preocupado com você. Ele, nós... — Que palavras usar? — Nós estamos juntos. Zane não vai deixar que nada de mal aconteça com você.

Traci pegou Zod no colo e se embalou, agarrada ao cão.

— Não sei o que fazer.

— Você já está fazendo a coisa certa. Procurando ajuda.

— Se eles me encontrarem... Por que você está virando aqui? — O pânico tornou sua voz aguda. — Este não é o endereço.

— Zane mora aqui. Não há ninguém no escritório agora. Ainda é muito cedo, e é feriado, então ele ainda está em casa. Acabei de sair daqui. Ele está em casa. Está tudo bem. Ninguém vai machucar você. — Tente acalmá-la, criar uma conexão, disse Darby a si mesma. — Conheço sua mãe e sua irmã. Elas são muito simpáticas.

— Ele disse que mataria as duas, que me mataria e, depois, mataria as duas se eu tentasse procurá-las. Ele vai matá-las.

— Não vamos deixar que isso aconteça, Traci. Vamos impedi-lo. Nós vamos impedi-lo. Viu, o carro de Zane está ali. Vamos entrar, e você vai contar a ele o que aconteceu.

Apertando ainda mais o cachorro, Traci se virou para olhar a estrada.

— Clint vai tentar matá-lo se descobrir que eu vim para cá.

— Não se preocupe. Ninguém sabe que você está aqui. Vamos entrar — disse Darby depois de estacionar. — E, então, pensaremos em uma solução.

— Ela saltou e correu para ajudar Traci a sair da picape. — Acho que Zane ainda não acordou, mas eu tenho uma chave. Fico aqui às vezes.

Zod foi trotando alegremente na frente enquanto Darby guiava a mulher até a entrada da casa, destrancava a fechadura e desligava o alarme.

— Que rápida! — Vestindo apenas uma calça de algodão e segurando uma xícara de café, Zane saiu da cozinha. — Meu Deus, Traci! — Ele veio correndo, mas diminuiu a velocidade quando ela se encolheu sob o braço de Darby. Então, usou um tom de voz mais suave. — Está tudo bem. Vai ficar tudo bem. Vamos pegar um pouco de água. Talvez um café.

Ele seguiu na frente das duas. Não apenas já tinha sobrevivido a um lar abusivo, como também cuidara de muitos casos de violência doméstica, colhera depoimentos de vítimas. Talvez Traci não quisesse que um homem a tocasse ou chegasse perto demais.

Aliviado por Darby parecer compreender isso, Zane se afastou para buscar um copo com água e uma camiseta limpa enquanto ela guiava a mulher para o sofá do salão.

Zod, com os olhos cheios de amor, apoiou a cabeça no sofá, ao lado da perna de Traci.

— Ele... ele é um bom cachorro.

— É, sim. Você quer um café?

— Só a água, por favor. Obrigada. Não sei o que fazer.

— Nós vamos pensar em alguma coisa — disse Zane enquanto voltava com a água, oferecendo-lhe o copo. E uma bolsa de gelo. — Onde mais você se machucou, Traci?

— Ele socou muito a minha barriga, e, quando caí, bati o joelho. Clint também me agarrou pelo braço, e está doendo. Ele se irritou ontem à noite. Estava bebendo e ficou com muita raiva. Não gostou do que preparei para o jantar, e a mãe dele contou que só passei uma hora cuidando do jardim. Ela me vigia. — Apesar de segurá-lo com as duas mãos, o copo tremia quando Traci o levou aos lábios, tomando goles lentos. — Clint disse que eu era preguiçosa e não servia para nada e começou a me bater. Dessa vez, pensei que fosse me matar. Depois, me obrigou a transar com ele, e doeu, tudo doía, então ele me bateu de novo porque disse que tinha sido ruim e eu era só uma piranha. — Quando novas lágrimas começaram a cair, Darby a abraçou. — Achei que iria morrer se não saísse de lá.

— Ele está em casa agora?

Traci ergueu os olhos inchados e machucados para Zane, negando com a cabeça.

— Se estivesse, eu não teria conseguido fugir. Ele saiu bem cedo para caçar com o irmão e o pai. Se eu não estiver cuidando do jardim daqui a uma hora, minha sogra ou minha cunhada vão começar a me procurar. Elas me vigiam de suas respectivas casas, me deduram se eu não obedecer às ordens dele ou se me virem conversando com alguém. As duas viram você naquele dia — continuou Traci enquanto as lágrimas voltavam a cair. — Mas Clint não ficou muito bravo, porque você foi embora rápido. Só levei alguns tapas por causa daquilo.

— Sinto muito, Traci. Sinto muito por isso. Nós vamos ajudá-la. Vamos dar um jeito de ele nunca mais machucar você outra vez, mas precisamos tomar algumas providências. Você precisa prestar queixa.

Ela baixou a cabeça, encolhendo os ombros.

— Clint disse que me mataria se eu tentasse, que ninguém acredita em uma piranha mentirosa. E que, se acreditassem, ele mataria minha mãe, machucaria minha irmã.

— Não vamos deixar que isso aconteça. E precisamos levá-la à emergência, Traci.

— Não posso ir. Não posso! Clint vai ficar louco, como quando eu caí e perdi o bebê. Ele me bateu, eu caí da escada e sofri um aborto. Precisei ir ao médico, e isso o deixou enlouquecido.

Darby e Zane trocaram um olhar rápido.

— Que tal se a médica viesse aqui? — Darby manteve o braço em torno dela, tranquilizando-a. — Uma mulher. Ela é nossa amiga. E você conhece o delegado Keller, Traci. Ele é um bom homem. E quer ajudar. Ele vai ajudá-la se você contar o que aconteceu ontem à noite, o que aconteceu quando perdeu o bebê.

— Eu menti para o delegado antes. Não tive escolha!

— Isso não faz diferença agora — disse Zane.

— Eu só precisava sair de lá. Se eu fugir para bem longe, ele não vai me encontrar.

E para onde ela iria?, pensou Darby. O que faria?

— Eu também já fui casada com um homem que me machucava. — Darby fez uma pausa enquanto Traci virava a cabeça para fitá-la. — Se eu não tivesse procurado ajuda, se as pessoas não tivessem me ajudado quando precisei, ele teria me machucado muito mais. Eu estava com tanto medo. Mas as pessoas me ajudaram. E a polícia o prendeu para ele nunca mais se aproximar de mim.

— O que você fez para ele bater em você?

— Nada, assim como você. As pessoas machucam as outras porque querem, não precisam de motivo.

— Por que você me procurou, Traci?

Diante da pergunta de Zane, ela baixou a cabeça de novo, e suas mãos nervosas puxaram e repuxaram a saia comprida de seu vestido de algodão.

— Clint disse que você tinha mentido quando acusou seu pai de espancá-lo, mas minha mãe dizia que era verdade. Minha mãe não mente. Clint mente. Talvez você possa me ajudar a pedir o divórcio, mas eu preciso sair daqui, ir para bem longe.

— Há lugares seguros que não ficam tão longe assim. Minha irmã trabalha com pessoas que precisam ir para lugares seguros. Você pode ficar em um abrigo. Posso conseguir uma medida protetiva para mantê-lo afastado e ajudá-la a ir para um lugar assim. Posso ajudar com o divórcio.

— Não tenho dinheiro. Talvez minha mãe...

— Não precisa me pagar. Mas precisa conversar com o delegado e contar o que aconteceu ontem, assim como o que aconteceu quando você estava grávida.

— Ele disse que mataria a mim e à minha família inteira se eu fizesse isso.

— E você vai contar isso para o delegado Keller também. Conte tudo; eu vou ficar do seu lado, como seu advogado, está bem? Deixe a médica examiná-la, para que ela possa confirmar à polícia tudo que Clint fez.

— Se eu fizer isso, não estarei colocando minha família em risco?

— Não vamos deixar que nada de ruim aconteça.

— Posso ligar para a médica, Traci, e para sua mãe. As duas podem vir para cá.

Ela ficou imóvel, as mãos afrouxando na saia.

— Minha mãe pode vir aqui? Ela pode ir comigo para esse lugar seguro?

— Vamos dar um jeito. — Zane se levantou. — Quero que você me diga se eu posso ligar para o delegado Keller. E diga a Darby se ela pode ligar para a médica e para a sua mãe. Não vamos fazer nada que você não queira.

— Estou com tanto medo. Estou tão cansada. — Jogando a cabeça para trás, Traci fechou os olhos. — Quase desejei que ele me matasse ontem, só para acabar com tudo isso de uma vez por todas. Não posso mais viver assim. Não quero mais viver assim. Se vocês ligarem para eles, as coisas vão mudar. Preciso que as coisas mudem, então liguem. Mas, por favor, avisem à minha mãe. Eu só quero a minha mãe.

Ela levou as mãos ao rosto e chorou.

DARBY FICOU muito abalada com tudo aquilo, recordando-se com uma clareza absurda do medo, do choque e do desamparo infinito de ser agredida por um homem que jurara amá-la.

Pior do que o ataque de Graham Bigelow, testemunhar a exaustão, o desespero e o pavor de Traci trazia todos esses sentimentos à tona.

E a necessidade, aquela necessidade extrema e visceral, de ter a mãe por perto para reconfortá-la.

Lee chegou primeiro, então Darby se afastou para fazer café enquanto o delegado conversava em voz baixa com Traci e Zane no salão. Vozes afáveis, comportamentos afáveis, observou ela, servindo a bebida e saindo para o quintal, para esperar os outros. Para dar privacidade a Traci.

E se lembrou de quando dera seu próprio depoimento para a polícia, como todos agiam com calma e, sim, amabilidade. Pacientes, percebeu Darby, guiando-a por aquele pesadelo para que tudo ficasse registrado.

E a única pessoa que ela queria? A mãe.

Ela observou o carro subindo rápido pela ladeira e se aproximou para cumprimentar a mãe e a irmã de Traci, que já estavam saltando.

A mãe ainda usava pantufas. Lágrimas arderam nos olhos de Darby — por suas próprias lembranças, seu alívio.

Ela engoliu o choro e esticou o braço para segurar a mão de Lucy Abbott.

— Traci está lá dentro, com o delegado Keller e Zane. Como não quer ir à clínica, a Dra. Ledbecker está vindo para cá.

— Ela está... Preciso saber...

— Ele a machucou, sra. Abbott. Não foi a primeira vez, mas nós vamos nos certificar de que seja a última.

— Vá ficar com Traci, mamãe. Eu preciso me acalmar um pouco. Ela pode entrar? — perguntou Allie.

— Claro. É só seguir reto. Sra. Abbott... — Darby hesitou, mas resolveu seguir seus instintos. — Traci precisa do seu abraço. É disso que ela precisa.

Concordando com a cabeça, Lucy seguiu correndo para dentro da casa.

— Tudo bem. — Allie trincou a mandíbula. — Onde está aquele filho da puta?

— Traci disse que ele saiu de casa cedo para caçar. Foi assim que ela fugiu.

— Porra, finalmente! Desculpe... Mamãe não gosta de palavrões, mas eu não consigo me controlar. Como ela chegou aqui?

— Eu estava a caminho de um trabalho que pretendia finalizar hoje em Highpoint Road e a vi do carro, vi que estava machucada e a convenci a entrar. Ela queria vir para cá. Estava com o cartão de Zane.

— Enfim, um pouco de bom senso. — Quando os olhos de Allie se encheram de lágrimas, ela piscou para afastá-las e deu um abraço em Darby. — Deus abençoe você.

— Não, eu não...

— Deus abençoe você — repetiu Allie. — Preciso agradecer. Passei muito tempo morta de preocupação, louca de raiva de Traci, então deixe que eu agradeça e me acalme um pouco antes de entrar.

— Clint ameaçou você e sua mãe. — A irmã de Traci se retraiu. — Se ela fosse embora ou contasse a alguém sobre as agressões, ele prometeu machucar vocês duas. Ela acreditou, então talvez não mereça tanto a sua raiva.

Com os lábios apertados, Allie ficou encarando o lago, as montanhas.

— Uma coisa é certa: não tenho dúvidas de que eu e meu Tim sabemos cuidar de nós mesmos, dos nossos filhos, de mamãe e de Traci. Clint Draper e sua família que se danem! Ela vai voltar para casa, nem que eu tenha que arrastá-la dessa vez.

— Acho que ela não devia ir para casa por enquanto.

A raiva secou as lágrimas de Allie enquanto a mulher virava para encarar Darby.

— Se você está dizendo que ela vai voltar para aquele desgraçado, eu vou lhe arrebentar todos os seus dentes.

— Não é isso. Zane ligou para Britt, e ela está procurando uma vaga em um abrigo em Asheville. Sua mãe pode ir com ela, se Traci quiser. O abrigo é a melhor opção por enquanto, até Lee prender Clint, até ela se sentir segura. E ela terá a opção de fazer terapia lá, conversar com outras mulheres que passaram pela mesma situação.

— Tudo bem, por mais que eu a queira em casa, isso faz sentido. Minha irmãzinha sempre foi tão doce e esperta. Quero minha irmã de volta.

— Eles a vigiavam, Allie. Os Draper a vigiavam para mantê-la na linha. Clint ameaçava sua família quando ela não se comportava. Sair de lá exigiu muita coragem.

— Você tem razão. — Respirando fundo, Allie afastou o cabelo louro--escuro do rosto. — Tudo bem, você tem razão, e eu preciso me livrar um pouco dessa raiva. Vou entrar.

— Vou ficar aqui fora esperando a médica.

— Não vou esquecer o que você fez hoje. Ninguém em Lakeview esquecerá. — Allie apertou a mão dela. — Isso inclui os Draper, então tome cuidado, Darby.

Quando Charlene chegou, ela a acompanhou até o salão. Enquanto Zane levava Traci — grudada à mãe — e a médica a um quarto de hóspedes, Darby pegou uma Coca e voltou para o quintal, para dar uma volta com Zod.

— Você não saiu do lado de Traci, não foi? — murmurou ela para o cachorro. — Você tem um bom coração.

Os dois seguiram na direção das árvores, com Zod farejando tudo, caminhando todo empinado em suas perninhas robustas antes de, finalmente, se agachar.

— Isso mesmo, bem aqui. Nada de fazer cocô no meu belo gramado nem nos meus jardins luxuosos.

Quando voltaram, Darby encontrou Zane sentado a uma das mesas, escrevendo em um bloco de papel.

— Aí está você. — Ele se levantou, foi direto até ela enquanto Zod dançava e a abraçou. — Não fique triste. Hoje é um bom dia. Não fique triste.

— Não consegui evitar reviver as emoções. Foi diferente da briga com Bigelow. Aquilo foi a adrenalina, a lembrança de que eu não era capaz de lutar contra Trent. Agora, voltei ao que aconteceu logo depois. Aquela foi uma das piores noites da minha vida. Quantas noites horríveis Traci teve que aguentar?

— Agora, acabou. Vamos nos certificar disso. Lee já conseguiu um mandado. Ele vai com alguns policiais até a propriedade dos Draper.

— Clint não vai estar lá, já que saíram para caçar.

— Esse é outro problema. — Esfregando os braços dela, Zane se afastou.

— Não estamos na temporada de caça, então Lee pode enquadrá-los por isso também. Clint vai ter que voltar em algum momento. Enquanto isso, Britt está vindo para cá. Ela vai buscar uma *nécessaire* que Emily preparou e levar Traci para o abrigo, ajudá-la a se aclimatar, se Charlene liberá-la. Caso contrário, primeiro Britt vai levá-la ao hospital em Asheville.

— Você foi tão calmo com ela — reconheceu Darby. — Tão calmo e gentil. Sabia exatamente o que dizer, como dizer.

— Faz parte do trabalho.

— Não. Não, não. — Agitada, ela andou um pouco enquanto falava. — Faz parte de você. E você disse as coisas certas, do jeito certo, para Traci quando lhe deu seu cartão. Caso contrário, ela não o guardaria, não teria vindo pedir ajuda.

— Eu já estive na mesma situação.

— Pior. Você já esteve em uma situação pior, e olhe só a pessoa que se tornou. — Darby o encarou. — Teria sido fácil para você se tornar uma pessoa amargurada, ruim, ou ter perdido toda a força de vontade. Mas isso não aconteceu. Você é gentil e carinhoso, construiu uma vida sólida. Droga, você estragou todos os meus planos.

Zane soltou uma risada rápida enquanto erguia as sobrancelhas.

— Como assim?

— Eu vim para cá porque a cidade atendia a todos os meus requisitos. Eu podia ter ido parar em qualquer outro lugar, mas acabei aqui. Minha mãe sempre dizia que para tudo há um motivo. E imagino que haja mesmo. Lakeview era distante, e esse era o primeiro item da lista. A época de plantio, o tamanho da cidade, a topografia... Tudo combinava.

— Não sei como eu poderia estragar a época de plantio. Ainda temos Coca? Darby insistiu.

— Não é isso. Meus objetivos eram bem específicos. Se, depois de passar algumas semanas morando aqui, eu gostasse, abriria a empresa. De novo, primeiro item da lista. O segundo? Encontrar meu espaço, comprar uma casa, um terreno, construir um lar. Criar conexões com a comunidade aos poucos, fazer amizades.

— Acho que você conseguiu tudo isso. Ainda não estou entendendo como estraguei as coisas.

— Não? Bem, ainda não terminei. Eu gosto de sexo.

— E eu sou muito grato por isso.

Agitada, ela enfiou as mãos nos bolsos; depois, as tirou.

— Não há problema algum em encontrar um cara solteiro, confiável, interessante, por quem eu me sinto atraída, para transar. E, se ele for bonito, divertido, inteligente e tudo o mais, melhor ainda.

Zane apoiou o quadril na mesa, acariciando o cachorro alegre com o pé.

— Ainda não estou entendendo o problema.

Darby tirou o boné e começou a batê-lo contra a coxa.

— Você ouviu a palavra "relacionamento" em algum momento? "Relacionamento sério", do tipo que me leva a, praticamente, morar com o cara e me esquecer de transformar minha própria casa em um lar, estava na minha lista de requisitos? Não, não estava...

— Nós tiramos os papéis de parede assustadores e pintamos tudo.

— Isso torna a casa habitável, não um lar. E agora? Levo Zod para passear no bosque e dou parabéns a ele por não fazer cocô no *meu* gramado, no *meu* jardim. Não no gramado do Zane; não, no *meu*. Pronome possessivo, porque você estragou tudo, e este aqui é meu lar.

— Dê uma olhada ao redor. — Zane abriu os braços. — Foi você quem fez isso tudo, querida. Eu não estraguei nada.

— Você me deixou estragar — rebateu ela, apesar de saber que era um argumento fraco. — E aí vejo você com Micah, seu amigo de infância. Vejo você com seus parentes, e eles são maravilhosos. Eu o vejo com todo mundo, e você é essa *pessoa*.

— Eu sou mesmo uma pessoa. Não posso negar.

— Ah, não seja engraçadinho. Estou irritada. Estou nervosa. Eu o vejo, e você é bom e carinhoso, porque, no fundo, é um cara íntegro.

— Bem, talvez isso seja um exagero.

— Estou dizendo que você é um cara íntegro — rebateu Darby. — É o que vejo, o que sinto, o que escuto. E por que raios eu não podia tê-lo conhecido daqui a uns dois anos, depois de completar minha lista muito sensata?

Agora, Zane sorriu.

— Destino? Eu também não estava procurando por nada disso. Não estava procurando por você, mas eu a amo, Darby.

— Eu sei — disse ela, bufando. — E como se isto não estragasse ainda mais as coisas, também amo você.

— Eu sei. Mas é bom ouvir você dizer isso. Venha para casa, Darby. Venha para o seu lar.

Já tinha feito isso, pensou ela com um suspiro.

— Não vou vender minha casa.

— E por que faria isso? Você vai transformar aquele quintal maravilhoso, terminar a estufa de que tanto fala e usar o resto do espaço para guardar seus equipamentos e sabe Deus que outras máquinas gigantescas. Sua casa é parte essencial da Paisagismo High Country.

Darby apontou um dedo enquanto ele se aproximava.

— Viu, você me entende. Também foi por isso que...

— Estraguei tudo? — concluiu Zane.

— Pois é. — Ela segurou o rosto dele, rendendo-se. — Acho que vou ter que aprender a viver com isso. E com você.

Capítulo 23

◆ ◆ ◆ ◆

Zane esperou com a irmã enquanto Charlene terminava de cuidar dos ferimentos de Traci.

— Eu posso ir com vocês — começou ele. — Posso ajudar a acomodar Traci e a mãe dela no abrigo.

— Não, você já tem muito o que fazer aqui, e, além do mais, isso vai me dar tempo para conversar com ela. Essa é uma decisão importante e assustadora.

— Mande uma mensagem quando vocês chegarem. — Zane olhou para o relógio. — Achei que Lee já teria mandado notícias a essa altura.

— Deixe Lee cumprir suas tarefas de policial. Eu vou cumprir as minhas de psicóloga e você vai cumprir as suas de advogado. E vai dar uma enorme festa. — Britt puxou o braço do irmão para olhar seu relógio. — Eu volto para ajudar daqui a pouco. E Silas também, quando as tarefas de policial forem cumpridas. Emily me disse que traria Audra. Vai dar tudo certo.

— Acho que vai ser uma festa para comemorar o Dia da Independência de Traci.

— É um bom jeito de encarar as coisas.

Mas Zane conhecia a irmã.

— Você acha que ela não vai aguentar.

— Traci tem uma boa rede de apoio, mas é um caminho difícil. Vamos torcer.

Ele continuou torcendo enquanto ajudava Traci a entrar no carro de Britt e lembrava a ela que poderia lhe telefonar se precisasse de qualquer coisa, a qualquer hora. Depois de agradecer a Charlene e garantir a Allie que ficaria atento a qualquer novidade, Zane tirou um momento para observar sua colina. A vista, agora tranquila, pacífica, com o lago reluzindo lá embaixo, sob o sol.

Um dia perfeito de verão, pensou ele, ecoando a observação anterior de Darby. O tipo de dia bom para velejar, comer salada de batata, tomar uma cerveja sentado à sombra.

O tipo de dia em que nada de ruim parecia existir.

Mas essas coisas existiam, sempre existiriam. Viver era passar pelos momentos ruins e difíceis, superá-los, deixá-los para trás.

Então, era isso que faria.

$\mathcal{D}$EPOIS DE USAR o mandado para entrar na casa de Traci, ter uma conversa com a mãe durona de Clint e outra com a cunhada desmazelada — foi a primeira palavra que lhe veio à mente —, Lee deduziu que as duas já sabiam que algo acontecera.

Na casa de Jed Draper, três crianças — duas usando fraldas sujas e uma terceira com uma expressão emburrada e os joelhos ralados — brigavam, choravam e faziam manha, causando uma dor de cabeça no delegado.

Mas Sally Draper nunca mudou sua versão da história, que era praticamente idêntica à da sogra.

Ela não sabia onde os homens estavam — mas, com certeza, não tinham ido caçar! Provavelmente, tinham ido pescar e passariam um ou dois dias acampando. E, se aquela ingrata da Traci dissera que seu cunhado tocara em um fio de cabelo dela, além de ser uma vagabunda preguiçosa, a mulher era mentirosa.

Bea Draper, a matriarca, falara a mesma coisa, acrescentando alguns detalhes. Como Traci tinha um gênio terrível, jogava coisas em seu filho trabalhador. E que era tão desastrada que parecia uma mula de duas pernas, sempre tropeçando em tudo — porque nunca guardava merda nenhuma no lugar.

Lee observou os binóculos em ambas as casas, posicionados diante das janelas com vista para o quintal de Traci.

Então, enquanto voltava para o lugar em que a mulher agredida vivera, pensou em tudo que vira — e não vira — lá dentro.

Traci fugira apenas com a roupa do corpo e o cartão de Zane no bolso. Mesmo assim, Lee encontrara apenas dois vestidos de algodão, feitos em casa, tão largos quanto o que ela usava naquele momento. Nem uma joia, nem uma maquiagem — nem mesmo um batom —, duas camisolas de algodão que nem sua avó usaria, e nem um par de sapatos.

Ele tinha uma mãe, uma irmã e uma esposa. Vivera com uma menina que considerava sua filha desde que ela era adolescente, então sabia que tipo de coisas as mulheres costumavam acumular.

Nada, simplesmente, não havia nada normal naquela casa.

E ele odiava, odiava não ter poder nem autoridade para agir. Até então.

Lee foi até a casa dos McConnell e encontrou o casal cuidando do jardim.

Com uma mão pressionando as costas, Sam se levantou, cumprimentando-o com a cabeça.

— Delegado.

— Seus tomates estão ótimos, Sam.

— Pois é, e temos um monte. Você pode levar alguns para casa.

Lee coçou o queixo.

— Por incrível que pareça, fomos convencidos a plantar algumas mudas este ano. São só duas, mas estão indo bem. Eu queria conversar com vocês.

— A gente imaginou que você passaria aqui. — Mary Lou ajeitou os óculos. — Fiz limonada hoje cedo. Venha, vamos nos sentar à sombra.

— Com prazer.

— As crianças vão vir para cá mais tarde, para um churrasco, antes de irmos assistir aos fogos no lago — contou Sam enquanto eles caminhavam.

— Acho que vai ser um belo espetáculo.

Enquanto May Lou entrava para pegar a limonada, Lee sentou-se com Sam na varanda e suspirou ao se acomodar na cadeira.

— Eu queria perguntar se vocês viram ou ouviram alguma coisa estranha acontecendo na casa de Clint Draper ontem à noite.

— Não. O ar-condicionado estava ligado, e as janelas, fechadas. — Sam suspirou também. — Ele bateu naquela garota de novo, não foi?

— A única coisa que posso dizer é que ela fugiu daqui hoje cedo, muito machucada. Por acaso, vocês a viram sair ou sabem aonde Clint foi?

— Bem que eu queria. Nunca a vi dirigindo, então imagino que tenha fugido a pé. Nós a ajudaríamos se a tivéssemos visto.

— Eu sei. — Enquanto Mary Lou voltava com uma bandeja cheia de copos, Lee sorriu. — Parece uma delícia, Mary Lou.

— Ela fugiu, querida — explicou Sam. — Foi embora hoje cedo.

A mulher colocou a bandeja sobre a mesa, fazendo barulho.

— Graças a Deus! Quando vimos você e os policiais, ficamos com medo de que ele a tivesse matado dessa vez. Mas está tudo bem?

— Vai ficar. Pelo que me contaram, Clint saiu com o pai e o irmão hoje cedo. Fiquei sabendo que foram caçar, mas a sra. Draper, a mais velha, diz que estão pescando.

— Acho que devem ter ido caçar mesmo, porque nós ouvimos tiros quando saímos de casa. — Depois de distribuir os copos, Mary Lou sentou. — Os Draper ignoram temporadas de caça, placas de propriedade privada, qualquer coisa. Eles fazem o que querem, quando querem.

— Vocês sabem onde costumam caçar?

Agora, Sam negou com a cabeça.

— Sei que montaram algumas plataformas para atirar em cervos bem no limite do terreno. E, para dizer a verdade, delegado, eu não me meteria na floresta, não quando estão armados e podem se esconder no meio das árvores. Se entrar na propriedade deles, é bem capaz de se acharem no direito de atirar em você.

— Bea Draper deve ter avisado que vocês estão aqui. Eles têm rádios transmissores — acrescentou Mary Lou. — Lá pelas nove, depois de ouvirmos os tiros, eu a vi andando até a casa vizinha, entrando lá como se fosse dona de tudo. E não parecia feliz quando saiu. Deve ter descoberto que Traci fugiu.

— E, com certeza, avisou os homens na mesma hora — continuou Sam. — Depois, vocês apareceram. Ela deve ter dito para eles se esconderem por enquanto.

— Bem. — Lee tomou um gole da limonada. — Eles não vão ficar na floresta para sempre. Vamos embora, mas continuaremos vigiando a casa. Se vocês puderem fazer o mesmo e me ligarem caso os vejam voltar, eu agradeceria.

— Será um prazer. — Mary Lou deu um tapinha na mão do marido. — Mas, por favor, não diga a ninguém que ajudamos. Essa gente é vingativa, delegado.

— Pode deixar. Liguem direto para mim, está bem?

— Tome cuidado — acrescentou Sam. — Eles não ficarão felizes se você colocar alguém da família atrás das grades.

— E é isso mesmo que pretendo fazer.

Lee organizou a patrulha dos policiais — em duplas — para vigiar a propriedade dos Draper. Ele faria a ronda no próximo turno, mas decidiu que era melhor voltar e atualizar a própria família sobre a situação.

Na casa de Zane, encontrou as mesas cobertas com toalhas coloridas, luzes sendo penduradas, os filhos carregando mais coisas. E a garotinha, que lhe chamava de vovô, brincando com o cão mais feio do mundo.

Audra se pôs de pé, desequilibrando-se um pouco, e foi cambaleando até ele com aquelas pernas gordinhas, balbuciando e sorrindo, com os braços estendidos.

Lee a pegou no colo e a jogou no ar, fazendo-a gritar de alegria. O cachorro feio foi correndo pular em cima de Molly para começar uma briga amistosa enquanto Rufus dormia na sombra.

Ele sentiu cheiro de mais limonada e plantas, e ouviu a risada deliciosa da esposa escapando pelas portas abertas da cozinha.

Normal, pensou. Era bom, mesmo que por pouco tempo, voltar para um lugar normal.

Audra se remexeu para descer e foi cambaleando até Darby, que — depois de mais gritos de alegria — a colocou nos ombros antes de continuar arrumando as luzes.

Lee entrou, viu Emily verificando as batatas da salada enquanto cozinhavam em uma panela e Zane lutando para descascar dúzias de ovos cozidos.

— Devia existir uma ferramenta para fazer isso — reclamou ele.

— Existe: suas mãos.

Emily se virou e Lee notou o brilho de alívio em seus olhos.

— E, agora, temos mais duas — disse ela, alegre. — Onde estão as mãos de Silas?

— Ele e Ginny estão vigiando a casa agora. Vou trocar com eles daqui a pouco.

— Tudo bem, sente-se com Zane. Quer um café gelado?

— Meu amor, eu só casei com você por causa do seu café gelado. Alguém tem notícias de Britt?

— Ela está no abrigo com Traci e a mãe — disse Zane. — Vai voltar logo. Imagino que os Draper não estavam em casa.

— Pois é, mas eles vão aparecer. As mulheres têm rádios transmissores, então devem ter avisado que estamos vigiando. — Já tendo levado mais de um sermão sobre higiene, ele foi até a pia para lavar as mãos antes de sentar-se e pegar um ovo. — As duas já estavam nos esperando, com histórias combinadas. Mary Lou McConnell disse que Bea Draper foi à casa de Clint por volta das nove da manhã. Ela deve ter visto que Traci não estava lá, então inventaram um monte de baboseiras para nos contar. — Ele descascou o primeiro ovo, outra coisa que aprendera a fazer depois de muitos sermões, e pegou outro. — Uma coisa é certa: a garota tinha uma vida difícil lá. As duas mulheres deixam binóculos na janela que dá para o quintal de Traci. Ela não mentiu quando disse que era vigiada. E aquelas crianças... os filhos de Jed Draper... A casa é imunda, e dois estavam com as fraldas sujas, enquanto o mais velho parecia pronto para sufocar os irmãos quando fossem para a cama.

— Ah, Lee.

— Há algo nos olhos dele, Em. O garoto é muito novo, mas há algo nos olhos dele. Aí, eu volto para cá — continuou o delegado enquanto descascava o terceiro ovo — e vejo nossos meninos trabalhando juntos. E aquela garotinha linda vem correndo para mim, cheirando a grama fresca e xampu, usando aquele negocinho fofo do qual não sei o nome.

— É um macacãozinho — disse Emily, colocando o café diante do marido, parando atrás dele para massagear seus ombros tensos.

— Bem, ela está lá com seu macacão, pulando nos ombros de Darby, toda feliz. E eu fiquei pensando naqueles meninos. A culpa não é deles, mas a pessoa que estiver fazendo meu trabalho daqui a quinze, vinte anos, vai acabar prendendo os três. Essa é a perspectiva de vida que eles têm.

— Nem todo mundo acaba do jeito que a gente espera — disse Zane.

— Sim, é verdade. É melhor pensar desse jeito.

Emily se inclinou e lhe deu um beijo na bochecha.

— Vá brincar com sua neta. Eu e Zane cuidaremos do resto.

— Não, eu estou bem aqui. Descascar ovos é uma boa distração. Preciso pensar em outra coisa. — Lee se esticou para dar um tapinha na mão de

Emily e olhou para Zane. — Você é um homem bom, Zane. Só para deixar claro, caso eu não tenha dito isso recentemente. Não tem talento algum para descascar ovos, sem dúvida, mas é um bom homem. Agora, se eu fosse você, deixaria isso comigo e iria ajudar aquela mulher de pernas compridas a pendurar as luzes e tentaria convencê-la a se mudar para cá de vez.

— Não preciso fazer isso. Ela vai se mudar amanhã.

Emily soltou um gritinho de alegria — muito parecido com o de Audra — e agarrou o pescoço do sobrinho como se fosse esganá-lo.

— A gente está aqui há mais de uma hora, e você não disse nada?

— Eu estava me concentrando nos ovos.

— Seu... — Agora, ela lhe deu um tapinha fraco na lateral da cabeça. — Saia daqui. Vá pendurar as luzes e, depois, veja se seus primos arrumaram o resto das mesas do jeito que eu mandei.

— Sim, senhora.

Zane fugiu.

— Droga, minhas batatas — lembrou Emily e correu para o fogão.

— Foi uma manhã complicada — começou Lee.

Firme, ela despejou as batatas e a água em um escorredor na pia.

— Pois é.

— Mas essa notícia deixou as coisas mais fáceis.

Emily olhou através do vapor, pela janela sobre a pia, e viu Zane tirar Audra dos ombros de Darby e colocá-la nos próprios.

— Nosso menino está feliz, Lee. Eu me preocupava mais com ele do que com Britt. Ele se sentia tão responsável por tudo. Mas Zane está feliz. E aquela moça? Os dois combinam. E ver isso me deixa mais tranquila. Gabe está jogando uma bola para os cachorros, Brody está balançando a cabeça e rindo. Ver tudo isso me deixa mais tranquila.

— Nós fizemos um bom trabalho, Em.

Ela o encarou com um sorriso.

— Acho que ainda não acabamos, mas, sim, por enquanto, fizemos um ótimo trabalho.

𝒜lgumas horas depois, Zane concluiu que preferia tirar uma soneca demorada a dar uma festa. Ele tinha carregado mesas, cadeiras, subido e descido escadas, arrastado enormes caixas de isopor cheias de limonada e chá gelado e baldes de ferro para encher de gelo, cerveja e vinho.

Sempre que pensava em fazer uma pausa para tomar uma cerveja ou um banho, alguém — geralmente, uma mulher — lhe passava outra tarefa.

Quando deu por si, a banda que Emily insistira em contratar tinha chegado e começava a montar o equipamento na plataforma que Lee armara com os filhos.

— Zane, você precisa espalhar as latas de lixo. — Ocupada, enchendo baldes coloridos com brindes bobos, Britt o chamou antes que ele conseguisse escapar. — E não se esqueça de colocar os sacos! Brody, já terminou as placas?

— Quase!

Brody, o único deles com o mínimo de habilidade artística, preparava algumas placas indicando latas e garrafas e outras para separar os brindes por idade.

Zane distribuiu as latas de lixo, colocando sacos extras no fundo, como Emily lhe ensinara, e separou duas para jogarem latas.

Determinado a tomar aquela cerveja e aquele banho antes que alguém lhe arrumasse outra coisa para fazer, ele seguiu até a cozinha.

Darby saiu.

Ela usava um daqueles vestidos de verão que fazia os homens agradecerem por dias quentes e ensolarados. Ele não fazia ideia de que a namorada tinha um vestido, que dirá um amarelo, com alcinhas, que exibiam aqueles ombros fortes, e uma saia rodada, que esvoaçava sobre suas pernas compridas.

O visual fora completado com o colar que ele lhe dera e pequenos brincos.

E ela se maquiara — especialmente os olhos, que pareciam maiores e sedutores em um tom violeta.

— Puxa, olhe só para você.

— É melhor olhar mesmo, porque dediquei muito tempo ao meu visual de piquenique de verão.

— Devíamos fazer um toda semana.

As coisas ficaram ainda melhores quando Darby lhe passou uma cerveja gelada.

— Você está dispensado para se arrumar.

— Graças a Deus! — Mas ele segurou a nuca dela antes e a puxou para um beijo. — Valeu a pena dedicar tanto tempo. Preciso levá-la para um jantar caro em Asheville.

— A gente pode levar um ao outro?

— Por mim, tudo bem.

Como precisava passar por Emily e Britt — que arrumavam a comida enquanto fofocavam alegremente —, Zane atravessou a cozinha com rapidez, tentando não fazer barulho.

Ele não precisou de muito tempo. Tomou um banho rápido, colocou camisa e calça jeans limpas e um par de All Star preto. Quando abriu a porta da varanda, ouviu um violão, as vozes da família e resolveu sair para dar uma olhada.

O primo mais novo tocava — cortesia da banda. E Brody parecia extremamente feliz enquanto os outros pegavam os instrumentos e o acompanhavam.

Os três cachorros, cansados da tarde, dormiam sob a sombra. Audra, com seu macacãozinho com listras vermelhas e brancas e sua fita azul no cabelo, batia palmas no ritmo da música.

Apesar de sua implicância, Zane percebeu que as coisas iam bem. As coisas iam muito bem, com as mesas cobertas com toalhas vermelhas, brancas e azuis, as tendas brancas criando sombras, as pilhas de pratos, guardanapos e copos com a mesma estampa.

Era cedo demais para acender as luzes, pensou ele, mas elas ficariam muito boas também.

As tábuas coloridas que Darby fez para as brincadeiras estavam posicionadas no gramado, assim como uma maior para os jogos de *softball* das crianças mais velhas.

A música tocava, o sol brilhava e sua namorada usava um vestido amarelo.

É, pensou ele, as coisas iam muito bem mesmo.

ENQUANTO CUIDAVA da churrasqueira fumegante e dezenas de pessoas invadiam seu quintal e sua casa, Zane percebeu que gostava de tudo aquilo, da sensação, dos cheiros, dos sons.

Os cachorros recuperaram a energia e vagavam entre os convidados, loucos para receber petiscos. Bolas batiam na madeira pintada. Ele recebeu abraços, tapas nas costas e beijos na bochecha enquanto servia hambúrgueres e cachorros-quentes. Então, sentiu cheiro de frango frito e torceu para não ter perdido a oportunidade de comê-lo.

— Bela festa. — Silas veio em sua direção. — Dave vai ficar no seu lugar por um instante.

Ele entendeu o olhar do cunhado e se virou.

— A espátula cerimonial doravante se torna sua.

— Deixe comigo — disse Dave, passando-lhe uma cerveja.

— Que tal a gente dar uma volta?

Segurando um copo de chá gelado, já que ainda estava de serviço, Silas o guiou para o lado mais afastado da casa.

— O que houve?

— Acabei de falar com Lee. Os Draper voltaram. Sem Clint. Estão dizendo que ele viajou para pescar com os amigos ontem. E aquela baboseira sobre Traci estar mentindo, que, provavelmente, machucou a si mesma para ferrar Clint.

— Quais amigos?

— Pois é. Eles dizem não saber. Alegam que Clint é adulto, que não precisa dar satisfação a ninguém. Suspeitamos que depois de ser avisado e ela tenha pedido asilo a um de seus colegas de bebedeira. — Silas olhou para trás, para garantir que ninguém os escutava. — Lee contou que eles carregavam rifles, não varas de pesca. Disseram que deixaram as varas perto do rio, o que é mentira, e estavam com as armas para se proteger. E ficaram botando banca, enchendo o saco de Lee, mas você sabe como é o delegado; ele aguenta o tranco. Vamos continuar fazendo as rondas, vigiando a casa, mas é bem provável que Clint não apareça por alguns dias.

— Ele não pode se esconder para sempre, e Traci está segura. — Isso, pensou Zane, teria que bastar por enquanto. — Amanhã, vou preparar o pedido de divórcio e vou até o abrigo para conversar com ela, explicar o que precisa fazer agora que já teve um tempo para digerir a situação.

— Espero que ela não dê para trás, de verdade. Bem. É melhor você comer alguma coisa, meu amigo. Aproveite sua festa.

— Pode deixar. E me avise se houver qualquer mudança. Quanto mais rápido pegarem Draper, melhor.

Ela ficaria com medo, pensou Zane enquanto contornava a casa. Traci ficaria com medo até o marido ser preso. E ele sabia que o medo fazia as pessoas lutarem ou desistirem.

Mesmo assim, não podia fazer nada por enquanto. Havia mais de cem pessoas comendo, conversando, divertindo-se ali. Zane conseguiu surrupiar uma coxa de frango antes de visitar as mesas de comida, enchendo o prato.

— Prove a salada de *tortellini*. — Ashley apareceu ao seu lado. — Foi Nathan quem fez. Você não vai se arrepender.

— Eu não sabia que você estava aqui.

Ele se inclinou para lhe dar um beijo no rosto.

— Cheguei agora. E, assim que botamos os pés aqui, meus pais confiscaram meus filhos. A casa é maravilhosa, Zane, e o quintal... uau! Preciso fazer amizade com Darby.

— Ela gosta de fazer amigos, e é por isso que faz um tempo que não a vejo.

— Bem ali, ajudando com as brincadeiras.

Ele olhou ao redor enquanto se servia do *tortellini* e observou Darby encorajando uma garotinha no campo de *softball*.

Ashley apoiou a cabeça no seu ombro.

— Qualquer mulher no mundo iria querer um homem que a olhasse do jeito que você está olhando para Darby. Ela sabe que você está apaixonado?

— Sabe. É tão óbvio assim?

— Demais. Estou muito feliz por você, Zane. E, agora, vou encontrar Nate e ver se consigo convencê-lo a me olhar do mesmo jeito.

Ele se espremeu na mesa à qual Micah e Cassie estavam sentados, sendo dominado pelo som da música e da festa enquanto comia.

— Você conhece essa gente toda? — perguntou Micah.

Enquanto Zane olhava ao redor, dava de ombros e comia mais *tortellini* — Ashley tinha razão.

— Emily conhece essa gente toda. As pessoas não param de chegar.

— A música está boa, a comida está gostosa. Quem recusaria um convite? — Cassie balançou o garfo na direção dele. — Se você der outra festa, vai ter mais gente. A fofoca corre, sabe? As pessoas vão começar a puxar seu saco para conseguir um convite. — Então, ela se inclinou, baixando a voz. — Eu não quero ser estraga-prazeres, mas sabe se Traci está bem? Minha mãe é uma velha amiga da mãe dela.

— Ela está com a mãe em um lugar seguro.

— Que bom! Vou só avisar à minha mãe. — Cassie saiu da mesa e deu um tapinha no ombro de Zane antes de se afastar. — Foi uma boa ação.

— Acho que não contei que tive um... desentendimento com Clint Draper algumas semanas atrás — informou o amigo.

Zane parou de comer e olhou para Micah.

— Defina "desentendimento".

— Só uma discussão. Tipo, eu estava andando na rua, ia encontrar Cass no Grandy's para comermos alguma coisa. Quando passei pelo Clipper's Bar, Draper saiu e me deu um encontrão com o ombro. Eu só disse para ele prestar atenção por onde andava e continuei andando, mas o sujeito veio atrás de mim e começou a berrar. E adivinhe só? Estava mamado. — Como não o provara na sua primeira rodada, Micah fez uma pausa para pegar um pouco do *tortellini* do prato de Zane com o garfo. — Não eram nem 19h, e o cara estava embriagado, o que explica por que ele estava saindo do Clipper's querendo arrumar briga. Ele foi expulso de lá.

— E encontrou você, bem conveniente.

— Pois é. Eu só queria ir jantar com a minha namorada. Não estava com vontade nenhuma de brigar com um bêbado chato, então falei para ele se acalmar, mas o cara não cooperava. E começou a me empurrar. Acho que consigo correr mais rápido que ele, mas, merda, não estava com disposição para isso. Então, comecei a aceitar que ia brigar com aquele babaca bêbado e provavelmente me machucar no processo. Então, Cyrus apareceu. Você se lembra dele, não é? Um cara legal, foi casado com Emily por uns cinco minutos.

— Sim, eu sei quem é.

Na verdade, Zane conseguia distingui-lo na multidão de convidados pelo cabelo ruivo — um pouco grisalho agora.

— *Ele* começou a berrar com Draper, mandando o cara ir embora e dizendo que, se entrasse na picape, chamaria a polícia, porque o sujeito estava bêbado como um gambá. Draper foi embora, mostrando o dedo do meio para a gente, como se isso fosse nos deixar muito magoados. Eu quis pagar uma cerveja para Cyrus, mas ele disse para deixarmos para outro dia porque estava indo para casa. E eu achei que as coisas ficariam por isso mesmo.

— Mas não ficaram?

— No dia seguinte, quando saí para trabalhar, os quatro pneus do meu carro estavam furados.

— Filho da puta — murmurou Zane. — Você contou para Lee?

— Contei, mas que diferença isso faria? Não podemos provar que foi Draper. E é melhor que ele fure os pneus do que a mim, cara. Mas eu acho que agora ele vai tentar se vingar de você, porque, como Cass disse, você fez uma boa ação.

— Ele pode tentar.

— Quando isso acontecer, estarei aqui. Pode me ligar, cara. Sério. Agora, vamos deixar essa conversa de lado porque temos uma festa para curtir. Cass tem razão, a música está boa. Vou encontrá-la e mostrar para esse pessoal como é que se dança.

Ou como não se dança, pensou Zane. O amigo continuava totalmente sem ritmo, mas, com certeza, parecia estar se divertindo enquanto se sacudia, todo duro, na pista.

Ele torceu para ter um tempo para fazer o mesmo com Darby, mas, ciente de suas obrigações, foi tirar Dave da churrasqueira. E encontrou Lee no seu lugar.

— Ei, vá pegar uma cerveja e um prato — disse Zane. — Eu cuido disso.

— Não, eu preciso relaxar um pouco, e fazer comida para essa gente toda vai me ajudar. Podemos conversar sobre o resto amanhã.

Entendendo, ele se afastou.

— Quando cansar, é só me avisar.

— Tudo bem. Vá encontrar sua namorada.

— Agora mesmo!

Zane caminhou pela multidão, parando para conversar com uma pessoa ou outra no caminho até Darby.

Ela continuava no campo de *softball*. Ele viu Roy e um monte de adolescentes ao redor, incluindo Gabe.

Então, escutou os dois se desafiando enquanto Darby encarava o primo e jogava uma das bolas para cima.

— Se eu acertar três consecutivas, você assume o comando aqui.

— Mas tem que lançar a mais de cinco metros de distância — acrescentou Gabe. — Direto, nada dessa besteira de jogar de baixo para cima.

— É claro.

— Combinado. Se você perder, vai pagar meu sanduíche no sábado.

— Certo. Preciso de espaço — disse ela e, em seu belo vestido de verão, afastou-se da placa que indicava a marca de cinco metros.

Darby girou os ombros, inclinou a cabeça e se posicionou.

Então, preparou-se, lançando a bola direto pelo buraco na madeira e acertando a rede atrás.

Zane ergueu as sobrancelhas enquanto ela dizia:

— Primeira.

Ele já sabia que a namorada tinha um braço e tanto, mas, agora, via que também estava em forma.

A bola seguinte também voou pelo campo, e, então, Darby pegou a terceira. E piscou para Gabe enquanto ele revirava os olhos.

Ela acertou o alvo.

Enquanto esfregava as unhas no braço, a paisagista sorriu para o adolescente.

— Parece que você vai ficar no meu lugar. Ah, olhe, nós temos mais um desafiante.

E, enquanto Zane balançava a cabeça, ela segurou sua mão, puxando-o para o campo.

— Estou enferrujado — disse ele.

— Como assim, você não consegue fazer três bolas passarem pelo buraco?

— Eu queria uma dança, não um brinde.

— Uma dança comigo? Esse é seu prêmio, campeão. Vá em frente.

Darby jogou a bola em sua direção. Ele preferia o tamanho, a rigidez das bolas de beisebol, mas, ainda assim, aquilo o deixou abalado, fez com que voltasse no tempo.

Dane-se, era só uma brincadeira de crianças em um churrasco.

Zane acertou a primeira — sentiu aquela energia correndo por seu sangue. Acertou a segunda, fazendo-a bater contra a rede.

A sensação era muito boa.

Ele usou mais força com a terceira, fazendo uma careta quando derrubou a rede.

— Desculpe.

— Você não perdeu a prática, Zane — disse Roy enquanto Gabe ia consertar a rede. — Não perdeu mesmo. Eu voltei no tempo.

— É, eu também.

Darby acariciou seu braço.

— Se você não jogar no time de Lakeview na próxima temporada, estará cometendo um crime contra a humanidade.

— Quanto exagero!

— O beisebol é a humanidade. — Em seguida, ela pegou a mão dele. — Vamos dançar, Walker.

Capítulo 24

♦ ♦ ♦ ♦

Enquanto Zane assistia aos fogos explodindo e iluminando o céu, Clint Draper resolveu pegar a picape de seu amigo Stu emprestada. É claro, Stu estava desmaiado no sofá do porão da avó, uma velhota surda, então não havia como pedir permissão.

Ele estava em débito com o amigo, não só por abrigá-lo, mas também por dividir sua oxicodona e sua cerveja caseira para deixá-lo mais calmo.

Mesmo assim, Clint estava fulo da vida.

Ele ensinaria uma lição a Traci, uma lição de verdade quando ela implorasse para voltar para casa, mas, enquanto isso, havia outras pessoas de quem precisava se vingar.

Seu pai lhe ensinara — às vezes, das piores maneiras possíveis — que, quando você era sacaneado por alguém, precisava devolver na mesma moeda. Ou ainda pior.

Ele já estava inteirado dos fatos, sabia com quem precisava acertar as contas. E não fazia sentido esperar para começar.

Em alguns dias, poderia sair do esconderijo, e o bom e velho Stu juraria pela bíblia da avó que estivera com Clint nas montanhas, pescando e acampando durante todo esse tempo.

Ninguém seria capaz de provar que estavam mentindo.

Ele pegou umas latas de tinta do estoque do amigo. Quando Stu trabalhava, pintava casas, e sempre dizia a seus clientes que usara a tinta toda, para ficar com as sobras.

Havia um armário inteiro cheio de latas, pincéis e rolos velhos, bandejas amassadas. O suficiente para sua missão.

Depois de levar as tintas para a picape, junto com alguns pincéis, ele seguiu para a cidade.

Era bom estar bêbado. Depois de tomar algumas cervejas, seus pensamentos pareciam mais claros, e ele se sentia mais forte, até mais esperto. O fato de entrar no acostamento algumas vezes não fazia diferença.

Só servia para deixá-lo ainda mais acordado.

Quando Clint virou na direção do escritório de Zane, o pneu esquerdo da frente acertou o meio-fio, subindo na calçada. Lakeview dormia, então ninguém o ouviu assobiando baixinho, no meio da madrugada, enquanto seguia para seu alvo.

Talvez um pouco de tinta tivesse caído em suas roupas quando ele abriu uma lata aleatória e um pouco mais tenha espirrado na calçada quando ele atravessou a rua. Clint enfiou um pincel na lata denominada Moulin Rouge e escreveu seu recado. Como queria letras grandes, teve de abrir mais uma lata. Agora, o tom Orquídea Florida se misturou ao primeiro.

Ele largara a escola aos 16 anos e, mesmo antes disso, não era muito de frequentar as aulas. Soletrar não era seu forte, mas a mensagem e o ódio ficaram claros nas letras horrendas que escorriam em tons de tintas diferentes.

XUPA MEU PAL FILIO DA PUTA

Dando um passo para trás, Clint analisou sua obra com certo orgulho e observou a tinta escorrer pelo branco imaculado da fachada.

Satisfeito, usou mais um pouco do tom Orquídea para rabiscar *BIXA* na porta antes de jogar mais tinta na janela, despejando o resto na varanda.

Bêbado e ignorante demais para pensar em impressões digitais, DNA ou ter o mínimo de bom senso, deixou as latas vazias na varanda antes de abrir a calça e aliviar a bexiga na porta da frente.

Afinal, o bom e velho Stu era seu álibi infalível.

Ele entrou na picape, sujando o volante com a tinta em suas mãos. Então, foi cantando pneu e deslizando até a saída da cidade e subiu a estrada para a casa de Darby.

Aquela piranha tinha se metido na sua vida? Então, teria de pagar.

Ele cogitou botar fogo em tudo, mas não trouxera gasolina.

Fica para a próxima, jurou a si mesmo, e se conformou em vandalizar a casa com um arco-íris de tintas rotuladas como Azul-celeste, Amarelo-narciso e Névoa da Montanha, rabiscando palavras ofensivas sobre a madeira.

PIRAHNA PUTA SAPATA KENGA

Clint tentou ilustrar um estupro coletivo com bonecos de palitinho, e seus olhos turvos concluíram que fizera uma obra-prima.

Usando sua arte como incentivo visual, ele se masturbou, uivando de satisfação enquanto jogava sêmen no capacho.

Longe de se dar por satisfeito, voltou para a picape.

Agora era a hora de usar suas melhores armas. Literalmente.

Inclinado sobre o volante, ele seguiu para a casa de Zane, mas estava bêbado demais, focado demais no caminho, para notar o farol aceso que o seguia, afastado apenas por quatrocentos metros.

Mesmo de cara cheia, Clint se lembrou do alarme de Zane. Todo mundo sabia que ele instalara um, especialmente depois que Bigelow levara uma surra daquela sapata imbecil. O que provava, na sua opinião, que Bigelow era um bundão, covarde demais para ter batido na esposa e nos filhos.

Só mentiras.

E ninguém jamais poderia acusar Clint Draper de ser um bundão, isso era fato.

Ele desligou o farol enquanto subia a ladeira e parou um pouco depois da metade do caminho. Que alarme de merda, pensou. Ele passaria despercebido, faria o que viera fazer e iria embora sem ninguém perceber.

Clint pegou o rifle no banco ao seu lado — chega de tintas — e foi para o bosque.

O belo luar iluminava tudo.

Se havia uma coisa que sabia fazer bem era caçar, atirar e aproveitar cada munição.

Ele seguiu pelo mato sem se importar em fazer barulho — afinal, não precisava se preocupar em espantar os animais, já que seu alvo estava dentro daquela casa enorme, dormindo tranquilamente.

Seu plano não era matar ninguém — por enquanto —, mas queria dar um belo susto nos dois.

— Hora de acordar, filhos da puta. Quero vocês com a cara no chão, se cagando de medo.

E talvez, apenas talvez, um dos dois espiaria por uma porta, uma janela. Se isso acontecesse, acertaria quem quer que fosse.

Qualquer um servia.

— Acham que podem tirar minha esposa, virar aquela vaca burra contra mim? Vou ferrar vocês, vou ferrar vocês de verdade.

Ele tropeçou algumas vezes, arranhou os braços em galhos — e deixou várias fibras e pedaços de pele para trás.

Agora, queria ter pego uma cerveja do estoque de Stu para saciar sua sede.

A noite estava quente, abafada, e todo o esforço que fizera o deixara encharcado de suor. Mesmo bêbado, ele sentia o próprio fedor.

Não tinha problema. Tomaria banho na casa de Stu, beberia sua cerveja, talvez surrupiasse algumas pílulas de Ambien da velha.

E dormiria como um bebê depois de terminar os trabalhos da noite.

A luz da lua atravessava as árvores, iluminando a casa. Clint pensou que não poderia ter escolhido uma noite melhor.

Ele entrava e saía das sombras, silencioso como um fantasma, mesmo quando tropeçava, caía ou pisava em galhos.

Mas a sombra que o seguia se movia sem dar sinal de sua presença, esperando.

Clint se posicionou, por assim dizer, na beira da floresta, mantendo a distância enquanto analisava a casa.

Diziam por aí que eles tinham um quarto enorme, todo chique, na frente da casa, com grandes portas de vidro, para aquela bicha do Walker poder ficar parado na varanda, olhando a cidade, como se fosse dono de tudo.

Ele apoiou o rifle no ombro e colocou as portas na mira. E pensou que poderia dar sorte, acertar alguém.

De toda forma, os dois não conseguiriam mais dormir tranquilos depois de hoje.

Clint deu dois tiros, acertou o vidro, observou-o se espatifar e, em seguida, disparou uma rajada que passou pela abertura, acertando o batente.

Sorrindo, com o coração disparado, ele manteve a mira, imaginando o que aconteceria se aquele palhaço do Walker tivesse a coragem de aparecer na varanda.

A sombra se moveu às suas costas. Clint foi surpreendido por uma dolorosa explosão quando a pedra acertou seu crânio. O rifle caiu no chão segundos antes de seu corpo.

Agora, a sombra sorriu e pensou: *Interessante*.

Quando uma oportunidade caía no seu colo, seria bobagem ignorá-la. Tranquilamente, pegou o rifle e carregou Clint para longe dali.

Resolveu levar a oportunidade para um lugar mais discreto.

Os tiros acordaram Zane. Por instinto, ele girou para cima de Darby, agarrando-a e girou de novo até caírem no chão.

— Não se mexa — gritou ele enquanto o cachorro uivava.

— O que...

— Não se mexa. Alguém está atirando contra a casa.

— Não. Devem ser fogos.

— Fogos não fizeram aquilo.

Ele gesticulou para o vidro espatifado e passou a falar mais alto quando o alarme disparou.

Zod aproximou-se dos dois, lambendo seus rostos, ombros e mãos, enquanto Zane se esgueirava por cima de Darby e tateava a mesa de cabeceira em busca do celular, que já tocava.

— Sim, eu estou com um problema. Tem alguém lá fora atirando contra a minha casa. Ligue para a droga da polícia agora! Continue abaixada — ordenou novamente à namorada. — Quero que você fique abaixada e vá para um dos quartos de hóspede e se esconda. Se ouvir alguém entrando, saia pela janela. E corra.

Ela ficou deitada, agarrada ao cachorro, todos os músculos tremendo.

— É isso que você vai fazer?

— Só me obedeça.

Zane continuou no chão e foi se arrastando até o interior do *closet*. Saiu de lá com o bastão de beisebol da Louisville Slugger, que Emily lhe dera em seu aniversário de 12 anos.

Para sua surpresa, em vez de ter se escondido, Darby empunhava uma luminária que tirara da tomada da mesma forma que ele empunhava o bastão.

— Duas armas são melhores que uma — começou ela.

— Quieta! — Zane acenou com uma mão. — Alguém está dando partida em um carro. — Rápido, ele seguiu para as portas quebradas, antes que Darby conseguisse impedi-lo, e teve um vislumbre de faróis se afastando. — Filho da puta. Vou atrás dele.

— O cara está armado.

Ignorando-a, Zane pegou uma calça e soltou um palavrão ao cortar o pé em um caco de vidro.

— Fique aqui.

Ela só teve um segundo para pensar não, de jeito nenhum.

Quando ele saiu correndo do quarto, Darby o seguiu.

— Espere. Pense um pouco. Eu sei que você está com raiva. Eu também estou. Mas pode haver mais deles, com armas. Pelo amor de Deus, Zane. Podem simplesmente estar tentando tirar você daqui. — Apesar de a ideia incomodá-la, resolveu usar outra arma, a única que parecia capaz de funcionar com um homem furioso. — Por favor, não me deixe sozinha.

Isso o deixou imóvel.

— Droga, Darby, ele não vai conseguir correr mais que o Porsche. Fique escondida na despensa até a polícia chegar.

Aquilo era irritante, de verdade. Mas, decidindo que seu orgulho não era mais importante que a vida dele, ela o abraçou, agarrou-se nele.

— Não me deixe sozinha.

— Tudo bem. Certo. — Então, Zane ficou parado no corredor do segundo andar, abraçando-a. — Está tudo bem, querida. Estou aqui. Está tudo certo.

Sentindo-se inundada de alívio, Darby o apertou ainda mais.

— Só pode ter sido Clint Draper, só pode. Ele não vai escapar, Zane.

— Não, não vai. Escute... Eu não vou a lugar algum. Quero que você fique com o cachorro naquele quarto de hóspedes. E não chegue perto das janelas. Vou esperar Lee lá embaixo.

— Vamos todos lá para baixo. Meu Deus, você está sangrando.

— Só pisei em um caco de vidro.

— Banheiro — ordenou Darby. — Vamos limpar o corte, e aí Lee ou Silas ou alguém mais já terá chegado quando acabarmos.

Aquilo lhe dava um propósito, algo em que se concentrar, então as mãos dela permaneceram firmes enquanto examinavam e limpavam o ferimento — mais feio do que gostaria, não tão ruim quanto temera.

— Clint não tentou entrar.

— Ele devia saber sobre o alarme. Todo mundo sabe. Provavelmente, é burro demais para perceber que atirar no vidro o faria disparar. — Segundos antes de Zane ouvir as sirenes, Zod começou a uivar de novo. — Lá vêm eles. Querida? Você está nua.

— Ah, é. Vou me vestir e já desço.

Zane se levantou, evitando pisar com o pé machucado.

— Você não estava com medo de ficar sozinha.

— Eu estava com medo — respondeu Darby e foi se vestir.

O cachorro desceu a escada correndo, latindo ferozmente, e Zane o seguiu.

Ainda nua, Darby sentou-se na beira da cama e deixou o choque invadi-la. O vidro quebrado, as pegadas de sangue, os lençóis emaranhados. E, agora tão nítidos, os buracos de bala na parede um pouco acima de onde estavam dormindo.

E se o atirador tivesse esperado? E se tivesse esperado até o amanhecer, até Zane sair para a varanda, como fazia todos os dias? Até os dois sentarem no pátio dos fundos para comer cereal e tomar café?

Eles estariam indefesos.

Ou se tivesse vindo mais cedo, usando os fogos de artifício para abafar o som dos tiros, atirando enquanto havia crianças correndo pelo gramado e todos olhavam para o céu.

Ela se abraçou, embalando-se.

— Controle-se — disse a si mesma. — Chega disso. Não importa o que podia ter acontecido. Não aconteceu. E a polícia vai encontrá-lo. Ele vai ser preso.

Darby foi até o banheiro, jogou água fria no rosto e esperou aquele enjoo repentino passar.

Quando, finalmente, terminou de se vestir, Zane subia a escada.

— Só queria ver se você já tinha se arrumado. Lee precisa subir.

— Claro.

Ele se aproximou e tocou seu rosto.

— Você está pálida demais.

— Preciso de café. Vou descer para preparar uma xícara. — Darby olhou para o pé da escada, onde Lee esperava. — É muito bom vê-lo, delegado. — Ela continuou a descer. — Eu nem ouvi os tiros e o vidro quebrando. Acordei quando Zane me jogou para fora da cama e caímos no chão.

— Não se preocupe com isso agora, meu bem. Vamos resolver tudo. Prometo.

Ela concordou com a cabeça e foi fazer café.

E estava sentada, bebendo devagar, quando Lee e Zane voltaram.

Darby achava que era boa em julgar o humor das pessoas, e os dois pareciam ainda mais indignados agora.

— Ah, meu Deus, ele atirou em mais alguém?

Sacudindo a cabeça em negação, Lee sentou-se ao seu lado.

— Silas acabou de ligar. O escritório de Zane foi vandalizado de novo. Pintaram palavrões na fachada do prédio. A tinta ainda nem secou. Mandei alguns agentes para darem uma olhada na sua casa.

— Tudo bem. Talvez a pessoa que invadiu minha casa antes de Micah instalar o alarme tenha sido Draper.

— Talvez. Vamos esperar até amanhecer para tentarmos identificar o lugar de onde os disparos foram feitos. Mas, antes, iremos até a casa dele e da família.

— Tudo bem.

Lee deu um tapinha em sua mão.

— Você sempre consegue manter a cabeça fria, Darby.

— Nem tanto, mas acredito no sistema. Quando precisei, foi isso que me ajudou. Sei que vão encontrá-lo. Para onde ele iria? E você vai prendê-lo. Mas...

— Mas?

O olhar dela encontrou o de Zane.

— Seria uma coincidência absurda se não fosse Clint Draper, considerando tudo que aconteceu. Mas, Zane, você era promotor de justiça. Não é completamente impossível que seja alguém querendo se vingar por ter sido condenado em algum julgamento do qual você participou. E, pela sua cara, sei que já pensou nisso.

— Preciso pensar — concordou ele. — Mas foi Draper. O que aconteceu no meu escritório foi uma idiotice. Típico dele. E aposto que, se alguém que eu processei for capaz de me encontrar aqui, essa pessoa, provavelmente, seria capaz de soletrar "filho da puta".

Lee se levantou para atender ao celular, afastando-se. E voltou depois de desligar.

— Sua casa também foi vandalizada. Sinto muito, Darby. Tinta e xingamentos. E... ele deixou DNA. Vamos mandar para a análise. Já temos o de Clint nos arquivos. Mesmo assim, vai demorar. As impressões digitais serão mais rápidas, e, com certeza, vamos encontrá-las.

— Eu devo ir até lá para ver...

— Não, não deve — disse Lee antes de Zane abrir a boca. — Trata-se da cena de um crime agora, então você não pode se aproximar. Se precisar de alguma coisa, podemos buscar para você.

Ela olhou o delegado nos olhos.

— Que tipo de DNA?

— Deixe que nós nos preocupamos com isso. — Ele lhe deu um tapinha na mão. — Prefiro que vocês dois fiquem aqui por enquanto. Nós vamos ter uma conversinha com os Draper. E não mexam no quarto. Um policial virá tirar fotos. — Lee se inclinou e beijou o cabelo de Darby. — Ninguém faz algo assim com a minha família. Pode acreditar.

— Eu vou com você até lá fora.

Darby ficou onde estava, esperando Zane voltar.

— Que tipo de DNA? Sei que Lee acabou de lhe contar lá fora. Eu tenho o direito de saber.

— Ele mijou na porta do meu escritório. E ejaculou no capacho da sua casa.

Ela bufou.

— Puxa... Ainda bem que foi barato.

— Eu meteria a porrada nele só por isso, e olha que sou o tipo de cara que prefere usar palavras a socos. Mas, só por isso, eu lhe meteria a porrada. Darby, me...

Os ombros dela se retesaram.

— Não ouse pedir desculpas. Eu resgatei Traci na estrada. Eu a trouxe aqui. Nós estamos juntos nessa. — Apesar de seus olhos estarem cheios de lágrimas, sua voz soava determinada. — Não ouse se desculpar por nada disso. — Ela esfregou a base da mão contra o rosto, secando as lágrimas que escapavam. — Zod precisa ir passear.

Como o cachorro estava praticamente dançando diante da porta, Zane concordou.

— Eu o levo. Na coleira. Você pode tentar fazer ovos mexidos?

— Posso, mas não garanto que vão ficar bons.

— Piores do que os meus, impossível. — Ele pegou a guia e prendeu-a na coleira do cachorro. — Se você estivesse sozinha em casa...

— Eu pensei em várias coisas que podiam ter acontecido lá em cima. Aí, lembrei que as possibilidades não importam. Se realmente pretende comer meus ovos, é bom estar com muita fome.

Sob a iluminação das luzes de segurança, Zane caminhou com o cachorro, usando a tarefa como uma desculpa para seguir até o lugar em que o atirador, provavelmente, estivera. Na sua antiga vida, ele examinara muitas cenas de crime, lera inúmeros boletins de ocorrência.

E, justamente por causa disso, manteve Zod perto de si. O que foi muito inteligente de sua parte, concluiu ele quando o cão farejou o ar e tentou sair correndo.

— Calma. Se estragarmos alguma coisa, Lee nem vai precisar me passar um sermão. Eu mesmo farei isso.

Movendo-se com cuidado, ele não precisou seguir o olfato de Zod por muito tempo. Até mesmo ele conseguia sentir o cheiro. Mais cuidadoso agora, Zane pegou o cão no colo, tolerando a agitação e as lambidas enquanto analisava o chão remexido.

E o sangue — ainda fresco.

— Ora, o que você acha que aconteceu aqui? — murmurou ele. — Calma.

Agachando-se, segurou com firmeza a coleira de Zod e tirou o celular do bolso. Depois de bater algumas fotos, andou cuidadosamente para longe da cena, até se afastar o suficiente para poder devolver o animal ao chão.

Ele precisou puxar o cachorro para longe e levá-lo até um ponto em que pudesse fazer suas necessidades sem comprometer as evidências.

Enquanto Zod se aliviava, Zane ligou para Lee.

— Encontrei algo estranho. E, antes de você me dar uma bronca, eu não comprometi a cena. Vou mandar umas fotos. Acho melhor alguém vir aqui dar uma olhada. Havia duas pessoas, Lee, e uma delas está sangrando.

Ele mandou as fotos e pensou nas possibilidades enquanto voltava com Zod para tomar um café da manhã muito cedo.

Darby estava parada diante do fogão, encarando a frigideira de cara feia.

— Primeiro, eles estavam moles demais e, aí, em segundos, passaram do ponto. Acho que não queimaram, então... — Ela virou enquanto falava e viu seu rosto. — O quê? O que houve?

— Eles foram embora. Não se preocupe.

— Eles?

Zane concordou com a cabeça e se inclinou para soltar a guia do cachorro.

— Zod encontrou o lugar em que estavam. Bom menino. — Ele fez carinho no cão e serviu sua ração em uma tigela. Zod pulou em cima dela como um leão atacando uma gazela. — Encontrei sangue.

— Sangue? Mas...

— Não sou detetive, mas trabalhei com alguns. Na minha opinião, a resposta mais simples é que havia dois atiradores, um bateu no outro com uma pedra. Há uma pedra ensanguentada — continuou Zane enquanto pegava os pratos. — Há sangue no chão, plantas pisoteadas, marcas de alguém sendo arrastado. — Ele deu de ombros. — Depois que o sol nascer, a polícia vai descobrir mais detalhes, mas a resposta mais simples é que são dois caras, um tirando o outro daqui depois de acertá-lo com uma pedra.

Darby continuou parada, encarando-o, enquanto ele pegava os garfos.

— Você está muito tranquilo.

— Bem, por enquanto não temos certeza de nada, o que torna tudo muito mais interessante. E vamos comer ovos e tomar café. — Zane esfregou o braço dela rapidamente, com a mesma afeição pura que dera ao cachorro. — Ainda estou com raiva, mas, agora, nós temos um enigma para solucionar. É fácil pensar em Clint Draper; é quase certo que foi ele. E conhecemos sua motivação. Mas, querida, Clint tinha um rifle, então por que bateria em alguém com uma pedra? Ou por que alguém bateria nele?

— Para nos proteger? Isso não faz sentido — admitiu ela enquanto servia pedaços dos ovos, que haviam passado do ponto. — Por que alguém estaria no bosque no meio da madrugada? Por que levariam o outro embora sem dizer nada?

— Viu só? — Ele apontou para Darby e sentou-se para comer. — Você começou a pensar no assunto. Talvez fosse um dos amigos de Clint, o mesmo que o escondeu. Os dois brigaram, um bateu no outro.

— Hum. — Ela provou os ovos. Talvez precisassem de sal. — Então, algo tipo "ah, merda, temos que sair daqui". Mas isso seria burrice.

Zane tentou colocar um pouco de pimenta.

— Nós, provavelmente, estamos falando de Clint Draper, querida. É difícil ser mais burro do que aquele cara.

— Provavelmente — repetiu ela. — Ele é o suspeito mais provável, mas você vai verificar as pessoas que ajudou a prender e que poderiam querer machucá-lo.

— Vou dar uma olhada em todos os arquivos que tenho, mas Lee não deve demorar para encontrar Clint, analisar o DNA e as impressões digitais. — Como os ovos não estavam tão ruins como os que ele próprio teria preparado, Zane comeu mais um pouco. — Ele está com raiva. Lee.

— Eu percebi.

— Ele faria um bom trabalho de qualquer jeito, mas deixá-lo com raiva? Clint Draper não vai passar muito tempo escondido. Mesmo assim, eu queria avisar que...

— A família Draper é grande — concluiu Darby. — E eles não ficarão felizes em ver sangue do seu sangue atrás das grades. Falei como uma sulista agora.

— Nada mal para uma garota do Norte, e, não, eles não vão ficar felizes. Então, você precisa tomar cuidado. Nós precisamos tomar cuidado — corrigiu-se Zane antes que ela dissesse alguma coisa. — Mas, agora temos um cão de guarda perigoso.

Darby olhou para Zod. Ele tinha terminado o café da manhã e estava deitado de costas no chão, com as perninhas para cima, a língua larga caída em um canto da boca.

Sorrindo, ela ergueu o pingente pendurado no pescoço.

— Agora, somos dois pequenos e perigosos na casa.

— E vamos tomar conta uns dos outros. — Ele segurou a mão dela. — Nós três.

Como se tivesse sido espetado por uma agulha, Zod pulou e, latindo loucamente, correu para a frente da casa.

— A polícia voltou — disse Zane. — Uma coisa é certa, ninguém vai conseguir entrar de fininho aqui enquanto o general estiver no comando. — Ele se levantou e levou os pratos para a pia. — Eu lavo a louça. Vá buscar nosso pequeno perigoso.

Darby levantou-se, suspirando.

— Amo você, Walker. — Quando ele se virou e sorriu, ela deu de ombros. — Parecia o momento certo para dizer isso.

— Todo momento é certo. Eu também amo você.

Sabendo que isso era a mais pura verdade, Darby foi buscar o cachorro ladrador e deixar a polícia entrar.

Capítulo 25

♦ ♦ ♦ ♦

Ver os policiais espalhados pela casa, a forma como se moviam, como falavam, fez com que ela voltasse no tempo, para o ataque de Bigelow. No entanto, por mais estranho que fosse, o violento confronto já não estava mais nítido em sua mente. Tudo acontecera tão rápido, com tanta intensidade...

Mas os jargões policiais, a rotina do trabalho, levaram-na de volta para a manhã em que perdera a mãe. Com toda a clareza, o choque indescritível e a descrença que a assaltaram quando os policiais apareceram em sua porta com expressões graves, dizendo palavras terríveis que pareciam atravessá-la. E, agora, assim como antes, não havia nada que pudesse fazer, nem uma ação que pudesse tomar.

Apenas esperar, esperar, esperar.

Darby já dera seu depoimento, não havia o que acrescentar. Pelo menos, por enquanto, Lee não mudara de opinião. Ela precisava ficar ali.

Mas já assistira a programas de televisão e lera romances policiais suficientes para ter uma ideia — leiga — do que estava acontecendo ao seu redor.

Eles tirariam fotos do lugar que Zane encontrara na beira do bosque, coletariam amostras do sangue, levariam a pedra. Outros tirariam fotos do quarto, removeriam as balas da parede.

Balas, pensou Darby de novo enquanto vagava da cozinha ao salão. Esperando, esperando, esperando.

Parecia mentira.

Ela sentiu uma pontada de vergonha — que ridículo — quando Emily apareceu. Então, a mulher veio direto em sua direção, abraçou-a e ficou ali.

A pontada se transformou em uma onda de alívio.

— A polícia não quer que eu saia — começou Darby. — O cachorro não pode sair, então preciso ficar com ele. Zane está lá fora, mas a casa é dele, então...

— Esse não é o motivo. — Depois de apertá-la mais um pouco, Emily se afastou. — Zane era promotor. Ele sabe como essas coisas funcionam. Venha, querida, vou fazer um chá para você.

Então, ela suspirou. Chega de sentir pena de si mesma, porque ficar sofrendo pelo passado era pior do que não fazer nada.

— Uma Coca serve. Você quer alguma coisa?

— Por enquanto, não. Obrigada.

— Quero ir à minha casa, ver o que aconteceu.

— Você terá a chance — garantiu Emily. — E, quando Lee liberar, vamos ajudá-la a arrumar tudo. Tem certeza de que não quer dormir um pouco mais? Acabou de amanhecer.

— Estou completamente acordada. Tive que ligar para Roy, contar o que aconteceu, porque não vou conseguir trabalhar hoje. Ele vai cuidar de tudo.

— Trabalhar para você fez bem àquele garoto. Estão trabalhando nos quintais de quem agora?

— Você está tentando me distrair.

— Se percebeu isso com tanta facilidade, não está dando certo.

Darby seguiu para as portas da cozinha — fechadas — e olhou para o quintal que projetara, para a cascata que construíra.

— Adoro este lugar. Esta casa, o que vejo quando olho lá para fora. E amo Zane, apesar de esse fato ainda me deixar nervosa.

— E, mesmo assim, você já passou por dois momentos violentos aqui.

— Pois é. Você acha que algumas pessoas estão destinadas a... Eu sei, eu sei, eu *sei*, é uma idiotice. Mas será que há pessoas destinadas a ser expor à violência a vida inteira?

— Acho que não, de jeito nenhum.

— Também não quero acreditar nisso, mas fiquei aqui andando de um lado para o outro, esperando, e comecei a pensar em como minha vida mudou completamente depois que conheci meu ex. Antes disso, apesar de meu pai ter ido embora, eu tive uma infância boa, tranquila, uma vida calma. Eu e minha mãe, a escola, os vizinhos, os amigos, o trabalho, os namorados. Nunca tive problemas. — Ela soltou um longo suspiro e sentou-se. — Foi quando veio Trent. Eu me casei muito nova, muito rápido, mas, dane-se, Emily, muita gente faz isso. Às vezes, dá certo; outras vezes, não. Mas não só meu casamento não deu certo, como também me fez parar no hospital.

Emily segurou o rosto de Darby, inclinando-o.

— *Ele* fez você parar no hospital. Não o casamento.

— E, se pudesse, ele teria me mandado para lá de novo. Ninguém nunca tinha me machucado antes. Não daquele jeito. E, depois, aconteceu aquilo com minha mãe, perdê-la daquela forma. Eu vim para cá, recomecei. Então Bigelow apareceu, eu encontrei Traci, e, agora, isso. As coisas não param de acontecer.

Zod apoiou a cabeça no colo de Darby e encarou-a com olhos cheios de amor, como se sentisse que a dona precisava daquele gesto. E Emily sentou-se ao lado dos dois.

— Você é uma mulher inteligente e prática, Darby. E, na maioria das vezes, otimista. Entendo por que é difícil manter-se positiva neste momento. Mas tudo isso que acabou de dizer é bobagem. Eu não conheço Trent — continuou ela —, mas conheço o tipo de pessoa que ele é, porque passei anos tendo que lidar com Graham e minha irmã. São pessoas más, violentas, terríveis, que usam muito bem suas máscaras e não hesitam. Cresci com Eliza, passei aquele tempo todo convivendo com Graham, mas nunca percebi o que eles eram, não completamente. E isso não se trata de destino, mas de uma habilidade terrível que os dois tinham.

— Tem razão — concordou Darby. — Uma habilidade terrível.

— A morte da sua mãe aconteceu porque alguém foi egoísta, negligente, insensível. E espero que essa pessoa passe o resto dos seus dias sendo consumida por uma culpa insuportável. — Ela passou um braço em torno dos ombros de Darby, puxando-a para perto. — E, por mais horrível que seja, você conseguiu escapar de Graham por causa do que aconteceu com Trent. Acho isso admirável. Por isso, em outro momento, vou perturbar você sobre o curso de autodefesa. Quanto ao que aconteceu com Traci, foi sua compaixão e seu carinho que ajudaram a salvar aquela moça, então não se arrependa disso, nem por um segundo. E agora? — Emily suspirou. — Essa manhã foi a tentativa de um homem estúpido, violento e terrível provar que é machão, quando, na verdade, não passa de um babaquinha frouxo. Antes do fim do dia, meu Lee já terá colocado esse cara atrás das grades. Pode acreditar.

— Obrigada. De verdade. Eu precisava ouvir tudo isso.

— Acho que você precisa sair daqui e ir trabalhar. Pegue esse cachorro fofo e vá fazer algo produtivo. Então... Vou conversar com Lee sobre liberá-la. Aonde você pretendia ir hoje?

— Preciso terminar alguns detalhes na Highpoint Road. Era para lá que estava indo quando encontrei Traci. Mas isso pode ficar para depois. Pedi à equipe para ir à casa dos Marsh, na beira do lago.

— Tudo bem.

Emily deu um tapinha no joelho de Darby e levantou-se. Mas, antes que conseguisse sair da cozinha, as duas ouviram a correria na varanda. E o som da porta batendo.

— Chega. — Darby levantou-se de um salto, pegando a guia. — Não vou ficar mais sentada aqui.

Com o cachorro louco de alegria com a movimentação e Emily ao seu lado, ela marchou para o quintal a tempo de ver duas viaturas saindo em disparada.

— Devem ter localizado Clint. — Darby seguiu na direção de Zane enquanto ele se aproximava. — Ou o cara aprontou de novo. Mas... encontraram alguma coisa? — gritou ela.

Zane continuou se aproximando.

— Sim, encontraram: Clint Draper.

Havia algo errado, pensou Darby, e, pela forma como Emily segurou sua mão, soube que a outra mulher também percebera isso.

— Encontraram Clint... boiando no lago. Ele está morto. Meu Deus! — Zane esfregou o rosto com as duas mãos. — Foi Gabe quem ligou para avisar.

— Gabe. Ah, meu Deus. Preciso...

— Não. — Ele se enfiou na frente da tia. — Você precisa ficar aqui. Lee está cuidando disso, já conversou com Gabe. Eles estavam trabalhando. Sua equipe, Darby. E, pelo que entendi, Hallie viu o corpo. Roy entrou na água para tentar ajudar, mas já era tarde demais, e ele gritou para alguém chamar a polícia. Gabe ligou para o pai. — Zane pegou a guia de Zod. — Vamos nos sentar. Zod não pode chegar perto da cena do crime. Os policiais já terminaram, ou tinham terminado, mas é melhor que ele fique dentro de casa por enquanto.

— Preciso falar com meu filho — insistiu Emily.

— Ligue para ele. Darby, que tal a gente preparar um pouco de chá?

— Eu faço isso. — Emily dispensou os dois com um aceno de mão. — Vou colocar a água para ferver enquanto ligo para Gabe. Também preciso falar com Brody, avisar para não se aproximar daquela margem do lago por enquanto.

Concordando com a cabeça, Zane guiou Darby para uma cadeira no pátio e prendeu a guia no pulso quando Zod deitou-se embaixo da mesa para dormir.

— Alguém o matou — começou ela.

— Ou ele caiu no lago, ou cometeu suicídio. Os policiais e os legistas é que vão determinar.

— O sangue, a pedra, os sinais de que ele foi arrastado. Juntando tudo, Zane, é fácil entender que alguém matou Clint e o jogou no lago. Só não sabemos quem nem por quê.

— A polícia vai conversar com um dos amigos dele. Encontraram a picape do cara pouco depois de Gabe ligar. O interior está todo sujo de tinta, cheio de latas e sangue. Estão supondo que Stu Hubble estava com Clint. Os dois podem ter brigado, e Stu bateu nele com a pedra. Provavelmente, não queria matá-lo, mas, quando viu o que aconteceu, entrou em pânico e o jogou no lago. Mas nem sempre as coisas são o que parecem, e nada disso explica por que Stu deixaria a picape no acostamento da estrada. Precisamos esperar pelos fatos.

— Tenho que falar com a minha equipe.

— Eu sei. — Ele segurou sua mão. — Daqui a pouco.

A SOMBRA SE TORNARA um homem, e o homem estava parado lá fora, com uma visão excelente de toda a movimentação no lago. Ele vira aquele palhaço pular na água e nadar até o cadáver.

Isso o fizera rir enquanto tomava seu café matinal.

Ele continuara observando quando os policiais caipiras encontraram a picape em um lugar tão óbvio que até um cego veria. Aparentemente, um tal Stuart Hubble — de acordo com a documentação do carro — teria um péssimo dia.

Mas o cadáver boiando, o resgate tardio e toda a cena caótica tinham sido a cereja no topo do bolo.

Depois, os policiais chegaram com aquelas sirenes escandalosas — nossa, que espetáculo! Fazia semanas que não se divertia tanto. Pelo menos, não desde que espancara aquela prostituta barata que encontrara em uma cidadezinha merda da Virgínia.

A melhor coisa que fizera fora seguir seus instintos e ir atrás do idiota com as latas de tinta, pensou o homem enquanto assistia ao espetáculo.

Parecia uma intervenção divina, de verdade.

Ele esperava que a morte do desgraçado causasse problemas para Walker. Talvez sim, talvez não. O imbecil tinha pichado o escritório do babaca e a casa daquela vagabunda que ele estava comendo...

O homem precisou parar, respirar fundo, relaxar os punhos.

Depois, o cara melhorara ainda mais a situação, indo bêbado até a casa de Walker, atirando contra a casa.

O idiota achara que aquilo era uma boa ideia. Se ele não tivesse feito o favor de esmagar seu cérebro, boa parte de sua vida seria desperdiçada na cadeia.

Era melhor morrer.

— De nada!

Com uma risada dissimulada, o homem entrou para pegar mais café, um *croissant*, um pouco de geleia.

Ele levou tudo para a varanda, sentou-se na confortável cadeira e apreciou sua refeição e o espetáculo.

Quando Emily trouxe o chá, esfregou os ombros do sobrinho.

— Vou fazer uma salada de macarrão e deixá-la esfriando na geladeira.

— Não precisa — começou Darby.

— Lee está liberando a equipe, e todos querem falar com vocês dois. Então, eu vou usar o que encontrar naquela despensa pobre para preparar algo para comerem. E vou atacar sua horta também.

Zane se esticou para trás, para apertar a mão da tia.

— Vai ser a melhor salada de macarrão do mundo. Gabe está bem?

— Parece que sim. Mas eu tenho que ir vê-lo. Pedi a Ralph para buscar Brody. Quero meus dois meninos perto de mim. E vocês terão ajuda para guardar as tendas, mesas e cadeiras extras. — Ela olhou ao redor. — É difícil acreditar que estávamos dando uma festa aqui fora ontem. — Emily inclinou-se para dar um beijo no topo da cabeça de Zane. — Lee ainda vai demorar um pouco. Ele tem que resolver um monte de coisas.

— Zane. — Darby segurou sua mão quando Emily foi para a cozinha. — Alguém tem que dar a notícia a Traci.

— Eu quero fazer isso pessoalmente. O mais rápido possível — acrescentou ele. — Você se incomoda se eu for a Asheville?

— Claro que não. Quer que eu vá junto?

— Fique aqui, converse com sua equipe. Vou perguntar a Lee se posso ir. Ele vai ficar com a parte mais difícil. Dar a notícia aos Draper.

Aquela tarefa de fato estava na lista de afazeres do delegado, mas Stu Hubble era sua prioridade no momento. Lee o encontrou roncando no sofá de seu barraco, cercado por garrafas vazias de cerveja, um monte de comprimidos, cinzeiros cheios de bitucas — cigarro e maconha —, algo que parecia ser restos de uma pizza e algumas embalagens vazias de Doritos.

Quando Lee lhe deu um empurrão, ele liberou uma flatulência barulhenta, seguida por um arroto igualmente fedido.

— Sai fora — murmurou Stu, tentando virar-se para o outro lado.

Dessa vez, Lee usou o pé, ajudando o homem a aterrissar no chão.

— Filho da puta! O que é... — Ele se interrompeu quando seus olhos avermelhados focaram-se no delegado. — Merda, quem deixou você entrar? Essa é a minha casa. Você não tem o direito...

— A casa é da sua avó. Levante-se, seu porco. Você está preso.

— Não estou, não. Eu não fiz nada.

Pensando, Lee estreitou os olhos.

— Onde está Clint Draper?

— Por que raios eu... — Stu piscou, levantando-se devagar. Ele era um cara grande, com uma barriga enorme, rígida. Seus olhos eram pequenos, e seus dentes, sujos. — Por aí, talvez no banheiro. A gente estava se divertindo. Íamos acampar, mas estava quente demais, então voltamos ontem, passamos um tempo aqui. Isso não é ilegal.

— Vandalizar a propriedade alheia é. E você foi idiota o suficiente para ir na sua picape ao escritório de Zane Walker e à casa de Darby McCray pichar xingamentos.

— Eu não fiz nada disso. Passei a noite toda aqui. Pergunte à minha avó.

— A tinta ainda está na sua picape, espalhada pelo volante. — Mas não havia sinal dela em Stu, que, obviamente, não trocava de roupa nem tomava banho havia dias, observou Lee. — Os pincéis eram seus. As latas de tinta e a picape também.

— Nada disso. Só se alguém roubou as minhas coisas. Pergunte à minha avó, pergunte a Clint.

— Eu perguntei à sua avó, mas ela é completamente surda e não vem aqui embaixo há seis meses. Não posso perguntar a Clint Draper.

— E por que diabos não pode?

— Por que nós o tiramos do lago hoje cedo, a menos de quatrocentos metros do local onde encontramos sua picape. Ele está morto.

— Não está nada. — Stu se levantou para ver se ainda havia cerveja em alguma das garrafas vazias. — Deve estar no banheiro. A gente resolveu ficar por aqui, porque está quente demais para acampar.

Lee pegou o celular, abrindo uma foto da cena do crime, de Clint Draper com os olhos vidrados, o rosto acinzentado. E a enfiou na cara de Stu.

Mas teve de puxar o aparelho de volta e dar um pulo para trás quando o homem se inclinou para a frente e vomitou nos próprios sapatos.

Aquele fedor, pensou Lee, acordaria os mortos.

— Vocês brigaram, Stu, enquanto atiravam na casa de Zane?

— Esse aí não é Clint, é impossível. Você está tentando me enganar.

— Nós o tiramos do lago hoje cedo. Tem um buraco enorme na parte de trás da cabeça dele. Imagino que já estava morto quando você o jogou no lago.

— Eu nunca fiz isso. — As pernas gordas de Stu tremiam tanto que ele desabou no sofá. — Nunca matei ninguém na vida. Clint é meu amigo. Nunca matei ninguém.

— Levante logo daí, ou terei que arrastá-lo à força. Nós vamos para a delegacia, e é melhor começar a contar a verdade, ou vai passar um bom tempo atrás das grades. Você está nadando em um rio de merda, Stu, e cada mentira o deixa mais longe da margem.

— Eu nunca matei ninguém! Juro por tudo que é mais sagrado! — Lágrimas começaram a escorrer. — Clint apareceu aqui ontem. A gente não ia acampar, só falei isso como um favor. Ele ficou sabendo que Traci tinha fugido e que a polícia estava atrás dele. Eu queria ajudar meu camarada, só isso, e qualquer um faria a mesma coisa no meu lugar.

— Você acha que qualquer um esconderia um sujeito que deu uma surra na esposa?

— Não sei nada sobre isso. A única certeza que tenho é que Clint estava aqui. A gente tomou umas cervejas e tal, e eu desmaiei, acho. Não sei nada sobre a tinta e tudo mais. Meu Deus, ele morreu? De verdade?

Um idiota, pensou Lee. Um desgraçado preguiçoso e valentão, mas, provavelmente, não era um assassino.

— Levante-se. Você vai dar seu depoimento na delegacia. Se não quiser ser algemado, levante-se. Pode trocar de sapatos?

— Hum, sim.

— Bem, então faça isso. Não quero vômito de ninguém na minha delegacia. E troque de roupa. Vou levar as que você está vestindo para análise. Se encontrarem qualquer resquício de tinta ou do sangue de Clint, você estará muito encrencado.

— Eu só estava ajudando meu amigo, qualquer um faria o mesmo. Não fiz nada. Nunca matei ninguém.

O delegado acreditava totalmente nele. Mas isso não significava que não tentaria arrancar mais informações. Se Stu soubesse de alguma coisa, de qualquer coisa, Lee descobriria.

Quando a equipe chegou com Brody, Emily já deixara a salada de macarrão na geladeira e preparava uma segunda jarra de chá. Darby foi direto até Roy.

— Ainda estou molhado — começou ele, mas ela o abraçou com força. Depois de um segundo de hesitação, ele retribuiu o abraço. — Meu Deus, Darby. Meu Deus. Eu nunca vi... nunca vou parar de ver aquilo. Quando... quando cheguei lá, quando o segurei, ele girou. E o rosto...

— Venha, sente-se.

— Eu... tenho umas roupas secas na picape. Será que posso me trocar em algum lugar?

— Claro.

Ela esperou enquanto Roy buscava suas coisas, levou-o para o andar inferior, atravessando a academia de Zane e a sala de cinema, e entrou no banheiro.

— Tome um banho quente, leve o tempo que precisar — disse Darby antes de segurar sua mão. — Roy, você é um herói.

— Eu não fiz nada.

— Você pulou no lago para tentar salvar uma pessoa. E, quando viu que não podia ajudar, o puxou até a margem. Você é um herói.

Ele balançou a cabeça; seus olhos se enchiam de lágrimas.

— Eu nunca gostei daquele filho da puta, é verdade. Passei a gostar menos ainda quando soube que batia em Traci. Mas...

— Isso só confirma que você é um herói. Leve o tempo que precisar.

Darby subiu para encontrar os funcionários encolhidos, sentados a uma mesa. E Brody estava tão próximo de Gabe que os dois pareciam gêmeos siameses.

— Roy está bem? — Hallie entrelaçou as mãos, soltou-as e as entrelaçou de novo. — Ele quase não falou depois que... depois que tirou Clint Draper do lago.

— Ele precisa de um tempo.

— Pode nos contar o que está acontecendo? — perguntou Ralph. — Eu queria uma explicação.

— Eu também, mas só posso contar o que sei.

Darby não sentou, não conseguiria ficar quieta.

— Alguém, provavelmente Clint Draper, fez uma série de disparos contra a casa, na direção da varanda do quarto, lá em cima.

— Filho da puta! — Ralph bateu na mesa, fazendo Hallie pular e seus óculos escorregarem pelo nariz. — Aquele filho da puta! Eu não devia falar mal dos mortos, mas dane-se!

— Onde Zane está? — quis saber Brody. — Ele se machucou?

— Não, não. Ele foi buscar a irmã de Traci. Os dois vão para Asheville dar a notícia a ela. Antes de Clint vir aqui, ele pintou um monte de bobagens na fachada do escritório de Zane e na minha casa.

— Os Draper não prestam — murmurou Hallie. — Nunca prestaram, nunca vão prestar. Vamos ajudar a arrumar sua casa, Darby, não se preocupe.

— Também quero ajudar — disse Brody. — Vamos deixar tudo como era antes. Mas... como ele foi parar no lago?

Darby suspirou.

— Encontraram... Bem, Zane e Zod encontraram o lugar de onde ele atirou e... Ali, dá para ver onde a polícia pendurou a faixa. Há sangue. Ele devia estar com alguém. Parece que essa pessoa o golpeou com uma pedra, arrastou-o para o lago e o jogou na água.

— Isso não faz sentido — comentou Ralph.

— Não faz mesmo.

— Mais ou menos — disse Brody. — Há duas possibilidades que fariam sentido.

Curiosa, Darby puxou uma cadeira e olhou nos olhos "verde-Walker" de Brody.

— Quais duas possibilidades?

— Clint devia estar bêbado. A polícia vai fazer o exame toxicológico para descobrir. Mas todo mundo sabe que ele fica mais maldoso e mais burro depois que bebe. Papai já teve que prendê-lo algumas vezes por fazer baderna.

Emily serviu mais chá.

— E como é que você sabe disso?

— Não sou surdo, mãe — respondeu o garoto, acrescentando uma revirada de olhos adolescente. — Enfim, a outra pessoa má e burra o suficiente para ter acompanhado Clint também devia estar bêbada, certo? Talvez quisesse pegar o rifle emprestado para atirar também, os dois brigaram, e pronto. A intenção, provavelmente, não era matá-lo, mas foi o que aconteceu; e, aí, o que fazer? Tentar se livrar do corpo. Teria sido melhor largá-lo aqui e fugir, mas estamos falando de alguém bêbado, burro e mau.

— Pensando por esse lado — refletiu Gabe —, até que faz sentido. Qual é a outra possibilidade, Sherlock?

Brody sorriu e deu de ombros.

— Bem, ele sai para pichar o escritório de Zane; depois, a casa de Darby. Alguém o vê. Talvez alguém tão ruim quanto Clint Draper, e essa pessoa o segue até aqui.

— Por que matá-lo? — perguntou Darby.

— Às vezes, pessoas más não precisam de um motivo, só de uma oportunidade. Ouvi papai dizer isso uma vez. De toda forma, ele, Silas e os outros vão descobrir o que aconteceu. É isso que fazem.

— Pois é. — Parada atrás do filho, Emily apertou seus ombros. — É isso que eles fazem.

— Se for a segunda alternativa... — hesitou Gabe, passando um dedo na condensação do copo de chá gelado. — Essa pessoa é pior que os Draper. Não conheço ninguém assim. Só... O papai tem certeza de que o pai de... quero dizer, que Graham Bigelow ainda está preso?

— Foi a primeira coisa que ele verificou. — Agora, Emily colocou uma das mãos no ombro de Gabe. — Aquele homem não vai a lugar algum, fiquem tranquilos.

Mas a maior preocupação, pensou Darby, não seria a possibilidade de alguém em Lakeview ser pior do que os Draper?

E um assassino.

$\mathcal{D}$EPOIS DE LEVAR as roupas de Stu para análise, Lee o deixou com um policial e lhe deu ordens para tomar banho, trocar de roupa e esperar na cela. De jeito nenhum interrogaria aquele idiota enquanto estivesse fedendo a suor, cerveja velha e vômito.

De toda forma, precisava informar a família do falecido sobre os eventos ocorridos, e isso não seria a melhor parte do seu dia.

Conhecendo os Draper, ele levou Silas e Ginny como reforços.

Horace Draper atendeu sua batida à porta e o encarou com um ar zombeteiro, exibindo o ralo cabelo grisalho raspado rente à cabeça e um cigarro enrolado à mão preso no canto da boca.

O ar dentro da casa, abafado apesar dos dois ventiladores ligados, ainda cheirava à gordura do café da manhã.

— Se vieram atrás do meu garoto, vou repetir que ele está acampando. E não vou deixar ninguém entrar sem um mandado.

— Nós encontramos Clint, Sr. Draper.

Algo brilhou nos olhos do velho.

— Muito bem, então já sabem que ele não estava aqui quando aquela vaca mentirosa com quem se casou alega ter apanhado. Meu filho nunca bateu naquela preguiçosa. Talvez devesse ter batido. — Ele cutucou Lee com um dedo amarelado de nicotina. — Se você prendeu meu garoto, vou dar um jeito de tirar seu distintivo dessa vez.

Lee ignorou o dedo, ignorou a ameaça.

— Sr. Draper, lamento informar que seu filho Clint faleceu. Sinto muito por sua perda.

— Isso é mentira!

— O corpo dele foi encontrado no Lago Reflection hoje de manhã.

Atrás de Horace, Bea Draper começou a gritar:

— O meu menino, não! O meu menino, não! O meu menino, não!

— Cale a boca, mulher. Eles estão mentindo!

Lee pegou o celular e abriu a foto da cena do crime.

— Este é seu filho Clint, sr. Draper?

Ele viu o momento em que a realidade e a tristeza passaram por cima da agressividade. Draper cambaleou porta afora e desabou sobre uma das frágeis cadeiras na varanda.

— Meu garoto morreu?

— Sim. Sinto muito.

A tristeza se transformou em uma raiva violenta que fez Draper se levantar de um salto.

— Você matou meu filho!

Antes que ele conseguisse agarrar Lee, Silas prendeu seus braços atrás das costas. O velho era forte, e a ira o impulsionava. Ginny precisou intervir, ajudando a segurá-lo.

— Não queremos jogá-lo no chão, sr. Draper — disse ela. — Não queremos algemá-lo.

— Nós não o encontramos vivo — explicou Lee, calmo. — O Departamento de Polícia de Lakeview não é responsável pela morte de Clint.

— Então, quem foi? Meu garoto nada como um tubarão. Ele não caiu naquele lago maldito e se afogou. Quem foi?

— Estamos investigando.

— Investigando, porra nenhuma! A polícia é tão corrupta quanto o FBI. Vocês estão pouco se lixando para mim e para a minha família. Sempre foi assim.

— Vou fazer meu trabalho. É melhor o senhor sentar, se controlar. Sua família só vai sofrer mais se eu tiver que prendê-lo por agredir um policial.

— Vou lhe dizer quem foi: aquele merdinha do Bigelow, que, agora, diz que é um Walker. Aquele que roubou a mulher do meu filho, que a convenceu a mentir. É melhor você prendê-lo logo, está me ouvindo? Porque eu e meus filhos vamos atrás dele.

— Cuidado com as ameaças. Agora, sente-se antes que sejamos forçados a imobilizá-lo. — Lee inclinou a cabeça para Ginny, indicando que ela devia entrar na casa, onde Bea Draper continuava a lamentar e chorar. — Zane nunca machucou seu filho.

— É claro que você diria isso.

— Eu sei disso. Quando seu filho morreu, Zane estava ocupado protegendo Darby McCray e a si mesmo e, em seguida, ligando para a polícia após ter as portas da varanda do quarto dele alvejadas por Clint.

— Porra nenhuma! Meu garoto não fez nada disso. Você confirmaria qualquer mentira que aquele babaca do Bigelow contasse.

— Nós encontramos o rifle de Clint, que fora usado recentemente, na picape que ele pegou de Stu Hubble e coletamos as balas do quarto de Zane. Elas são compatíveis com a arma. Encontramos as impressões digitais de Clint no volante, na tinta que ele usou para vandalizar o escritório de Zane e a casa de Darby McCray antes de disparar o rifle. A tinta ainda estava molhada. Como Zane tinha meia dúzia de policiais na sua casa no momento em que jogaram Clint no lago, seu álibi é muito bom.

— Você confirmaria as mentiras dos dois. A polícia é inútil.

— O senhor sabe que não estou mentindo. Até mesmo o senhor sabe. O horário da ligação para a emergência foi registrado. E Stu Hubble está na delegacia agora. Pelas condições da sua casa quando o busquei, parece que ele e Clint encheram a cara, fumaram um baseado e se drogaram antes de Stu desmaiar e seu filho inventar de pegar latas de tinta, o rifle e ir atrás de vingança. — Lee se agachou e olhou bem nos olhos de Draper. — Pense um pouco. Se não tivessem mentido para mim ontem, seu garoto estaria vivo agora. Ele seria julgado. Talvez tivesse que passar um tempo na cadeia, mas estaria vivo.

— Vá se foder.

— Pois é. — Lee se endireitou. — Imaginei que você diria isso.

Ele viu o soco vindo, teve meio segundo para tomar uma decisão. Então, deixou o golpe acertá-lo, as juntas dos dedos baterem contra a maçã do seu rosto.

— Chega. O senhor está preso por agredir um policial.

Com a ajuda de Silas, ele jogou Draper no chão e o algemou enquanto Ginny teve de parar de consolar a mãe desolada e segurar a mulher enlouquecida que tentava alcançar o marido.

Capítulo 26

◆ ◆ ◆ ◆

Depois de uma hora difícil com Traci, Zane pegou o carro para voltar para Lakeview. Em uma rápida troca de mensagens com Darby, foi informado de que ela recebera permissão para ir até sua casa — acompanhada de toda a sua equipe, o que era um alívio.

Mais tranquilo, ele seguiu para a cidade a fim de avaliar os estragos no escritório.

Depois de estacionar e saltar, Zane ficou parado na calçada, analisando a hediondez por trás da fita da polícia.

Aquilo era pior, bem pior, do que uma janela quebrada — e exigiria mais tempo e esforço para ser reparado. Várias pessoas pararam ao seu lado, oferecendo comentários reconfortantes ou indignados.

Ele afastou o olhar da cena quando ouviu alguém chamar seu nome e esperou Britt vir correndo em sua direção. Ela apenas abriu os braços e o acolheu.

— Conversei com Emily e Silas. Sei de tudo. Sinto muito. — A irmã se afastou, mas não o soltou do abraço. — Em primeiro lugar, estou dando graças a Deus por você e Darby não terem se machucado. Em segundo, estou enojada e cheia de raiva por todo o resto.

— Já passamos por coisas piores. É só tinta.

Ela ergueu as sobrancelhas.

— Agora, me diga o que está sentindo de verdade.

— Acho uma pena Clint ter morrido. E parte desse sentimento é porque agora não terei a oportunidade de meter a porrada nele. Darby dorme mais perto das portas da varanda. Se ele tivesse mirado um metro mais para baixo, não sei o que teria acontecido.

— Onde ela está agora? Você acha que eu deveria ir lá? Posso trocar o horário de algumas consultas.

— Ela foi ver o estado da casa. A equipe está com ela, e Brody também. Ele queria ajudar.

— Brody é um bom menino. Todos nós vamos ajudar, Zane. Diga isso a ela.

— Pode deixar. Escute, as pessoas vão parar para falar conosco se ficarmos aqui, e, por mais que eu goste do apoio, prefiro não falar sobre o assunto agora.

— Entendi. — Britt lhe deu um último abraço e se afastou para olhar o prédio. — Escrever, realmente, não era o forte dele.

Pelo menos, o comentário o fez rir antes de sair para comprar um monte de tinta.

Depois que a tarefa foi concluída, Zane deu um pulo na delegacia. Encontrou Lee na sua sala, fazendo um relatório.

Inclinando a cabeça, ele observou o hematoma no rosto do delegado.

— Aposto que você não deu de cara com uma porta.

— O velho Draper está acalmando os ânimos em uma cela. Sente-se. Quer café?

— Não aguento mais café, mas obrigado. Vamos direto ao ponto. — Zane se acomodou em uma cadeira. — Traci está muito abalada, mas a mãe e a irmã estão lá para dar apoio. Ela vai continuar no abrigo pelos próximos dois dias. Até mais, se você achar necessário.

— Um dia de cada vez. — A cadeira estalou, um som acolhedor, enquanto Lee se inclinava para trás. — Encontramos as impressões digitais de Clint no rifle, na picape de Stu, nas latas de tinta, nos pincéis e até espalhadas pela fachada do seu escritório e na casa de Darby. Ele sempre foi um idiota.

— Isso é indiscutível.

— Vai demorar um pouco mais para analisarmos o DNA que encontramos nos duas cenas. A análise do sangue, o exame toxicológico e a determinação da causa da morte devem sair mais rápido. E, pelo que Stu Hubble contou, eu tenho uma boa ideia da linha temporal na qual os eventos se desenrolaram.

— Imagino que ele não seja um suspeito.

— Não faria sentido. Ele estava desmaiado, completamente vestido, quando o encontrei. Vamos analisar as roupas, mas não havia qualquer sinal aparente de tinta ou de sangue nelas. Não encontramos impressões digitais na pedra, só sangue. Ele é tão idiota quanto Clint e não pensaria em limpar a arma do crime, que de fato não parece ter sido limpa. Clint chegou à casa do amigo por volta do meio-dia de ontem — continuou Lee. — Foi andando. A avó confirmou essa parte. Stu alega que os dois nunca saíram do porão, que comeram, beberam, fumaram, assistiram à televisão, jogaram videogame, assistiram a filmes pornô. Ele acredita ter caído no sono por volta das duas.

— E, depois, Clint pegou as tintas e tudo o mais, e saiu na picape de Stu.

— Parece que sim.

— Nenhum outro amigo apareceu por lá para encher a cara com eles?

— De acordo com Stu, não, e ele estava apavorado demais para mentir quando chegou aqui.

— Talvez ele tenha encontrado alguém — especulou Zane. — Ou alguém que não gosta de Clint tenha resolvido ver o que ele estava aprontando. A lista de candidatos seria longa. Mas matá-lo parece...

— Um ato extremo — concluiu Lee. — São muitas possibilidades. Ele aponta a arma para alguém e leva uma pedrada. Está com um amigo, tropeça e bate a cabeça na pedra; o cara entra em pânico e o joga no lago. Ou alguém decide que é hora de se vingar e aproveita a oportunidade. Vou descobrir o que aconteceu, Zane.

Ele se lembrou de Lee sentado ao seu lado na cama estreita do cubículo de Buncombe, depois da pior noite da sua vida.

— Eu sei que vai.

— Quero que você tome cuidado, está me ouvindo? Draper enfiou na cabeça que você matou Clint.

— Como diabos eu conseguiria fazer isso se estava lá em cima, tentando não levar um tiro e ligando para a polícia? E vocês chegaram cinco minutos depois.

— Fatos, provas, lógica... essas coisas não fazem diferença para ele. Para nenhum deles. O velho vai sair depois de pagar a fiança, então tome cuidado.

— Quero falar com ele.

— Zane.

— Ele já tem advogado?

Lee soltou uma risada.

— Draper só acredita em pedir ajuda quando é inevitável. Por enquanto, sua filosofia é que os advogados se danem, e isso inclui você.

— Eu quero falar com ele. Você pode estar presente. Se Draper acha mesmo que eu fiz isso, Lee, Darby pode acabar sendo atingida por esse fogo cruzado. Ela quase já se machucou.

— Tudo bem. Tudo bem, vou levá-lo até a cela.

Lee o guiou até os fundos da delegacia e abriu a porta de aço que levava a três celas. No primeiro compartimento à direita, Stu, de costas para a entrada, roncava como um trem de carga.

Draper estava sentado na cama da cela à esquerda e levantou de um salto assim que viu Zane.

— Seu filho da puta! — Ele enfiou um braço através das grades, tentando agarrá-lo. — Vou matar você na primeira chance que tiver.

— Ameaçar alguém na frente de um policial só vai dificultar sua fiança.

— Quero mais é que você e sua fiança se fodam. Eu tenho outros filhos.

— Tem, sim — concordou Zane sem vacilar. — Talvez seja melhor manter o restante da sua família fora da cadeia. O negócio é o seguinte: havia dezenas de pessoas na minha casa ontem; algumas ficaram lá até a meia-noite. Estou com Darby McCray...

— Aquela piranha ajudou você a matar meu filho?

Seus anos como promotor de justiça o ajudaram a ignorar esse comentário.

— Eu diria que fomos dormir por volta de 1h. Lá pelas 4h... 4h08, na verdade, já que olhei para o relógio quando joguei Darby no chão, acordei com o som de tiros e do vidro se quebrando. As portas da varanda do meu quarto foram atingidas.

— Acho que você armou toda essa cena para ferrar meu filho.

Explicando os fatos com calma, Zane continuou:

— Eu falei para Darby continuar no chão e fui pegar meu bastão de beisebol no *closet*, para o caso de o atirador resolver entrar na casa. Ligamos para a polícia. A que horas a ligação foi registrada, delegado?

— 4h11.

— Pois é. Eu pisei nos cacos de vidro. Imagino que a polícia tenha fotos das minhas pegadas sujas de sangue. Eu estava fulo da vida, queria sair e **ir** atrás de quem havia nos atacado, mas Darby me convenceu a ficar em casa. Ela cuidou do meu pé, e a polícia chegou. A que horas isso aconteceu, delegado?

— 4h16.

— Pare para pensar. Como diabos eu encontraria Clint e pegaria o rifle? Por que raios eu o levaria até a minha casa, até o bosque, só para lhe dar uma pedrada, se eu *tivesse* acesso ao rifle e quisesse machucá-lo? E como poderia tê-lo atirado no lago quando minha casa estava cheia de policiais?

— Você queria que ele morresse!

— Não, eu queria que ele fosse julgado, que enfrentasse um júri. E alguém acabou com essa possibilidade. E eu quero descobrir quem.

— Você devia estar comendo aquela piranha com quem ele casou.

— Ah, pelo amor de Deus, *quando*? Nós dois sabemos que sua família vigiava Traci o tempo todo. Eu tenho uma namorada. E quero deixar uma coisa bem clara: se alguma coisa acontecer a ela, irei atrás de você.

— Zane.

Ele ignorou Lee.

— Esse é o tipo de linguagem que esse sujeito entende. Traci é minha cliente, só isso. E eu vou me esforçar para ajudá-la. Mas, quando se trata da minha mulher, vou fazer bem mais que isso. Fique longe de mim e da minha família, sr. Draper, e use a cabeça. Não importa o que pensa de mim, sei que é inteligente o suficiente para entender que eu não poderia estar em dois lugares ao mesmo tempo. — Ele saiu e esperou Lee trancar a porta de aço. — Acho que não o convenci.

Lee suspirou.

— Ele parece estar considerando a questão, o que já é um bom começo. Colocar a culpa em você seria forçar muito a barra, e Draper está percebendo isso. Mas talvez não faça diferença. Na cabeça dele, você é parte do motivo pelo qual seu filho está morto. Então, tome cuidado.

— Você também, delegado. Pelo mesmo motivo.

— Faz parte do trabalho. Vá para casa. — Lee lhe deu um tapinha nas costas. — Coma alguma coisa.

Zane foi mesmo para casa, pensando que precisava fechar a varanda do quarto, ligar para a seguradora e chamar alguém para substituir as portas.

Ele precisaria de tábuas de madeira para fechar a varanda, o que significava que precisaria de uma picape.

Talvez fosse melhor comprar uma. Não poderia passar o inverno dirigindo o Porsche, de toda forma.

Mais uma coisa para resolver.

Zane fez um desvio para a casa de Darby e tentou não entrar em pânico quando viu que nem ela, nem a equipe, nem os carros estavam ali. Tudo que encontrou foram os palavrões pichados na parede.

A polícia parecia ter levado o capacho sujo. Uma boa notícia, pelo menos. Ele pegou o celular e digitou:

> Cadê você?

No trabalho. Na casa dos Marsh.
Lee nos liberou. E você?

> Na sua casa. Posso pegar sua picape emprestada?

Claro. ?

> Preciso comprar tábuas para fechar a varanda. As portas foram feitas sob medida, talvez demore um pouco para ficarem prontas.

Nós já fizemos isso antes de sair. Você precisa de tinta. Passei no seu escritório antes de virmos. Ele escreveu tudo errado. Roy queria pintar tudo para você, mas prefiro mantê-lo ocupado aqui. Posso mandar o contato de alguns caras que ele recomendou, caso você não tenha. Os mesmos que pintaram seu escritório antes.

> Ainda tenho os contatos. E a sua casa?

Depois, resolvo isso. Eu não moro na rua principal da cidade. Vá para casa, coma a salada de macarrão e ligue para os pintores.

> Você está bem?

Estou melhor. Devo chegar lá pelas seis. Comecei
tarde hoje.

                                        Vou ficar esperando. Amo você.

Ohhh, primeira vez em uma mensagem. Por mais estranho que pareça, eu amo você também. Até logo.

Zane guardou o celular e olhou ao redor. Queria poder fazer alguma coisa por ela.

Foi quando a resposta surgiu, e parecia tão simples. Tão certa. Ele foi para casa, fez o que precisava fazer, ligou para os pintores e comeu a salada de macarrão.

Quando Darby chegou, pouco depois das seis da noite, a mesa do pátio estava posta — com flores que ele colhera, torcendo para não estar estragando nada. E o vinho estava pronto para ser servido.

— Ora, olhe só para isso tudo.

Ela analisou a mesa enquanto Zod corria na direção de Zane, como se os dois tivessem passado anos separados.

— Achei que nós dois merecíamos.

Darby o encarou.

— Merecemos mesmo.

— Fiz um aperitivo com legumes cortados e pastinhas.

— Mentira.

Zane apontou para ela.

— É verdade. Achei que poderíamos ter um jantar de três pratos.

— Certo, quais são os outros pratos?

— Pizza e bolinhos de chocolate recheados. O aperitivo é só para lembrar que somos adultos.

— Acho que estou apaixonada.

Ele segurou seu rosto com firmeza e a beijou.

— É melhor estar mesmo.

Darby apoiou a cabeça no ombro dele, suspirando.

— Vou subir, tomar um banho e trocar de roupa para me sentir digna dessa refeição maravilhosa.

— Levei nossas coisas para o quarto de hóspedes com vista para a frente da casa, aquele com o banco na janela.

Ela inclinou a cabeça para trás e o encarou, mas, então, conforme seus olhos se enchiam de lágrimas, apoiou a testa no ombro dele.

— Achei que merecíamos isso também — acrescentou ele.

Por saber que sua voz vacilaria, Darby tentou assentir com a cabeça e apenas o abraçou com mais força.

— Espere um segundo — pediu ela.

Zane obedeceu, mantendo-a em seus braços naquela noite tranquila, com o cachorrinho estranho farejando seus sapatos.

— Você é uma pessoa boa, Zane. Uma pessoa tão boa. Eu disse a mim mesma para deixar isso pra lá. As portas fechadas com madeira, os buracos de bala. O problema não é o quarto, mas o que aconteceu. O quarto é ótimo.

— E vai ser ótimo de novo um dia. Mas, por enquanto, nós temos outros.

Mais calma, Darby se afastou e sorriu.

— Agora, sujei você com meu suor, e a poeira das pedras deve ter passado para suas roupas. Acho que devia ir tomar um banho comigo.

— Você tem as melhores ideias. Só vou dar comida para o cachorro.

— Ele comeu no trabalho. — Pegando a mão de Zane, ela seguiu para dentro de casa. — Mais tarde, ele pode comer um você-sabe-o-que enquanto provo seu aperitivo.

No chuveiro, Darby se limpou do suor e da sujeira do trabalho. Com o encontro de dois corpos molhados e escorregadios, livrou-se do estresse que a deixara tensa durante todo o dia.

Dava para senti-lo esvaindo-se, descendo pelo ralo. Mesmo sabendo que a sensação voltaria — e talvez porque soubesse disso —, Darby se perdeu em Zane, naquilo que ofereciam um ao outro.

Sob os jatos de água, com a pele ensaboada, mãos ávidas e deslizantes, eles afastaram os problemas e aceitaram a felicidade.

Os dois preferiram ignorar a dolorosa realidade. Deixaram Zod louco de felicidade quando lhe deram um biscoito e, acendendo velas e servindo o vinho, conversaram sobre qualquer coisa diferente dos eventos que haviam acabado com a paz da madrugada.

Com o dia se transformando em noite e o cachorro dormindo sob a mesa, Zane serviu mais vinho.

— Pronta?

Darby tomou outro gole e concordou com a cabeça.

— Sim. E você?

— Também.

— Certo. Comece me contando como Traci reagiu.

— Ainda bem que a mãe e a irmã dela estavam lá. Ela precisou da ajuda das duas para parar de se culpar.

— Ela foi abusada mental e fisicamente, reage assim por instinto. Havia mulheres na minha terapia de grupo que se culpavam por tudo. Meu filho está tendo dificuldades na aula de alfabetização, a culpa é minha, eu sou uma péssima mãe. A previsão do tempo disse que faria sol, mas choveu, então devo ter feito alguma coisa errada.

— Eu vi esse comportamento em muitas vítimas de violência doméstica em Raleigh.

— E é por isso que sua presença também ajudou Traci.

— Espero que sim. De toda forma, ela vai passar mais um tempo em Asheville. Está com medo dos Draper, o que é sensato.

— Você acha que eles tentariam se vingar dela?

Não havia motivo para tentar amenizar a situação, pensou Zane.

— Algumas pessoas veneram a vingança como se fosse uma religião. Darby, você precisa saber que, pelo menos por enquanto, eles estão tentando colocar a culpa em mim, dizendo que eu matei Clint.

— Mas isso não faz sentido algum.

— Não precisa fazer sentido. Acho que Horace Draper está começando a entender que seria impossível, mas isso não significa que não vão tentar fazer algo contra mim. E você faz parte disso. Não apenas porque estava aqui, porque está comigo, mas porque Clint atacou sua casa.

— Já cheguei a essa conclusão. Talvez ele tivesse algum problema comigo. Talvez tenha sido ele quem invadiu a minha casa.

Franzindo a testa, Zane analisou sua taça de vinho.

— Não parece o tipo de coisa que Clint faria. Não a parte da invasão, mas o fato de não ter roubado nem destruído nada. Mesmo assim... existe uma conexão entre gozar no seu capacho e roubar sua calcinha. Ele já estava irritado comigo por não tê-lo aceitado como cliente. Então... talvez. — Zane segurou a mão dela. — De toda forma, você precisa tomar cuidado.

— Nós dois precisamos.

— Nós dois precisamos. Enquanto isso, Lee já descobriu que as impressões digitais de Clint são compatíveis com as que encontraram na sua casa, no meu escritório, na picape, nas latas de tinta, e assim por diante. O idiota que o escondeu explicou tudo o que aconteceu antes de ele desmaiar no sofá de casa. A picape e as tintas eram dele. E a polícia já deve ter determinado a causa da morte e recebido os resultados da balística e do exame toxicológico. O DNA vai demorar um pouco mais, mas o de Clint já estava nos arquivos.

Darby pensara em tudo isso enquanto fazia o trabalho pesado do dia.

— Mas nada disso vai ajudar a descobrir quem é o assassino.

— Não, não vai.

Analisando o rosto de Zane, ela cutucou sua mão.

— Você tem teorias, sr. promotor.

— Talvez.

Agora, ela circulava a mão no ar.

— Prossiga, por favor.

— Tudo bem. Clint não era um cara popular, não tinha muitos amigos fora da família, sem contar alguns idiotas como Stu Hubble. Ele irritava muita gente. Enchia a cara, provocava brigas, tentava agarrar a esposa, namorada ou irmã dos outros. Perturbava gente como os McConnell, caçava em lugares proibidos. No ano passado, um cara que mora um pouco mais no interior das montanhas acusou Clint e o irmão Jed de envenenarem seus cães de caça.

— Puxa vida!

A reação de Darby foi usar o pé para fazer carinho em Zod, que dormia.

— Ele não conseguiu provar nada, mas tinha certeza de que os dois eram culpados. Lee deixou que eu lesse a ficha de Clint. Então, sei que muita gente não ia com a cara de Clint.

— E a sua teoria é que uma dessas pessoas o viu vindo para cá, o seguiu e aproveitou a oportunidade para se vingar.

— Essa é uma delas.

— Você tem outra pior?

— Tenho. Graham Bigelow.

— Ele está preso. — Preocupada, Darby falou rápido. — Lee confirmou. Emily disse que...

— Graham está preso — repetiu Zane —, mas isso não significa que não poderia ter participado disso. O homem passou quase duas décadas na cadeia. Sabe como as coisas funcionam lá dentro. Talvez tenha feito um acordo com alguém que estivesse prestes a ser liberado ou conheça alguém aqui fora. Alguém que viria aqui, observaria a rotina, esperaria por uma oportunidade... Talvez invadisse sua casa e tivesse o bom senso de não deixar digitais, não mexer em muitas coisas.

Essa ideia, ainda que fosse uma teoria, fez um calafrio subir pelas costas de Darby.

— Mas... por que matar Clint?

— Vamos elaborar um pouco mais o raciocínio. Ele estava bem aqui. Sua morte causaria confusão, problemas. Seria esperto, se considerarmos que estamos falando de uma pessoa verdadeiramente ruim, não levar a arma do crime, não deixar digitais de novo, não invadir a casa e nos atacar. Esse cara esperto saberia que a polícia chegaria bem rápido. E esperaria pela próxima oportunidade. Se algo acontecesse com a gente agora, quem Lee culparia primeiro?

— Os Draper.

— Pois é. E, enquanto ele investiga essa possibilidade, o culpado vai embora. Acho que a primeira teoria é mais provável, mas a segunda também é possível.

— A segunda é mais parecida com uma das de Brody.

Surpreso, Zane fez uma pausa enquanto servia o restante do vinho.

— Brody tem uma teoria?

— Duas, que se parecem com as suas. Pessoas más não precisam de um motivo, só de uma oportunidade.

— Isso é verdade.

Darby olhou para as montanhas a oeste, para o sol que descia pelo céu e as iluminava.

— Adoro este lugar. Sei que faz pouco tempo que moro nesta cidade, mas adoro tudo: o visual, o clima, as pessoas. Sei que existe maldade aqui, porque existe um pouco disso em todos os lugares. Mas é por causa dessa maldade que os Draper são excluídos. — Ela olhou para Zane de novo, erguendo a taça. — Nós vamos ficar bem, Walker. Vamos passar uma demão de tinta por cima da maldade. Sabemos que ela continuará ali, oculta, mas não vamos deixá-la vencer. E, como prova disso, vou pintar minha casa de Sonho Tangerina.

Zane abriu a boca, fechou e pigarreou.

— Essa cor não é laranja?

— É. E a porta e os acabamentos? Tango Azul-Petróleo. Cores fortes, alegres, que dizem dane-se essa babaquice. Com que cor você vai pintar o escritório?

— Comprei branco. Muito branco.

— Francamente! — Ela fez um gesto desdenhoso, dispensando a cor. — Você consegue fazer melhor que isso.

— É um escritório de advocacia, querida.

Darby se inclinou para perto.

— E advogados são tediosos?

— Não vou pintar meu escritório de Sonho Tangerina.

— Pensei mais em Azul-Náutico e em Cinza Místico para os acabamentos e a varanda. Vou lhe mostrar minha paleta de cores.

— Eu comprei branco.

— Acho que a loja aceitaria uma troca, porque todo mundo usa branco. Aproveite a oportunidade que a maldade lhe deu, Walker, e passe uma mensagem. Vou mostrar para você — repetiu ela — depois que terminarmos o vinho e levarmos o cachorro para passear.

— Branco é sofisticado e clássico — insistiu ele enquanto os dois se levantavam e Zod pulava como se o alarme tivesse disparado.

— Que chato!

— Os pintores vão começar amanhã.

— Aposto que concordariam comigo se tivessem bom gosto.

Darby segurou sua mão.

Zane tinha a impressão de que ela guiava mais a ele do que ao cachorro.

Mais tarde, quando, conforme fora ameaçado, viu a paleta de cores, acabou decidindo trocar a porcaria da tinta no dia seguinte.

Enquanto os dois caminhavam com Zod, o homem que viera a Lakeview e cometera um assassinato também passeava. Ao passar diante do escritório de Zane, fez questão de parar e ficar boquiaberto diante da cena.

— Que coisa horrível! — Como o esperado, uma das caipiras locais parou para conversar.

— Uma barbaridade! — Sua voz expressava choque.

— O senhor está aqui a passeio?

— Estou, sim.

— Minha família mora em Lakeview. Isso não é normal.

— Espero que não seja mesmo.

— Juro que não é.

Ela sorriu, uma moça tão bonita. Talvez fosse bom sentir um gostinho da Moça Bonita. Talvez fosse bom matá-la depois.

Tantas possibilidades.

— Na verdade, eu trabalho aqui. É um escritório de advocacia. Sou estagiária. Gretchen Filbert — disse ela, cheia de simpatia.

— Drake Bingley. É um prazer conhecê-la. Mas... — Ele olhou para as manchas de tinta e calculou quanto tempo levaria para o sol se pôr, quanto tempo seria necessário para conquistar a Moça Bonita. — Você não está preocupada?

— Eu até estaria, mas o homem que... — Ele observou enquanto ela se censurava. — Isso não vai se repetir. A cidade é maravilhosa, sr. Bingley. Espero que se divirta aqui.

— Ah, já estou me divertindo. Por acaso, você sabe qual é o melhor restaurante para comer um belo bife e tomar um bom vinho? Estou necessitado.

— Ah, claro.

A jovem abriu um sorriso radiante e encarou os tranquilos olhos azuis por trás dos óculos sérios de armação metálica.

O homem sabia que parecia um professor, alguém que havia tirado algumas semanas do verão para escrever um romance. Passara muito tempo cultivando esse visual — deixando o cabelo crescer e acrescentando um cavanhaque que classificava como acadêmico.

Ele usava uma calça jeans desbotada, sandálias *papete* e uma camiseta velha do Grateful Dead, que comprara em um brechó.

Além disso, sua bolsa masculina atravessada abrigava uma antiga cópia de *As vinhas da ira* (até parece que leria uma coisa dessas) junto com a carteira e a identidade falsa, uma bandana e a Glock de calibre 9 milímetros que roubara da coleção do cunhado.

— O Grandy's Grill é o melhor. Fica a dois quarteirões daqui, do outro lado da rua.

— Ótimo. Então... — começou ele, mas foi interrompido por outra moça bonita que corria na direção dos dois.

— Gretch! Desculpe, estou atrasada. Luca acabou de mandar uma mensagem. Ele e John já chegaram ao Ricardo's e pegaram uma mesa. Desculpe. — Assim como Gretchen, ela abriu um sorriso sincero. — Estou interrompendo?

— Não, eu só estava explicando ao sr. Bingley onde fica o Grandy's.

— Ainda preciso ir lá com Luca para experimentar alguma coisa além dos nachos e da cerveja. Precisamos ir.

— Bom jantar! — gritou a Moça Bonita N° 1 enquanto ia embora com a MB N° 2.

Oportunidade perdida, pensou o homem. Por enquanto.

Quem sabe na próxima?

Ele continuou seu passeio e resolveu ir ao restaurante comer o tal bife. Talvez puxasse assunto com mais alguém, talvez encontrasse outra moça bonita.

Ela nem precisava ser tão jovem assim.

Capítulo 27

◆ ◆ ◆ ◆

Apesar de não estar completamente convencido, Zane trocou a tinta. E passou a manhã toda trabalhando enquanto os pintores cobriam com a seladora a obra de arte de péssimo gosto feita por Clint.

Todos os clientes queriam saber o que havia acontecido e recebiam uma versão resumida dos eventos, expressando sua indignação antes de tratarem dos motivos pelos quais estavam ali.

Quando Maureen entrou na sala, Zane olhou para ela.

— Só vim lembrar que você tem uma reunião com Mildred Fissle hoje.

— E com os gatos dela. Estou me preparando psicologicamente para isso e para mudar o testamento de novo.

— A neta que mora em Charlotte mandou flores no aniversário dela. Então, está no páreo de novo. Você tem duas horas livres. Pode demorar no almoço depois.

— Acho que é exatamente isso que eu vou fazer.

— Ligue para Micah ou Dave, veja se podem encontrá-lo.

Ele inclinou a cabeça.

— Está preocupada comigo?

— Eu amo você, Zane, quase tanto quanto os novos sapatos que comprei na promoção do Dia da Independência. Você sabe que Horace Draper pagou a fiança.

— Ele não vai entrar atirando na lanchonete para me atacar, Maureen.

— Mesmo assim.

— Está bem. É sério, as mulheres só atrapalham a minha vida.

— Nós temos talento para isso. Já que você tocou no assunto, acho que seria bom garantir que Gretchen volte no próximo verão. Ela é ótima e, quando passar no Exame da Ordem, poderia ser uma boa sócia.

— Eu já tinha pensado nisso, então não fique achando que a ideia foi sua.

Maureen apenas sorriu, presunçosa.

— Fui levar um pouco de água para Cubby e Mike agora há pouco. Cubby me mostrou as tintas. Achei que você fosse continuar com o branco.

— Eu não devia ter mudado.

— Só se quisesse continuar sendo normal e chato, e eu sei que era essa a sua ideia, porque Milly, da loja de ferragens, me disse que você comprou branco e, depois, trocou as latas por aquele azul-marinho e aquele cinza bonito.

— Intrometida — disse ele e começou a colocar seus papéis na maleta.

— Darby o convenceu a mudar de ideia?

— Talvez.

— Vou deixar você levar o mérito. — Maureen passou um instante em silêncio. — Por ter tido o bom senso de arrumar uma mulher inteligente e com bom gosto.

— Aceito o crédito. Agora, volte ao trabalho. Não pago o seu salário para você ficar batendo papo com o chefe.

Achando graça, ela se aproximou e lhe deu um beijo em cada bochecha.

— Ligue para Micah ou Dave. Ou para os dois. Faça isso por mim, querido.

— Está bem, está bem.

Zane saiu pelos fundos para não atrapalhar os pintores e mandou uma mensagem para Micah — e outra para Dave — enquanto dava a volta para pegar o carro.

Depois de lidar com Mildred Fissle, os gatos e o interminável testamento, ele queria beber, não comer, no almoço. Mas se conteve.

Como tanto Dave quanto Micah estavam livres — Maureen, provavelmente, ordenara que estivessem —, Zane decidiu que uma refeição máscula, como bolo de carne, seria o ideal sob as luzes fortes e as paredes cor de laranja — Sonho Tangerina? — da lanchonete.

— Bolo de carne, hein? — Micah analisava o cardápio plastificado enquanto bebia sua limonada com gás. — Cassie está querendo que eu me torne vegetariano. Não vai rolar. Dois bolos de carne.

— Ah, ser jovem e ainda poder comer bolo de carne bem no meio da tarde... Dane-se! Três bolos de carne, Bonnie.

— Tudo bem. O seu fica por conta da casa hoje, Zane. Para lhe dar uma folga.

— Não precisa...

— Está feito.

Ela cutucou seu ombro com um dedo e foi fazer o pedido.

— As vantagens de passar por um monte de merda — disse Micah.

— E, agora, não preciso pagar seu almoço.

— Ei! — acenou Micah. — Sou seu convidado. Vamos encerrar o monte de merda antes da refeição? Fiquei sabendo que os filhos dos Draper virão para o enterro. Um deixará a cadeia temporariamente. Será escoltado no caminho de ida e de volta. O fuzileiro conseguiu uma licença por luto ou qualquer coisa assim.

— Que ótimo!

— E Stu Hubble apareceu na clínica ontem com a cara toda arrebentada e um braço quebrado. Disse que caiu da escada, mas é claro que é mentira, cara. Todo mundo sabe que Jed Draper meteu a porrada nele.

Dave balançou a cabeça, sem parecer surpreso.

— Culpar Stu Hubble é o tipo de coisa estúpida e irracional que aquela família faria. Vamos torcer para Jed Draper estar satisfeito agora.

— Mas você não acha que seja esse o caso — disse Zane.

— Aquela gente gosta de culpar os outros por tudo. Ele vai acabar preso mais cedo ou mais tarde. Espero que não demore muito.

— Eles têm que saber que não foi você, cara.

— É, têm.

Mas também tinham de saber que não foi Stu Hubble. Por outro lado, seria muito mais difícil para Jed Draper bater nele do que em Stu.

E Zane não gostou de saber que, no fundo, estava ansioso para que ele tentasse.

𝓐o sentirem a primeira gota de chuva e ouvirem a primeira trovoada, Darby e sua equipe juntaram as ferramentas e seguiram para as picapes.

Patsy Marsh apareceu na porta dos fundos e gesticulou.

— Venham aqui, sentem-se na varanda. Venham tomar um copo de chá e comer um pedaço de bolo.

— Não queremos dar trabalho — começou Darby, mas logo mudou de ideia. — A senhora disse "bolo"?

— A receita secreta da minha mãe. Sentem-se, descansem. A chuva não vai durar muito.

— É um belo lugar para apreciar a chuva enquanto ela cai — disse Ralph.

— Obrigado.

— Só quero evitar que meu Bill se encha de bolo.

— Posso ajudar, sra. Marsh? — Hallie limpou os pés no capacho.

— Claro. E como vão sua mãe e sua avó? — perguntou Patsy enquanto entravam.

Darby sentou-se no banco, porque Ralph tinha razão. Aquele era um belo lugar para se observar a chuva. Ela balançava as árvores e agitava a água no lago, que se iluminava com o clarão de um relâmpago.

E o ar se tornava mais fresco.

Enquanto Ralph ocupava uma cadeira estofada, Darby bateu no espaço ao seu lado para convidar Roy.

— Você está bem?

— Estou. — Mesmo assim, ele suspirou enquanto olhava para o lago. — Não consigo parar de pensar naquilo. Queria que pegassem logo o culpado.

— Vou dizer o que eu acho. — Ralph se inclinou para a frente. — Acho que Clint convenceu algum amigo babaca, talvez o irmão, a acompanhá-lo até a casa de Zane. A estupidez e a bebedeira fizeram com que os dois brigassem por qualquer motivo. Um babaca pega a pedra e bate no outro. Não queria matá-lo, mas, agora, já era, então resolve encobrir o crime. E tem mais: o culpado achava que a polícia seria idiota a ponto de acreditar que Clint caiu e se afogou.

Darby ficou em silêncio por um instante. Ralph parecia ter dito mais palavras naquele minuto do que normalmente diria em uma semana.

— Adele também acha isso — disse Roy —, que parece ter sido acidental, não proposital. Uma consequência da estupidez e da bebedeira.

Apesar de ela não concordar, a ideia parecia deixar Roy mais tranquilo, então Darby ficou quieta.

— Então, pois é, enfim... — Ele soltou outro suspiro, e a chuva apertou, batendo no telhado da varanda como se fosse um tambor. — Estou noivo.

— Você... — Darby lhe deu um soco no braço. — Quando?

— Ontem à noite.

— E esperou esse tempo todo para nos contar?

— Ainda estou me acostumando com a ideia. — Mas Roy sorriu, tímido. — Queria esperar até comprar uma aliança. Sei que as mulheres são cheias de frescuras com alianças, e eu nunca conseguia arranjar tempo para ir comprar uma. Mas, aí, ontem, depois de... tudo, fiquei pensando em como a vida é imprevisível e tive que fazer alguma coisa. Então, fui à joalheria. Acho que escolhi o anel certo, porque Adele adorou. Eu a pedi em casamento, e ela aceitou.

— Como é? — Patsy, trazendo uma enorme jarra cheio de líquido cor de âmbar, saiu da casa seguida por Hallie, que trazia uma bandeja. — Roy Dawson, você, finalmente, teve o bom senso de pedir a mão daquela adorável moça em casamento?

— Tive, sim, senhora.

— Mas que notícia boa! — Ela colocou a jarra sobre a mesa e começou a servir o chá nos copos da bandeja de Hallie. — Sua mãe deve estar nas nuvens.

— Com certeza.

— Já marcaram a data?

— Bem, Adele quer que seja na primavera, quando o clima já terá esquentado o suficiente para realizarmos a cerimônia ao ar livre. Ela e nossas mães já estão cuidando dos preparativos, e eu só concordo. Talvez eu precise de alguns dias de folga — disse ele para Darby —, por causa da festa e da lua de mel.

— Não se preocupe com isso.

— O primeiro pedaço vai para o noivo — declarou Patsy, entregando a Roy um prato de sobremesa com um generoso pedaço de bolo. — Que notícia boa e feliz! Exatamente do que precisávamos. — Um pouco chorosa, ela distribuiu os pratos. — Esses jovens, Ralph, não sabem como a vida passa rápido, como precisamos nos agarrar a todos os momentos, bons ou ruins, para deixarmos alguma marca neste mundo.

— Minha mãe sempre diz que a gente precisa aceitar que, depois da tempestade, vem o sol.

— E não é verdade? Eu gosto de uma boa tempestade — disse Patsy, suavemente. — Ela leva embora o calor e as coisas difíceis, pelo menos por um tempo.

E, pensou Darby, parte das coisas difíceis não seria sair para aquela varanda linda, olhar para o lago, que amava, e lembrar que haviam retirado um cadáver dali?

Como se tivesse escutado aquele pensamento, Patsy se virou e abriu um enorme sorriso.

— Vocês estão transformando aquele declive horroroso, que me irritava, na melhor coisa do mundo, depois da receita de bolo da minha mãe.

— E o bolo é gostoso mesmo. — Gabe engoliu a última garfada. — Muito gostoso.

— A chuva diminuiu — disse Hallie. — Vou lavar a louça antes de voltarmos ao trabalho.

— Não precisa, querida. Acho que vou passar um tempinho aqui fora, aproveitando o ar fresco e vendo vocês trabalharem.

Enquanto cavava o buraco seguinte, Darby pensou em tempestades, em se agarrar a todos os momentos, na bondade despretensiosa de oferecer um pedaço de bolo aos outros. O sol atravessou as nuvens e foi refletido pela água, transformando o ar chuvoso em vapor.

Barcos voltaram a deslizar pelo lago, e crianças mergulhavam nele, saltando de uma balsa, enchendo o mundo de risadas e exclamações de alegria.

A morte não interrompia a vida, não por muito tempo.

Ela pensava na vida enquanto plantava o trio de dentilárias, que escolhera tanto pelo nome — soava sulista — como pela folhagem e as flores.

Elas floresceriam no começo da temporada, começariam a se exibir no inverno como um heléboro e, depois, mostrariam aquelas belas flores no primeiro sinal de primavera.

— No que está pensando, chefe? — perguntou Hallie.

— Só que já estamos no fim da estação, mas que este lugar estará um espetáculo no ano que vem.

— Já está bonito agora.

— Está mesmo. E vamos acabar tudo hoje. Mas, na próxima primavera, no verão e no outono... Puxa vida, nós fizemos um bom trabalho!

Darby se afastou para observar a posição das plantas e, satisfeita, pegou o celular para tirar algumas fotos. Caminhando pelas pedras de rio que Ralph e Roy haviam espalhado, tirou mais fotos de um ângulo diferente antes de se virar e imaginar como seria a vista da água.

Ela avistou um pequeno veleiro passando, guiado por um homem. O cabelo comprido, dourado pelo sol, escapava por baixo do chapéu de abas largas; seus óculos espelhados refletiam a luz do dia.

Quando ele ergueu a mão para cumprimentá-la, Darby sentiu um breve calafrio atravessar seu corpo no calor úmido. Mas ergueu sua mão antes de se virar.

— Bem, pessoal. — Que estranho, sua garganta parecia apertada! Então, abriu a garrafa de água e tomou um gole. — Chegou a hora da limpeza. Vamos acabar logo com isso.

Sem perceber o que fazia, ela se virou novamente, mas o veleiro tinha ido embora.

Bingley ria tanto que quase virou o barco.

Darby olhara direto para ele e acenara! Se estivesse com sua Glock, poderia ter atirado nela bem ali — e nos outros também.

Talvez aproveitasse para matar alguns daqueles adolescentes idiotas, berrando enquanto pulavam daquela merda de balsa, só para tornar tudo bem melhor.

Dar um tiro na cabeça dela não fazia parte de seus planos, mas era bom saber que poderia ter feito isso.

Sua hora está chegando, vaca, pensou Bingley, bem-humorado. Sua hora e a daquele advogado babaca também.

E a de qualquer um que se metesse em seu caminho.

Se ele aprendera alguma coisa desde que entrara e saíra da prisão era que tinha uma sede e tanto por sangue.

E por derramá-lo.

JULHO PROSSEGUIU com o calor e as tempestades rápidas e fortes. Os turistas enchiam as ruas de Lakeview para passar as férias no lago e fazer trilhas. Os visitantes do verão iam e vinham, sem interromper suas compras de viagem por causa de um simples assassinato.

A tinta cobriu as palavras ofensivas no prédio de Zane, então as pessoas também não interrompiam mais seu caminho para observá-las, e a nova cor chamativa começou a passar sua mensagem.

Enquanto esperava o próximo problema aparecer, como sabia ser inevitável, Zane seguiu com sua vida.

Sentado na varanda, pesquisando SUVs para comprar em seu tablet, ele não se surpreendeu ao ver Lee subindo a ladeira até a casa em uma manhã de sábado.

Zane deixou o aparelho de lado quando viu o delegado saltar do carro.

— Bom dia, delegado.

— Zane. — Ele olhou para a varanda fechada com madeira. — As portas ainda não chegaram?

— Só na semana que vem e, quando os pintores terminarem o escritório, virão até aqui para cuidar dos malditos furos de bala. Quer beber alguma coisa?

Lee olhou para seu copo.

— Isso aí é café gelado?

— É. Entre. Vou lhe dar um copo.

— Não vou recusar. Darby está em casa?

— Saiu para conversar com alguns clientes em potencial. Já deve estar voltando, se quiser falar com ela.

— Aquela garota vive ocupada — comentou Lee enquanto Zane seguia na frente.

— Pois é. Deve ser por isso que desmaia quando dorme. Então, veio a serviço, delegado?

— Estamos o tempo todo de serviço no verão. Especialmente neste.

— Verdade. — Zane pegou outro copo, enchendo-o de gelo. — Como vai a investigação?

— Nossa vítima era um homem detestado por todos, exceto pela família e por alguns depravados. Bêbado, completamente drogado, resolveu sair de casa para se vingar e acabou com a cabeça arrebentada no seu terreno antes de ser desovado no lago.

Depois de pegar uma jarra do café em temperatura ambiente que já havia preparado, Zane o encarou.

— Eu preciso de um advogado?

— Minha vida ficaria mais fácil se você arrumasse um.

Ele serviu o café sobre o gelo, acrescentou um pouco de leite da geladeira e o entregou ao delegado.

— Se eu tivesse saído, poderia ter visto alguma coisa, alguém.

— E levado um tiro.

— Existe esse detalhe. Que tal sentarmos lá fora?

— Também não vou recusar. Você sabe fazer um bom café, Zane, quente ou frio.

— Se as coisas não forem bem com o escritório, posso virar barista. — Os dois saíram e sentaram-se. Zane pegou a bola de beisebol que levara junto consigo, esfregou a costura. — Fiquei sabendo que o enterro de Clint será amanhã.

— O funeral será na Funerária Dexter. Os Draper não costumam ir à igreja, então isso deixa tudo mais fácil. E vão enterrá-lo no terreno da família.

— Isso ainda é permitido neste estado, se eles seguirem algumas regras básicas.

— Sim, o que também facilita as coisas. Conversei com todo mundo que tinha alguma pendenga com Clint ou com a família Draper em geral.

— Recebeu hora extra para isso?

Lee soltou uma gargalhada abafada e tomou o café.

— Com certeza, demorei mais fazendo isso do que conversando com as pessoas que gostavam dele. Mas, de toda forma, é difícil identificar suspeitos. Fiquei sabendo que Clint discutiu com Richie Fields algumas semanas antes, e Fields é do tipo que daria uma pedrada no crânio de alguém. Achei que, talvez, tivesse descoberto alguma coisa, mas, quando Clint morreu, ele estava hospedado na cadeia do condado, depois de ter sido preso perto de Hickory por ultrapassar o limite de velocidade, direção imprudente e estar alcoolizado ao volante, e as coisas só pioraram depois que ele agrediu o guarda que o parou.

— Bem, é difícil ter um álibi melhor que esse.

— Realmente — concordou Lee e tomou mais um gole de café, olhando para as montanhas. — Com seu trabalho em Raleigh, você deve ter recebido algumas ameaças.

— Faz parte do meu trabalho, Lee, da mesma forma que do seu.

— Pois é. Preciso que comece a pensar se alguém estava falando sério e se seria capaz de vir até aqui para criar problemas.

— Já cogitei essa ideia. — Zane analisou a bola, passando o dedo pelas costuras. — Talvez alguns caras.

— Quero nomes, filho.

— Pode deixar. — Ele revirou a bola nas mãos. — Estou pensando em dar um pulo em Raleigh, bater um papo com Graham.

— Também já tive essa ideia. Entrei em contato com o diretor da penitenciária. Graham teve alguns companheiros de cela, fez amizades. Alguns saíram de lá. E não faria mal algum investigarmos um pouco mais.

— Na verdade, Lee, apesar de isso não parecer algo que ele faria, já que gosta de ser o algoz, estou mais preocupado com Darby. Graham jamais vai aceitar ter levado uma surra de uma mulher.

— Que tal eu cuidar do assunto e nós dois irmos conversar com ele juntos?
— Tudo bem. É só me avisar o dia, e eu encaixo na minha agenda.
— Pode deixar. Enquanto isso, vai mesmo representar aquele idiota do Cal Muldoon por ter dado um soco em Larry Easterday depois que os dois bateram de carro?
— O que eu posso fazer, delegado? Todo mundo tem direito a uma defesa.
— Advogados. — Lee suspirou. — O café estava muito bom mesmo.
— Tenho mais lá dentro.
Ele balançou a cabeça e colocou o copo vazio sobre a mesa.
— Preciso ir. Sabe — acrescentou o delegado enquanto se levantava —, seu prédio está bonito. O prefeito veio me dizer que está pensando em incentivar os ocupantes da Rua Principal a usar mais cores.
— Existe um lado bom para tudo.
As sobrancelhas de Lee desapareceram sob a borda do boné.
— Darby. — Zane sorriu, dando de ombros. — Estou tentando entrar no clima.
— Boa sorte. Depois nos falamos.
— Mande um beijo para Emily.
— Pode deixar.
Zane sentou-se e esfregou a bola de beisebol.
Ele enviaria para Lee uma lista com os nomes das pessoas que lhe haviam feito ameaças graves e seus dados, mas... Nada daquilo parecia alarmante. Em sua opinião, os piores eram aqueles que ficavam quietos depois de ele ajudar a colocá-los na cadeia. Aqueles que eram espertos e cuidadosos o suficiente para não ameaçá-lo passavam seu tempo na prisão sonhando com a vingança.
Se o delegado achava que o culpado não era um morador local, chegara a hora de examinar melhor o passado, vasculhar alguns arquivos de casos antigos.
Zane entrou e trocou o tablet pelo laptop. Havia informações suficientes ali para começar aquilo que seria um longo processo.
Ficou torcendo para Darby demorar pelo menos mais uma hora — não apenas porque ela prometera (ameaçara) lhe dar uma aula de manutenção de jardins quando voltasse. Ele queria adiantar sua pesquisa, eliminar ou listar possibilidades antes de a namorada chegar.
Não queria estragar o fim de semana dos dois com... lados ocultos.

Cerca de vinte minutos depois, ouviu alguém subindo a estrada e, automaticamente, salvou seu progresso e fechou o arquivo. Para disfarçar, abriu a página de uma das concessionárias que vira antes.

Mas não era uma picape. Não era Darby.

Seus instintos o fizeram segurar a bola de beisebol como se estivesse prestes a lançá-la pelo campo enquanto o carro compacto bege estacionava ao lado do conversível.

Assim que saltou, Zane percebeu que o homem alto, forte, arrumado em uma calça cáqui e camisa polo, com cabelo castanho raspado, queixo quadrado e quase 40 anos de idade, lhe era desconhecido.

Então, o visitante removeu os óculos ao estilo aviador e começou a se aproximar.

Militar, pensou Zane, pela postura, pela forma de caminhar.

— Zane Bigelow... Desculpe — corrigiu-se o homem. — Walker.

— Isso mesmo. — Juntando os pontos, ele se levantou. — Você é Bo Draper, não é? Sargento-mor Draper agora.

— Sim. Desculpe por aparecer na sua casa sem avisar, mas achei que seria bom conversarmos.

— Pode entrar. Quer um café gelado?

— Eu... É muita gentileza sua, mas obrigado. Esta é uma casa e tanto. Não existia da última vez que vim a Lakeview.

— Tem cerca de oito anos. Você passou bastante tempo fora.

— Pouco mais de vinte anos. Eu me alistei aos 18. E nunca voltei, mas...

— É difícil perder um irmão.

— Ainda que você mal o conhecesse. Acho que ele tinha uns 8 ou 9 anos quando fui embora.

— Sente-se, sargento-mor.

— Não há necessidade — disse ele. — Serei rápido. — Bo Draper olhou para a bola de beisebol que Zane ainda segurava. — Eu costumava assistir às suas partidas. Continua jogando?

— Na verdade, não.

Zane a colocou sobre a mesa.

— Que pena! Sr. Walker...

— Zane.

— Zane, ouvi a versão da minha família sobre os acontecimentos. Ouvi a versão do delegado. Não consegui falar com a viúva de Clint, já que ela está... fora da cidade. Vou embora logo depois do enterro, mas, antes disso, queria ouvir a sua versão.

— A viúva do seu irmão é minha cliente. Só posso dizer que está em um lugar seguro. Foi necessário levá-la para lá, já que, de acordo com os relatos dela, que são muito convincentes, seu irmão a agredia. Não apenas na noite de 3 de julho, mas com frequência. Ela me pediu ajuda, então eu a ajudei.

— Ela é a irmã mais nova de Allie Abbot, certo? Eu me lembro de Allie, de quando morava aqui.

— Isso mesmo.

— Minha família diz que Clint nunca tocou em um fio de cabelo dela, mas, depois, falam que ele nunca lhe deu um tapa que não fosse merecido. — Bo trincou a mandíbula. — Sou casado, tenho duas filhas. E, se alguém fosse violento com elas, não sei o que faria. Não sou como meus irmãos. Não sou como meus pais.

— Eu também não sou como meus pais.

Bo concordou com a cabeça.

— Foi o que ouvi. Minha família diz que você e a viúva de Clint estavam tendo um caso.

— Depois que voltei para Lakeview, só me encontrei com Traci em duas ocasiões. A primeira foi quando Clint a levou ao meu escritório para entrar com um processo banal e, sinceramente, vingativo contra os vizinhos.

— Os McConnell?

— Isso mesmo. Ele não ficou feliz quando me recusei a aceitar o caso. E a encontrei de novo quando fui à casa deles, porque notei sinais de abuso. Ela não quis conversar comigo, então deixei meu cartão. Estou em um relacionamento sério com outra pessoa. Traci é minha cliente, só isso.

— A mulher com quem você está envolvido, Darby McCray, é a que estava aqui naquela noite?

— Isso mesmo.

— Clint vandalizou a casa dela e o seu escritório. E, lá em cima, as janelas... portas — corrigiu-se Bo —, as que estão fechadas com madeira. Ele atirou contra elas.

— As provas indicam que Clint foi o responsável por tudo isso. Não sei quem matou seu irmão, sargento-mor, se foi um amigo ou um inimigo, se foi algo premeditado ou um acidente. Mas sei que aconteceu no meu terreno, bem ali, enquanto a mulher que eu amo acordava com as balas do rifle dele acertando a parede um metro acima de nossas cabeças.

— Meu pai costumava dizer que ele era o mais fraco da matilha. E dava um tabefe no garoto sem motivo algum. Não estou tentando justificar o que Clint fez e acredito que meu irmão tenha, de fato, feito tudo isso. Mas a forma como foi criado incentivava esse comportamento.

— Você cresceu na mesma casa.

— Eu fui embora — disse Bo. — Os fuzileiros navais não só me transformaram no homem que sou hoje, Zane, como também me salvaram. Você também teve uma criação difícil e parece ter feito escolhas diferentes daquelas dos meus três irmãos.

— Minha família me salvou. Minha irmã, minha tia, o homem com quem ela se casou, meus avós.

— Eu me lembro dos seus avós — continuou o sargento-mor. — Pessoas boas. Não posso dizer o mesmo sobre a minha família, mas estarei ao lado deles na hora de enterrar meu irmão caçula. E, agora, quero olhar nos seus olhos e pedir desculpas pelo que ele fez.

— Não precisa.

— Preciso, sim. Talvez se eu tivesse esperado um pouco mais para ir embora, poderia ter ajudado Clint a ser diferente. Mas eu me salvei e não posso me arrepender disso. Tenho um irmão na prisão e outro tão parecido com nosso pai que é quase impossível distingui-los. Agora, o terceiro será enterrado antes de completar 30 anos.

— Sinto muito. Eu não pretendia dizer isso antes, porque não sentia. Mas, agora, posso dizer com sinceridade. Sinto muito, Bo.

— Obrigado. Quero reembolsá-lo pelos estragos que meu irmão causou à sua casa, ao seu escritório e à propriedade da srta. McCray.

— De jeito nenhum.

— Então, quero pagar pelas despesas legais de Traci.

— Não estou cobrando nada a ela.

Bo suspirou e apertou a ponte do nariz.

— Você não deve nada a mim nem à minha família, mas estou pedindo mesmo assim. Preciso recompensá-lo de alguma forma. Quero justiça para Clint, quero que seu assassino seja encontrado, julgado e punido. Mas preciso reparar o que meu irmão fez, para me sentir melhor com toda essa situação.

— Se você me passar seu contato, posso lhe dar o nome de um abrigo de mulheres daqui a alguns dias. Faça uma doação.

Bo fechou os olhos por um instante e concordou com a cabeça.

— Juro que farei isso. — Ele pegou a carteira e tirou um cartão de dentro dela. — Entre em contato quando for conveniente. Vou cumprir minhas obrigações com minha família e, depois, vou embora, voltar para minha esposa, minhas filhas e minha vida. E não pretendo colocar os pés aqui de novo. — O sargento-mor ofereceu uma mão, que Zane apertou. — Obrigado por conversar comigo.

— Sou eu que agradeço, e obrigado pelo seu serviço, Sargento-mor Draper.

Bo começou a voltar para o carro, mas parou e olhou para trás.

— Você devia ter uns 13 ou 14 anos quando eu fui embora.

— Acho que sim.

— Era bom mesmo no beisebol.

Zane o observou se afastar pela estrada; depois, sentou-se, pegando a bola de novo.

Talvez os fuzileiros navais tivessem transformado Bo Draper no homem que era agora e o tivessem salvado. Mas, em sua opinião, nada disso seria possível se ele não tivesse permitido.

— Não se trata apenas da família em que você nasce, das pessoas que o criam — disse Zane em voz alta enquanto esfregava a bola de beisebol. — Mas das escolhas que você faz.

Ele a soltou, pegou o laptop e voltou ao que estava fazendo antes para proteger as pessoas que amava.

Capítulo 28

◆ ◆ ◆ ◆

Pouco depois das 9h, Emily estacionou na frente do chalé com seu caçula. Juntos, ela e Brody pegaram os lençóis e as toalhas limpas, os sabonetes, o xampu, os cremes e as sacolas de compras que o hóspede pedira.

Longe de ser uma pessoa matutina, Brody resmungou e fez cara feia enquanto carregavam tudo.

— Quando eu assumir os negócios, não vou limpar chalés.

Emily soltou uma risada.

— Ah, é? Depois me conte se der certo.

Como ouviu a televisão ligada pelas janelas abertas e não viu a placa de "Não perturbe" na porta da frente, ela ajeitou a pilha de coisas que carregava e bateu.

Seu sorriso já estava no rosto quando a porta se abriu.

— Bom dia, sr. Bingley. Esta é uma boa hora para a arrumação?

Ele abriu um sorriso radiante de volta.

— Se eu não tiver que limpar, sempre é uma boa hora. Achei que Janey viesse hoje.

— A mãe de Janey caiu hoje cedo e quebrou o tornozelo, então estamos cuidando das coisas no lugar dela.

— Sinto muito. E aí, garotão?

Brody mal conseguiu conter um olhar de desprezo, mas se forçou a usar um tom educado.

— Tudo bem. — Ele levou as sacolas de compras para a cozinha. — O senhor quer verificar se o pedido está correto?

— Não precisa.

— Brody, guarde as compras e não se esqueça de prender a nota fiscal no quadro.

A voz educada ficou para trás.

— Eu *sei*, mãe. Até parece que já não fiz isso um milhão de vezes.

— Ótimo, então tire o lixo também. Vou começar pelo quarto, sr. Bingley, se não for atrapalhar.

— A vantagem de ganhar a vida escrevendo é que eu posso fazer isso em qualquer lugar. Vou levar meu laptop para a varanda, para não atrapalhar vocês. Talvez a vista me inspire a atingir minha meta de hoje.

Até que ela não era feia para uma velha, pensou ele enquanto tirava o laptop da tomada. Com certeza, tinha um belo traseiro, mas os peitos deviam estar caídos, já que tinha dois filhos.

Além do mais, a mulher era casada com o delegado, então seria melhor manter distância.

O fedelho não parecia feliz com as tarefas que recebera. Era compreensível. Compras, limpeza — trabalho de mulher.

— Aposto que você preferia estar aprontando por aí com seus amigos a estar aqui limpando o chalé dos outros.

Brody deu de ombros.

— Negócios de família são assim.

Ele guardou o leite e a garrafa de suco de manga na geladeira e olhou para o livro na mesa da cozinha.

Seu humor melhorou um pouco, porque adorava ler.

— Sei que esse aí ganhou o Pulitzer e tal, mas prefiro *A rua das ilusões perdidas*.

— O quê?

— Acho esse aí meio deprimente. Mamãe prefere *A leste do Éden*, que eu também gosto. Mas o meu favorito é *A rua das ilusões perdidas*.

O homem apenas o encarou, inexpressivo.

— Que bom!

Brody observou Bingley.

— Meu primo me indicou *Virgil Flowers*, e eu gostei bastante. Vou devorar a série inteira de Sandford nestas férias.

— Não costumo assistir à televisão — disse Bingley, levando o laptop para a varanda da frente e encerrando a conversa.

Pensando no que tinha acontecido, Brody terminou de guardar as compras que o hóspede tivera preguiça demais para ir buscar no mercado por conta própria.

Conhecendo o trabalho — e sua mãe —, ele colocou os pratos do café da manhã na lava-louça, já que Bingley também tivera preguiça de fazer isso. Depois, seguindo a rotina, jogou o lixo da cozinha no grande saco plástico antes de notar que o homem não separara os itens recicláveis no segundo cesto.

Lançando um olhar extremamente crítico para a porta da frente, Brody separou tudo antes de seguir com o saco de lixo para o quarto. A mãe já havia tirado os lençóis da cama, colocando-os no saco de roupa suja junto com as toalhas.

O garoto começou a falar, lembrou-se de que as janelas estavam abertas e guardou seus comentários para si.

Ele arrumou a cama com lençóis limpos — tarefa infinitamente preferível a limpar o banheiro dos outros.

Que nojo, cara!

Apesar de saber que não deveria fazer aquilo, abriu um pouquinho a gaveta da mesa de cabeceira. Camisinhas. Então, abriu a outra. Vazia.

Brody cumpriu seu trabalho, esvaziando as outras latas de lixo, tirando a poeira dos móveis, levando o copo e o prato ao lado da cama para a lava-louça.

Varreu o chão dos dois quartos, apesar de não haver qualquer sinal de que o hóspede entrara no segundo, deixou o outro banheiro por conta da mãe, tirou o pó e lustrou os móveis da sala de estar.

Seguindo o embalo, foi varrer o pátio dos fundos e verificou a água dos vasos, enquanto a mãe arrumava a cozinha.

Em menos de uma hora, os dois levaram embora o saco de roupa suja, o lixo e os itens recicláveis. E Brody notou que, em vez de estar escrevendo, Bingley jogava Candy Crush antes de acionar rapidamente o descanso de tela.

— Tudo pronto. Tenha um bom dia.

— Vocês também — disse Bingley a Emily. — Aqui é tão tranquilo. Ah, e eu queria elogiar o quintal também; é muito bonito. Você deve ter talento para jardinagem.

— Bem que eu queria. O crédito é todo de Darby McCray e da equipe da Paisagismo High Country. Deixamos outro encarte de propagandas no quadro, ao lado da nota fiscal. Avise se precisar de alguma coisa.

— Pode deixar. Se eu cumprir minha meta, talvez alugue um caiaque.

— Se fizer isso, não esqueça que temos um cupom de desconto. Está no encarte de boas-vindas. Bom trabalho.

Brody esperou até os dois entrarem na picape, até a mãe ligar o motor.

— Escritor, porra nenhuma!

— Brody Michael Keller!

— É sério, mãe. Ele estava jogando Candy Crush no laptop.

— Ora, meu Deus, Brody, o homem estava fazendo um intervalo, se distraindo enquanto terminávamos a limpeza.

Mas o garoto insistiu.

— Se ele é escritor, por que acha que *Virgil Flowers* é um seriado?

— Eu... Nem todo mundo lê literatura popular, mesmo sendo escritor.

Brody balançou a cabeça enquanto Emily seguia para o próximo chalé da lista.

— Não, mãe. Tem alguma coisa errada. Ele disse que é professor de Literatura Inglesa, não é? Tipo, professor de faculdade. Mas, quando eu falei que preferia *A rua das ilusões perdidas* e *A leste do Éden*, porque o livro *As vinhas da ira* estava sobre a mesa, o cara não sabia do que eu estava falando.

— Claro que sabia.

— Não sabia, não. — Quando Emily estacionou diante do chalé seguinte, Brody virou-se no assento, com determinação estampada em seu rosto, talvez até rebeldia. — Ele não sabia. E, se o sujeito é professor de Literatura e escritor, por que só tem um livro no chalé?

— Ele deve usar um leitor digital, um Kindle.

— Não vi nada disso lá. E ele... ele olhou para o seu traseiro quando você foi para o quarto.

— Ah, meu Deus! Acho melhor ligarmos para seu pai e prendermos esse canalha.

— Eu não gostei do jeito como ele olhou para você — murmurou o garoto, sem ver graça. — Não gostei dele.

— Brody, nós não precisamos gostar de todos os hóspedes. Só temos que oferecer um bom serviço. E é isso que faremos para os Campbell agora. Aqui são quatro pessoas, incluindo duas crianças com menos de 10 anos. Então, o trabalho será mais difícil.

Ele queria continuar argumentando, mas, como a mãe não entendia, tipo, *nada*, talvez fosse melhor falar com o pai.

Brody a ajudou a limpar mais três chalés — o dos Campbell, com certeza, fora o pior de todos — e, depois, foi de bicicleta até a cidade. Mas, quando passou pela delegacia, hesitou.

O pai escutaria sua história, com certeza. Depois, provavelmente, contaria à sua mãe. E, aí, ele levaria um sermão.

Talvez fosse melhor não falar com o pai, então — pelo menos, não por enquanto —, mas queria conversar com alguém da família, alguém que entendesse de pessoas ruins e mentirosas.

Alguém da família, um adulto, *advogado*. E que ajudara a colocar pessoas ruins atrás das grades.

Brody virou a bicicleta e foi até o escritório de Zane.

O prédio estava bonito. Ele não tinha visto a obra de Clint Draper ao vivo, mas um de seus amigos tirara uma foto e lhe mostrara.

Clint Draper era o tipo de cara ruim com quem o pai, Silas e Zane costumavam lidar. Mas, como ele tinha morrido, não aborreceria mais ninguém.

Ele deixou a bicicleta na frente do escritório e entrou. A sra. Carter ergueu os olhos do computador — provavelmente, *ela* não estava jogando Candy Crush.

— Ora, olá, Brody.

— Oi, sra. Carter.

— Precisa de um advogado?

Ele sorriu, porque era isso que ela esperava que fizesse.

— Acho que não, mas queria conversar com Zane sobre algumas coisas.

— Você deu sorte. Ele tem meia hora de intervalo antes do próximo compromisso. Pode entrar.

Gretchen, a quem Brody achava muito bonita — apesar de saber que jamais olharia para o traseiro dela da mesma forma que aquele nojento do Bingley olhara para o da sua mãe —, veio dos fundos com uma pasta abarrotada.

— Oi, Brody.

— Oi. Estou indo falar com Zane.

— Que ótimo! Poderia avisá-lo de que já tirei as cópias que me pediu?

— Tudo bem.

O garoto seguiu em frente, fazendo uma pausa na frente da sala do primo, que estava sentado à mesa, olhando de cara feia para a tela do computador. Ele também não parecia estar jogando, pensou Brody.

Então, bateu à porta.

— Zane?

— E, aí, Brody!

Nenhuma hesitação, percebeu ele enquanto Zane afastava o olhar da tela. Alguns adultos costumavam fingir que prestavam atenção em você, mas continuavam pensando em outras coisas.

Os pais faziam isso às vezes, a menos que ele deixasse claro que estava falando de algo importante.

— Eu queria conversar com você sobre uma coisa.

— Claro, sente-se. Está precisando de ajuda?

— Não. Não sei. Não exatamente. Mamãe não me escutou. Então... A mãe de Janey quebrou o tornozelo.

— Fiquei sabendo. Bem, Maureen ficou sabendo e me contou.

— É uma situação bem chata e tudo mais, e eu tive que ajudar minha mãe a limpar alguns chalés para Janey ficar com a mãe. Não me incomodo em fazer isso, mas, quando eu estiver tocando o negócio, vou contratar mais pessoas para substituir as camareiras. Enfim, fomos limpar o chalé de um cara que, aparentemente, é professor de Literatura em uma faculdade e está escrevendo um livro.

— Aparentemente?

Sim, Zane prestava atenção.

— É, aparentemente. Se você tivesse deixado *As vinhas da ira* em cima da mesa, e eu dissesse que prefiro *A rua das ilusões perdidas*, qual seria a sua reposta?

— Eu diria que, apesar de *As vinhas da ira* ser considerado a obra-prima de Steinbeck, concordo com você. Apesar de eu gostar muito de *Boêmios errantes*.

— Ainda não li esse, mas viu só? Você, sei lá, faria algum comentário sobre os livros. Não me olharia com cara de quem não está entendendo nada. E, se fosse um professor de Literatura de verdade, não calaria a boca nunca.

— Também concordo, mas talvez o cara não estivesse a fim de conversar. Ele pode ter ficado surpreso por um adolescente ter uma opinião sobre Steinbeck. Nem todo mundo é simpático.

— Mas ele estava puxando papo, sabe? "E aí, garotão?" — Brody revirou os olhos. — Odeio essas coisas. Não sou tão grande assim, então, é, tipo... idiota.

— Tudo bem. — O primo gostava de mistérios, pensou Zane. E, como estava curioso por Brody achar que tinha encontrado um, ele se recostou na cadeira e girou de um lado para o outro. — Esse cara, com certeza, incomodou você. O que mais aconteceu?

— Bem, primeiro, antes da história do livro, ele olhou para o traseiro da mamãe.

— Vou ter que bancar o advogado do diabo agora, cara. Eu já olhei para alguns traseiros. E imagino que ainda olharei para outros.

— Não desse jeito. Foi... — Ele ainda ficava incomodado com a lembrança, sentindo o calor subindo pela nuca. — Não foi legal. Foi tipo... Eu fiquei feliz de ter ido junto, por ela não estar sozinha com aquele cara.

O humor desapareceu do rosto de Zane.

— Entendi. Se ele passou uma sensação ruim, não vamos deixar sua mãe ir lá sozinha.

O calor provocado pelo embaraço foi substituído por alívio.

— Você acredita em mim.

— Acredito que você teve uma sensação ruim, e isso basta.

— Tudo bem, tudo bem, que bom! Aconteceram outras coisas também. Achei estranho quando ele agiu como se nunca tivesse ouvido falar de *A rua das ilusões perdidas*. Aí, falei que meu primo, você, me recomendou *Virgil Flowers* e que eu pretendia terminar toda a série de Sandford nas férias.

— *Flowers* é bom mesmo. Os livros são ótimos.

— Pois é, são. E o que ele disse? Que não costuma assistir à televisão. Apesar de a droga da televisão estar ligada.

— Húm. Bem, o sujeito tem péssimo gosto para literatura, mas...

— Ele não tem livros, Zane! — Irritado, Brody jogou as mãos para cima. — Nem um livro além do que vi na cozinha. Procurei enquanto estava limpando. Nada. E não diga leitor digital, porque também não havia um. Eu procurei. Você não pode contar aos meus pais, não pode contar nada disso, mas eu olhei nas gavetas.

— Vou considerar que isso faz parte da confidencialidade entre advogado e cliente, mas você sabe que não pode fazer esse tipo de coisa, Brody.

Como sabia mesmo, e talvez merecesse ouvir um sermão por causa disso — mais tarde —, ele continuou falando rápido.

— O cara também não estava escrevendo. Estava jogando Candy Crush no laptop. Acho que está mentindo sobre ser professor de Literatura e sobre estar escrevendo um livro. Mas por que mentiria sobre essas coisas?

— Não sabemos muito sobre quem é esse homem, mas as pessoas mentem por vários motivos. Quanto tempo ele vai ficar?

— Não sei. Não consegui ver, porque mamãe foi direto para o escritório. Ele tem uma garrafa bem cara de uísque no armário da cozinha. Tipo a que o vovô deu para o papai no Natal do ano passado. Eu vi quando estava guardando as compras. E suas botas de caminhada estão praticamente novas. Ele não separou os itens recicláveis, e a lata de lixo estava bem ali! Que tipo de pessoa dirige um Prius, mas não recicla lixo? Esse cara está mentindo, Zane — insistiu Brody. — Pessoas que têm algo a esconder mentem. Criminosos mentem. Criminosos escondidos mentem ainda mais, não é? Talvez ele tenha matado Clint Draper e o jogado no lago.

— Eita, vamos com calma. Você tem argumentos bons e convincentes. Mas não force a barra. Qual é o nome dele?

— Bingley. Não sei o primeiro nome, droga! Se mamãe sair do escritório, consigo procurar no computador de lá.

Meu Deus, pensou Zane, o garoto estava mesmo incomodado.

— Acho melhor esquecermos essa ideia por enquanto. Você não tem motivos para se meter em encrenca por causa disso. — Pensando, ele pegou a bola de beisebol e a revirou na mão. — Você me procurou, e respeito isso. E vou respeitar seus sentimentos. Então, vou fazer algumas perguntas por aí. Se o cara estiver falando a verdade, deixaremos essa história para lá. Caso contrário, vou conversar com seu pai.

— Promete?

Zane levou uma mão ao peito.

— Talvez eu demore alguns dias, mas vou cuidar disso. E você, faça-me o favor de ficar longe daquele chalé.

— Tudo bem.

— Promete?

A hesitação mostrou a Zane que o primeiro "tudo bem" fora mentira, mas ele cumpriria uma promessa. Em resposta, Brody também levou uma mão ao peito.

Para tornar tudo mais oficial, ele pegou um bloco pautado.

— Certo, vamos anotar o que você sabe. Bingley, professor de faculdade... Sabe de qual?

— Alguma no Norte, e o Prius é alugado. Ele deve ter, mais ou menos, a sua idade, acho. É um pouco mais baixo. Deve ter 1,80 metro e pesar... uns 70 quilos, talvez. É loiro, o cabelo é meio comprido, tem um pouco de barba, olhos azuis e usa óculos.

O garoto prestava atenção nas coisas, pensou Zane enquanto anotava tudo. Então, fez algumas perguntas básicas e reuniu tanta informação quanto possível.

— Isso vai me ajudar. — Satisfeito, ele se levantou. — Vamos tomar alguma coisa gelada antes de os meus próximos clientes chegarem.

Zane saiu com Brody e estendeu uma mão sabendo que um aperto selaria o acordo para ambos os lados.

Quando o primo foi embora, Zane voltou para a mesa, fez mais anotações sobre a conversa.

Ele sabia que Brody era esperto, e não só no sentido acadêmico. E que era naturalmente amigável. Havia alguma coisa em Bingley que o deixara desconfiado. E, apesar de parecer improvável que um hóspede dos chalés à beira do Lago Reflection fosse dar uma pedrada em Clint Draper, Zane cumpriria o que prometera.

Então, precisaria descobrir o nome completo, o lugar no qual o sujeito supostamente trabalhava, talvez um endereço residencial.

Seria fácil — poderia perguntar a Emily ou conversar com Lee. Mas ele prometera que não faria isso.

Sua missão ficou de lado durante a reunião com seu próximo cliente, e só poderia voltar a ela no fim do expediente.

Mas Zane tinha um plano.

Ele foi até a recepção enquanto Maureen e Gretchen guardavam suas coisas para ir embora.

— Devo chegar lá pelas 11h amanhã — disse ele, como se as duas já não soubessem disso. — O julgamento não deve demorar mais de uma hora.

— De toda forma, sua primeira reunião é à uma e meia da tarde. — Maureen tirou sua bolsa da última gaveta da mesa. — Almoce primeiro.

— Que tal eu trazer o almoço e a gente fazer um piquenique no pátio dos fundos?

— Eu topo! Mas nada de pizza.

— Você é uma mulher difícil, Maureen. Ah, acho que fiquei sabendo de uma fofoca que você ainda não ouviu.

Ela o olhou de soslaio, presunçosa.

— Está achando errado.

— Um novo Hemingway está escrevendo seu clássico da literatura em um chalé da família Walker.

Maureen balançou os dedos no ar.

— Como se eu já não soubesse disso! Professor de uma faculdade do Norte, veio passar boa parte do verão aqui em busca de tranquilidade e inspiração. Acho que tem a sua idade. Solteiro, já que veio sozinho e não usa aliança.

— Ah, eu conversei com ele. — Gretchen desligou o computador e pegou a própria bolsa. — O sr. Bingley... Ou melhor, o professor Bingley.

— John Bingley?

— Hum. — Gretchen fez uma pausa, franzindo a testa enquanto pensava. — Não, era... Blake, Drake, Deke? Alguma coisa assim. Não John. Por quê?

— Então, não conheço — disse Zane, tranquilo. — Como vocês se conheceram?

— Ah, nos esbarramos na rua, alguns dias atrás. Ele estava olhando para o prédio, como todo mundo fazia antes de pintarmos. Eu comentei qualquer coisa, e ele respondeu. E queria saber onde poderia comer um bom bife e tomar vinho. Indiquei o Grandy's.

— Boa escolha.

Zane trancou o escritório, cogitando dar um pulo no Grandy's e ver se descobria alguma coisa. Mas achou melhor começar com a parte do Blake, Drake ou Deke.

Enquanto ia para o carro, mandou uma mensagem para Darby.

Acabou a labuta. Estou indo para casa.

Eu também! Agora, estou na fila para comprar sanduíches de porco desfiado, salada de repolho e batatas-doces fritas. Vai ser um banquete.

> Vou colocar as cervejas na geladeira
> enquanto espero você.

Vinte minutos.

Será ótimo, pensou ele. Ótimo mesmo.

Zane seguiu para casa com a capota do carro aberta, ansioso por compartilhar a história de Brody com Darby — já que o primo não a incluíra na lista de pessoas a quem não poderia contar. Além do mais, queria saber a opinião dela.

Porque, sem dúvida, havia algo estranho com um cara que dirigia um Prius e não reciclava o lixo, quando havia um cesto obviamente separado para isso. E um professor de Literatura que não se interessava em conversar sobre Steinbeck com um adolescente.

Um enigma, pensou Zane, um mistério — e percebeu que queria desvendar aquela história. Era como voltar no tempo, quando trabalhava com investigadores e tentava encontrar uma forma de prender criminosos.

Ele virou na estrada para sua casa, fez uma curva e pisou com força no freio.

Uma picape estava atravessada no caminho. Jed Draper já estava parado ao lado dela.

Zane torceu de verdade para não levar um tiro quatrocentos metros antes de chegar em casa.

Quando saltou, não viu arma alguma — mas isso não significava que Jed não tivesse uma.

Mesmo assim, ele era um pouco maior que o outro homem e, apesar de Draper ter aquele aspecto durão, que parecia ser herança de família, Zane achava que não levaria a pior em uma briga.

— Você está bloqueando a estrada, Jed.

— Meu irmão está a sete palmos do chão.

— Eu sei. A culpa não é minha.

Jed se aproximou com os punhos fechados, o corpo magro exalando tensão.

— Minha mãe acha que foi você.

— Sinto muito por sua mãe ter perdido um filho. Acho que essa deve ser a pior coisa do mundo. Eu não matei Clint.

— Se tivesse matado, todo mundo o acobertaria. Essa cidade de merda toda preferiria mentir por você a ajudar um Draper. — Ele cuspiu no chão, enojado. — Então, vamos resolver isso de homem para homem.

— E brigar vai fazer alguma diferença? Eu dou um soco em você; você me dá um soco? Clint vai continuar morto e eu continuarei sendo inocente.

— Meu irmão não teria morrido se você não tivesse levado a mulher dele embora. Não interessa quem o atirou no lago, Clint estaria vivo se não fosse por você.

Que se dane, pensou Zane. Os dois não sairiam dali sem tirar sangue um do outro, sem sentir dor.

— Seu irmão estaria vivo se não tivesse invadido meu terreno e atirado contra a minha casa.

— Você teve o que mereceu, menos até, por se meter em assuntos da minha família. Acha que é melhor que ele? Que é melhor que eu?

Zane redistribuiu o peso pelo corpo, sentindo o que estava por vir.

— Acho, não. Eu sei que sou melhor.

Ele bloqueou o primeiro soco, girando, sentindo a força do golpe reverberar em seu ombro. Então, equilibrando-se de novo, deu um chute no plexo solar de Jed. Isso o jogou para trás, mas não o desencorajou. Zane sentiu a dor quando as juntas da mão do outro homem acertaram seu queixo e usou-a para impulsionar seus próprios golpes. O punho que encontrou o rosto de Jed rasgou seu lábio.

O homem arreganhou os dentes ensanguentados e veio correndo como um touro.

Um erro, pensou Zane e, simplesmente, desviou enquanto sua mão esquerda dava um soco na mandíbula de Jed.

— Isso não vai levar a nada — começou ele, ficando imóvel enquanto seu oponente balançava a cabeça, clareando as ideias.

E esse foi seu erro, não continuar. Quando Jed veio para cima dele de novo, Zane se lembrou das palavras de Dave para um garoto que queria aprender a lutar.

Fora do ringue, não existe briga justa.

Sentindo o gosto do próprio sangue, ele avançou.

Cantando junto com Lady Gaga — com Zod balançando o rabo enquanto seguiam para casa —, Darby concluiu que tivera um dia praticamente perfeito e estava ansiosa para encerrá-lo com uma noite praticamente perfeita.

Foi quando pisou no freio com força e passou um instante em completo choque, enquanto Zod gania em protesto.

Ela saiu da picape já tirando o celular do bolso enquanto contornava o carro de Zane, seguindo na direção do homem com o rosto ensanguentado que tentava socar o rosto do seu namorado.

Zane berrou:

— Nada de polícia!

A breve distração permitiu que o golpe o acertasse.

Darby praticamente sentiu o soco. Seus dedos se apertaram em torno do aparelho enquanto o cachorro uivava ao escutar o som de punhos estalando contra carne e osso.

Ela se forçou a respirar — puxe o ar, solte o ar — e só não ligou para a emergência porque era nítido que, pelo menos por ora, Zane estava em vantagem.

Ele sabia lutar e — meu Deus! — mantinha-se firme quando levava um soco. Mas, se aquela briga não terminasse logo, ela mesma tomaria as devidas providências.

Cansado, com um olho já inchando, Jed andou em círculo e tentou desferir outro golpe.

— Quando eu terminar com você, vou dar um jeito naquela vagabunda.

Zane ouviu sua irmãzinha gritando, viu o pai arrastando-a pelos cabelos. Com essa imagem em sua cabeça, ele se moveu com uma fúria gélida. Se era atingido por outros socos, apenas os ignorava, concentrando-se na cena em sua cabeça, obrigando Jed a recuar mais e mais.

Então, os golpes que vinham em sua direção tornaram-se menos precisos, perderam a força, enquanto seu oponente cambaleava desferindo socos no ar até seus joelhos cederem.

Quando Jed caiu, parte de Zane quis continuar avançando, espancá-lo até que toda a sua raiva se tivesse esvaído. Mas ele não era seu pai.

Ele nunca seria seu pai.

Então, pisou no peito do homem para impedi-lo de se levantar de novo.

— Fique aí. Pelo amor de Deus, fique aí e use seu cérebro. Sou mais forte que você e aposto que você sabe muito bem que sou mais forte do que Clint também. Eu não precisaria usar uma pedra para me defender dele. — Zane se agachou e olhou bem no fundo daqueles olhos roxos e inchados. — E, se eu fizesse o tipo de coisa da qual sua família me acusa, você estaria tão morto quanto seu irmão. Você sabe que não fui eu.

— Então, quem foi?

— Não sei, mas só vou descansar quando descobrir. O assassino o matou na minha propriedade, e eu vejo isso como uma ameaça à mulher que amo, à mulher com quem quero passar o resto da minha vida e construir uma família. Só vou parar quando descobrir. — Endireitando-se, Zane encarou Jed com um misto de repulsa e pena. — Eu não fiz isso, não causei nada disso. Se você vier atrás de mim de novo, vou acabar com a sua raça. Se você olhar para minha mulher, para qualquer pessoa da minha família, vou acabar com a sua raça. Se você fizer qualquer coisa contra Traci e a família dela, vou acabar com a sua raça. Está me entendendo?

— Meu irmão está morto!

— É verdade. Mas levar uma surra e acabar na cadeia, nada disso vai mudar os fatos. E eu vou me certificar de que isso aconteça. Agora, levante-se e saia da minha propriedade. E não volte mais.

Sem dizer nada, Darby voltou para sua picape, estacionou-a no acostamento e saiu de novo, esperando Jed conseguir se levantar.

Ele nem olhou na sua direção enquanto ia embora.

Zane limpou o sangue no rosto com as costas da mão e tentou abrir um sorriso.

— Então... Como foi o seu dia?

Capítulo 29

♦ ♦ ♦ ♦

Depois que entraram, Darby mandou Zane sentar-se à bancada da cozinha e foi buscar uma bolsa de gelo e uma cerveja.

— A melhor namorada do mundo — decidiu ele, piscando ao tomar o primeiro gole da cerveja.

— Vou buscar o kit de primeiros socorros para limpar seu rosto. Meu Deus, Walker, você está péssimo.

— Ei, você viu o outro cara?

— Vi. Vamos conversar. Sente-se.

Ela pegou uma cerveja para si mesma e foi buscar o kit.

Zane olhou para o cachorro, que o encarava com olhos cheios de amor e preocupação.

— Não estou tão ruim assim.

Mas, quando colocou o saco de gelo sobre o olho esquerdo, chiou.

— É fácil esquecer quanto isso dói. Merda, merda. Tenho que ir ao tribunal amanhã. Ah, foi só uma besteira, meritíssimo. Caí na porrada com um cara cujo irmão foi morto na minha casa. Nada de mais. — Merda, pensou ele, tomando outro gole de cerveja. — Tenho que ir ao tribunal amanhã — repetiu quando Darby voltou.

Ela colocou o kit de primeiros socorros sobre a bancada e foi molhar um pano.

— Você quer que eu diga a verdade ou minta?

— Sou advogado, consigo lidar com as duas coisas ao mesmo tempo. Não está tão ruim, está?

— Seu olho esquerdo vai ficar roxo. Ele não acertou o direito. Posso colocar um curativo no corte sobre o olho machucado. Você precisa melhorar sua guarda do lado esquerdo. Seu queixo está roxo e arranhado. Há um corte na bochecha esquerda que também posso cobrir com um curativo, mas talvez seja melhor tirar um raio X.

— Não há nada quebrado. Sei como é a sensação.

Como Darby também sabia, concordou com a cabeça.

— Está enjoado, com a visão embaçada?

— Não.

Inexpressiva, ela se virou.

— Tire a camisa. Vamos ver o restante.

Zane tentou obedecer, mas chiou de novo.

— Ahhhh... Ele me acertou um pouco.

— Bastante. Você não estava levando a sério no começo.

Ele deixou que ela o ajudasse a tirar a camisa.

— O irmão do cara morreu.

— E isso não mudaria só porque você resolveu ser legal. Ele acertou suas costelas em cheio.

Antes que ela começasse a testar se alguma estava quebrada, Zane segurou sua mão.

— Está zangada comigo?

— Não, por que estaria?

Ele passou um dedo por sua bochecha.

— Você parece zangada.

— E estou *mesmo*, mas não com você. Estou zangada por nós termos tido que passar por isso enquanto voltávamos para casa, por você precisar brigar com um idiota que eu nunca nem tinha visto. Segure o gelo contra suas costelas enquanto eu dou comida para o cachorro. — Ela serviu a ração na tigela para Zod; depois, abriu as portas para ele sair quando quisesse. — Não me deixou ligar para Lee porque não queria que aquele cara... Como é mesmo o nome dele? Jed? Você não queria que ele fosse preso. E não acabou logo com a briga, mesmo podendo fazer isso, porque queria deixá-lo acertar alguns socos. Você só parou de se segurar quando ele fez aquele comentário idiota sobre mim.

— É verdade.

Darby se virou para encará-lo; seu rosto estava cheio de raiva e mágoa.

— A culpa não foi sua, Zane.

— Querida, eu sei. Acho que nem ele gostava muito de Clint, mas era sangue do sangue dele. Jed não veio armado. Acho que ele queria me surrar até eu confessar, e, em vez disso, saiu daqui sabendo que eu não matei seu irmão.

— Se houver outro incidente como esse, leve-o a sério.

— Provavelmente, vou levar. — Devagar, ele mexeu a mandíbula. — Ainda mais se precisar ir ao tribunal no dia seguinte.

Darby ficou irritada por admirar a forma como Zane lidara com tudo. Ela torceu o pano molhado sobre uma tigela.

— Deixe que eu cuide desse seu rosto.

A mulher tinha um toque gentil, mas firme, pensou ele. E não empalideceu quando torceu o pano para tirar o sangue.

Zane observou seus olhos enquanto ela o limpava, aqueles olhos de um azul-escuro profundo. Darby tinha cheiro de terra e plantas.

— Acho que eu me esqueci de usar meu filtro — começou ele — quando falei aquelas coisas sobre o resto da minha vida, construir uma família e tal.

— Hum. Vai arder — avisou ela enquanto pegava o antisséptico.

Zane soltou vários palavrões enquanto o líquido era aplicado em seus muitos cortes e arranhões.

— Por que a cura é quase tão dolorosa quanto a causa?

— Talvez para nos lembrar que não devemos brigar uns com os outros. Isso é um termo jurídico? — Com cuidado, Darby aplicou o curativo para fechar o corte sobre o olho esquerdo. — "Filtro"?

— Meu plano, apesar de não ser muito elaborado, era lhe dar mais tempo antes de começar a falar de compromissos vitalícios, casamento, filhos. Acho que foi o calor do momento.

— Sei.

Quando ela pegou outro curativo, Zane segurou sua mão de novo.

— Quer ter filhos um dia, Darby? Casar e construir uma vida comigo?

Ela apoiou a testa contra a dele.

— A ideia de casar ainda me deixa nervosa, mas eu quero filhos, e acho que já estamos construindo uma vida juntos.

— Casamento é apenas um contrato.

Darby se afastou, encarando-o.

— Nao, nâo é.

— Não, não é. Mas eu posso continuar usando o filtro até você estar pronta.

— Nós estamos bem, não é? Mesmo com tudo isso?

— Acho que estamos mais que bem.

Ela se inclinou para a frente e beijou os cortes e arranhões em seu rosto.

— Eu já estava me perguntando quando você faria isso.

— Precisava acalmar minha raiva primeiro. Não com você. Estou falando sério. Você lutava boxe na faculdade?

— Um pouco. Meu cotovelo ainda é um problema.

Darby foi jogar a água suja de sangue fora.

— Posso lhe mostrar uns golpes que ajudam a compensar isso.

— Como você é prestativa.

— Em vários sentidos. Zane, você precisa contar a Lee. Não estou dizendo para prestar queixa nem pedir para a polícia dar uma dura no sujeito, mas ele precisa tomar conhecimento do que aconteceu.

— Eu sei. — Ele já pensava em como tocar no assunto. — Não gosto da ideia, mas sei disso.

— De toda forma, qualquer um que olhar para você vai saber que se meteu em uma briga. — Ela lhe deu três comprimidos de ibuprofeno e um copo de água. — Então, conte logo a ele e acabe com isso. Depois, podemos comer nossos sanduíches de porco desfiado e tomar mais cerveja.

— É difícil não ser loucamente apaixonado por você.

— Eu sou mesmo um partidão. Ligue para o Lee, conte o que aconteceu. Vou esquentar o jantar.

Ligar para o delegado — Zane já devia ter imaginado — significava que ele insistiria em ir lá para ver com os próprios olhos o que havia acontecido. O que significava que Emily e os garotos iriam com ele.

Então, já que Emily insistiu em contar para Britt, o restante da família também juntou-se a eles. Pelo menos, a irmã e o cunhado compraram mais sanduíches e acompanhamentos no caminho.

Assim, uma briga violenta se transformou em uma reunião de família improvisada. Darby observou Audra beijando os "dodóis" do tio da mesma forma como ela fizera, aconchegando-se no colo dele.

Pelo visto, como filha única de mãe solteira, ela perdera a oportunidade de participar de reuniões improvisadas como aquela. E concluiu que poder desfrutar dessa experiência era uma das vantagens de morar com Zane.

Mesmo quando Britt usou a desculpa de querer lhe fazer uma pergunta sobre jardinagem para tirá-la de perto dos outros e levá-la para a frente da casa.

— Eu só queria perguntar como você está se sentindo, se está tudo bem.

— Foi Zane quem levou os socos.

— Eu conheço sua história, sei que você teve três experiências violentas nos últimos meses. Se quiser conversar, como amigas, só como amigas, estou aqui.

— Então, serei sincera. Parte de mim entrou em pânico e ficou apavorada quando cheguei aqui e encontrei Zane e um novo problema com os Draper. Precisei me controlar, porque isso não ajudaria. Mas a outra parte? A outra parte ficou impressionada, porque ele, embora tenha saído todo machucado, tinha a situação sob controle. — Darby olhou para o lago, tranquilo, enquanto a escuridão da noite caía. — Eu sei tomar conta de mim mesma, valorizo isso. E, agora, vi que Zane sabe tomar conta de si mesmo e de mim, se for preciso.

— Sim — concordou Britt. — Nós crescemos em uma casa horrível, mas eu sempre soube que ele tomaria conta de mim. Então, entendo você. Mas, se o pânico voltar, me ligue.

— Estou torcendo para esse ter sido o fim desse ciclo de loucuras. — Darby deu uma batidinha na tatuagem em sua nuca. — Já está mais do que na hora de as coisas se acalmarem e ficarem mais fáceis, para equilibrar tudo.

Enquanto as duas conversavam na frente da casa, Zane chamou Brody e saiu de fininho com o primo e o cachorro, seguindo para o bosque.

— Só queria perguntar se posso contar aquele negócio para Darby.

— Ah, bem, não...

— Escute. Vamos supor que você esteja certo, e aquele cara não preste. Ela também mora aqui. E mais, eu quero saber a opinião dela. Se eu disser que é segredo, Darby não vai contar a ninguém.

— Ela precisa jurar.

— Claro.

— Tudo bem. Mas só para ela.

— Só para ela. Ainda não cheguei com ninguém, mas já tenho uma pista de qual pode ser o nome completo dele.

— É mesmo?

A admiração instantânea do garoto deixou Zane animado.

— É, e vou começar a investigar depois que todo mundo for para casa. Não posso prometer nada, Brody, mas já é um começo. Agora, pense comigo. Se eu encontrar algo ilegal ou muito esquisito, precisaremos contar ao seu pai.

Agora, o garoto concordou com a cabeça.

— Se você encontrar provas, contaremos para ele.

— Tudo bem.

Os dois bateram os punhos.

— Você pode me mostrar onde mataram Clint Draper?

— Não.

— Poxa. — Brody chutou um pouco de terra. — Pode me mostrar onde você deu uma coça no irmão dele?

Zane fingiu que ia dar um soco no primo e o prendeu em um mata-leão amigável.

— Vamos voltar.

Ele quase deixou para contar a história a Darby no dia seguinte, já que sua família só foi embora depois das nove da noite. Mas, como queria começar sua pesquisa, achou melhor pedir logo a opinião dela.

Zane passou uma mão pelos cabelos curtos da namorada enquanto os dois se demoravam sob as luzes do jardim, sentados à mesa.

— Tenho um cliente que me deu permissão para compartilhar informações com você mediante sua promessa de manter sigilo e confidencialidade.

— Por que um cliente... — Darby se interrompeu quando recebeu um olhar de "apenas embarque nessa onda". — Tudo bem. Não vou contar a ninguém.

— O cliente solicitou que você jure.

— Seu cliente, seja lá quem for, tem minha palavra de honra de que não vou mencionar esse assunto com ninguém. O que houve?

— Já conto, mas primeiro vamos dar uma volta. Vou ficar dolorido se passar muito tempo sentado.

— Você vai ficar dolorido de qualquer forma, mas é uma boa ideia.

A lua, um pouco maior que a unha de um polegar, exibia uma curva fina no céu limpo, cheio de estrelas. O cachorro trotava ao lado deles, parando de vez em quando para pular sobre os vaga-lumes.

O jasmim plantado por Darby, que desabrochava à noite, perfumava o ar.

E, com toda aquela calmaria, aquela tranquilidade de um verão preguiçoso, Zane começou a falar de coisas estranhas.

Ela interrompeu algumas vezes para esclarecer algum detalhe, fazer perguntas.

Quando ele terminou, os dois já tinham contornado toda a casa e sentaram-se na varanda, observando a faixa de lua flutuando sobre o lago.

— Acho que o menino tem bons instintos — concluiu Darby. — Porque há muitas coisas que não fazem sentido nessa história. Só um livro? É muito estranho, considerando a profissão que esse cara alega ter, o trabalho que diz estar fazendo aqui. Mas talvez Brody não tenha visto o leitor digital.

— É possível — concordou Zane.

— Ou ele lê pelo laptop, mas é difícil acreditar que um professor de Literatura traga apenas um livro para uma viagem longa.

— Concordo.

— Também é possível que ele seja só ignorante quanto à reciclagem e tenha conseguido um bom desconto no Prius. Sempre é possível ver as coisas por outro ângulo, não é?

— Não só é possível — disse Zane —, como também muita gente ganha a vida fazendo isso.

— Mesmo assim... Você é professor de Literatura, então passou boa parte da vida estudando e ensinando sobre os clássicos. Não faria cara de paisagem quando alguém mencionasse John Steinbeck. Ficção popular? Talvez seja meio esnobe, mas por que não perguntaria quem é *Virgil Flowers*? E, aí, quando juntamos todos os fatores — concluiu Darby —, é realmente estranho. O que vamos fazer agora?

— Parece que Gretchen encontrou com ele na rua. Usei minhas sábias habilidades de advogado para conseguir um nome. Ou nomes. Ela acha que deve ser Blake, Drake ou Deke Bingley. Então, como não sei de que parte do Norte ele veio nem em que faculdade supostamente trabalha, podemos começar por aí.

— Isso vai levar uma eternidade. Espere um pouco. — Ela pegou o celular e ergueu um dedo antes que Zane reclamasse. — Oi, Emily, desculpe. Com a briga de Zane, esqueci que eu pretendia mandar parte da equipe para fazer uma pequena manutenção nos chalés amanhã. Pensei em começar pelo Cinco e, depois, ir para os outros. O local está ocupado por alguém? — Darby soltou alguns "aham". — Podemos começar lá pelas dez horas então. A menos que ele vá embora nos próximos dias. Não? Ah, é? Também é do Norte? De onde? — Ela abriu um sorriso convencido para Zane. — Nova York. Bem, não vamos incomodá-lo. Sim, vou lembrá-lo de colocar gelo no ombro antes de dormirmos. Posso fazer isso, claro. Até amanhã. — Darby desligou. — Ela o chamou de sr. Bingley, só que seria estranho perguntar o primeiro nome. Mas eu descobri que ele está escrevendo um livro e que veio de Nova York.

— Já ajuda. Você é boa nisso.

— Vou ter que mandar a equipe lá e dar um pulo na recepção para ensinar sua tia, de novo, a diferenciar as ervas daninhas das outras plantas no jardim de pedras, mas esses são ossos do ofício. — Darby levantou-se e ofereceu uma mão. — Vamos, você pode começar a trabalhar depois de pegar mais gelo para seu ombro. E eu vou tomar um banho antes de cuidar de uns documentos para o trabalho.

Ele também precisava de um banho, mas, infelizmente, não de um divertido.

Quando Zane saiu do banheiro, com Darby usando o outro quarto de hóspedes para trabalhar, ele estava mais do que pronto para mais uma rodada de gelo e ibuprofeno. E a opção de fazer sua pesquisa no laptop deitado na cama.

Ela apareceu uma hora depois — sem dúvida, para checar se ele estava bem.

— Como vai a pesquisa?

— Lenta. — Zane passou uma mão pelo cabelo. — Há mais de cem faculdades em Nova York.

— Faz sentido.

— Mesmo eliminando as especializadas, tipo dança, medicina, moda, direito, ainda são muitas. E também estou achando que ele pode ter exagerado quando disse que era "professor", então acho melhor incluir todas as equipes na pesquisa. Por enquanto, não encontrei nenhum Blake, Drake ou Deke Bingley. Mas ainda tenho muitas para verificar. — Como sentia que seu corpo começava a ficar dolorido, Zane levantou-se, sentindo seus músculos repuxarem, e andou um pouco para se alongar. — Seria bem mais fácil se eu tivesse a ajuda de um investigador, ou mesmo de um assistente judiciário.

— Não sou nada disso, mas posso tentar. Conheço todos os fatos. E estou interessada. Quero provar que o garoto está certo. O que é estranho.

— É mesmo. E a parte mais estranha é que eu também quero. Mas você vai acordar daqui a... seis horas e meia.

— Não tem problema. Só meia hora. O mesmo serve para você, Walker. — Ela passou uma mão pelo cabelo que ele tinha bagunçado. — Você está mais cansado do que pensa.

— E já acho que estou bastante cansado — admitiu Zane. — Meia hora.

No fim dos trinta minutos, Darby decretou que era hora de dormir, porque ele realmente parecia exausto. Mas Zane se ofereceu para sair com o cachorro antes, porque precisava andar um pouco.

Quando voltou e Zod pegou mais uma meia para levar para a cama, a mulher já estava apagada.

Zane deitou-se ao seu lado, respirou fundo, sentindo cada centímetro do seu corpo doer e repuxar. E segurou a mão de Darby, pressionando-a contra a bochecha.

— Não me faça esperar muito, querida.

𝓔NQUANTO ZANE CAÍA em um sono agitado, o homem que atendia por Bingley bebia seu uísque *single malt* e caminhava pelo chalé.

Não tinha gostado da forma como aquele fedelho o encarara. Aquilo o incomodara o dia inteiro, tanto que até passara de carro pela casa do babaquinha, esperando encontrá-lo no quintal.

Atraí-lo para o carro, resolver o problema.

Mas não o vira — e, agora, admitia que fora melhor assim.

Outro corpo no lago? Não seria bom. E acrescentar uma criança desaparecida ao caso? Atrairia atenção demais.

Ele estendera sua hospedagem mais do que deveria, entendia isso agora. Deixara que o prazer pela antecipação do seu objetivo final o mantivesse naquela cidade de caipiras. E nem sequer estava no centro da cidade dos caipiras, francamente.

Ele estava morando no meio do mato.

Chega, pensou Bingley. Hora de partir.

Depois que fizesse o que fora fazer ali, entraria naquele carro ridículo de hippie e se afastaria centenas de quilômetros antes de alguém se dar conta do que acontecera.

Largaria o carro no estacionamento do aeroporto, onde deixara seu carro *de verdade*. Esperaria até anoitecer, iria para casa, cortaria o cabelo, faria a barba.

E pronto.

Mas, agora, precisava trabalhar. Ele queria limpar cada centímetro do chalé, só para garantir.

Depois disso, usaria luvas.

$\mathcal{D}$ARBY ACORDOU às seis em ponto e saiu da cama para se vestir no banheiro, com o objetivo de não acordar Zane, como já estava habituada a fazer.

— Não se preocupe — murmurou ele. — Estou acordado.

— Dolorido?

— Sempre é pior no dia seguinte.

Ele sentiu a mão dela passeando por seu cabelo enquanto se sentava — ai! — para acender a luz.

— Gelo e Advil. Vou buscar.

— Tudo bem. Preciso andar um pouco de qualquer forma.

— Vá devagar. Eu pego as coisas.

Darby saiu do quarto — ele não se surpreendia mais com seu desprendimento de andar nua pela casa —, e Zane colocou os pés no chão.

— Já estive pior. Bem pior. — Então, levantou-se, respirando fundo. — Só que eu era mais novo.

E sentou-se de novo.

Ao fazer isso, cogitou pedir que o caso fosse adiado, analisou as vantagens e desvantagens de aparecer no tribunal com o olho roxo. Uma distração... talvez ganhasse um pouco da simpatia do juiz.

Talvez sim, talvez não.

— Não seja fresco. Você aguenta dirigir até Asheville e passar uma hora no tribunal — disse a si mesmo.

Antes que tentasse levantar de novo, Darby voltou com o gelo e o Advil, e o analisou.

— A aparência também fica pior no dia seguinte.

— Muito obrigado.

— Você ia descobrir isso de um jeito ou de outro.

Ela colocou o saco de gelo no lado esquerdo do rosto dele; depois, ofereceu os comprimidos e a água.

— Pelo menos eu tenho uma enfermeira gostosa.

— A mais gostosa do mundo. Escute, posso ligar para Roy e pedir que ele comece o trabalho com a equipe, para eu ficar cuidando de você mais um pouco.

— Só preciso andar um pouco.

— Você dormiu?

— Um pouco. Enquanto estava acordado, eliminei mais uma parte da lista de Nova York, então pelo menos fiz alguma coisa útil. Mas nada de Bingley por enquanto.

— Começo a sentir que Brody tem razão.

— Talvez. Enquanto estava acordado, também pensei em outra coisa. Ele dirige, então tem carteira de motorista. Tenho alguns amigos na polícia de Raleigh. Como Lee não pode saber dessa história por enquanto, posso pedir a um deles para procurá-lo no sistema.

— Isso é permitido por lei?

— Ah... — Zane balançou a mão. — Primeiro, vou pagar a taxa para procurar os três nomes em um banco de dados de criminosos, o que é completamente autorizado por lei.

— Vou me arrumar, ajudar você a descer e preparar um café. Como é a aparência desse cara? — perguntou Darby enquanto vestia seu short cargo.

— Pela descrição de Brody, cabelo meio loiro, comprido, uma barbicha, óculos. Ele acha que deve ter a minha idade, um pouco mais baixo e mais magro do que eu.

Ela fez uma pausa enquanto vestia o *top*.

— Sabe, eu vi alguém parecido no lago outro dia, em um veleiro. E, por algum motivo, ele me deixou nervosa.

Os olhos de Zane se estreitaram.

— Ele fez alguma coisa?

— Não, não. — Darby pegou uma camiseta. — E eu nem vi o rosto dele direito. Ele estava passando de barco enquanto a gente terminava o serviço na casa dos Marsh. E acenou, só isso. Mas achei esquisito. Talvez fosse melhor eu tirar a manhã de folga e ajudar você com a pesquisa.

— Não precisa. Mas aceito um pouco de café. Estou bem aqui, querida. Só preciso estar no tribunal às nove, então vou colocar uma calça e descer.

— Tudo bem. Vamos, Zod. — O cachorro pulou, ansioso e disposto. Darby parou na porta. — Este quarto é bom, mas eu ficarei feliz quando voltarmos para o nosso.

— Eu também. Só mais alguns dias.

Ela dissera *nosso*, pensou Zane enquanto pegava uma calça de moletom. Talvez não precisasse usar seu filtro por muito tempo.

Quando ele desceu e viu que havia café e Cheerios com morangos frescos esperando por ele, boa parte da dor em seu corpo já tinha passado.

— Não é tão ruim quanto parece — disse Zane.

— Puxa, que bom! Passe em algum farmácia para comprar gel de arnica. Não pensei nisso antes, porque a minha acabou. Vai ajudar com os hematomas.

Ele acrescentou isso à sua lista mental e foi pegar o café.

— Onde vai trabalhar hoje?

— Como o tal do Bingley talvez seja mesmo alguém ruim, vou pedir a Roy e Ralph que passem lá mais tarde, para fazer a manutenção. Meu plano é ir conversar com Emily em algum momento, mas eu preciso começar no lado norte do lago. Você conhece George Parkinson?

— Claro. Ele aluga alguns chalés lá, mora em Asheville, mas tem uma segunda casa aqui.

— Isso mesmo — disse Darby enquanto comiam. — Parece que a empresa que faz a manutenção dos chalés é péssima, então ele nos contratou. Vamos aparar a grama, adubar, arrancar ervas daninhas, podar, essas coisas. São quatro chalés, então é uma boa adição à nossa lista de clientes. — Ela sorriu antes de comer mais uma colherada de cereal. — Principalmente se eu conseguir convencê-lo a acrescentar a casa aos nossos serviços.

— Aposto que você consegue.

— Do jeito que os chalés estão, e com Roy e Ralph ocupados com a manutenção por causa da nossa tática de investigação, vamos demorar pelo menos dois dias. Depois, estou torcendo para Cherylee Fogel, que participa do clube do livro com Patsy Marsh, aceitar a proposta que eu fiz ontem. Parece que ela acabou de se divorciar do segundo marido, recebeu uma boa grana dele e quer, nas suas palavras, "reinventar o chalé à beira do lado, de dentro para fora, de cima para baixo".

— Acho que você sabe tanto da vida dos outros em Lakeview quanto Maureen.

— As pessoas gostam de me contar as coisas. Tipo que como o segundo ex-marido de Cherylee é cirurgião plástico. E posso assegurar que o homem faz um trabalho excepcional, já que passei um bom tempo observando-a. Os dois passaram os quatro anos do casamento morando em Greensboro, compraram o chalé para ser uma casa de veraneio. É uma graça de lugar, com um pátio enorme e uma cozinha aberta com vista para o lago. Faz quase um ano que Cherylee se mudou para lá e conseguiu ficar com a casa. Ela conseguiu fazer um bom acordo porque o ex não tinha apenas uma, mas duas amantes. Uma amante ficou sabendo da outra — continuou Darby enquanto comia. — As duas se tornaram amigas e, juntas, foram falar com Cherylee. Por causa da solidariedade dessas mulheres, o médico mulherengo perdeu o chalé e tudo que estava lá dentro, além de duas BMWs, várias obras de arte e antiguidades e uma indenização de 3,3 milhões de dólares. Isso sem falar de uma porcentagem de ações e títulos.

Zane ouviu tudo, fascinado.

— Você pode me apresentar a Cherylee. Se ela casar e se divorciar de novo, eu quero ser advogado dela.

Darby sorriu.

— Diz ela que não quer mais se casar e só pretende ter aventuras sexuais sem compromisso até os 90 anos.

— Você está inventando essas coisas, não está?

— Impossível. Ela tem 58 anos, embora aparente ter 40. Um trabalho excepcional, como eu disse. Nunca teve filhos, mas adora os sobrinhos, fez várias amizades em Lakeview. E, depois de ver meu trabalho na casa dos Marsh, procurou meu site e viu sua cascata. — Darby terminou de comer o cereal. — Ela quer uma, com canas-da-Índia. Disse que a avó costumava tê--las no quintal. E me pediu várias outras coisas. Além disso, falou que eu sou uma fofa, o que é legal, e que gosta de apoiar mulheres empreendedoras. Se Cherylee me contratar, o que eu acho provável, a Paisagismo High Country ficará com a agenda cheia até o outono. — Darby levou sua tigela e a dele para a pia. — E tem mais. Ela está pensando em abrir uma pequena instituição de caridade com sua metade do valor do jatinho particular, que não estava incluído na indenização. Mas, quando disse que talvez precisasse de um advogado local para ajudá-la com isso, mencionei você, junto com a informação de que moramos juntos. Então, talvez ela ligue para você.

Encantado, impressionado, Zane apenas a encarou.

— Eu sou louco de verdade por você, em todos os sentidos possíveis.

— E quem não seria? — Darby se aproximou e passou os braços em torno do pescoço dele. — Tenho que fazer um pedido ao qual não estou acostumada.

— Diga.

— Preciso que você me mande uma mensagem quando chegar ao tribunal. E outra quando chegar ao escritório.

Zane pôs as mãos no quadril dela.

— Está cuidando de mim, querida?

— Parece que sim. Não costumo pedir essas coisas, mas preciso que você me avise.

— Então, vou avisar.

Ele a puxou para um beijo. Antes de se afastar, Darby levou os lábios ao olho roxo, ao corte acima da pálpebra e ao queixo machucado.

— Preciso ir. Vamos, Zod. — Soltando-se dele, ela pegou a garrafa de água, o celular e o boné. — Não se esqueça da arnica. Compre duas embalagens — acrescentou enquanto saía com o cachorro correndo à sua frente. — Preciso de um para o meu kit.

Ele não esqueceria. E achava que era hora de comprar mais flores para ela.

Darby abriu a porta da picape para Zod e baixou um pouco a janela do passageiro enquanto o cão balançava o rabo no banco.

— Vamos para um lugar novo hoje, Zod, mas as regras são as mesmas. Nada de cavar, nada de fazer cocô até eu levá-lo a um lugar adequado. Nada de perseguir outros cachorros ou gatos — continuou ela enquanto seguia pela estrada. — Nada de ficar cheirando sua virilha ou seu traseiro. — Ele a encarou com aquele olhar amoroso e sonhador. — O trabalho de hoje é só uma limpeza — continuou ela. — Mas talvez aumente. Se fizermos um bom serviço, podemos convencer o cliente a dar uma incrementada em seu quintal na próxima primavera. É importante pensar no futuro — orientou

Darby, fazendo a curva no fim da ladeira e diminuindo ao avistar um carro no acostamento com o capô aberto. E estacionou atrás dele. — Espere um pouco — disse a Zod e saltou. — Algum problema? — gritou ela.

Então, ouviu uma voz dizer algo parecido com "bateria arriada" em um forte sotaque espanhol; o som, provavelmente, abafado pelo capô.

— Podemos fazer uma chupeta — começou Darby enquanto seguia para a frente do carro — ou...

Ela teve um vislumbre de sapatos, calça jeans, das costas da figura inclinada sob o capô.

O golpe foi tão rápido, tão inesperado, que a pegou desprevenida.

Capítulo 30

◆ ◆ ◆ ◆

Como precisava sair logo dali, ele a amparou antes que ela caísse no chão. As braçadeiras de nylon estavam prontas, e ele as prendeu em torno dos pulsos dela — só para garantir — depois de enfiá-la no banco traseiro. Então, cobriu-a com um lençol — outra precaução —, embora soubesse que não iriam muito longe.

Pouco menos de um minuto depois de Darby estacionar o carro atrás do seu, ele já estava atrás do volante de novo, dando a partida. E quase engasgou de tanto rir enquanto dirigia com o rádio nas alturas.

Por causa do som, não ouviu quando o cachorro, abandonado na picape, começou a uivar.

Tudo estava pronto no chalé, e ele se forçou a engolir as risadas enquanto estacionava e observava os arredores cuidadosamente. O sol mal tinha nascido, pensou, satisfeito. Até o lago estava vazio.

Ele a tirou do carro, carregou-a para dentro e a largou no chão enquanto pendurava a placa de "Não perturbe" na porta, trancava tudo e fechava as cortinas.

— Agora, somos só nós dois, boneca. Só nós dois.

Quando Darby soltou um gemido, mexendo-se um pouco, ele lhe deu outro soco.

— Eu ainda não estou pronto.

O homem cortou as braçadeiras e a arrastou para a cadeira que posicionara bem no meio da sala. Era uma peça firme, pesada. Então, prendeu os pulsos dela aos braços do móvel; os pés, às pernas.

— Hoje, você não vai dar uma de Bruce Lee, sua vaca. Ah, é, eu li umas matérias falando sobre isso. Até encontrei uma entrevista na internet. Gosto de bater uma punheta enquanto assisto.

Ele a revistou, guardou o celular dela em um bolso, o canivete no outro. E deu uns beliscões em seus seios, só por diversão.

Olhou para o relógio. Tudo estava acontecendo dentro do cronograma! Apesar de querer passar umas duas horas com ela, prometeu a si mesmo que usaria só uma.

O lugar já fora completamente limpo, e suas coisas estavam na mala. Chegara o momento de começar.

Ele puxou a cabeça de Darby, tentou acordá-la com um tapa. Mas nada aconteceu. Talvez o segundo soco tivesse sido forte demais. Dando de ombros, tirou uma garrafa gelada de Gatorade do isopor que preparara para a viagem.

E ficou sentado ali, com a Glock no colo, bebendo, observando-a.

Ela acordou devagar, com o rosto pulsando de dor. Um pesadelo, um pesadelo, pensou, confusa. Uma dor de cabeça terrível.

— Acorde, dorminhoca!

Seu sangue gelou; Darby sentiu um frio na barriga antes de seu estômago se revirar.

Quando abriu os olhos, a dor se tornou insignificante quando comparada ao medo.

— Sentiu saudades, boneca?

Apenas uma pessoa a chamava assim. Ela o reconheceu. A barba e o cabelo — mais comprido, com uma cor mais opaca — não mudavam aqueles olhos. Ela o reconheceu.

Quando ele levantou, segurando a arma com um ar tão despreocupado, o medo fez o suor se espalhar por sua pele, deixando-a ensopada.

Darby tentou se levantar, defender-se, lutar, mas descobriu que estava amarrada.

— Se você gritar — alertou o homem —, eu vou atirar. Não para matar, só para machucar. E, depois, vou amordaçá-la. Quero conversar um pouquinho, mas não me incomodo de fazer um monólogo com você caída no chão, sangrando. A escolha é sua.

— O que você quer, Trent?

— Eu não acabei de dizer? — Ele lhe deu um tapa não muito forte, só o suficiente para deixar claro quem *mandava* ali. — O que eu *disse*? Repita. Trent quer conversar um pouquinho.

Darby precisou engolir a bile, que ameaçava a subir por sua garganta.

— Trent quer conversar um pouquinho. Você não precisa da arma. Estou amarrada à cadeira. Não vou a lugar algum.

— Está tentando mandar em mim?

— Não. Estou pedindo para soltar a arma enquanto conversamos.

A mente dela era puro medo quando ele enfiou o cano da pistola sob seu queixo.

— Não! Que tal eu puxar o gatilho? O que você acha?

— Não posso impedi-lo, mas você veio até aqui para falar comigo, e eu não escutaria nada.

— Você está tremendo, Darb. É de medo?

— Sim. Sim, eu estou com medo.

— Que bom! Deve mesmo ter medo. — Mas Trent afastou a arma e deu um passo para trás. — Uma bonequinha assustada, não é? Você vai me dar o que eu quero, não vai?

Quando ele beliscou seu seio, ela não conseguiu controlar a tentativa de se esquivar nem o tremor, mas se obrigou a responder:

— Vou.

Darby achava que era impossível odiá-lo mais do que já odiava. Mas descobriu que estava errada.

— Você acha que eu quero sexo? Se eu quisesse, a gente até poderia transar, mas você não vai gozar, ah, não. Não vai se divertir, sua vaca. Sabe o que eu quero? Vou dizer o que eu quero, porra. — A raiva na voz dele a fez se preparar para outro soco, mas Trent lhe deu as costas e, depois, virou de novo, gesticulando com a arma, enlouquecido. — Quero a minha vida de volta, a vida que você roubou. Quero todos os minutos que passei na prisão de volta. Quero a minha empresa de volta, em vez de ficar sendo escondido pela minha família de merda, recebendo dinheiro para não atrapalhar suas vidas, para não *envergonhar* ninguém. Quero que meus sócios de merda morram, quero que meus supostos amigos morram por me excluírem, por terem tirado o que era meu. Quero parar de fingir que me arrependi de ter batido na minha própria esposa quando ela merecia. E, aí, Darb? Pode me dar essas coisas?

Ele aproximou o rosto, vermelho de fúria, do dela. Submissão, pensou Darby, Trent queria submissão, queria humilhá-la.

Talvez, se oferecesse isso, ele não a matasse.

Ela deixou as lágrimas rolarem, escorrerem pelo rosto.

— Me perdoe, Trent. Me perdoe.

— Está arrependida, Darby? Está mesmo? Estava arrependida quando sentou naquele tribunal e testemunhou contra mim? Você não parecia arrependida, sua piranha mentirosa, quando me declararam culpado, enquanto abraçava a vaca da sua mãe, como se fosse a porra de uma celebração.

Diga o que ele quer ouvir.

— Eu estava com medo, com tanto medo, e errei.

— Você *errou*? Foi isso que aconteceu? Na minha primeira semana na prisão, por causa do seu erro, eu fui atacado. Aqueles desgraçados me espancaram por motivo nenhum. Você errou?

Ah, que ironia, pensou Darby, mas manteve a cabeça baixa e continuou olhando para o chão.

— Você era tão forte. Fiquei com medo.

— O seu lugar era em casa, na casa que eu lhe dei, sob o teto que coloquei sobre sua cabeça, e não revirando terra como um cachorrinho.

O cachorro, o cachorro, o cachorro. Alguém encontraria o cachorro, a picape. Alguém...

— Você está me ouvindo?

Trent puxou sua cabeça para trás.

— Estou com vergonha, com tanta vergonha. Acho que você jamais conseguiria me perdoar. Mas eu posso tentar recompensá-lo...

— Acha que eu a quero? — Com uma risada maníaca, Trent puxou seu cabelo com força e logo a soltou. — Acha que eu vim até aqui, que me enfiei neste fim de mundo caipira, para reconquistar você? Você vai pagar, Darby, vai pagar por todas as coisas que eu quero e não posso mais ter. — Ele enfiou a arma na barriga dela. — Que tal começarmos assim? Como vai sua mamãezinha, Darb? Como ela está, filhinha da mamãe? Sabe como aquilo foi fácil?

Ela ouviu seu celular tocar — uma mensagem? Distraído, Trent afastou a arma e tirou o aparelho do bolso.

— De Roy. Está dando para esse cara também? — Ele jogou o celular no chão e pisou no aparelho. — Sinto muito, Roy, Darby não pode atender.

Seu corpo voltou a tremer, e as juntas dos seus dedos batiam, batiam, batiam contra o braço da cadeira.

— Do que você está falando? Sobre a minha mãe?

— O quê? Ah, sim. — Ele pegou novamente o Gatorade e tomou um gole demorado. — Você voltou correndo para ela, não foi? Voltou correndo para casa enquanto seu marido apodrecia na prisão. Até conseguiu uma medida protetiva para me manter afastado quando saí, sempre na mordomia do colinho da mamãe.

— Você... — Nada, mesmo depois de tudo que Trent fizera, a preparara para aquilo. Seria impossível se preparar para algo assim. — Você matou minha mãe.

— Você matou a sua mãe! Quando me colocou naquela prisão, decretou a morte dela. Eu só roubei um carro. A gente aprende algumas coisas úteis lá dentro. É assim que eles falam, sabe; *lá* dentro. Roubei um carro, coloquei minha bicicleta no bagageiro, derramei um pouco de cerveja no chão, acendi um baseado. Só precisei esperá-la passar correndo, e *bam*! — Trent fez uma dancinha. — Cara, como a velha voou! Continuei dirigindo, larguei o carro, voltei de bicicleta para onde tinha deixado o meu. Pá, pá. E, que peninha, a mamãe morreu!

Tristeza, raiva e assombro a dominavam, e Darby tentou se levantar da cadeira, mesmo estando amarrada.

— Ela nunca fez nada contra você!

— Sua mãe a acolheu, quando você era minha! Ela olhou para mim pelas suas costas naquele tribunal, olhou para mim quando me levaram embora, satisfeita. E não deveria ter feito aquilo. Quando eu terminar, vou matar você, e, depois, talvez daqui a um ou dois anos, voltarei para matar aquele babaca que está comendo você. E vou fazer um trabalho melhor do que aquele jeca bêbado, que achava que atirar contra uma casa faria alguma diferença.

Trent não era só agressivo, percebeu Darby enquanto sua cabeça gritava. Não era só um homem maldoso, violento, egoísta. Ele era um assassino.

A máscara que usara, até mesmo durante o julgamento, havia caído. Agora, Darby não só via o assassino oculto, como também alguém que sentia prazer em matar.

E ela morreria ali, pelas mãos dele.

𝒜pesar de ter bastante tempo antes de precisar estar no tribunal, Zane se vestiu, com exceção da gravata, e colocou uma bola de beisebol no bolso do paletó. Maureen tinha razão sobre ela estragar os contornos do terno, mas ele gostava de revirá-la em sua mão enquanto ouvia o oponente interrogar uma testemunha.

Então, guardou a gravata dobrada em outro bolso e pegou o celular quando o escutou tocar.

— Walker. Oi, Roy.

— E aí, Zane? Darby está com você?

— Faz quase uma hora que ela saiu. — Um calafrio subiu por sua espinha. — Vocês estão no novo cliente?

— Estamos. Talvez ela tenha feito outra parada no caminho, mas não está atendendo ao celular. Tentei mandar mensagem e ligar. Mas o serviço é ruim em certos lugares.

— Sei. Escute, estou saindo... — Ele ligaria para o contato em Raleigh quando chegasse a Asheville. — Vou dar um pulo na casa de Emily. Talvez ela tenha passado lá primeiro, só para ver como estão as coisas. Aviso quando tiver notícias.

— Valeu. Sabe, acho que eu vou ligar para a Best Blooms, talvez ela tenha ido comprar alguma coisa.

— Boa ideia.

Mas Zane ouvira na voz de Roy o mesmo nervosismo que ecoava em sua mente. Darby não se distrairia nem faria outra parada que a atrasasse para o trabalho — não sem avisar à equipe.

Enquanto descia correndo a escada, ele pensou em ligar para Lee. Dê apenas um pulo na casa de Emily, pensou. Deve estar tudo bem. Era melhor ir até lá.

Saindo, tentou ligar para Darby, mas foi atendido pela caixa postal.

— Ligue para mim — disse ele, ríspido, e entrou no carro.

Quando seus instintos avisavam que havia algo errado, era melhor escutar. Zane começou a ligar para Lee pelo bluetooth e fez a curva.

E viu a picape dela.

Ele tentou dizer a si mesmo que o carro quebrara, mas sabia, simplesmente sabia, antes mesmo de ouvir o cachorro uivando. Antes de ver o boné, que Darby vestira antes de sair, caído no chão.

Zod pulou no seu colo assim que Zane abriu a porta. Lutando para manter a calma, ele ligou para Lee.

— Alguém pegou Darby. A picape dela está parada no acostamento da estrada, 15 metros depois da curva. O cachorro ainda estava no carro. O boné está caído no chão. Alguém a pegou.

— Estou a caminho.

Zane pensou em Jed Draper e, movido pela raiva, voltou para o carro e colocou Zod no chão do lado do passageiro.

— Fique aí.

Ele saiu do acostamento, enfiando o pé no acelerador. Por que achara que Draper perderia uma briga e não tentaria revidar?

Porque tinha visto, tinha visto aquilo nos olhos do outro homem enquanto ele levantava do chão. Mas se tivesse se enganado...

Zane fez uma curva rápido demais, derrapou e seguiu em frente.

Vi alguém parecido no lago outro dia, dissera Darby. *Ele me deixou nervosa.*

Não havia livros na casa, jogava no laptop; nenhum Bingley nas mais de cem faculdades que já verificara.

Aquilo não fazia sentido, não fazia sentido algum, mas...

Ele virou o carro e foi em direção aos Chalés Lakeside Walker.

— Ela não teria parado o carro para falar com Jed Draper. Isso fazia menos sentido ainda. Fique aí — ordenou ao cachorro quando estacionou pouco antes do Chalé Cinco.

Para manter o cachorro no lugar, no chão do conversível, Zane lhe deu sua gravata.

Então, seguiu para a entrada, rápido e silencioso.

As cortinas estavam fechadas. Quem fechava cortinas com uma vista daquelas? Talvez as do quarto, para dormir, mas no restante da casa?

Ele continuou se movendo, pisando na grama, procurando por uma brecha nas cortinas que lhe permitisse enxergar o lado de dentro.

Enquanto dava a volta, ouviu a voz de um homem, gritando, enfurecido:

— Olhe para mim, sua piranha. Olhe para mim quando falo com você. Vou atirar nos seus joelhos e, depois, nas suas tripas se você não agir com respeito!

Zane pegou o celular e mandou uma mensagem para Lee:

Chalé Cinco. Ele está armado.

Então, desligou o aparelho.

Sem qualquer intenção de esperar pelo delegado, ele voltou para a frente da casa. Tinha de tirá-lo de lá — disparar o alarme do carro —, tirá-lo de lá, pegá-lo de surpresa. Tirá-lo de lá, afastá-lo de Darby.

E, antes de chegar à porta, Zod começou a uivar.

— Isso serve — murmurou Zane.

E continuou andando. Sentindo o peso em seu bolso, segurou a bola de beisebol.

— Que porra é essa? — perguntou Trent.

Ele foi para a janela da frente e afastou a cortina para dar uma olhada. Às suas costas, Darby ficou tensa, balançando-se.

Zod, depois de pular para fora do carro, embolado com a gravata de Zane, ergueu a cabeça e começou a uivar de novo.

— Cachorro idiota! Eu tenho uma bala sobrando para um bicho horroroso desses.

Ele abriu a porta e saiu para a varanda, sorrindo enquanto mirava.

Zane saiu de trás do mamoeiro que Darby plantara e arremessou a bola como o garoto que sonhara em jogar profissionalmente no Camden Yards.

Ela acertou o rosto de Trent com um baque doloroso, e, enquanto ele cambaleava, a arma caiu de sua mão. Às suas costas, Darby se impulsionou com a cadeira para acertá-lo, e Zane correu para apagá-lo enquanto estava no chão. Trent ficou inconsciente.

A paisagista se inclinou para trás, quase caindo com a cadeira, enquanto Zane se aproximava.

— Jo-jo-jogada tripla — disse ela com os dentes batendo. — Zod para Walker para McCray.

Em seguida, começou a chorar, como se seu coração, como se todo o seu ser, tivesse sido partido em pedacinhos.

— Está tudo bem. Ele não vai mais machucá-la. — Zane empurrou a arma e a prendeu com o pé, acariciando o rosto de Darby. — Preciso pegar alguma coisa para soltá-la, está bem? Vou soltá-la, e vamos sair daqui.

— É o Trent. Foi ele quem matou minha mãe. Acabou de confessar. Ele matou minha mãe.

Zane não tinha palavras, e a única coisa que podia fazer era pressionar os lábios contra o rosto dela.

— Fique calma. Calma. Vou buscar alguma coisa para soltar você.

— Trent pegou meu canivete. Está no seu bolso. Ele morreu?

— Pronto, Zod chegou. — Zane ergueu o cachorro, ainda agarrado à gravata, e o colocou no colo dela. — Espere só um pouquinho.

Ele não tinha morrido — Zane sentiu sua pulsação. E encontrou o canivete. Uma nova onda de raiva começou a latejar dentro de si quando viu os cortes profundos que as braçadeiras haviam feito na pele de Darby.

— Vou levar você para casa. Lee está a caminho. Depois, vou levar você para casa. Vou cuidar de você, vou cuidar de tudo.

— Ele matou minha mãe porque ela me amava, porque ficou ao meu lado quando precisei. E disse que matou Clint Draper. Talvez porque goste de matar pessoas, talvez porque queira causar problemas para você. Porque estamos juntos.

— Ele nunca mais vai machucá-la. Nunca mais vai sair da prisão. Preciso contar a Lee o que aconteceu, pedir para que chame uma ambulância. Queremos que ele continue vivo, Darby, confie em mim — disse Zane enquanto tirava o celular do bolso e ligava de novo. — Passará muito tempo trancado em uma cela. Lee, o cara está apagado. Estou com Darby. Precisamos de uma ambulância. Sim, estou com ela. — O aparelho voltou para o bolso. — Lee queria chegar sem fazer barulho, mas estão aqui do lado. Você não precisa falar com ninguém agora. Vou levá-la para casa.

Aqueles lindos olhos estavam arregalados, um pouco vítreos, mas Darby não os desviou.

— Você jogou uma bola de beisebol nele. Jogou uma bola de beisebol na cara dele. Eu quero aquela bola.

— Claro, podemos pegá-la de volta depois. Lee terá que levá-la por enquanto. Veja, ele chegou junto com a delegacia de Lakeview inteira.

O delegado correu até os dois e deu uma boa olhada em Trent.

— A ambulância está vindo. Vou pedir outra.

— Eu estou bem. — Darby abraçou o cachorro louco de felicidade. — Esse é Trent Willoughby, meu ex-marido. Eu parei porque vi o carro no acostamento, parecia enguiçado. Não sei distinguir a porcaria de um Prius de um Toyota — disse ela para Zane.

— Querida, um Prius é um Toyota.

— Viu só? Ele me apagou, acordei amarrada à cadeira. Ele planejava me matar, mas não conseguia parar de falar. Disse que matou minha mãe, confessou o crime em detalhes. E também confessou ter matado Clint Draper. Prefiro contar o resto depois. Estou um pouco nervosa.

— Não tem problema. Que tal Zane levar você e o cachorro para nossa casa? É perto, e Emily está lá. Não vou demorar aqui.

Darby começou a se levantar, mas perdeu o equilíbrio. Zane a ergueu em seus braços — ela e o cachorro.

— Só um pouco nervosa.

— Vou cuidar de você — disse ele e, em seguida, olhou para Lee. — Vou cuidar dela.

— Tenho certeza disso. Vão até Emily. — O delegado olhou para Trent enquanto Zane carregava Darby para longe. — Eu cuido disso aqui.

A COISA TODA demorou horas. Enquanto Emily a acalmava e paparicava, Zane foi dar uma volta para se acalmar. Não obteve o resultado que desejava, mas ele se tranquilizou o suficiente para fingir que sim, pelo bem de Darby.

Ela deu um longo e detalhado depoimento para Lee e deixou que Dave cuidasse dos cortes em seus pulsos e tornozelos, nos quais Emily já havia feito curativos.

E, porque pediu, ele lhe contou sobre o estado de Trent.

Concussão, retina descolada, nariz quebrado, maçã do rosto fraturada.

— Bela jogada, campeão — disse Dave para Zane.

— Mas ele vai sobreviver? — insistiu Darby.

— A situação é complicada, mas não grave. Ah, ele também perdeu alguns dentes e está com as panturrilhas roxas.

— Darby o acertou com a cadeira onde estava amarrada.

— Outra bela jogada. Acho que seria bom você ir ao médico.

— Esse não foi o primeiro soco que levei no rosto. Embora eu espere que seja o último. — Mais calma, ela se levantou. — Emily, nem consigo explicar quanto é importante para mim saber que você estava aqui quando precisei.

— Meu bem, juro que sempre vou estar.

— Ele tirou minha mãe de mim. — Seus olhos se encheram de lágrimas de novo. — Ela ficaria feliz se soubesse que encontrei alguém para ocupar seu lugar.

Perdendo o controle, Darby pressionou o rosto contra o ombro de Emily enquanto a mulher a abraçava.

Quando ela se acalmou e se afastou, Emily passou um braço em torno dos ombros de Brody.

— Nunca mais vou duvidar dos seus instintos sobre ninguém. Nunca.

— Sinto muito sobre sua mãe, Darby. Sinto muito.

— Eu também. Você é meu herói, Brody. — Darby se inclinou, dando-lhe um leve beijo nos lábios. — Tenho muitos heróis hoje.

E encontrou outros quando Zane, finalmente, a levou para casa. Sua equipe inteira esperava na varanda, com vasos de flores, travessas de comida e tortas. E um bolo.

— A gente queria ver como você está — começou Roy. — Sabemos que precisa descansar, mas queríamos ver como está.

Ele baixou a cabeça quando sua voz embargou.

— Limpamos dois chalés — pigarreou Ralph. — Achamos que você ia querer que fizéssemos isso. E, amanhã, vamos cuidar dos outros, porque não queremos vê-la por lá, e ponto-final.

— Quem é a chefe? — perguntou Darby.

— Não interessa. Se algum dia eu encontrar o cara que deixou seu rosto todo roxo, ele vai desejar não ter nascido. E ponto-final também.

— Que tal nós entrarmos, para você sentar um pouco? — Hallie subiu os degraus. — E os homens podem levar todas essas coisas para a cozinha. Provavelmente você receberá muito mais — continuou ela enquanto passava um braço em torno da chefe. — Zane, você deixou a porta aberta — acrescentou, guiando Darby para a casa. — Não quisemos entrar. Vocês vão receber mais comida — continuou —, porque a notícia já está correndo toda a cidade. As pessoas querem ajudar de alguma forma. Todo mundo gosta de você aqui em Lakeview, Darby.

— Hallie, preciso subir para chorar.

— E eu vou levar você lá para cima. Gabe, me passe um desses vasos para eu deixar no quarto.

— Este aqui é da dona Cherylee. Bem caro e espalhafatoso. — Ele esfregou as costas de Darby. — Acho que vou dar um você-sabe-o-que para Zod. Ele merece.

— Obrigada, Gabe. Obrigada a todos vocês.

Hallie a abraçou enquanto ela chorava e ficou ao seu lado até que conseguisse dormir.

Quando acordou, Darby olhou pela janela comprida, encontrando a vista para o lago, os barcos navegando, as crianças pulando da balsa.

Viu as flores exuberantes enviadas por uma mulher que acabara de conhecer. Pensou na comitiva que a aguardava quando Zane a trouxera para casa.

Ela se levantou, analisou o rosto no espelho, a face machucada, o olho levemente arroxeado — considerando tudo que tinha passado.

— Você nunca foi burra — disse para seu reflexo. — Só nos momentos em que achava que era.

Então, desceu e encontrou Zane andando de um lado para o outro na sala, pendurado ao telefone.

— Ela acordou — disse ele sem tirar os olhos do seu rosto. — Já ligo de volta. Todo mundo quer saber como você está. Acabei de ir no quarto dar uma olhada. Conseguiu dormir um pouco.

— Sim. E me sinto melhor. Zane...

— Por favor — disse ele, correndo em sua direção e lhe envolvendo em seus braços, apertando-a com muito, muito cuidado. — Eu preciso disso. Só um minuto.

— Demore o tempo que quiser.

— Quando encontrei a picape, a vida parou por um minuto. Tudo parou. Eu devia ter falado com Lee quando Brody me contou.

— Não. Não e não. Isso seria traição, e Lee não teria feito mais do que você fez. Se está se culpando pelo que aconteceu, está enganado. Não faça isso. — Darby se afastou. — Não faça isso com seu primo brilhante, com nosso cachorro incrível, com aquela bolada magnífica que salvou minha vida. Será que podemos...

— Qualquer coisa.

— Cuidado, ou eu posso pedir uma viagem para Aruba. Podemos nos sentar na varanda para tomar um vinho?

— Claro.

Quando Zane pegou o vinho e se acomodou ao seu lado, ela segurou a mão dele.

— Quero acabar logo com essa história. Como você me encontrou?

— Primeiro, achei que tinham sido os Draper, mas não fazia sentido. Então, lembrei que você disse ter visto um cara parecido com o que Brody descreveu, que ele havia acenado do lago. E que aquilo a incomodara.

— Só isso?

— Isso e tudo mais que Brody me disse, o fato de eu não conseguir encontrar ninguém com aquele nome em uma faculdade em Nova York. Meus instintos me disseram para ir para lá, então obedeci.

— Acho que vou fazer um brinde aos seus instintos.

— Sinto muito pela sua mãe, Darby. Sei que você deve estar sentindo como se a tivesse perdido de novo.

As lágrimas voltaram.

— Primeiro, só me senti vazia, sugada. Ele se vangloriou do que fez, estava orgulhoso. E isso me deu forças para tentar machucá-lo. Eu não sairia de lá sem você e Zod, mas estava pronta para lutar. — Depois de secar as lágrimas, ela tomou um gole de vinho. — Trent enlouqueceu, Zane. Acho que ele sempre foi assim, mas ele mantinha o controle, se é que você me entende.

— Sim, entendo.

— Ele se escondia, mantinha tudo sob a superfície. Um lado oculto, não é? Já havia se descontrolado comigo antes, mas não dessa forma. O que aconteceu hoje foi, bem, uma loucura calculada, acho. Trent planejou tudo, da mesma forma que planejou matar minha mãe. — Darby suspirou. — Acho que não teria dado certo. A polícia o pegaria. Mas ele não pensava assim. Tinha certeza de que escaparia, porque já tinha feito isso antes. E gostava disso. Trent matou duas pessoas porque sentia prazer nisso.

— Acho que mais.

— Mais... — O baque tomou seu corpo de novo. — Mais pessoas?

— Foi um intervalo muito grande entre sua mãe e Clint. Quando a polícia terminar com ele, acho que terão descoberto outras vítimas. Pelo menos uma ou duas.

— Era inevitável que ele surtasse — continuou ela. — A máscara de Trent era sólida. Eu era jovem e não tinha tanta experiência quanto acreditava. Ele era tão charmoso, sempre dizia as coisas certas. Ah, meu Deus, e era tão legal com a minha mãe.

— Ele sabia que sua mãe era importante para você.

— Sim, sabia. Mas, depois que me fisgou, começou a deixar transparecer a verdade. Eu não era burra. Entendi que as coisas entre nós não dariam certo, mas precisava tentar. Você não se casa em um dia e vai embora no outro. Não foi burrice tentar.

— É claro que não.

— No fundo, eu me achava burra. Acreditava que tinha sido uma idiotice me deixar seduzir por um homem bonito que parecia perfeito para mim. E foi burrice pensar assim.

— Que bom que você entendeu isso!

Zane beijou a mão dela e, depois, o pulso enfaixado.

— Como eu estava convencida de que era burra, disse a mim mesma que você e eu não éramos sérios, que íamos deixar rolar e ver o que acontecia. Quero dizer, afinal de contas, eu queria transar com um homem de quem eu gostasse, um cara bonito que entende as propriedades vitais do beisebol, aprecia as vantagens de ter um cachorro feio, aceita minhas visões criativas, e assim por diante.

— Eu sou tudo isso mesmo.

— Você é. E é um docinho de coco também. E eu amo você. Isso não é burrice. Quero construir uma vida ao seu lado, o que também não é burrice. Quero ter uma família com você, o que não é burrice alguma.

— Está dizendo que aceita se casar comigo, Darby?

— Sim.

Ele se levantou, erguendo-a e sentando-se novamente com ela em seu colo.

— Quando?

— Isso é complicado. Quero uma cerimônia simples, bem aqui, com uma festa no quintal. Mas Roy vai casar na primavera. É a época mais movimentada, e ele quer tirar uns dias para a lua de mel. Não podemos nos ausentar ao mesmo tempo.

Zane lhe deu um beijo na face, no olho, nos lábios. E se demorou nos lábios.

— O fim de semana do Dia do Trabalho.

— Dia do Trabalho?

— Até você pode tirar o Dia do Trabalho de folga. Especialmente para se casar comigo.

— Mas... você está falando de setembro *agora*? Walker, é praticamente amanhã.

— Por que esperar? Ainda mais quando não estamos falando de pessoas burras. E, por acaso, eu conheço algumas mulheres capazes de planejar uma festa enorme em cinco minutos.

— Mas eu tenho a manutenção do outono, o plantio das árvores. Teria que...

— A gente espera e deixa para o inverno, a lua de mel. A época mais tranquila para você. Podemos ir a Aruba.

Darby teve de rir.

— Você é muito espertinho!

— Eu também não sou burro. A vida parou, Darby — disse ele, passando um dedo pela tatuagem na nuca dela. — Não vamos desperdiçar nem um minuto agora que ela recomeçou.

— Você salvou minha vida com uma bola de beisebol. Eu quero aquela bola. Quero colocá-la em uma moldura, no escritório que vou montar em um dos quartos de hóspede; depois que eu decidir de qual gosto mais. — Ela segurou o rosto dele. — Olhe só para nós dois: olhos roxos e um monte de hematomas. Que casal esquisito! No fim de semana do Dia do Trabalho. — Darby levou seus lábios aos dele. — Combinado.

— Nós temos formas melhores de selar um acordo.

— Ainda não terminei — disse ela, pressionando uma mão contra o peito de Zane para afastá-lo. — Se vamos mesmo começar uma família, ter filhos, um de nós precisa aprender a cozinhar.

Ele a encarou.

— Podemos jogar cara ou coroa. Cara, eu aprendo; coroa, você aprende.

— Pedra, papel e tesoura.

— Melhor de três.

— Tudo bem.

Depois, enquanto ela apoiava a cabeça no ombro dele, Zane disse a si mesmo que aprender a cozinhar não seria tão ruim assim.

— Uma vez na semana, teremos a noite da pizza — decidiu. — Congelada ou *delivery*.

— Mas é óbvio.

Darby beijou-lhe o rosto.

Juntos, com o cachorro roncando aos seus pés, os dois ficaram sentados, no silêncio, observando o sol se pôr atrás das montanhas a oeste, fazendo seu fogo brilhar sobre a água.

Impresso no Brasil pelo
Sistema Cameron da Divisão Gráfica da
DISTRIBUIDORA RECORD DE SERVIÇOS DE IMPRENSA S.A.
Rua Argentina, 171 – Rio de Janeiro, RJ – 20921-380 – Tel.: (21)2585-2000